Sodbrennen

Gabriele Walter

Die Autorin

Im Jahre 1954 wurde sie in Schwäbisch Hall geboren. Ihre Kindheit und Jugend verbrachte sie in Schwäbisch Gmünd. 1973 heiratete sie. 1981 zog die Familie ins Nördlinger Ries.

Bereits als Teenager schrieb sie Kurzgeschichten für ihre Freundinnen. Nach der Schulzeit wollte sie ihren größten Wunsch, Schriftstellerin zu werden, in die Tat umsetzen. Doch das Leben kam dazwischen. Erst Jahre später gelangte sie nach einigen Umwegen in eine Situation, die sie erkennen ließ, dass allein das Schreiben genau das war, was sie schon immer tun wollte. Und so wurde es zu einem wesentlichen Teil ihres Lebens.

Während ihrer jahrelangen beruflichen Tätigkeit als Einzelhandelskauffrau, Ausbilderin und Seminarleiterin durfte sie Menschen aus unterschiedlichen sozialen Schichten kennenlernen und zwischenmenschliche Erfahrungen sammeln, die sich in ihren Romanen widerspiegeln.

Ihre Romane handeln von der Liebe, die stets geheimnisvoll und zuweilen sogar gefährlich sein kann, von Schicksalen, wie sie einem täglich begegnen, und mystischen Ereignissen, die der Verstand mitunter nur schwer erklären kann. Es geht jedoch immer um Frauenschicksale. Starke, schwache, träumende, liebende und mit dem Schicksal hadernde Frauen.

Bibliografische Information der Deutschen Nationalbibliothek:
Die Deutsche Nationalbibliothek verzeichnet diese Publikation in der
Deutschen Nationalbibliografie; detaillierte bibliografische Daten sind
im Internet über http://dnb.dnb.de abrufbar.

2.Auflage 2019

Umschlaggestaltung:
Manuel Walter

Coverbild:
© Fotolia / Piotr Wawrzyniuk

Herstellung und Verlag:
BoD – Books on Demand, Norderstedt

ISBN:
9783732299676

Kapitel 1

In alten Fotos zu kramen, ist genau die richtige Beschäftigung für graue Wintertage wie diesen, denke ich, während ich mich strecke und mühsam den alten, weißen Schuhkarton vom obersten Regal des Schlafzimmerschrankes herunterziehe.

Ein mausgrauer Kaschmirpullover der obenauf liegt, fällt herunter, mir mitten ins Gesicht, und weil ich nicht schnell genug nach ihm greife, auf den Parkettboden.

Ich bücke mich. Magensäure kriecht durch meine Speiseröhre. *Auch das ist bald vorbei.* Ich schlucke, hebe ihn auf, falte ihn ordentlich zusammen und werfe ihn, entgegen meiner üblichen Korrektheit, schwungvoll wieder zurück.

Das orangefarbene Wort – PHOTOS – das ich irgendwann passenderweise quer über den Deckel des Schuhkartons geschrieben habe, sticht mir förmlich in die Augen und ich erinnere mich an das, was ich dachte, als ich den Karton beschriftete. *Nur eine Übergangslösung. Sobald ich Zeit habe, klebe ich die Fotos in entsprechende Alben.* Das ist jetzt über dreißig Jahre her. Den Karton hole ich zwar ab und an mal herunter, aber nur um neue Fotos hineinzulegen.

Noch einmal lasse ich meinen Blick durch den Raum schweifen, über die weiß gestrichenen Möbel, all die kleinen Dekorationsstücke, die ich voller Freude aus unzähligen Orten dieser Welt zusammengetragen habe, um sie hier liebevoll zu platzieren. Zuletzt über das Bett, in dem ich sinnlich romantische, zu meist erholsame, aber auch von Sorgen und Kummer belastete, schlaflose Nächte verbracht habe. Das Bett, in dem ich nie wieder liegen werde. Ich atme den süßlich frischen Geruch des Weichspülers, der in der frisch bezogenen Bettwäsche haftet, und den erotisch angehauchten meines Lieblingsparfüms, der wie ein zarter Schleier über allem hängt.

Dieses erdrückende Gefühl der Einsamkeit, das mich während der letzten Tage allzu oft heimgesucht hat, stellt sich auch jetzt wieder ein und schnürt mir die Kehle zu. Mit hängendem Kopf begebe ich mich ins Erdgeschoss. Gebeugt, als trage ich die Last der ganzen Welt, gehe ich die Diele entlang zu meinem Lesezimmer, das mir jahrelang als Büro, jedoch auch als Ort der Erholung und Besinnung gedient hat.

Ich fühle mich leer und ausgebrannt. Immer noch verschleiern Tränen meinen Blick, den ich nun zur vollgestopften Bücherwand lenke. Literatur, während all der Jahre zu Recherchezwecken zusammengetragen. Dann zum antiken Schreibtisch, den der Flachbildmonitor und eine verchromte Tastatur zu entweihen versuchen, was ihnen jedoch nicht wirklich gelingt – mein Arbeitsplatz.

Kaum merklich vor mich hinlächelnd, setze ich mich auf die mit weinrotem Leder bezogene englische Couch. Den Karton stelle ich auf meine Knie und öffne ihn.

Zuoberst liegen die Aufnahmen vom letzten Sommer. Urlaub auf Rügen. Ein Gefühl von Wehmut breitet sich in meiner Brust aus. Wahllos grabe ich etwas tiefer und ziehe einige Fotos heraus. Eines, schon ein wenig verblichen, auf dem meine verstorbenen Eltern zu sehen sind und ein weiteres, auf dem ich mit der bunten Einschulungstüte im Arm vor der alten Schule stehe. Ich erinnere mich noch genau an die lachsfarbene Strickjacke, die ich an diesem Tag trug, und das blumenbedruckte Kleidchen. Das nächste Foto wurde an Ostern vor unserem Haus in Geroldstein geschossen. Unschwer an meiner rechten Wange zu erkennen, dass ich mir ein ganzes Osterei in den Mund geschoben habe.

„Ha!" Da ist sie ja, die einzigartige Aufnahme, die mich wie keine andere an meine Kindheit erinnert. Nicht, weil es ein Foto aus jener Zeit ist, das sind andere auch, nein, weil es etwas in meinem Herzen bewegt, das mir das Wasser in die Augen treibt, weil es mich traurig stimmt und gleichzeitig zum Lachen bringt. Mit der rosaroten Brille auf der Nase, in deren Gläsern sich ein Teil der Umgebung spiegelt, und dem unmöglichen Haarschnitt, der eher einem Helm denn einer Frisur ähnelt, sehe ich mehr als komisch darauf aus. Mütter sollten ihren Kindern nur dann die Haare schneiden, wenn sie den Beruf des Frisörs entweder erlernt oder zumindest ein besonderes Talent dafür haben. Meine hatte weder das eine noch das andere, dafür aber ein echtes Problem mit meinem Pony. Mehrere Versuche waren nötig, ihn einigermaßen gerade hinzukriegen. Das Resultat – viel zu kurz. Aber das war dann ja mein Problem. Mein einziger Trost bestand in der Gewissheit, dass die Fransen wieder wachsen würden.

Unwillkürlich fahre ich mit den Fingern durch mein langes, volles, wegen der silbergrauen Strähnen mittlerweile schwarz gefärbtes Haar, streiche es aus der Stirn und lächle vor mich hin.

Diese Szene, das was ich hier mache, könnte der Anfang eines neuen Romans sein. Ein Gedankenblitz, den ich sogleich verwundert, überhaupt daran gedacht zu haben, weit von mir schiebe, denn ich habe keine Lust mehr zu schreiben. Im Grunde habe ich zu nichts mehr Lust, am wenigsten auf das Leben selbst. *Ach, Richard!* Ich seufze. *Alles ist so sinnlos geworden, jetzt da du gegangen bist. Das Haus ist viel zu groß für mich allein und jeder Winkel, jedes noch so kleine Detail erinnert mich an dich.* Erneut seufze ich, lege die Fotos zurück und schließe den Karton. *Wozu habe ich den Kasten überhaupt runtergeholt? Etwa weil ich irgendwo im hintersten Winkel meines Gehirns annahm, in alten Erinnerungen zu kramen könnte mich von meinem Entschluss abbringen?*

Müde erhebe ich mich, begebe mich zur Terrassentür und ziehe die Gardine beiseite. Ein letztes Mal betrachte ich meinen geliebten Garten, der zurzeit verborgen unter einem weißen Tuch aus frisch gefallenem Schnee auf den kommenden Frühling wartet so wie jeden vergangenen Winter.

Wartet? Wartet er wirklich? Liegt brach da, einfach so, lässt den lieben Gott einen guten Mann sein, sinniere ich und senke den Blick, *erholt sich und wartet? Zumindest hat es den Anschein. Nun ja, die Pflanzen nutzen diese Ruheperiode, um Kraft zu sammeln, während sie sich gleichzeitig auf das neue Leben vorbereiten, das im Frühling aus ihnen heraussprießen wird. Etwas, das die meisten Menschen in dieser schnelllebigen Zeit verlernt haben. Ja,* sinniere ich nickend und werfe, bevor ich mich kläglich lächelnd abwende, einen letzten Blick hinaus, *heute ist ein guter Tag zum Sterben.*

Ich wende mich dem Glas mit der bronzefarbenen Flüssigkeit zu und den Schächtelchen mit dem todbringenden Inhalt. Schlaftabletten.

Ursprünglich wollte ich mir in der Badewanne die Pulsadern aufschneiden. Allein schon die Vorstellung einer aufgedunsenen Leiche in blutgetränktem Wasser und der Blutlache, die sich unter dem eventuell aus der Wanne hängenden Arm bilden würde, bereitete mir Übelkeit. Zumal ich diesen Abgang auch für allzu dramatisch halte. Außerdem hasse ich es, eine Schweinerei zu hinterlassen. „Das Haus muss ordentlich sein, bevor ich es verlasse. Könnte ja sonst was passieren." Jahrelang weigerte ich mich sehr bewusst, diese Philosophie meiner Mutter anzuerkennen und letztendlich sogar anzunehmen. Manchmal machte ich die Betten nicht, bevor ich das Haus verließ. Kissen, die ich im Vorübergehen noch schnell ordentlich aufstellte, warf ich wieder durcheinander und in der Küche blieb oft ein einzelnes Glas oder eine Tasse auf der Spüle stehen.

Unmerklich schüttle ich den Kopf und sehe mich um. *Alles ordentlich.*

Ich schalte das Radio an, drücke die Open/Close-Taste für das CD-Laufwerk und lege eine CD ein. Einschmeichelnde Musik zum Einschlafen, zum Hinübergehen, muss schon sein. Noch einmal drücke ich auf die Open/Close-Taste, warte bis das CD-Laufwerk wieder geschlossen ist und drücke auf „Play". Das Violinkonzert von Vivaldi erklingt.

Soll ich jetzt? Suchend sehe ich mich noch einmal um. *Habe ich auch nichts vergessen?* Verneinend schüttle ich den Kopf, trete an meinen alten Ohrensessel, den ich von Oma geerbt habe, streichle über die Rücken- zur Armlehne und lächle.

Dieser Sessel war außer Kleidung und einigen Schmuckstücken, das Einzige, das meine Oma aus ihrer Heimat hierhergeschleppt hatte, damals, gegen Ende des Krieges. Opa war laut ihrer Aussage ein begnadeter Möbelschreiner gewesen und der Sessel sein Meisterstück. Er hatte ihn Oma zur Hochzeit geschenkt. Und sie wollte ihn keinesfalls den Russen in die Hände fallen lassen. Also packte sie ihn, zwei Koffer – einen mit ihren Sachen, einen mit denen meiner Mutter –, dazu mehrere Wolldecken auf einen Leiterwagen und zog gen Süden. Opa sollte mit diesem Meisterstück, sowie der Krieg zu Ende wäre, einen Neuanfang wagen. Opa kam nicht zurück.

War gar nicht einfach dich durch mein Leben zu schleifen. An den entsetzten Blick aus Richards aufgerissenen Augen, als ich damit ankam und an seinen, wenn auch schwachen Protest, als ich begann das Wohnzimmer umzuräumen, um ihn würdig zur Geltung zu bringen, erinnere ich mich noch allzu gut. Damals lebten wir in einer Dreizimmerwohnung am Rande Münchens. Irgendwie stand das Monstrum immer im Weg.

Erst nachdem Richards Mutter unerwartet und viel zu früh von uns gegangen war, und wir in sein Elternhaus nach Herrsching am Ammersee zogen, fand ich den richtigen Platz für ihn.

Mein lieber Schwiegervater, ein überaus verständnisvoller und weiser alter Mann, verschloss trotz des Glücks, das er über unseren Einzug empfand, nicht die Augen vor meinen Bedürfnissen. Er bestand darauf, mir einen Raum zu überlassen, der mir die Möglichkeit bieten sollte, mich jederzeit zurückziehen zu können, wann immer mir danach zumute sein würde. Selbstverständlich durfte ich ihn ganz nach meinen Wünschen einrichten.

Ich seufze. *Ein überaus großherziger Mann. Obwohl er uns mit seinem Dickschädel mitunter ganz schön auf die Palme gebracht hat.*

Zu unserem Leidwesen folgte er seiner Frau nach nicht mal einem Jahr. Das Herz. Er konnte es nicht ertragen, ohne seine große Liebe zu leben und da hörte sein Herz einfach auf zu schlagen. Ein altes Herz. Meins ist noch verhältnismäßig jung. Mit vierundfünfzig stirbt man nicht einfach so an gebrochenem Herzen.

Ich verzettle mich und überhaupt, warum denke ich gerade jetzt über diesen Sessel nach ...? Es ist der Sessel, in dem ich sterben werde, geht es mir blitzartig durch den Kopf.

Wie um diese Überlegung zu untermauern, setze ich mich hinein. Ich lehne mich bequem zurück, lege meine Arme auf die Lehne, schließe die Augen und atme tief durch.

So viele Gedanken, die ich nicht festzuhalten vermag, jagen mir durch den Kopf. Ich sehe Bilder aus längst vergangener Zeit – Blitzaufnahmen. Erschöpft lege ich meine Hände in den Schoß und schiebe sie, während ich mich vorbeuge, zwischen meine Knie. So bleibe ich eine ganze Weile sitzen, bis meine Gedanken langsamer werden und bei Richard stehen bleiben.

Ja, das Herzklopfen wurde mit den Jahren leiser, aber ich liebte diesen Mann mit jeder Faser meines Herzens. Er fehlt mir so sehr. Seine Kraft und sein nie enden wollender Optimismus. Er war mein Herz und das hat aufgehört zu schlagen. Er war der Faden an dem mein Leben hing und dieser Faden ist nun gerissen.

Ich kann meine Tränen nicht mehr zurückhalten und heule tief schluchzend los. Erst nachdem ich mich ein wenig beruhigt und mir die

Nase geschnäuzt habe, greife ich entschlossen nach der ersten Packung Schlaftabletten. Eine Tablette nach der anderen drücke ich aus der weißen Folie in das Glas mit altem, französischem Cognac.

Die Dinger sind ziemlich hartnäckig, sie lösen sich nicht so schnell auf, wie ich es erwartet habe. Ich greife nach dem silbernen Teelöffel. Während ich rühre, erinnere ich mich, wie ich einen einfachen Löffel aus dem Küchenschrank wieder in die Schublade zurückgelegt und den silbernen aus der Lederschatulle genommen habe.

Wenn schon Selbstmord – wie heißt noch dieses andere Wort, das die Pathologen dafür benutzen – ach ja, Suizid, also wenn schon Suizid, dann doch wenigstens stilvoll. Unwillkürlich lächle ich. Ja, ich lächle. Was für eine unsinnige Überlegung. Aber so bin ich nun mal, Ästhetin durch und durch. Und da ich nicht weiß, wie meine Leiche zum Zeitpunkt des Auffindens aussehen wird, soll wenigstens das Ambiente stimmen. Ich rühre solange, bis sich die Tabletten fast aufgelöst haben, lege den Löffel beiseite, nehme die nächste Packung, drücke auch diese Tabletten aus der Folie ins Glas und rühre erneut um. Den Vorgang wiederhole ich so lange, bis auch die letzte Packung leer ist und die ausgedrückten Folien neben dem Glas auf dem kleinen Rauchtischchen liegen.

Oh nein. Sieht ziemlich unordentlich aus, stelle ich fest. *So kann das nicht bleiben.* Seufzend erhebe ich mich. *Noch mal in die Küche? Oder bring ich das Zeug gleich in die Garage?*

Das weiße Kunststoffmaterial gehört in den gelben Sack und die Schächtelchen in die Papiertonne. Wie zum Trotz begebe ich mich in die Küche und werfe alles in den leeren Mülleimer unter der Spüle. Selbstverständlich habe ich den Küchenmüll entsorgt, um unnötigen Gestank zu vermeiden. Schließlich kann es Tage, je nachdem gar Wochen dauern, bis man mich hier in meiner selbstgewählten Isolation findet. Womöglich beginnt mein Körper durch den Verwesungsprozess bereits zu stinken.

Das kann mir dann auch egal sein, versuche ich diesen unangenehmen Gedanken von mir zu schieben. Doch schon in der nächsten Sekunde grüble ich weiter. *Wer wird mich wohl finden ...? Auch das kann und wird mir dann egal sein. Basta!* Mich fröstelt. Ich kreuze die Arme vor meiner Brust und rubble meine Oberarme.

Langsam wird es kühl im Haus. Nun ja, die Heizung habe ich schon vor immerhin einer guten Stunde ausgeschaltet.

„Richtig, mein Kind, nur nichts verschwenden", höre ich meine Mutter sagen.

Ach Mama, denke ich, während ich erneut wehmütig vor mich hinlächle, *du warst nie verschwenderisch. Hast das wenige Geld, das Papa damals nach Hause brachte, zusammengehalten. Hast dir selbst am wenigsten gegönnt. Und als es dann aufwärts ging, konntest du nicht mehr aus deiner Haut.*

Allerdings gab es nie Margarine aufs Brot. Margarine nahm man höchstens, wenn überhaupt, zum Backen. Aufs Brot kam nur gute Butter. Dabei beneidete ich meine Freundin Britta stets um ihr Ramabrot. Ach ja, und für hundert Gramm Schinken hat's auch immer gereicht. Außer Marmelade und Zuckerrübensirup war Schinken damals der einzige Brotbelag, den ich essen mochte. Eine Mark für hundert Gramm Schinken beim Dorfmetzger Stromberg. Im Konsum gab's ihn günstiger, aber den mochte ich nicht. Also bekam ich den vom Metzger Stromberg.

Eine Sekunde sehe ich mich in meinem schwarz-rotkarierten Wollkleid, das ständig irgendwo juckte, die leere Henkelkanne schlenkernd, durch die schmale Gasse zum Konsum schlendern.

Konsum, sinniere ich, *den Namen gibt's schon lange nicht mehr. Nicht mehr zeitgemäß, wie so vieles in dieser kurzlebigen Zeit, schnell abgeschafft, verbessert, verschlechtert oder geändert wird, weil es nicht mehr zeitgemäß ist.*

Ich fand den alten Namen nicht schlecht. Und letztendlich konnte ja auch der neue den Anforderungen der Zeit nicht Stand halten und musste bald dem nächsten weichen. Na ja, wenn ich's mir recht überlege, habe ich mir nie wirklich den Kopf darüber zerbrochen. Dafür umso mehr über meinen Lieblingskaugummi. *Dubble Bubble!* In Gedanken spreche ich den Namen, da wir Kinder damals noch kein Englisch sprachen, immer noch so aus, wie er auf dem Päckchen stand. Wer kennt ihn nicht – zumindest aus meiner Generation, den Kaugummi, mit dem man riesige Blasen machen konnte? Soweit ich mich erinnere, war er umwickelt mit einem kleinen bunten Bildchen, eingepackt in weißes Papier mit aufgedrucktem Logo – ein kräftig rotes Oval, auf dem eine winzige, kornblumenblaue Krone thronte. Ich weiß noch, dass ich ihn stets vorsichtig ausgewickelt habe, um das Bildchen nicht zu zerreißen. Und dann der Kaugummi. Zwei farblose, miteinander verbundene Rippen, sensationeller Geschmack, den ich immer noch, sowie ich daran denke, auf der Zunge schmecke. Ich kann mich nicht erinnern, wann ich den letzten gekaut habe. Jedenfalls musste ich vor etlichen Jahren feststellen, dass es ihn – zumindest in Deutschland – nicht mehr zu kaufen gibt. *Geht's noch? Die letzten Minuten meines Lebens und ich denke über einen dämlichen Kaugummi nach. Schon seltsam, was sich so im Laufe des Lebens ins Gedächtnis einbrennt und was verloren geht.*

Wie auch immer, die Heizung habe ich natürlich nicht wegen meiner ohnehin nicht vorhandenen Sparsamkeit abgedreht, sondern weil eine Leiche in kalter Umgebung entschieden länger frisch bleibt.

So düster wie meine Gedanken ist es mittlerweile auch in der Küche. Ich stelle mich an die Terrassentür, blicke nach oben und betrachte den tiefhängenden, bedrohlich wirkenden, dunkelgrauen Himmel. Vermutlich wird es nicht mehr lange dauern bis Frau Holle ihre Fenster öffnet, um ihre Kissen aufzuschütteln. Schwermütig lasse ich meinen Blick nun über den mit Buchs gesäumten Gemüsegarten schweifen, auf dem noch drei Stängel Rosenkohl stehen, über den Weg zur offenen Obstwiese. Ich betrachte die beiden knorrigen Apfelbäume – alte Sorten. Aus dem „Weißer Matapfel" hat Richard jedes Jahr Apfelwein keltern lassen. Der „Jakob Fischer" schmeckt lecker und ich backe damit den besten Apfelkuchen der Welt – hat jedenfalls Richard behauptet. Mein Blick wandert zum schlanken Birnbaum und anschließend zum mächtigen Kirschbaum. Der muss nach der nächsten Ernte unbedingt zurückgestutzt werden. Den Zwetschgenbaum haben wir erst vor drei Jahren gepflanzt. Ich sehe Richard mit dem Spaten das Pflanzloch ausheben und ich sehe mich, wie ich das Bäumchen hineinstelle und wie wir gemeinsam Erde darum anhäufen. Zuletzt betrachte ich den alten Walnussbaum, unter dem ich so manch gutes Buch gelesen habe. Rechts davon, unter weißer Schneedecke verborgen, der erst vor fünf Jahren angelegte englische Rasen, der durch eine Vielzahl von Nadelgehölzen, Sträuchern und den mannigfaltigsten Stauden eingegrenzt ist. Vom Frühling bis in den Spätherbst eine blühende Pracht. Eine Minute starre ich auf unseren, von den dürren Ästen der Kletterrosen umrankten Pavillon. Meine Gedanken versinken erneut in der Erinnerung. Ich sehe mich mit Richard und Fabian darin frühstücken, rieche den intensiven Duft der rosarot blühenden „Gertrude Jekyll" Rosen. Dann verschwimmt das Bild. Zurück bleibt Leere, gefolgt von unbeschreiblich tiefem Schmerz, der sich stets in meine Eingeweide bohrt, sowie ich mich an solch glückliche Momente erinnere.

All die Erinnerungen, die aus jedem Winkel des Hauses kriechen und förmlich danach lechzen mich zu umgarnen und in trostlose Tiefen zu stürzen – ich kann sie nicht mehr ertragen. Tränen verschleiern erneut meinen Blick. Ich blinzle und schlucke sie hinunter, während ich noch einmal auf den mit feinem Dunst überzogenen Ammersee hinausschaue, der nur wenige Schritte entfernt von meinem Gartentor eiskalt in seinem Bett ruht.

Da geht jemand. Seltsam. Um diese Zeit? Um mich zu vergewissern, dass es bald dunkel wird, werfe ich einen Blick auf die Küchenuhr. *Fast fünf. Woher mag die kommen? Die? Schwer zu erkennen. Aber ja, der Statur nach zu urteilen vermutlich eine Frau. Was hat die hier zu suchen? Jetzt bleibt sie stehen, schaut aufs Wasser. Ob sie Kummer hat? Sie bückt sich. Was sucht die denn da? Ah – jetzt richtet sie sich wieder auf. Sie holt weit aus, wie ein Diskuswerfer – mit der linken Hand – Linkshändlerin also. Jetzt wirft sie etwas flach ins Wasser.* „Ha!" Ein Stein flitzt ein, zwei, dreimal hüpfend über den See, dessen Oberfläche lediglich am Ufer gefroren war.

Und wieder bückt sie sich.

„Ach ja", seufze ich und lächle wehmütig, während sich meine Augen abermals mit Tränen füllen. Wie oft habe ich Fabian und Richard dabei beobachtet. Mussten „Männergespräche" geführt werden, näherten sie sich stets auf diese Art an. Überhaupt fanden die meistens da unten am See statt.

Es wird Zeit für mich. Ein seltsam bedrückendes Gefühl beschleicht mich. Angst vor dem, was mit mir geschieht – danach? *Jetzt nicht darüber nachdenken.*

Um mich einigermaßen auf den Tod und das danach auf mich Zukommende vorzubereiten, las ich während der letzten Tage etliche Berichte über Nahtoderfahrungen. Doch ich bin mir dessen Bewusst, dass jeder Tod anders ist. Wie meiner sein wird, steht noch in den Sternen. Und doch stell ich mir vor, dass der Tod mich sanft unter seinen Mantel der Schwerelosigkeit hüllen und durch einen Tunnel aus Licht und Liebe zu meiner Familie bringen wird. Sie werden mich nach Hause geleiten und wir werden wieder glücklich vereint sein. Davon bin ich überzeugt und sollte es nicht so kommen, habe ich zumindest keine Schmerzen mehr.

Das Glas Cognac strahlt mich förmlich an, als ich die Bibliothek betrete. Erschöpft und unendlich müde trete ich an Omas Sessel, um es mir darin bequem zu machen. Ein markerschütternder Schrei hält mich jedoch davon ab. Ich hebe das Kinn, lausche eine Weile angestrengt in die Richtung, aus der ich vermute ihn vernommen zu haben. Kein weiterer folgt.

Nur ein Jubelschrei? Nein, kein Jauchzer, ein Schrei – ein Angstschrei. Ob da jemand Hilfe braucht? Unsinn! Vermutlich nur ein Tier. Manche Vögel geben Laute von sich, da denkt man schon mal, ein Mensch hätte geschrien.

Ich lasse mich in Omas Sessel sinken.

Erneut ein Schrei, der sich eindeutig, obwohl verzerrt, nach „Hilfe" anhört.

Ich erhebe mich, eile in die Küche und schaue nochmal aus dem Fenster. Doch ich kann nichts erkennen. Der See liegt, bis auf die üblichen Wellenbewegungen gegen den Steg, ruhig und verlassen vor mir. Dennoch öffne ich die Tür und trete, von Besorgnis und nicht zuletzt von meiner angeborenen Neugier gepackt, auf die überdachte Terrasse hinaus. Eisige Kälte schlägt mir entgegen. Ich umklammere meine Oberarme und rubble sie, während mein Blick am Ufer des Sees entlang schweift. *Nichts. Alles still. Totenstill. Allerdings ..., die Wellen klatschen, dafür, dass es verhältnismäßig windstill ist, doch ziemlich heftig an den Steg. Sollte die Frau etwa ... Womöglich hat die geschrien? Irgendwie seltsam ist es schon, gerade noch stand sie hier und kurz darauf ... wie vom Erdboden verschluckt.* Unentschlossen schüttle ich den Kopf. *Die wird doch nicht auf den vereisten Steg gegangen sein?*

Das möchte ich jetzt doch genau wissen. Ich blicke auf meine Füße. Da ich nur Strümpfe trage, gehe ich zurück ins Haus. In der Diele schlüpfe ich in meine gefütterten Trekkingstiefel, reiße die Daunenjacke vom Kleiderständer und ziehe sie über, während ich bereits in den Garten laufe, um bessere Sicht zu haben.

Nichts. Die Frau hat sich wohl lediglich ihren Frust von der Seele geschrien und ist längst weiter gegangen.

Ich wende mich ab. Genau in dem Moment, als ich einen Schritt zum Haus zurück mache, höre ich einen weiteren verzweifelten Hilfeschrei. Und diesmal bin ich ganz sicher, dass es sich nicht um den Schrei eines Tieres handelt. So schnell ich kann, laufe ich durch den Garten, öffne das Türchen und laufe zum Ufer. Da sehe ich sie schon – die Hände der Frau, die krampfhaft bemüht sind, sich an den Bohlen hochzuziehen oder sich zumindest festzuhalten.

Das schafft die nie. Mein Gott, was mach ich jetzt? Hilfesuchend blicke ich zum Nachbarhaus, das viel zu weit entfernt steht. Mir wird augenblicklich klar, dass es zu lange dauern würde Hilfe von dort zu holen. *Aber wie kann ich ...? Ich muss es versuchen.*

Die Bohlen sind zwar schneebedeckt, darunter aber vom letzten Eisregen spiegelglatt.

Obwohl ich Stiefel mit griffigen Gummisohlen trage, bewege ich mich vorsichtig. Wäre ja zu komisch, würde ich ausgerechnet beim Versuch, jemandem das Leben zu retten, mein eigenes verlieren. So war das nicht geplant. Ich rutsche, kann mich aber wieder fangen.

„Ich bin gleich bei Ihnen."

„Helfen Sie mir", kommt es schwach von unten. „Bitte."

Ich knie nieder, versuche ihr unter die Arme zu greifen, doch sie hängt zu tief. Dann bekomme ich den Kragen ihrer Jacke zu fassen und ziehe daran.

In dem Moment stößt sie sich von einem der schrägen Querbalken ab, welche die beiden rechts und links des Steges aufrecht im Wasser stehenden Pfosten miteinander verbinden. Sie kommt etwas höher, greift nach den Bohlen, rutscht aber wieder ab. Ich kann sie nicht halten. Erneut sinkt sie ins eisige Wasser.

Oh Gott, hilf mir! Ich schaffe es nicht.

Wieder stößt sie sich von dem Querbalken ab. Diesmal kann ich mit einer Hand die Kapuze ergreifen, mit der anderen fasse ich blitzschnell unter ihren Arm, lasse fast im selben Moment die Kapuze wieder los, packe sie auch mit der anderen Hand und ziehe so kräftig ich kann.

Ihr Kopf kommt zum Vorschein, dann ihr Oberkörper, den sie erschöpft und schwer atmend auf den Bohlen ablegt, während sie sich mit den Beinen weiter gegen die Querbalken stemmt.

Ich zerre an ihr, obwohl ich kaum noch über Kraftreserven verfüge. Doch bevor sie nicht mit ihrem ganzen Körper hier oben liegt, könnte sie wieder abrutschen.

Sie stützt sich mit ihrem Ellbogen ab und hilft mir auf diese Weise, sie vollständig heraufzuziehen.

„Kommen Sie", sage ich und bücke mich, um ihr aufzuhelfen.

Sie hebt ihr Gesicht und schaut mich mit Augen an, in denen ich Dankbarkeit und Erschöpfung zugleich erkenne. Und noch etwas erkenne ich: Bei der vermeintlichen Frau handelt es sich um einen jungen Mann. Ziemlich jung. Ich schätze ihn auf etwa siebzehn, möglicherweise achtzehn, keinesfalls älter.

Er zittert am ganzen Körper. Die klatschnassen Sachen kleben an ihm und beginnen bereits zu gefrieren.

„Kannst du aufstehen?", frage ich, duze ihn, ohne darüber nachzudenken, und greife ihm erneut unter die Arme. „Komm, ich helfe dir."

Sich mühsam aufrappelnd, klammert er sich fest an mich, während er seinen Blick zunächst fragend an mich, dann in Richtung des Hauses lenkt.

Vom Bücken steigt Magensäure in meine Speiseröhre. *Dieses verdammte Sodbrennen.* „Ich bringe dich in mein Haus. Du musst schnellstens aus den nassen Sachen und du brauchst unbedingt ein heißes Bad."

Er zittert unaufhörlich, sagt kein Wort, sieht mir in die Augen und nickt verstehend. Obwohl er sich bemüht selbst zu gehen, lockert er seinen Griff nicht.

In der Küche ist es eiskalt. Ich hatte vergessen, die Tür zu schließen.

„Weiter", sage ich, „gleich nach oben ins Bad."

Der Junge sinkt erschöpft auf den Badehocker. Wie ein Häufchen Elend sitzt er da und schlottert.

Ich drücke den Stöpsel in den Wannenabfluss und lasse Wasser in die Wanne laufen. Währenddessen überlege ich, ob es nicht besser ist, den

Jungen zunächst in lauwarmes Wasser zu stecken. Kurioserweise denke ich dabei an das gefrorene Bratenstück, das ich zum schnelleren Auftauen statt in kaltes versehentlich in heißes Wasser legte.

Aber der Junge ist kein Eisblock. Er fühlt sich nur so an.

Mir fällt ein, dass ich selbst lieber in nicht allzu heißes Wasser steige. Bevor ich den Heißwasserhahn zudrehe, bemerke ich, dass das Wasser längst nicht so heiß ist. *Ach ja, ich habe ja die Heizung abgedreht.* Ich lasse es laufen, bis es nur noch lauwarm kommt. Während ich mit einer Hand durch das Wasser rudere, um es gut durchzumischen, beobachte ich den Jungen unauffällig aus den Augenwinkeln und hoffe inständig, dass er nicht völlig zusammenbricht. Vermutlich würde bereits ein kleines Anstupsen mit dem Finger genügen, um ihn vom Hocker kippen zu lassen. Möglicherweise wäre es vernünftiger die Rettung zu verständigen.

„So, das genügt", sage ich, drehe den Hahn zu und richte mich auf. Erneut kriecht diese widerliche Säure durch meine Speiseröhre nach oben. Ich schlucke. Das Brennen bleibt. Noch einmal werfe ich dem Jungen einen kurzen Blick zu und bemerke, wie er sich mühsam seiner Jacke zu entledigen versucht. Ich helfe ihm und ziehe auch noch gleich seinen von Nässe triefenden Pullover über seinen Kopf.

Er lässt es geschehen. Auch als ich vor ihm in die Hocke gehe, um seine Turnschuhe aufzubinden und von seinen Füßen zu ziehen, bleibt er teilnahmslos sitzen.

Die klatschnassen Socken landen im Waschbecken.

„Ich lass dich jetzt allein. Sollte dir das Wasser nicht heiß genug sein …, aber das weißt du sicher selbst", sage ich, da der Junge immer noch unbeweglich auf dem Hocker sitzt.

Zuvor entnehme ich dem Badezimmerschrank ein Badetuch und ein Handtuch. Beides lege ich auf den Rand des Waschbeckens. „Solltest du noch etwas brauchen, ruf nach mir."

Da fällt mir ein, dass wir uns noch nicht mal vorgestellt haben. „Ich heiße Greta."

Er nickt. „Leon. Mein Name ist Leon."

Da ich nicht weiter in ihn dringen will, dafür ist später noch genügend Zeit, lächle ich ihm nur aufmunternd zu und wende mich ab.

Plötzlich ergreift der Junge meine Hand. „Danke."

Ein warmes Gefühl beginnt sich in meinem Herzen auszubreiten, doch ich lasse es nicht zu. Ich nicke, schalte noch die Deckenlampe an, da es mittlerweile ziemlich dunkel geworden ist, und verlasse das Bad. Bevor ich die Tür jedoch hinter mir schließe, drehe ich mich noch mal nach ihm um. „Ach, du kannst den Bademantel anziehen, der dort am Haken hängt", erkläre ich und deute mit meinem Kinn in die entsprechende Richtung.

Eine Weile bleibe ich noch vor der geschlossenen Tür stehen, erst als ich am Plätschern des Wassers höre, dass er in die Wanne steigt, gehe ich weiter.

Inzwischen ist es im Haus noch kälter geworden. Um die Heizung wieder anzuschalten, begebe ich mich in den Keller. Dabei denke ich an mein Vorhaben und frage mich, ob die Tabletten wohl ihre Wirkung bis morgen behalten. Doch schon während ich wieder nach oben steige, entschließe ich mich, sie in den Ausguss zu gießen und am nächsten Tag einige Apotheken abzuklappern, um mir neue zu besorgen. „So ein Mist", flüstere ich und füge in Gedanken hinzu: *Jetzt muss ich auch nochmal aus dem Haus.*

Ich hole das Glas aus der Bibliothek, gehe damit in die Küche und starre eine ganze Weile bedauernd auf die rotgoldcremefarbene Mischung. Doch letztendlich schütte ich sie in den Ausguss. Aufatmend! Ich schüttle kaum merklich den Kopf, da ich dieses Gefühl nicht verstehe. *Bin ich etwa erleichtert?* überlege ich, während ich das Glas in die Spülmaschine stelle.

Verwundert über mich selbst greife ich zum Teekessel, fülle ihn mit Wasser und stelle ihn auf den Herd. Ein heißer Tee mit selbst gemachtem Holundersaft wird dem Jungen guttun.

Was jetzt, frage ich mich, während ich auf das Pfeifen des Teekessels warte. *So kann ich den Jungen unmöglich nach Hause schicken. Wo kommt er überhaupt her und vor allem, wie kam er hier her? Mit dem Bus? Vielleicht hat er ja ein Auto, das er in der Nähe geparkt hat? Und wenn nicht? Er kann ja seine Eltern verständigen. Die können ihm dann auch frische Klamotten mitbringen. Ich könnte seine Sachen aber auch in den Trockner stecken. In etwa einer Stunde kann er dann gehen. Allerdings wäre es dann völlig unnötig gewesen, mein „Todese-*

*lixier" wegzuschütten. Was soll's? Ich habe ja keine feste Verabredung
mit Gevatter Tod.*

Das laute Knurren meines Magens erinnert mich daran, dass ich seit
Stunden nichts gegessen habe. *Ich könnte etwas kochen. Etwas Leichtes,* überlege ich. *Dieses verdammte Sodbrennen bringt mich noch um.*
Ich lächle kaum merklich. Die Ironie meiner Gedanken ist mir nicht
entgangen. Beruhigend streiche ich über meinen Oberbauch. *Auch
dieses Problem könnte längst beseitigt sein.*

Eine leichte Schwäche macht sich bemerkbar und mir wird bewusst,
wie sehr mich das Erlebte und die Anstrengung geschafft haben.
Dennoch schlurfe ich durch die Küche zur Speisekammer, öffne die
Gefriertruhe und entnehme ihr, ohne lange darüber nachzudenken, ein
in Folie eingeschweißtes Schweinefilet und einen Beutel mit Champignons. Schweinefilets in Champignonrahmsoße und Nudeln. Das ist
schnell zubereitet und da ich statt Rahm stets Milch verwende – wegen
des Fettgehalts – ist es auch nicht so schwer. Fette Soßen verursachen
bei mir ebenfalls Sodbrennen. Da können Wissenschaftler und Forscher
noch so oft behaupten, dass Sodbrennen nicht vom Essen kommen
kann. Prompt fallen mir Zwetschgen ein. Roh gegessen machen sie mir
gar nichts. Aber mein geliebter Zwetschgendatschi oder Zwetschgen-
knödel in Butter gerösteten Semmelbröseln gewälzt, mit Zucker und
Zimt bestreut, bringen mich fast um.

Der Teekessel pfeift.

Ich gieße den Kräutertee auf. Während er zieht, lege ich das Filet in
die Mikrowelle zum Auftauen.

*Ob ich mal nach dem Jungen sehe? Nicht, dass er in der Wanne
eingeschlafen ist und doch noch ersäuft.*

Ich klopfe an die Badezimmertür und rufe: „Junge, alles in Ordnung?"
Er öffnet die Tür.

Ein scharfer Stich fährt mir ins ohnehin wunde Herz. Der Junge trägt
Richards blauen Frotteemantel, dem noch immer der maskuline Duft
seines Aftershaves anhängt. Als ich ihm das gestattet habe, habe ich
nicht bedacht, wie sehr mich der unerwartete Anblick schmerzen
könnte. Langsam lasse ich meinen Blick an ihm hinunter schweifen. Ob
ich will oder nicht – ich muss lächeln. Sein Anblick ist aber auch zu
komisch. Der Bademantel ist entschieden zu weit für ihn, die Ärme-

leinsätze hängen über die Schultern des Jungen, wodurch die Ärmel zu lang sind. Wie ich feststellen kann, hat er das Problem bereits gelöst.

„Ein bisschen groß", stelle ich fest.

Er lächelt verlegen und sieht ebenfalls an sich hinunter. „Ein bisschen."

„Wie geht es dir jetzt?", frage ich besorgt.

Noch immer lächelnd, verdreht er die Augen. „Oh, schon viel besser. Ich kann Ihnen nicht genug danken. Wie kam ich bloß auf die bescheuerte Idee, mich auf den Steg setzen zu wollen? Bevor ich zum Sitzen kam, rutschte ich ab und landete im See. Sie können sich nicht vorstellen, wie kalt das Wasser in diesem See ist", sprudelt es nur so aus ihm heraus.

„Doch das kann ich", antworte ich und nicke heftig. „Na dann, komm in die Küche. Ich habe Tee aufgebrüht."

Er nickt zurückhaltend und folgt mir.

Ich nehme eine Tasse aus dem Schrank und stelle sie auf den Tisch in der Erkernische, in der wir aus Gründen der Gemütlichkeit viel lieber saßen, als im großen Esszimmer. Mit der Teekanne in der Hand deute ich auf die Bank.

Er setzt sich.

„Du musst ihn so heiß wie möglich trinken", erkläre ich und gieße den Tee in die Tasse.

Er nickt abermals.

„Hast du Hunger?"

Wieder nickt er – diesmal heftig. „Und wie", antwortet er, während er einen Blick zum Herd auf die leere Pfanne riskiert.

„Hey", sagt er plötzlich, „Sie haben ein tolles Haus. Muss 'ne Stange Geld gekostet haben. Das hat ihr Mann sicher nicht auf dem Straßenbau verdient."

„Wie kommst du gerade auf den Straßenbau?", frage ich misstrauisch und vielleicht ein wenig zu heftig.

Er sieht mich betroffen an und gleich darauf an sich herunter.

„Nach dem Bademantel zu urteilen, ist Ihr Mann ziemlich kräftig gebaut und da dachte ich, der Mann kann zupacken. Warum ich ihn ausgerechnet mit dem Straßenbau in Verbindung brachte, weiß ich jetzt auch nicht."

„Wirklich nicht?", frage ich skeptisch.

„Nein, bestimmt nicht", beeilt er sich zu sagen. „Habe ich etwa recht?"

Ich sehe ihn einige Sekunden stumm an, bemerke, wie er seinen anerkennenden Blick durch die Landhausküche schweifen lässt.

„Nein, natürlich nicht", fügt er hinzu. „Entschuldigen Sie. Sollte ich Sie oder Ihren Mann mit meinem hirnlosen Gerede beleidigt haben, verzeihen Sie mir bitte."

So ehrlich wie er das sagt, muss ich ihm glauben.

„Wo ist Ihr Mann überhaupt? Ist er noch bei der Arbeit?"

„Bei der Arbeit", murmle ich vor mich hin, atme einmal tief durch und lächle – zumindest versuche ich es. „Mein Mann hat sich still und leise aus dem Staub gemacht."

Erstaunt bemerke ich zum ersten Mal bewusst das Quäntchen Wut auf Richard, das sich schon während der letzten Tage in der Leere meines Herzens auszubreiten versuchte. Bisher ist es mir jedoch stets gelungen, diese Wut zu unterdrücken. *Verdammter Mistkerl! Hast mich einfach so verlassen, ohne Vorwarnung.*

„Oh, das tut mir leid", murmelt der Junge und senkt, offensichtlich peinlich berührt, das Haupt mit dem noch feuchten, dunklen Haar.

Dem Anschein nach hat er meine Erklärung falsch verstanden. Ich habe jedoch keine Lust den Irrtum aufzuklären. Wozu auch? „Wie bist du eigentlich hierhergekommen?", erkundige ich mich dagegen, um vom Thema abzulenken.

„Mit dem Bus nach Herrsching und dann gelaufen", antwortet er knapp.

Ich werfe einen raschen Blick auf die Küchenuhr. *Mit dem Bus kann er nicht mehr zurück.*

Meine letzte Busfahrt ist zwar Jahre her, aber ich bin sicher, dass der letzte Bus längst weg ist. Ganz sicher ist er es aber wenn die Kleider des Jungen trocken sind.

Seine Kleider. Ich könnte sie eigentlich noch vor dem Essen in den Trockner geben. Nein, wie käme ich denn dazu?

„Möchtest du deine Eltern verständigen?"

Er schüttelt verneinend den Kopf. „Mm."

„Sie warten sicher auf dich", dränge ich weiter in ihn. Ich erinnere mich, wie besorgt Richard stets durch die Wohnung schlich, wenn Fabian vergaß sich zu melden und zu spät nach Hause kam. „Du kannst gerne zu Hause anrufen."

„Nein", antwortet der Junge energisch, pustet vorsichtig in die Tasse und nippt daran.

„Vielleicht möchte dich jemand abholen?", bohre ich weiter, in der Hoffnung, mehr von ihm zu erfahren. Gleichzeitig frage ich mich, wozu das gut sein soll, schließlich habe ich nicht vor, mich mehr als unbedingt nötig um den Jungen zu kümmern. Ich wende mich der Mikrowelle zu und nehme das aufgetaute Schweinefilet heraus.

„Hören Sie", er stellt die Tasse ab, legt aber seine Hände um sie, als wolle er sich daran wärmen, „ich bin Ihnen wirklich dankbar, dass Sie mich gerettet haben. Aber ich möchte, sofern es Ihnen recht ist, einfach nur diese Tasse Tee trinken und – vorausgesetzt es macht Ihnen wirklich nichts aus – die Nacht in Ihrem Haus verbringen. Morgen sind dann meine Klamotten sicher trocken, dann verschwinde ich wieder aus Ihrem Leben. Wie sagten Sie noch? Heimlich, still und leise."

„Ich wollte dich nicht ausfragen", erkläre ich, obwohl ich vor Neugier fast platze. Die Lüge kam mir dennoch glatt über die Lippen. Ich beschließe nicht weiter in ihn zu dringen. Doch die Ungewissheit lässt mir keine Ruhe, schon Sekunden später drehe ich mich nach ihm um und frage: „Aber macht sich denn niemand Sorgen um dich?"

„Nein", antwortet er knapp, in einem Ton, der mir deutlich macht, dass für ihn das Thema beendet ist.

Das Nudelwasser kocht. Ich streue Salz in den Topf, schütte die Nudeln hinein und schalte die Temperatur etwas zurück. Die Butter in der Pfanne ist mittlerweile geschmolzen. Nachdem die Medaillons von beiden Seiten angebraten sind, würze ich sie mit Salz, Pfeffer, Chili und zum Schluss etwas Ingwer, um dem Fleisch und auch der Soße ein wenig Schärfe zu geben. Ich nehme die appetitlich riechenden Fleischscheiben aus der Pfanne und gebe klein gehackte Schalotten hinein. Der bitter süße Geruch regt nun auch meinen Appetit an. Ich spüre den Blick des Jungen auf meinem Rücken. In eine weitere Pfanne gebe ich blättrig geschnittenen Champignons, die ich stets küchenfertig in der Gefriertruhe habe und beobachte die bereits goldgelben Schalotten.

„Wie alt bist du eigentlich?"

„Was tut das zur Sache?", fragt er scheinbar entnervt.

„Ich lösche das hier normalerweise mit Sherry ab, solltest du allerdings noch zu jung dafür sein, nehme ich Gemüsebrühe", erkläre ich.

„Sie können Sherry nehmen. Ich bin fast neunzehn", antwortet er halbwegs freundlich.

Neunzehn also. So alt wie Fabian, als er verunglückte. Das markante Gesicht meines Sohnes drängt sich in meine Erinnerung. *Mein Gott! Er war so verdammt jung, als er starb. Von Gestalt ein Mann, mit noch jungenhaften Zügen im Gesicht, die er durch den starken, genbedingten Bartwuchs zu kaschieren versuchte.*

Ich atme einmal tief durch, kippe die Pilze in die Pfanne zu den Schalotten und greife nach der Sherry-Flasche. Es zischt, als ich alles ablösche. Danach gebe ich ein Schälchen Brühe dazu, die ich stets vorrätig in der Gefriertruhe aufbewahre, gieße einen guten Schuss Milch zur Soße und binde das Ganze mit ein wenig Soßenbinder aus der Packung.

„Mmm, das duftet ja fantastisch", bemerkt der Junge.

Na, das hört sich doch schon wesentlich netter an, denke ich, während ich die Nudeln in ein Sieb gieße, sie gleich darauf in eine flache Schüssel gleiten lasse und anschließend auf den Tisch stelle.

Prompt greift der Junge eine Nudel und schiebt sie in seinen Mund.

Wie Fabian. Fast gelingt mir ein Lächeln. *Vermutlich sind in dieser Beziehung alle Kinder gleich.*

Während ich auf die Pfanne starre und warte, bis die Soße etwas einreduziert ist, sage ich: „Du könntest schon mal den Tisch decken. Die Teller stehen da oben rechts im Schrank, Besteck findest du in der Schublade neben dem Herd und Gläser auf der gegenüberliegenden Seite, ganz links."

„Klar", antwortet der Junge knapp, erhebt sich und tut wie ihm geheißen. Bevor er sich wieder setzt, nimmt er den kleinen dreiarmigen Kerzenständer vom Fensterbrett und fragt nach Feuer.

„Du bist also ein Romantiker", vermute ich schmunzelnd, ziehe eine Schublade auf und reiche ihm Streichhölzer.

Er lächelt und zuckt mit den Schultern. „Ich weiß nicht, aber ich habe's gern gemütlich", erklärt er und wirft mir einen kurzen Blick zu.

„Irgendwie erinnern Sie mich an meine Mutter", platzt er plötzlich heraus. „Nicht wegen Ihres Aussehens, meine Mutter ist ein ganz anderer Typ, sie ist blond und auch etwas rundlicher, aber sie geht ebenfalls alles so ruhig und besonnen an. Jeder Griff sitzt, als hätte sie ihn zuvor schon mindestens einmal in Gedanken durchgeführt", fügte er leise hinzu, wendet sich dann aber schnell ab und zündet die Kerzen an.

„Ach ja?", frage ich hinter seinem Rücken, lege einen Topfuntersetzer auf den Tisch und stelle die Pfanne darauf ab.

Wir setzen uns.

Er lächelt mich dankbar an und nickt.

Mir fallen die strahlend blauen Augen des Jungen auf, die mich an Fabians erinnern. Allerdings besaß Fabian dunklere und etwas längere Wimpern – die Augen von Richard, die Wimpern von mir. Selbst sein Gesicht mit den jungenhaft ebenmäßigen Zügen ähnelt dem Fabians auf fast gespenstische Weise.

„Greif zu, Junge", sage ich schnell, um den Gedanken beiseite zu wischen. „Guten Appetit."

„Danke, wünsche ich Ihnen auch. Mann, habe ich 'nen Kohldampf", sagt er und lädt seinen Teller übervoll.

Wie Fabian. Ich schüttle unmerklich den Kopf. *Sogar das Essen schlingt er ebenso in sich hinein wie Fabian.* Fast automatisch öffnet sich mein Mund. Ich kann der Versuchung, schling nicht so zu sagen, nur schwer widerstehen.

Plötzlich sieht er mich an. Kauend fragt er: „Ist was?"

Ich schüttle verneinend den Kopf und beginne ebenfalls zu essen. *Ein Abendessen,* kommt es mir plötzlich in den Sinn, *an dem ich mich, wäre alles wie geplant gelaufen, gar nicht mehr erfreuen könnte.*

„Du hast es dir doch nicht etwa anders überlegt", flüstert eine Stimme in mir. „Nur wegen eines guten Essens. Morgen ist er wieder weg. Es hat sich nichts geändert."

„Hat es nicht?", fragt eine andere Stimme. „Das Leben könnte noch die eine oder andere Überraschung für dich bereithalten", versucht sie, mich zu verführen.

„Sie kochen wirklich gut", unterbricht der Junge meine düsteren Gedanken. „Glauben Sie mir, ich kann das beurteilen. Meine Mutter konnte auch gut kochen. Allerdings gab es so etwas Leckeres nur an Sonntagen."

„Jetzt sprichst du von deiner Mutter, als wäre sie …"

„Gestorben", vollendet er leise meinen Satz, nickt und legt das Besteck an den Tellerrand. „Gestern. Krebs – Lungenkrebs", murmelt er.

Ich vernehme den bitteren, von Trauer durchzogenen Unterton in seiner Stimme. *Oh Gott!* Betroffen schließe ich einen Moment die Augen. Weiß ich doch nur zu gut, wie er sich fühlt. Er tut mir unsagbar leid, wodurch ich mich wiederum entsetzlich hilflos fühle. *Was kann ich ihm sagen?*

Er wirft einen anklagenden Blick nach oben und fügt etwas lauter hinzu: „Dabei hat sie nie eine Zigarette geraucht."

Es sieht aus, als wolle er Gott selbst anklagen. Ich lege mein Besteck ebenfalls ab und meine Hand auf seine, obwohl ich weiß, dass nichts ihn trösten kann.

Er schaut mich eine Weile nur stumm an, dann sagt er: „Greta."

„Hm?"

„Sie kennen mich nicht und meine Mutter haben Sie ebenfalls nie kennengelernt und womöglich sollte ich Sie das gar nicht fragen, aber …, Sie haben mir immerhin das Leben gerettet und man sagt doch sowie man jemandem das Leben rettet, ist man für ihn verantwortlich. Und da ich …"

Eine Weile ist es still zwischen uns.

„Nun frag schon", fordere ich ihn auf und lächle ermutigend.

„Würden Sie mich zur Beerdigung begleiten?", platzt er heraus.

Was habe ich erwartet? Für jede Frage offen, habe ich diese nun wirklich nicht erwartet. Betroffen erkenne ich, wie naiv ich doch bin. Schon an seiner Fragestellung hätte ich erkennen müssen, dass etwas auf mich zukommt das die normale Fürsorge eines hilfsbereiten Mitmenschen bei weitem überschreitet.

„Aber Junge, wie du schon sagtest, ich kannte deine Mutter nicht. Sicher wären dein Vater und deine Familie irritiert, eine Fremde bei der Beerdigung zu sehen."

„Es wird niemand außer mir anwesend sein. Vielleicht noch Frau Krämer, die Nachbarin, die auf unserer Etage wohnt, eventuell einige ihrer Kollegen. Mutter hat sich gegen eine Traueranzeige ausgesprochen, daher wissen es nur die, denen ich Bescheid gegeben habe. Sie wollte keine pompöse Bestattung."

Ich bin erschüttert. Bei Richards Beerdigung fand sich fast der ganze Ort auf dem Friedhof ein, seine Angestellten und Geschäftsfreunde. Der Friedhof platzte fast aus allen Nähten.

„Meinen Vater habe ich nie kennengelernt", erklärt er. „Ob ich Verwandte habe, weiß ich nicht. Mutter hat das Thema Familie stets vermieden. Und wenn ich mal nachfragte, sagte sie nur, meine Großeltern wären liebe Menschen gewesen, die aber viel zu früh verstorben waren und andere Verwandte gäbe es nicht. Irgendwann, meinte sie, würde sie mir von meinem Vater erzählen. Es kam nicht mehr dazu. Keine Ahnung ob er noch lebt oder ebenfalls längst verstorben ist. Bitte begleiten Sie mich."

Ohne meinen Kopf anzuheben, werfe ich einen kurzen Blick nach oben. *Kann es sein, dass hier jemand meine Pläne erbarmungslos zu unterbinden versucht?*

„Hast du schon mit dem Rektor deiner Schule gesprochen?", frage ich, um das Gespräch auf ein anderes Thema zu lenken.

Er betrachtet mich einen Moment befremdet und schüttelt dann verneinend den Kopf. „Ja, ja sicher", antwortet er entgegen seiner Gestik, fügt dann aber erklärend hinzu: „Nein, um genau zu sein, ich habe im Sekretariat Bescheid gegeben, aber was ist nun …"

Ich weiß, was er sagen will. „Wann ist denn die Bestattung?", unterbreche ich ihn mit belegter Stimme.

„Mamas Leichnam wird eingeäschert. Sie wollte es so. Die Urnenbestattung findet am kommenden Freitag auf dem Waldfriedhof statt."

Drei Tage. Das hieße, ich könnte mich frühestens Freitagabend verabschieden. Andererseits, was sind schon drei Tage, wenn ich damit einem jungen, betrübten Menschen beistehen kann? Eine letzte gute Tat. „Na gut", höre ich mich sagen und denke über Leons Worte nach, über die angebliche Verantwortung, die man für den Menschen übernimmt, dem man das Leben gerettet hat. *Ich werde ihn bald genug sich selbst überlassen.*

„Ja? Ja, wirklich?", fragt er sichtlich erfreut und seine blauen Augen beginnen von innen zu leuchten. Er nimmt sein Besteck wieder auf und isst ausgehungert weiter. „Hat Ihr Mann etwa 'ne andere?", fragt er plötzlich ungeniert, wie es nur die Jugend kann.

Mir bleibt einen Moment die Luft weg und dementsprechend ist wohl mein Gesichtsausdruck.

Der Junge beißt auf seine Unterlippe. „Entschuldigen Sie, das war taktlos von mir."

Richard und eine andere Frau – lächerlich. Er hatte doch nur seine Arbeit im Kopf. Und er hat mich geliebt.

Natürlich stritten wir auch mal. Ab und an zeigten wir uns sicher gleichgültig dem andern gegenüber. Auf Anhieb fallen mir einige Situationen ein, bei denen ich mich alleingelassen fühlte. Aber auch welche, bei denen ich mehr auf Richard eingehen hätte müssen.

„Ich habe mich vorhin wohl etwas ungenau ausgedrückt", erkläre ich nun, obwohl ich das noch vor wenigen Minuten für unnötig gehalten habe. „Richard, mein Mann, ist vor zehn Tagen gestorben."

„Oh!", sagt er mit vollem Mund, kaut und schluckt. „Ich dachte …, er …", stottert er. „Entschuldigen Sie. Das ist mir jetzt aber …"

„Es ging ganz schnell – Herzinfarkt –", erkläre ich, bevor die Situation noch peinlicher für ihn wird. Doch ich kann nicht verhindern, dass mir Tränen in die Augen steigen. Augenblicklich fühle ich mich der peinigenden Situation ausgeliefert, die seit jenem Tag immer und immer wieder wie ein Film vor meinem geistigen Auge abläuft.

Richard streut Futter ins Vogelhäuschen, lächelt und winkt mir zu. Ich winke zurück. Plötzlich, immer noch das Lächeln auf den Lippen, sackt er in sich zusammen. Panische Angst überfällt mich, während ich zu ihm laufe. Nach einigen sinnlosen Wiederbelebungsversuchen laufe ich in die Küche zurück und rufe den Notarzt. Doch ich weiß längst, dass er Richard nicht mehr helfen kann.

Wie erstarrt stehe ich dabei und schaue zu, wie die Männer versuchen, das Herz meines Mannes zu reanimieren. Doch wie erwartet schüttelt der Notarzt, nachdem er Richards Tod festgestellt hat, nur bedauernd den Kopf. Ich sinke erneut auf die schneebedeckten Marmorplatten der Terrasse und ziehe den leblosen Oberkörper des Mannes, den ich so sehr liebe, auf meinen Schoß. Entgegen meines Wissens drücke ich ihn an mich, dann wieder rüttle ich ihn, um ihn wach zu kriegen. Die

Vorstellung, nie wieder in seine strahlend blauen Augen blicken zu können, macht mir Angst. Der Gedanke, seinen Mund nie wieder lächeln zu sehen, ihn nie wieder mit diesem leicht bayerischen Dialekt sagen zu hören, „Schatzl, schau dir des o. Wos braucht der Mensch mehr, als an Menschen, der ihn liebt und an Ort, an den er sich zruckziang konn", bringt mich an den Rand der Verzweiflung. Ich wiege Richard wie ein Kind in meinen Armen. Erst als der Notarzt mich sanft an die Schulter fasst, vermutlich um mich zu beruhigen, küsse ich ihn ein letztes Mal. Dann lasse ich ihn los.

Der Arzt reicht mir seine Hand und hilft mir aufzustehen. Er sagt: „Kommen Sie, ich gebe Ihnen etwas zur Beruhigung."

„Nein, ich will nichts", antworte ich entschieden.

Er zuckt kurz mit den Achseln, gleichgültig, wie mir scheint. Für ihn ist Sterben etwas, das zum Leben gehört – nicht mehr und nicht weniger. Vermutlich wollte er nur, dass ich loslasse, damit die Sanitäter ihre Arbeit beenden können.

Der unsagbare Schmerz, von dem ich schon an jenem Tag wusste, dass ich ihn nicht überleben werde, zerreißt mir fast das Herz. Notwendigerweise reagieren meine Lungen und lassen mich nach Luft schnappen. Erst jetzt bemerke ich, dass ich tatsächlich zu atmen vergessen habe. Verwirrt lächle ich den Jungen an und wische mit der linken Hand die Tränen von meinen Wangen, da er, von mir unbemerkt, meine rechte ergriffen hat.

„Das …" Der Junge schweigt, drückt nur meine Hand. „Das", beginnt er erneut, „tut mir sehr leid. Dann fühlen Sie sich im Moment sicher genauso beschissen wie ich."

Er fragt es nicht, er stellt es einfach fest.

Etwas in mir drängt mich zu antworten, doch ich kann nicht.

Ja, könnte schon sein, überlege ich stattdessen. *Ich jedenfalls fühle mich …, ja, wie fühle ich mich eigentlich? Wie fühlt sich ein Mensch, der allein zurückgelassen in einem riesigen leeren Raum steht. Ein Raum ohne eine einzige Tür, die ihm den Zugang zu den Menschen gewähren könnte, die er so sehr liebt und nach denen er sich mit jeder Faser seines Herzens sehnt.*

Plötzlich erinnere ich mich an das Glas mit der rotgoldcremfarbenen Flüssigkeit. *Das ist meine Tür.* Ich räuspere mich, sehe den Jungen kurz an und beuge mich erneut über meinen Teller. „Beschissen, ja, das ist wohl das richtige Wort. Lass uns essen, bevor es ganz kalt wird."

Wenig später hilft der Junge mir schweigend den Tisch abzuräumen.

„Ich hatte auch einen Sohn", rutschen mir die Worte über die Lippen, bevor ich es verhindern kann, da ich im selben Augenblick wünsche es nicht erwähnt zu haben. Gleichzeitig, wie unter Zwang, spreche ich weiter: „Er war so alt wie du, als er starb. Verkehrsunfall auf der A8 bei Holzkirchen. Fabian überholte gerade einen LKW, als ihm ein Geisterfahrer entgegenkam. Obwohl der entgegenkommende Fahrer anscheinend bremste, laut polizeilicher Ermittlungen und Fabian wohl noch alles dafür tat, rechtzeitig vor dem LKW einzuscheren, erwischte ihn das andere Fahrzeug am hinteren Kotflügel. Fabians Wagen kam ins Schleudern und wurde vom LKW erfasst. Die Unfallärzte konnten nur wenig für ihn tun. Ein Hubschrauber brachte ihn mit schweren inneren Verletzungen ins Unfallkrankenhaus. Sie operierten ihn, doch sie sagten, sie könnten nichts mehr für ihn tun. Die Verletzungen an seinem Kopf ... Er wachte nicht mehr auf. Selbst als der Hirntod eintrat, gab ich die Hoffnung nicht auf. Ich konnte ihn nicht gehen lassen. Erst nach weiteren drei Tagen begriff ich, dass nur noch seine menschliche Hülle in diesem Bett lag. Ich stimmte dem Abschalten des Beatmungsgerätes zu."

Eine Weile starre ich vor mich hin, bis ich bemerke, dass erneut Tränen meinen Blick verschleiern. Ich räuspere mich, schlucke, blinzle die Tränen weg und füge hinzu: „Es gab noch einen weiteren Toten. Den Fahrer eines Wagens, der auf den LKW aufprallte. Seine Frau wurde ebenfalls schwer verletzt ins Krankenhaus eingeliefert. Sie hatte den Unfall aber überlebt. Deren beide Kinder erlitten Gott sei Dank nur leichte Verletzungen. Der Geisterfahrer brachte sein demoliertes Auto in die Werkstatt. Bis auf einige Schrammen und ein Schleudertrauma kam er mit dem Schrecken davon."

Der Junge, der gerade den Tisch abwischt, hält in seinen Bewegungen inne und starrt mich wieder eine ganze Weile an. „Ich verstehe, dass Sie den Kerl hassen."

Ich schließe die Spülmaschine und drehe mich zu ihm um. „Oh, ich hasse ihn nicht – nicht mehr. Er hat uns um Verzeihung gebeten, hat uns erklärt, wie es dazu kam. Vollkommen übermüdet und in Gedanken auf einer ganz anderen Straße. Er hätte nicht mehr fahren dürfen. Es war verantwortungslos von ihm. Als er da im Gericht so schuldbewusst vor uns stand, tat er mir fast leid. Doch ich gebe zu, als Fabian starb, hätte ich diesen Mann am liebsten umgebracht. Er hat mir das Liebste genommen, das ich auf dieser Welt besaß.“

Mir dessen bewusst, was ich eben sagte, lege ich eine Hand auf meine Lippen. *Wie komme ich dazu, vor diesem fremden Jungen meine Gefühle zu offenbaren?*

Der Junge sieht mich immer noch stumm an, dann sagt er: „Ich kann gut verstehen, was in Ihnen vorging und was Sie nach all den Jahren empfinden.“

„Nein, das kannst du nicht. Das kann nur, wer Ähnliches erlebt hat. Lass uns zu Bett gehen. Ich bin müde.“

„Wenn ich jetzt ins Bett steige, dreh ich mich von einer Seite auf die andere. Kann ich noch ein wenig fernsehen?“, fragt der Junge und macht dabei ein zerknirschtes Gesicht.

„Du machst dir Gedanken, wie es weitergehen soll. Es wird sich alles fügen. Du wirst schon sehen“, versuche ich ihn zu trösten und sage beim Verlassen der Küche: „Der Fernseher steht im Wohnzimmer. Aber vorher zeige ich dir noch das Gästezimmer.“

Er folgt mir.

„Die Schlafräume befinden sich im oberen Stockwerk des Hauses.“

Ich öffne die Tür zum kleinen, im Landhausstil eingerichteten Gästezimmer. Eine Schubkastenkonsole, über der ein Spiegel hängt, ein zweitüriger Schrank, ein Bett und eine Nachtkonsole stehen darin. Am Fenster hängt eine luftige, weiße Gardine mit winzigen gestickten Blümchen, die von farblich abgestimmten Schals umrahmt wird. Es ist ein helles, gemütliches Zimmer. Aber auf einen Jungen seines Alters muss es ziemlich spießig wirken.

Fabians Räume sind mit modernen Möbeln bestückt, die ihm sicher besser gefallen würden. Aber das sind immer noch Fabians Räume und ich sehe keinen Grund, sie einem Fremden zu überlassen.

„Es ist ja nur für eine Nacht“, höre ich mich entschuldigend sagen.

„Schon in Ordnung. Es ist gemütlich", antwortet er, fügt dann aber mit unüberhörbar sarkastischem Unterton hinzu: „Und so typisch für die Region."

Ich lächle und deute auf die Tür neben der Schubkastenkonsole. „Hinter dieser Tür befindet sich ein kleines Bad."

Er öffnet sie und wirft einen Blick hinein. „Hat jedes Schlafzimmer ein eigenes Bad?"

Ich nicke.

„Sagen Sie, hätten Sie vielleicht auch noch ein T-Shirt für mich?"

„Mal sehen. Geh du schon mal nach unten in die Küche. Du hast sicher die Schiebetür gesehen? Sie führt zum großen Esszimmer mit angrenzendem Wohnbereich. Das Fernsehgerät ist nicht zu übersehen."

„Passt schon", sagt er.

Ich begebe mich in unser an das Schlafzimmer angrenzende Ankleidezimmer und nehme eins von Richards T-Shirts und eine gestreifte Schlafanzughose aus dem Schrank – eine, die man am Bund zubinden kann.

Als ich das Wohnzimmer betrete, läuft der Fernseher. Nach wenigen Worten weiß ich, dass es sich um einen Bericht über depressive, suizidgefährdete Menschen handelt. Genau das richtige Thema für mich.

„Ich kann nicht verstehen", sagt er und wirft mir einen schnellen, fragenden Blick zu, „wie Menschen sich das Leben nehmen können."

In meinen Ohren klingt das wie Hohn. „Nein? Kannst du nicht?", frage ich, vermutlich in einem Tonfall, der ihn dazu veranlasst, sich mir erneut zuzuwenden.

„Nein. Kann ich nicht", antwortet er, während er mit der Vernsteuerung durch die Kanäle zappt.

Wie solltest du auch? Du bist noch so jung, hast dein Leben noch vor dir, weißt nichts von Einsamkeit und der Sehnsucht nach der befreienden Umarmung des Todes.

Erneut wirft er mir einen Blick zu. Seine Augen werden zu schmalen Schlitzen. „Aber Sie scheinen anderer Meinung zu sein?"

„Vielleicht liegt es an meiner Lebenserfahrung. Ich kann mir gut vorstellen, dass Menschen ihre Schmerzen oder ihre Verzweiflung nicht mehr ertragen können. Außerdem möchten nicht alle Suizidgefährdeten ihr Leben wegwerfen, weil sie glauben mit einer Lebenssituation nicht mehr fertig werden zu können. Die meisten von denen sind sehr krank. Sie leiden unter starken Depressionen, die oftmals mit einer Todessehnsucht einhergehen. Manche sind sogar davon überzeugt, ihrem Leben ein Ende setzen zu müssen. So, wie man eine Arbeit beendet."

„Davon haben die eben auch berichtet. Aber sie sagten auch, dass solche Leute bei Psychiatern und Psychotherapeuten gut aufgehoben sind."

„Manchmal. Dabei kommt es wohl auf den Psychiater oder Therapeuten an. Voraussetzung einer solchen Behandlung ist allerdings, dass Angehörige und Freunde die Veränderung im Verhalten suizidgefährdeter Personen rechtzeitig bemerken. Das ist nämlich gar nicht so einfach."

„Wie auch immer. Ich denke an all diejenigen, die sich das Leben aus Liebeskummer oder Angst vor einer ungewissen Zukunft nehmen, die einfach keine Lust mehr zum Kämpfen haben. Ja, mag sein, dass es mitunter einfacher ist aufzugeben", sagt er und schüttelt ablehnend den Kopf. „Stellen Sie sich mal vor, alle Menschen die Probleme haben und damit meine ich nicht die kleinen, alltäglichen Sorgen, sondern solche, die man mit all seiner Kraft angehen muss, würden sich das Leben nehmen. Die Friedhöfe würden aus allen Nähten platzen."

Mir wird plötzlich übel. Richtig übel. Der Junge versucht gerade, ahnungslos wie er ist, mir meinen Selbstmord auszureden. Ich räuspere mich. Was für eine seltsame Fügung. „Meinst du?", frage ich und wende mich ab.

„Aber ja", fährt er fort. „Jeder Mensch sollte sein Leben voll auskosten. Nehmen Sie mich zum Beispiel. Ich stehe vor einem sprichwörtlichen Scherbenhaufen. Meine Mutter tot, ich kann bis Ende des Monats zwar in der Wohnung bleiben, aber dann muss ich raus, weil ich nicht weiß, wovon ich die Miete bezahlen soll."

„Deine Mutter hat sicher vorgesorgt", unterbreche ich ihn.

„Davon weiß ich nichts. Sollte ich also kein Stipendium erhalten, kann ich mein Studium an den Nagel hängen, noch bevor es beginnt."

„Du gehst also aufs Gymnasium?", frage ich, um ihn vom Thema abzulenken.

„Ja, aufs Max-Planck-Gymnasium. Im Mai beginnen die Abschluss-
prüfungen."

„Und weißt du schon, was du studieren möchtest?"

„Jura", antwortet er spontan, als stünde das bereits seit Jahren fest.
„An der Juristischen Fakultät der LMU München."

„Jura." Ich nicke. „Aha. Warum gerade Jura? Es gibt Anwälte wie
Sand am Meer und da willst du ausgerechnet Jura studieren? Was willst
du nach dem Studium machen? Willst du in so einer Partnerkanzlei die
kleinen Fälle übernehmen, bis einer der Partner mit einem Herzinfarkt
im Krankenhaus landet und du endlich deine Chance bekommst, weil
gerade kein anderer Staranwalt frei ist?"

„Sie scheinen ja 'ne Menge über diesen Berufsstand zu wissen",
unterbricht er mich.

„Ist es das, was du willst?", fahre ich fort, ohne auf seine Bemerkung
einzugehen. „Nein. Du willst eine eigene Kanzlei eröffnen. Aber die
wirst du dir wohl kaum leisten können. Es sei denn, du kannst den
Herren von deiner Bank belegen, dass deine Kanzlei den entsprechenden Gewinn abwerfen wird, um ein für diesen Zweck angemessenes
Darlehen zurückzuzahlen. Allerdings bin ich skeptisch, ob dir dann
noch genug zum Leben bleibt. Der Beruf des Anwalts wird entschieden
überbewertet."

„Wie kommen Sie darauf, dass ich diesen Beruf wähle um Kohle zu
scheffeln?", fragt er empört.

„Ein Berufener also, der den sozial Schwachen zu ihrem Recht verhel-
fen will", bemerke ich spöttisch.

„Und was ist dagegen einzuwenden?", blafft er mich an.

Meine Arme abwehrend anhebend, zeige ihm beschwichtigend meine
Handflächen. „Schon gut", sage ich, wünsche ihm noch eine gute Nacht
und verlasse das Wohnzimmer.

„Verschwinden Sie immer, sobald Ihnen die Argumente ausgehen?",
ruft er hinter mir her bevor ich die Tür zuziehe.

Nein, jagt ein Gedankenblitz durch meinen Kopf, nachdem sich in
Sekundenschnelle einige Situationen meines Lebens vor mein geistiges
Auge schieben, *bisher habe ich mich jeglicher Konfrontation gestellt.*

Ja, so habe ich es immer gehandhabt. Ich war tatsächlich nicht unter-
zukriegen. Niemand konnte mir etwas anhaben. Schließlich hatte ich

einen starken Hintergrund. Egal welche Entscheidungen ich traf, Richard stand auf meiner Seite. Und sobald es Probleme gab, konnte ich auf ihn zählen. Er half mir entweder dabei sie zu lösen oder nahm mich in die Arme, um mich zu trösten. Andererseits lagen nur wenige und keine allzu großen Steine auf meinem Weg. Manchmal stolperte ich über einen, schlug mir den großen Zeh an, fiel aber nie. Ich räumte sie aus dem Weg und ging weiter. Bis auf einen, der mich fast überrollt hätte. Fabians Tod war ein ziemlich großer Brocken. Richard konnte ihn gerade noch rechtzeitig stoppen. Aber nun stehe ich vor einem Berg, der zu hoch und zu steil ist, um ihn wegzuräumen. Richard fehlt mir.

Irgendwie, überlege ich, *ist es oft Richard gewesen, der mir die Steine aus dem Weg geräumt hat.* Diese Erkenntnis hinterlässt einen schalen Geschmack auf meiner Zunge. Noch einmal drehe ich mich um, schiebe die Tür einen Spalt weit auf und sage: „Ich bin müde. Wir reden morgen."

Bevor er mir darauf antworten kann, schließe ich die Tür endgültig hinter mir.

Langsam schlendere ich über die Diele und lasse den Tag Revue passieren. Es fällt mir schwer zu glauben, dass es sich bei all dem, was an diesem Tag geschehen ist und mich daran gehindert hat aus dem Leben zu scheiden, nur um einen Zufall gehandelt hat. „Zufälle gibt es nicht." Das liest man in den meisten esoterisch angehauchten Büchern. Aber Papa hat mal gesagt: „Zufälle gibt es schon, man muss das Wort nur richtig interpretieren. Das Wort Zufall bedeutet nichts anderes, als dass einem etwas zum richtigen Zeitpunkt zufällt."

Ob diese Zufälle allerdings von einer höheren Macht herbeigeführt werden, weiß ich nicht. Sollte jedoch die absurde Möglichkeit bestehen, dass derjenige, der für das Schicksal der Menschheit verantwortlich ist, dafür gesorgt hat, dass der Junge genau an diesem Tag, an meinem Steg ins Wasser fällt und dass ich das auch noch mitbekomme, hat er mir wahrlich etwas zufallen lassen.

Was mache ich hier eigentlich? Ich sollte nicht weiter über solchen Quatsch nachdenken, sondern die Tatsachen als gegeben ansehen und basta. Nicht mehr und nicht weniger. Jetzt würde nur noch fehlen, dass ich das Schicksal ins Spiel bringe. Ich schüttle den Kopf über mich selbst. *Genug jetzt!*

Energisch bemühe ich mich, diese Gedanken von mir zu schieben, doch es gelingt mir erst, als ich am Badezimmer vorbeigehe und mein Augenmerk in eine andere Richtung gelenkt wird.

Ob ich noch nach der Kleidung des Jungen sehe, überlege ich und betrete auch schon das Bad. Überrascht stelle ich fest, dass er seine Jeans zum Trocknen über die Duschtür und seine übrigen Kleidungsstücke im Bad verteilt aufgehängt hat. *So geht das nicht.* Ich nehme die Sachen ab und steige in den Keller hinunter, um alles in die Waschmaschine zu stecken. *Morgen früh gebe ich die Sachen in den Trockner, dann kann er sie nach dem Frühstück anziehen. Fabians Sachen müssten ihm passen,* überlege ich, *die Figur des Jungen ist der Fabians ziemlich ähnlich. Nein es sind Fabians Sachen,* verwerfe ich den Gedanken gleich wieder.

Fabian hatte einen guten Geschmack, was Kleidung betraf. Ob seine Sachen der heutigen Mode standhalten würden, kann ich nicht sagen. Doch er trug keinen übermäßig modischen Schnickschnack, keine bestimmte Moderichtung, klassische Formen und Farben mochte er. Levis oder Diesel mussten es allerdings schon sein, dazu unifarbene T-Shirts und Sneakers. Das einzig Verrückte, das er trug, war diese dämliche Schildmütze, die er stets verkehrt herum aufsetzte. Unwillkürlich muss ich lächeln. Und wenn ich sagte: „Jetzt hast du schon wieder dieses olle Ding auf", antwortete er stets: „Mama, ich brauch das Ding, sonst fallen mir die Haare ins Gesicht." Das hätte sich zwar leicht ändern lassen, aber das war nie ein Thema. Fabian hatte wie ich volles, kräftiges Haar, das ihm fast auf die Schultern fiel, und das sah so gut aus.

Meine Augen füllen sich mit Tränen. *Wie lange ist das jetzt her? Elf Jahre. Er ist seit elf Jahren tot.*

An dem Tag, als ich an seinem Grab stand und die Urne, die seine Asche enthielt, langsam in die Erde versenkt wurde, war ich davon überzeugt, keinen weiteren Tag überleben zu können. Ich brachte tagelang keinen Bissen runter. Richard hatte unglaublich viel Geduld mit mir. Wäre er nicht gewesen, wer weiß, vielleicht hätte ich mir schon damals das Leben genommen. Er gab mir stets den Halt, den ich all die Jahre brauchte. Doch nun ist er weg, dieser Halt.

Ich drücke das Bullauge der Waschmaschine zu, öffne die Waschmittelschublade, gebe das entsprechende Waschpulver für Buntwäsche in das dafür vorgesehene Fach, schiebe sie wieder hinein und wähle das entsprechende Programm.

„Okay", flüstere ich und verlasse, nachdenklich vor mich hin nickend, die Waschküche. Bevor ich nach oben in mein Schlafzimmer gehe, werfe ich nochmal einen vorsichtigen Blick ins Wohnzimmer.

Der Fernseher läuft. Der Junge hat sich auf die Seite gedreht.

Sieht aus, als ob er bereits schläft. Soll ich ihn wecken? Im Bett hätte er es entschieden bequemer. Ich entschließe mich, es nicht zu tun. *Womöglich denkt er sonst noch, ich wolle ihn kontrollieren.*

Vorsichtig ziehe ich die Tür wieder zu und begebe mich endgültig nach oben in mein Schlafzimmer.

Kapitel 2

Ich schrecke aus einem Traum auf, der alles andere als erquickend war und sehe meinen erhobenen Arm, der sich immer noch nach Richard ausstreckt.

Richard! Oh Gott! Richard ...

Mein Arm sinkt langsam nach unten. Ich presse die zur Faust geballte Hand auf meinen bereits zum Schrei geöffneten Mund, aus dem nun lediglich ein ersticktes Seufzen dringt. Meine tränennassen Wangen versuche ich trocken zu reiben, doch es gelingt mir nicht. Wie aus einer verborgenen Quelle sprudeln unaufhörlich weitere Tränen hervor. Meine Nase beginnt zu laufen. Ich schniefe zunächst, beuge mich dann aber über die Nachtkonsole, entnehme der Schublade ein Taschentuch und schnäuze mich. Immer noch sehe ich das letzte Bild meines Traums vor Augen, an dessen vorherigen Inhalt ich mich jedoch nicht mehr klar erinnern kann.

Richard, der einfach weggeht und mich alleine zurücklässt, obwohl ich ihn anflehe mich mitzunehmen. Er geht langsam. Der Abschied scheint ihm ebenso schwer zu fallen, wie mir. Doch dann bleibt er stehen, dreht sich nach mir um und lächelt aufmunternd.

Ich hege die Hoffnung, dass er es sich im letzten Moment anders überlegt hat. Aber nein, er hebt nur die Hand zum Gruß, wendet sich erneut ab und winkt mir bereits im Weitergehen ein letztes Mal zu. Dann ist er verschwunden – einfach so. Dieses niederschmetternde Gefühl des Verlassenwerdens, das ich während des Erwachens empfunden habe, erfasst mich erneut und wieder quellen Tränen aus meinen Augen. Zärtlich streiche ich über Richards Kopfkissen. *Ach Richard. Wie konntest du mich nur allein lassen?*

Nachdem ich meine Tränen mit einem Taschentuch von den Wangen gewischt und mich geschnäuzt habe, atme ich tief ein. Dann räuspere ich mich und schlage die leichte Daunendecke zurück. Eine Weile bleibe ich reglos auf der Bettkante sitzen, dann drehe ich meinen Oberkörper und blicke auf seine Seite des Bettes. Ich ergreife sein Kissen und versenke mein Gesicht tief hinein. Bis zum heutigen Tag habe ich es nicht fertig gebracht die Bettwäsche abzuziehen, noch immer hängt sein Geruch darin und gibt mir das Gefühl, ihm nah zu sein. *Du fehlst mir so sehr.*

Die Endgültigkeit seines Todes, das Wissen, ihn in diesem Leben nie wiedersehen zu dürfen, nie wieder seine Stimme zu hören, die mir zärtliche Worte ins Ohr flüstert, tut so unsagbar weh.

Ich könnte längst bei ihm sein. Das bittere Gefühl überkommt mich, eine einzigartige Chance vertan zu haben. Doch im selben Moment fällt mir der Junge ein. Ein Blick auf den Wecker verrät mir, dass es noch ziemlich früh ist. Ich werde trotzdem aufstehen und die Kleider des Jungen aus der Waschmaschine nehmen und in den Trockner stecken. Er soll verschwinden. Und zur Beerdigung werde ich ihn auch nicht begleiten. Das werde ich ihm klipp und klar sagen. Er muss das verstehen und wenn nicht, ist das nicht mein Problem.

Mit dreimal tief ein- und langsam wieder ausatmen beginne ich das allmorgendliche Ritual. Ich rolle meinen Kopf von der rechten Schulter zur linken und wieder zurück. Dann wackle ich mit den Zehen, gleichzeitig schließe und öffne ich meine Hände. Das bringt den Kreislauf in Schwung. So schön älter werden sein kann, ohne ein paar Regeln die dem Wohlbefinden schmeicheln, und deshalb unbedingt beachtet werden sollten, geht es einfach nicht.

Noch während ich mich auf der Treppe befinde, höre ich leises, offenbar aus der Küche kommendes Klappern und das gurgelnde Geräusch der Kaffeemaschine. Schon umschmeichelt der Duft nach frisch aufgebrühtem Kaffee meine Nase. *Der Junge hat doch nicht etwa ...,* sinniere ich, während ich die Tür öffne. Er hat!

Der Kaffee ist fast durch die Maschine gelaufen und den Tisch hat er ebenfalls bereits gedeckt. Staunend bleibe ich einen Moment unbeobachtet im Türrahmen stehen.

Der kleine Mistkerl will mich um den Finger wickeln. Da kommt noch was. Aber was? Was will er noch von mir?

Als ich die Küche betrete, wirft er mir einen lächelnden Blick zu, als wäre sein Hantieren in meiner Küche das Selbstverständlichste der Welt.

„Ihr Kühlschrank steht wohl nur zur Dekoration in der Küche", bemerkt er, als er mich entdeckt. „Nur Marmelade und Honig, der übrigens nicht da reingehört, keine Wurst, kein Käse, nicht mal ein Ei", stellt er fest und fragt: „Hatten Sie etwa vor zu verreisen?"

Das ist mein Stichwort. Ich nicke. „Ja, das hatte ich", antworte ich und füge geistesgegenwärtig hinzu: „Ich habe es immer noch, deshalb kann ich ..."

„Nein", unterbricht er mich. „Das heißt doch nicht etwa, Sie können mich doch nicht zur Beisetzung begleiten? Sie haben das nur so dahingesagt, stimmt's? Sie hatten nie vor mich zu begleiten."

Seine Fragen klingen so ängstlich, dass er mir sofort wieder Leid tut.

„Keine Sorge, ich kann die Reise problemlos verschieben", antworte ich betroffen und ärgere mich sogleich über mein Einlenken. *Bravo, das habe ich ja fein hingekriegt.*

„Sie wollten heute verreisen?", hakt er nach.

„Deshalb habe ich den Kühlschrank bereits entleert."

„Aber Sie werden nicht erwartet", stellt er offensichtlich erleichtert fest und setzt sich auf denselben Platz, auf dem er schon am Abend zuvor gesessen hat.

Seltsam, wie schnell der Mensch Gewohnheiten annimmt.

Vermutlich gibt es so eine Art Gesetz des gewohnheitsmäßigen Handelns, das uns dazu zwingt. Denn auch ich habe vom ersten Tag an, als ich dieses Haus betrat, auf immer demselben Platz gesessen.

„Oh Verzeihung", sagt er, erhebt sich und wartet höflich bis ich sitze.

Und da hört man immer wieder, junge Leute hätten keinen Anstand. Vermutlich haben nur diejenigen keinen, deren Eltern auch keinen haben. Andererseits durfte ich auch schon das Gegenteil erleben.

„Doch ich werde erwartet, aber es fällt den beiden sicher nicht schwer noch zwei, drei Tage länger zu warten", beantworte ich seine Frage.

„Den beiden?"

Statt einer Antwort, deute ich mit meinem Kinn zur Tür der Speisekammer. „Dort drinnen, im Regal hinter der Tür, stehen einige Wurstdosen. Such dir eine aus."

Das muss ich ihm nicht zweimal sagen. Augenblicklich steht er auf, eilt in die Kammer und kommt gleich darauf mit einer Schinkenwurstdose zurück. Er stellt sie neben meinen Teller. Einen Moment sieht er mich an, als erwarte er meine Zustimmung, doch dann fragt er nach einem Dosenöffner.

Ich stehe nochmal auf, krame einen aus der Schublade, in der ich verschiedene Küchenutensilien aufbewahre, und reiche ihn an den Jungen weiter. Da bemerke ich erneut einen enttäuschten Blick. „Was?"

„Und was mach ich jetzt damit? Es ist kein Brot mehr im Brotbehälter."

Brot, überlege ich, *ach ja, ich habe das letzte Stück in die Mülltonne geworfen, damit das spätestens in zwei Tagen schimmelnde Brot den Behälter nicht versaut.*

„Ja, stimmt, aber das ist nicht wirklich tragisch, ich habe noch Semmeln in der Gefriertruhe. Die gebe ich kurz ins Backrohr und schon können wir frühstücken", erkläre ich.

Seine Augenbrauen schnellen erfreut nach oben und er strahlt mich an.

Auf dem Weg zur Vorratskammer drehe ich den Temperaturregler des Backofens auf hundertachtzig Grad.

„Was machst du eigentlich um diese frühe Morgenstunde schon hier?"

„Ich bin gestern vor dem Fernseher eingeschlafen. Irgendwann, vor etwa 'ner Stunde oder so, bin ich aufgewacht, weil ich gefroren habe. Ich habe mir die Wolldecke geschnappt, die über der Sofalehne lag und eine Weile so vor mich hingedöst. Schlafen konnte ich nicht mehr und da habe ich gedacht, bevor ich mich von einer Seite auf die andere wälze, kann ich genauso gut aufstehen und Frühstück machen", ruft er hinter mir her.

„Dann warst du gar nicht im Bett?"

„Nein. In der Nacht hat es übrigens geschneit."

„Ach ja? Hoffentlich sind dann die Straßen geräumt, bis wir fahren", antworte ich, als ich wieder aus der Vorratskammer komme und fünf Semmeln aufs Backblech lege.

„Müssen wir denn fahren, Greta?", fragt er bang hinter meinem Rücken.

„Du hast sicher noch einiges zu erledigen", gebe ich zu bedenken, während ich mich zu ihm umdrehe. „Und was ist mit Schule?"

„Die wissen ja Bescheid. Und …, mit dem Beerdigungsinstitut habe ich bereits alles besprochen", sagt er mit zitternder Stimme. „Bitte, darf ich bis zur Beerdigung bleiben? Die Wohnung ist so leer."

Wieder verspüre ich Mitleid mit dem Jungen. Aus eigener Erfahrung weiß ich nur allzu gut, wie er sich fühlt. *Seltsam, dass er ausgerechnet an meinem Steg ins Wasser gefallen ist,* denke ich zum x-ten Mal. Ich setze mich ihm gegenüber und betrachte ihn einige Sekunden nachdenklich, bevor ich frage: „Warum bist du gestern eigentlich hierhergekommen?"

Unwissend zuckt er mit den Schultern. „Ich weiß nicht. Aus Sentimentalität vermutlich. Wir waren oft hier. Im Sommer – zum Schwimmen, allerdings ein ganzes Stück entfernt von hier. Gestern, als ich am See entlang spazierte, erinnerte ich mich an einen Besuch in diesem Haus. Ich war etwa fünf oder sechs. Meine Mutter hatte etwas mit dem Mann, der damals hier wohnte, zu besprechen. Es, es …", druckst er herum und sagt endlich zögernd: „Auf einem Bild im Wohnzimmer habe ich ihn wiedererkannt. Ich nehme an, es handelt sich um Ihren Ehemann."

„Möglich", antworte ich nickend, frage jedoch verwundert: „Aber was hatte deine Mutter mit meinem Mann zu besprechen?"

„Das weiß ich leider auch nicht. Ich erinnere mich nur noch an den Mann, der uns ums Haus herum in den Garten führte. Dort kam ein kleiner wuscheliger Hund auf uns zugelaufen. Der Mann bat uns auf die Terrasse und wir setzten uns an den Tisch, auf dem Kekse und Limonade für uns bereitstanden. Ich weiß noch, ich hatte keinen Appetit auf Kekse, zumal es sich um gefüllte Waffeln handelte. Ich hasse Waffeln. Aber woher sollte der Mann das wissen? Weil es ein heißer Sommertag war, hatte ich jedoch großen Durst. Durst hatte ich, soweit ich mich erinnere, eigentlich immer", erklärt er schmunzelnd. „Na ja, darum trank ich das Glas Limo auch auf einen Satz leer. Dann hielt mich nichts mehr auf dem Stuhl. Während sich die beiden Erwachsenen unterhielten, lief ich mit dem Hund durch den Garten und tobte mit ihm herum."

Nickend lächle ich vor mich hin. „Bobby, unser Wollknäuel. Ein lieber kleiner Kerl."

„Stimmt. Ich weiß noch wie traurig ich war, als wir gingen. Wochenlang lag ich meiner Mutter bettelnd in den Ohren, sie solle mir auch so einen Hund kaufen. Leider war sie nicht dazu zu bewegen."

„An deinem Gesichtsausdruck erkenne ich, dass du ihr das nicht mehr nachträgst."

„Nein, natürlich nicht. Sie hatte schon recht. Mit so einem Tier übernimmt man eine Menge Verantwortung. Sie hätte, da sie berufstätig war, gar nicht die Zeit gehabt, um regelmäßig mit ihm Gassi zu gehen."

„Und das ist nur eine von vielen Pflichten, die ein Hundebesitzer übernehmen muss", bestätige ich und füge nach kurzem Schweigen hinzu: „Bobby ist bereits seit über sechs Jahren tot."

Er nickt verstehend. „Das dachte ich mir schon."

„Seltsam", murmle ich nachdenklich und hake noch einmal nach: „Was könnte deine Mutter von meinem Mann gewollt haben?"

Der Junge zuckt mit den Schultern und gießt Kaffee in die Tassen.

„Das weiß ich nicht. Zum einen war ich ja gerade mal fünf und zum andern ist das jetzt immerhin vierzehn Jahre her. Aber ich erinnere mich noch an irgendwelche Papiere, die er unterschrieben hat."

Im Stehen nehme ich einen vorsichtigen Schluck. Der Kaffee ist mir zu heiß, darum stelle ich die Tasse schnell wieder ab.

„Ach? Kann es sein, dass deine Mutter eine Sekretärin meines Mannes war?"

„Sicher nicht. Sie war Lehrerin für Physik, Chemie und Mathematik am Max-Planck-Gymnasium."

„Aber …" Doch dann geht mir ein Licht auf, vor vierzehn Jahren war Fabian fast sechzehn und besuchte das Max-Planck-Gymnasium. „Dann war das vermutlich ein Gespräch zwischen der Lehrerin und dem Vater eines Schülers. Aber dass sie deswegen hier herauskam?"

Er zuckt erneut mit den Schultern. „Meine Mutter war sehr engagiert, was ihre Schüler betraf. Jedenfalls habe ich mich gestern daran erinnert und da ich ohnehin am See war, um Erinnerungen nachzuhängen, bin ich hier entlang gegangen."

„Na ja", sage ich und lächle ihn an, „das ist schon so lange her. Wir sollten uns darüber keine Gedanken mehr machen."

Mittlerweile duftet es nach frisch gebackenen Semmeln. Ich nehme zwei karierte Topflappen vom Haken, öffne die Backofentür und lasse die heiße Luft entweichen. Dann ziehe ich das Backblech heraus, lege die heißen Semmeln in den Brotkorb und stelle ihn auf den Tisch.

„Lass es dir schmecken. Ich gehe noch kurz in den Keller, um nach deinen Kleidern zu sehen."

„Meine Klamotten habe ich doch im Bad aufgehängt", wundert er sich.

„Sie waren schmutzig", erkläre ich, während ich mich auf den Weg mache, „darum habe ich sie in die Waschmaschine gesteckt. Jetzt gebe ich alles in den Trockner, dann kannst du sie in etwa einer Stunde anziehen."

Da er keine Anstalten macht, mit dem Frühstück zu beginnen, fordere ich ihn auf: „Fang schon mal ohne mich an."

„Danke", ruft er hinter mir her.

Als ich gefühlte fünf Minuten später wiederkomme, hat der Junge bereits zwei Semmeln verputzt und bestreicht gerade die dritte mit Butter.

Fabian konnte auch so essen, erinnere ich mich und sage: „Na siehst du, krieg ich dich doch noch satt."

Er lächelt genüsslich. „Jetzt setzen Sie sich aber zu mir."

Ich setze mich und während ich einen Schluck nach dem andern von meinem etwas abgekühlten Kaffee trinke, beobachte ich den Jungen über den Tassenrand. Die Geschichte, die er mir eben erzählt hat, geht mir nicht aus dem Kopf. Richard hat mir gegenüber nie einen solchen Besuch erwähnt. Jedenfalls erinnere ich mich nicht daran. Vor vierzehn Jahren, das war achtundneunzig – sechsundneunzig, rechne ich nach. Im Sommer sechsundneunzig befand ich mich mit „Der Schwur" auf Lesereise. Na ja …, sicher war es nicht so wichtig.

„Frühstücken Sie nichts?", fragt er und beißt, anscheinend immer noch hungrig, in die dritte mit Wurst belegte Semmel.

„Ich trinke nur zwei, drei Tassen Kaffee. Vor elf esse ich nie."

„Ach so. Das sollten Sie ändern. Gerade das Frühstück ist die wichtigste Mahlzeit am Tag", belehrt er mich und beißt erneut in die Semmel.

„Ich weiß. Aber so früh am Tag krieg ich einfach nichts runter."

Er nickt, während er genussvoll weiter kaut. Dann legt er die Semmel auf den Teller zurück, trinkt einen Schluck Kaffee und sagt: „Sie haben meine Frage noch nicht beantwortet."

Ich weiß nicht, was der Junge meint. „Welche Frage?"

„Darf ich bleiben? Bitte Greta, geben Sie Ihrem Herzen einen Stoß. Ich verspreche auch, Sie nicht zu stören."

Um Zeit zu schinden, nippe ich zweimal an meiner Tasse. *Wollte ich den Jungen nicht eben noch so schnell wie möglich loswerden? Mein Gott! Dieser bettelnde Hundeblick. Auch Fabian guckte so, wenn er eine Sache unbedingt wollte. Aber das ist kein Grund, mich von dem Jungen einwickeln zu lassen. Schließlich ist er ein Fremder. Im Grunde war es schon ein Risiko, ihn hier übernachten zu lassen. Wer sagt mir, dass er der ist, der er vorgibt zu sein. Er könnte genauso gut ein Verbrecher sein, ein Dieb, der es darauf anlegt von alleinstehenden Frauen gerettet zu werden, um sie anschließend zu berauben und umzubringen.*

„Das geht nicht", antworte ich barscher, als ich eigentlich wollte. „Ich habe dir doch erzählt, dass ich vorhabe zu verreisen."

„Aber doch erst nach …, Sie wollten mich doch zur Bestattung begleiten", erinnert er mich. „Bitte, gestatten Sie mir bis dahin zu bleiben", bettelt er jungenhaft charmant.

Ach ja, die Beerdigung. Mein Blick fällt auf den schmalen Küchenkalender. *Das wäre dann der sechzehnte. Der sechzehnte? Da war doch noch was.* Es fällt mir wieder ein. Der Tag der Testamentseröffnung, an der ich eigentlich nicht mehr teilnehmen wollte. *Ich muss nicht hingehen.*

Doch plötzlich überfällt mich geradezu ein Gedanke, den ich dummerweise bei meinen Plänen außer Acht gelassen habe. Sollte ich es versäumen bei Martin zu erscheinen, der nicht nur Notar der Familie ist, sondern auch der beste Freund meines Mannes war, würde der mich unweigerlich aufsuchen. Er also wäre derjenige, der mich finden würde. *Das kann ich ihm unmöglich antun. Na gut, dann geh ich noch zu dieser überflüssigen Testamentseröffnung. Da kann ich ihm gleich sagen, dass ich, bevor ich weitere Entscheidungen fällen werde, erst mal für unbestimmte Zeit verreise.* Nur so kann ich sicher sein, dass nichts mehr zwischen mich und mein Leben danach kommt.

Der Junge räuspert sich und reißt mich damit aus meinen Gedanken. Immer noch erwartungsvoll auf meine Antwort harrend, grinst er mich unsicher an.

„Meinetwegen", gebe ich mich geschlagen.

„Danke, Greta", sagt er unübersehbar erleichtert und fragt unvermittelt: „Wie heißen Sie eigentlich mit Nachnamen?"

„Sander", antworte ich gewohnheitsmäßig mit dem Namen, unter dem ich meine Romane veröffentliche. Eine Sekunde überlege ich, ob es nicht besser wäre, ihm statt des Pseudonyms meinen richtigen Namen zu nennen. Doch so schnell der Gedanke gekommen ist, verschwindet er auch wieder. Kein Mensch denkt bei einem derart trivialen Namen an meinen Beruf.

„Greta Sander?", fragt er erstaunt. „Etwa die Schriftstellerin?"

Ich nicke. „Du kennst eins meiner Bücher?", frage ich verwundert.

„Nicht wirklich", gibt er ehrlich zu, „aber meine Mutter verschlang Ihre Bücher geradezu. So wie ein neues auf den Markt kam, musste sie es haben. Ich denke, sie war ein echter Fan von Ihnen. Wenn Mama wüsste, dass Sie an ihrem Grab stehen, würde sie vermutlich ausflippen."

Mir wird ganz warm ums Herz. „Ich hätte deine Mutter lieber unter anderen Umständen kennengelernt."

Er lächelt und nickt. „Sie hätten meine Mutter gemocht, jeder mochte sie", sagt er wehmütig lächelnd.

Ich entdecke Tränen in seinen Augen. *Hoffentlich heult er jetzt nicht los.*

„Sie war ein so lebensbejahender Mensch", spricht er weiter. „Mama lachte viel, nahm das Leben und die Menschen nicht allzu ernst. Aber sie achtete beides. Sie ermunterte mich immer wieder, dem Leben nie oberflächlich zu begegnen. Alles hat einen Sinn, pflegte sie stets zu sagen, das Fröhliche wie das Traurige. Darum hinterfrage Dinge, die dir wichtig erscheinen und verschwende deine Zeit nicht mit Belanglosigkeiten, die nicht relevant für dein Wohlergehen oder das deiner Mitmenschen sind."

„Deine Mutter war eine kluge Frau", sage ich und denke an Fabian.

Hätte er ebenso von mir gesprochen? Wann hatte ich schon mal Zeit meinem Sohn weise Ratschläge zu geben? Ich saß zwar zu Hause an meinem PC, während ich an einem neuen Buch schrieb, doch da verbat ich mir jegliche Störung. Mein Leben lang jagte ich dem Erfolg hinterher. Nein. Tatsächlich war es eher anders herum, der Erfolg packte mich und schleuderte mich durchs Leben.

„Wir könnten nach dem Frühstück ein Stück um den See spazieren. Lust?"

Ich nicke zustimmend. „Spazieren gehen? Ja, warum nicht? Aber da ich gestern nicht auf dem Friedhof war, möchte ich heute gerne das Grab meines Mannes besuchen. Willst du mich begleiten?"

Gegen elf brechen wir auf. Die Sonne steht schon ziemlich hoch im Zenit, dennoch ist es unerwartet kalt und der gefrorene wie winzige Saphire glitzernde Schnee knirscht unter unseren Stiefeln. Entgegen der gestrigen Wettervorhersage, es würde bereits am Vormittag zu starken Schneefällen kommen, deutet bei diesem strahlend blauen Himmel nichts darauf hin, dass die Meteorologen recht behalten könnten.

Außer dem leisen Geräusch kleiner Wellen, die ans Ufer des Sees klatschen, ist nichts zu hören. Wir gehen schweigend nebeneinander her. Jeder hängt seinen eigenen Gedanken nach. Ich erinnere mich an Spaziergänge mit Fabian und Richard. Da wurde geredet und gelacht.

Er denkt vermutlich an seine Mutter und an die Zukunft, von der er noch nicht weiß, wie er sie ohne ihre schützende Hand meistern soll.

Jäh wird die Stille durch das laut schimpfende Krächzen einer vorbeifliegenden Krähe unterbrochen, das zunehmend leiser wird, während sie aus unserem Sichtfeld verschwindet.

„Sie leben also allein in diesem großen Haus?", fragt er plötzlich.

„Ja", antworte ich knapp und frage mich im selben Augenblick, auf welch absurde Idee er nun wieder verfallen ist.

„Haben Sie schon mal darüber nachgedacht, sich einen Untermieter ins Haus zu nehmen."

„Nein, der Gedanke ist mir wahrlich noch nicht gekommen. Vor nicht mal einer Woche habe ich meinen Mann beerdigt, meinst du nicht, dass ich in dieser Situation an anderes zu denken hatte?"

„Sicher haben Sie es finanziell nicht nötig, aber so ganz allein …?"

„Willst du mir etwas Bestimmtes sagen, mit deinen langsam auf mich zutapsenden Andeutungen?", frage ich, bereits ahnend, auf was er hinauswill.

Er zuckt mit den Schultern. „Nein! Nein, ich meine nur."

„Du meinst nur. Keine Hintergedanken?"

„Keine Hintergedanken."

„Dann ist es ja gut."

Mich fröstelt. Ich schließe den obersten Knopf meiner Daunenjacke, was mit den Handschuhen gar nicht so einfach ist, und stecke meine Hände schleunigst wieder tief in die Taschen.

Das kleine Urnengrab liegt unter einer dicken Schneeschicht. Ich schiebe den Schnee ein wenig vom Grabstein, damit ich Richards und gleich daneben Fabians Namen lesen kann. Dann halte ich eine stumme Zwiesprache mit Richard. Ich erkläre ihm, warum ich immer noch nicht bei ihm und Fabian bin und wer der junge Mann ist, der mich begleitet.

Leon hält sich während der ganzen Zeit einige Schritte entfernt diskret im Hintergrund.

„Trotz des herrlichen Sonnenscheins ist es doch ziemlich kühl", stelle ich fest. „Was meinst du, gehen wir wieder zurück ins Haus? Ich hätte Lust auf eine gute Tasse Tee."

„Tee?", fragt er in einem Ton, der mir allzu deutlich sagt, dass Tee für ihn nicht denselben Anreiz hat wie für mich.

„Du hast doch nicht schon wieder Hunger?", frage ich verständnisvoll.

Wieder zuckt er nur mit den Schultern, sagt aber nichts.

Auch Fabian war nicht satt zu kriegen. Junge Leute haben eben ständig Appetit. Da fällt mir ein, dass ich als Kind ein sehr schlechter Esser war. Irgendwie verspürte mein Magen nur Hungergefühle, sowie eines meiner wenigen Leibgerichte auf dem Tisch stand. Bei Naschereien wie Schaumwaffeln, Mohrenköpfen und Alpenmilchschokolade im lila Papier, konnte ich allerdings auch nicht widerstehen. Warum auch immer, anscheinend war ich ein ziemlich mageres Kind. Und als dann während einer Routineuntersuchung der Kinderarzt feststellte, dass ich an Unterernährung leide, brach für meine Mutter ihre kleine Welt zusammen. Diese ungeheure Demütigung konnte sie unmöglich auf sich sitzen lassen, schließlich sorgte sie täglich dafür, dass nahrhaftes Essen auf den Tisch kam. Zudem war sie eine wirklich ausgezeichnete Köchin. Ich sehe heute noch den Ärger auf ihrem Gesicht. Jedenfalls durfte ich von dem Tag an erst vom Tisch aufstehen, nachdem ich meinen Teller leer gegessen hatte oder Mutter mein Gequengel und Geheule nicht mehr ertragen konnte. Das änderte sich, als ich ins Teenageralter kam. Niemand musste mich mehr zum Essen zwingen.

„Na, dann lass uns mal nachsehen, was meine Speisekammer noch so hergibt. Aber einen heißen Tee trinkst du trotzdem."

„Meinetwegen", murmelt er und grinst mich verlegen an.

Nach dem Essen setzen wir uns ins Wohnzimmer und sehen fern.

Leon stellt überrascht fest, dass meine Lieblingsserie auch die seiner Mutter war. Die Frau wird mir zunehmend sympathisch.

Plötzlich wird mir auf geradezu schonungslose Weise klar, dass ich diese Sendung, die ich seit Richards Tod nur noch sporadisch anschaue, unter gewissen Umständen auch heute nicht sehen könnte. Ich hätte nie erfahren, dass diese hinterhältige Zicke, über die ich mich bei jeder Folge geärgert habe, nun endlich doch ihr Fett abbekommt. Da wird mir zum ersten Mal bewusst, wie erschreckend endgültig der von mir selbst gewählte Weg ist. Alles, das ganze pulsierende Leben, selbst diese banale, wenig geistvolle Serie, wird ohne mich weiterlaufen, nur dass ich nichts mehr von all dem mitbekomme. Der Gedanke versetzt mir einen kleinen Stich. Doch im selben Augenblick wird mir bewusst, dass mir all das nichts mehr bedeutet. Nicht ohne die beiden liebsten Menschen, die mein Leben reich und lebenswert gemacht haben. Ein Teil von mir starb ohnehin bereits bei Fabians Tod. Richard war mir damals Stütze. Doch wer stützt mich jetzt? Mein, wie ich finde, durchaus nachvollziehbares Vorhaben, aus diesem Leben scheiden zu wollen, das für mich durch Richards Tod endgültig jeglichen Sinn verloren hat, basiert auf dem Wunsch, wieder mit meiner Familie zusammen sein zu können. Hier gibt es niemanden mehr, der mich hält.

Ich betrachte den Jungen und lächle. *Du wirst doch jetzt nicht wegen einer sentimentalen Anwandlung und dieser dämlichen Serie, über die du dich ohnehin nur aufregst, auf das Glück verzichten, Richard und deinen Sohn wiederzusehen?* Ich gebe mir auch gleich die Antwort. *Natürlich nicht.*

„Spielen wir eine Runde Schach?", fragt Leon auf das Schachbrett deutend, das spielbereit auf einem kleinen Tischchen zwischen zwei bequemen Sesseln steht.

Ich schüttle verneinend den Kopf. „Tut mir leid, damit kann ich nicht dienen. Mein letztes Spiel liegt schon so lange zurück, dass ich gerade noch weiß, wie die einzelnen Figuren heißen. Schach war Richards Spiel. Er spielte es jeden Freitagabend mit seinem Freund."

„Schade", entgegnet er enttäuscht und fragt sogleich: „Was machen wir dann?"

„Du könntest lesen", schlage ich vor, erhebe mich und gebe ihm ein Zeichen, mir zu folgen. „Du willst doch Jura studieren. Ich musste mir zu Recherchezwecken das BGB und das HGB zulegen. Fachliteratur."

„Warum nicht?", meint er mit gelangweiltem Gesichtsausdruck, erhebt sich aber und folgt mir. „Sie könnten mir aber auch kleine Anekdoten aus Ihrem sicherlich interessanten Leben erzählen", sagt er schmunzelnd, als wir vor dem hohen Bücherregal stehen.

„Du bist doch nicht etwa ein heimlicher Reporter, der auf diese Weise zu einer guten Homestory kommen will?", frage ich den Jungen scherzhaft.

„Wie schnell Sie das durchschaut haben", flachst er und lässt sich in Großmutters Ohrensessel fallen. „Na los, machen Sie schon", bettelt er.

„Das ist nicht so einfach", ziere ich mich und ziehe das BGB vom Regal. „Ich wüsste jetzt auch gar nicht, wo ich beginnen sollte."

„Na, beim Anfang", ermuntert er mich. „Wie war das, als Sie zu schreiben anfingen? War es schwer, Ihr erstes Buch an den Mann, beziehungsweise den Verlag zu bringen?"

Ich lächle. Mir fällt alles wieder ein. „Es war ein Tag wie dieser, die Sonne schien, dennoch war es eisig kalt. Während der Mittagspause schlenderte ich mit einer Kollegin über den Viktualienmarkt. Weil es jedoch gar so kalt war und wir entsetzlich froren, entschlossen wir uns, ein Café aufzusuchen. Wir tranken gemütlich heiße Schokolade, ließen uns den leckeren Bratapfelkuchen schmecken und erzählten uns gegenseitig alte Geschichten aus unserer Jugendzeit. So kamen wir auch auf längst begrabene Wünsche und Träume. Ursprünglich wollte ich es gar nicht erwähnen, irgendwie rutschte mir dann doch heraus, dass ich während der Schulzeit Geschichten für meine Freundinnen geschrieben hatte und es schon damals mein sehnlichster Wunsch war, eines Tages einen Roman zu schreiben. Sie fragte nur: 'Und was hindert dich daran, es jetzt zu tun?' Ich weiß nicht, was ich erwartet hatte. Ein ironisches Lächeln vielleicht oder gar ein lautes Auflachen, eventuell eine sarkastische Bemerkung, die mich wieder auf den Boden der Tatsachen heruntergeholt hätte, nur nicht diese Frage. Im ersten Moment dachte ich – die will dich veräppeln. Aber dann wiederholte sie die Frage und sah mich dabei auf eine Weise an, die mir klar machte, dass sie durchaus ernst gemeint war. Jedenfalls war es dieser eine Satz, der den Anstoß gab, über mich, meine Situation und vor allem über meinen Traum nachzudenken. Den restlichen Tag ging ich eher unkonzentriert meiner Arbeit nach und letztendlich kam ich zu dem Schluss, dass ich zumindest versuchen musste, meinen Traum zu realisieren. Was hatte ich schon zu verlieren? Nichts. Im Gegenteil, ich konnte nur gewinnen. Dabei dachte ich zunächst nicht an die Vermarktung des womöglich tatsächlich entstehenden Romans, geschweige denn an Erfolg. Ich dachte nur daran, wie es sein würde, meine Gedanken auf ein Blatt Papier zu bringen und allein diese Vorstellung löste ein unbeschreibliches Glücksgefühl in mir aus.

Am selben Abend sprach ich mit Richard. Er war sofort Feuer und Flamme. Wenn auch nicht, weil er davon überzeugt war, dass ich den Pulitzer oder sonst einen Literaturpreis für mein überragendes Werk erhalten würde. Er hoffte, dass ich dadurch endlich meine Arbeit im Büro niederlegen und zu Hause bleiben würde. Das hat er mir später einmal gestanden. Dazu musst du wissen, dass ich mich zu diesem Zeitpunkt in anderen Umständen befand und Richard sich jeden Tag aufs Neue um mich sorgte."

„Gab es denn Probleme mit der Schwangerschaft?", unterbricht mich der Junge.

Ich lege das Buch auf das Beistelltischchen und setze mich aufs Sofa. „Nein, ganz und gar nicht. Es lag an meiner Arbeit. Als Architektin musste ich ab und zu auch die eine oder andere Baustelle inspizieren. Das war nicht immer ganz ungefährlich."

„Ich verstehe. Eine derart radikale berufliche Veränderung erfordert doch sicher eine gewisse Zeit der Umstrukturierung in der Firma oder konnten Sie Ihr Arbeitsverhältnis von heute auf morgen beenden?", fragte er und griff nach dem BGB.

„Ja, das konnte ich. Ich musste sogar, denn gleich nach dem Abendbrot setzte ich mich an meinen PC und begann zu schreiben. Die Worte flogen mir nur so zu. Ich konnte gar nicht mehr aufhören. Erst als ich Richards Hände auf meine Schultern spürte und er mich besorgt fragte, ob ich gar nicht mehr ins Bett wolle, schaltete ich den PC ab. Erschrocken stellte ich bei einem Blick auf die Uhr fest, dass es bereits nach zwei war und ich seit mehr als sechs Stunden schrieb, ohne auch nur einmal meinen Platz verlassen zu haben. Nicht mal um auf die Toilette zu gehen. Das Schreiben war vom ersten Moment an zu meinem Lebensinhalt geworden. Es war wie eine Sucht. Aber eine Sucht, die mir außerordentlich guttat. Richard jedoch merkte schon bald, dass er lediglich den Teufel gegen den Beelzebub eingetauscht hatte."

Der Junge lacht. „Und als das Buch fertig war, wie ging es dann weiter?"

„Ich schickte es voller Enthusiasmus an fünf Verlage. Vier davon schickten es mir mit nichtssagenden Begleitschreiben zurück. Von einem Verlag bekam ich ein niederschmetterndes Begleitschreiben. Niedergeschlagen, enttäuscht von meinen anscheinend nicht vorhandenen Fähigkeiten und auch ein wenig – nein – ziemlich wütend auf diesen Verlag, dachte ich zunächst daran wieder aufzuhören. Doch dann erinnerte ich mich an einen alten Freund – der zu jener Zeit als Lektor in einem renommierten Verlag tätig war, den ich nicht angeschrieben hatte."

„Gut, wenn man solche Freunde hat", bemerkte er mit einer Spur Zynismus.

„Ich gebe zu, ich hatte es sicher einfacher als Autoren die keine Verbindungen haben. Aber ganz so einfach, wie du dir das jetzt vorstellst, war es dann doch nicht. Er gab es mir zurück und sagte: 'So wird das nichts. Die Seiten triefen förmlich vor Gefühlsduselei. Damit das Schmalz nicht herauslaufen konnte, musste ich beim Lesen aufpassen, dass ich das Ding nicht zu schräg halte. Tut mir leid meine Liebe, aber das kann ich meinem Boss unmöglich vorlegen.' Sicher kannst du dir denken, dass ich nach diesen Worten am Boden zerstört war."

„Aber Sie gaben nicht auf."

„Richtig, ich gab nicht auf. Jetzt wollte ich es erst recht wissen. Ich überarbeitete das Manuskript, strich vor allem jede überflüssige Gefühlsduselei und gab es ihm erneut."

„Und?", fragt Leon gespannt.

„Er lehnte ab."

„Mist!", entfährt es dem Jungen.

„Ich fühlte mich hundeelend, pfefferte das Manuskript in eine Ecke und schmollte in einer anderen. Unablässig dachte ich über die Worte nach, mit denen Michael mir meine „Liebesschnulze" zurückgegeben hatte. 'Du schreibst gar nicht so schlecht, dein Stil gefällt mir, auch das Thema ist interessant, aber du gehst es falsch an …' Na ja, was soll ich noch sagen, ich dachte tagelang darüber nach, auf welch andere Weise ich das Thema angehen könnte. Und ganz plötzlich war sie da, die Idee, von der ich überzeugt war, dass sie Michaels Erwartungen erfüllen konnte. Fieberhaft begann ich zu schreiben und als ich fertig war, legte ich es ihm erneut vor. Michael war begeistert, der Verlag publizierte den Roman und er wurde ein Riesenerfolg."

„Wow!", haucht der Junge anerkennend.

„Aber nun entschuldigst du mich bitte, ich habe in der Küche zu tun", sage ich und erhebe mich.

„Sie müssen nicht schon wieder für mich kochen", erklärt er großmütig und ergreift spontan mein Handgelenk, als ich an ihm vorübergehe. „Sie haben schon so viel für mich getan. Langsam bezweifle ich, ob es richtig war, mich Ihnen aufzudrängen. Also bitte, machen Sie sich keine Umstände", fügt er hinzu und lässt mich wieder los. „Ich weiß nämlich nicht, ob ich das jemals wieder gut machen kann."

„Na, wer weiß, vielleicht benötige ich ja mal einen guten Anwalt. Dann erwarte ich, dass du dich für mich ins Zeug legst. Hast du verstanden?" *Was rede ich denn für einen ausgemachten Blödsinn?* Einigermaßen schockiert über mich selbst, schüttle ich unmerklich den Kopf.

Er lacht. „Aber hallo. Egal was Sie anstellen, ich hole Sie aus jedem Knast."

„Und da das noch nicht nötig ist, könntest du ja jetzt schon mal Äpfel schälen. Ich will nämlich gar nicht kochen, sondern einen Apfelstrudel backen."

„Mit Vanillesoße?"

Ich nicke.

Der Junge springt augenblicklich hoch. „Na los, worauf warten Sie?", fragt er fröhlich.

Er schält die Äpfel so flink, als hätte er nie etwas anderes getan. Immer wieder lächelt er mir zu und ich lächle ebenfalls.

Während im Fernseher ein Psychothriller läuft, lassen wir uns den Apfelstrudel schmecken. Der Abend vergeht wie im Flug.

Es ist bereits kurz vor Mitternacht, als ich beim Zähneputzen mein Gesicht im großen Badezimmerspiegel beobachte und eine Grimasse ziehe. Daraufhin lächelt mir mein Spiegelbild zu. Ich fühle mich gut, ja sogar mehr als das. Glücklich? Irgendwie. Zumindest zufrieden. Und da mich trotz des frischen Apfelstrudels ausnahmsweise kein Sodbrennen plagt, auch erleichtert.

Ich fass es nicht!

Kapitel 3

Es fällt mir schwer meine Gedanken zu sammeln, nachdem mich das Surren des Weckers aus tiefem Schlaf gerissen hat, darum bleibe ich zunächst ruhig liegen und starre an die Zimmerdecke. Zum ersten Mal seit Richards Tod habe ich wie ein Murmeltier geschlafen.

Und wie soll das jetzt weitergehen? Heute findet die Beerdigung der Mutter des Jungen statt und anschließend diese völlig unnötige Testamentseröffnung.

„Da musst du jetzt durch", flüstere ich vor mich hin, „du selbst hast es so gewollt."

Ich nicke unmerklich. *Ja, stimmt und ich weiß immer noch nicht, wie ich so bescheuert sein konnte, mich in eine derart missliche Lage zu bringen.* „Missliche Lage", murmle ich vor mich hin, „hm, ziemlich untertrieben." *Aber was hätte ich denn tun sollen? Den Jungen ertrinken lassen? Das ist nicht der Punkt. Der Punkt ist, ich ließ ihn in mein Leben. Ich hätte ihn noch am selben Tag nach Hause bringen müssen – mich auf kein Gespräch mit ihm einlassen dürfen. Es ist dasselbe wie mit einer herrenlos herumstreunenden Katze, einmal gefüttert und man kriegt sie nicht mehr los. Mein Gott, was hat der Junge, das mich ..., ich weiß nicht.*

Seltsamerweise war es mir vom ersten Moment nicht möglich, diesem Blick zu widerstehen. Um ehrlich zu mir selbst zu sein, gestehe ich mir ein, dass ich mich auch gar nicht erst darum bemühte. Und später wickelte sein jungenhafter Charme mich regelrecht um den kleinen Finger. Wie auch immer, er ist ein netter, wohlerzogener und intelligenter Junge, der nach der Beerdigung sein altes Leben – sollte seine finanzielle Situation es zulassen – wieder aufnehmen wird. Er wird das Abitur mit Bravur bestehen, wird studieren und wird ein hervorragender Jurist werden.

Blöd für mich ist nur, dass ich von all dem nichts mitbekommen werde. Ihn als Rechtsanwalt vor Gericht zu erleben, mit schwarzer Robe und so, wäre sicher interessant. Ich atme einmal tief durch. *Zumindest die finanziellen Probleme kann ich dem Jungen ersparen. Ich werde das heute veranlassen. Martin wird sicher über meinen Plan, die Firma zu verkaufen und den Jungen als Erben einzusetzen, erstaunt sein. Wer weiß, vielleicht musste der Junge von mir gerettet werden, damit ich zu dieser Testamentseröffnung gehe und alles geregelt hinterlasse. Nicht nur ein sauberes Haus.*

Energisch schlage ich die Steppdecke zurück und schwinge meine Beine aus dem Bett. Nach meinem allmorgendlichen Ritual und einer ausgiebigen Dusche schminke ich mich dezent und ziehe den warmen schwarzen Hosenanzug an, den ich mir zu Richards Beerdigung gekauft habe. *Richard* ... Ich erinnere mich an den Traum, in dem er winkend weggeht. *Womöglich wollte mir der Traum etwas sagen. Was geschieht mit mir, wenn er gar nicht auf mich wartet?*

Mein Ventil zwischen Speiseröhre und Magen macht schlapp. Es stößt mir sauer auf. Dieses verdammte Sodbrennen! Ich schlucke.

Was geschieht mit mir, sollte ich auch dort allein sein, weil ich weder ihn noch Fabian wiedersehe? Was, wenn mit dem Tod alles vorbei ist?

Ein eigenartiges Gefühl legt sich auf meine Brust. Ich kann die Tränen nicht zurückhalten. Zum ersten Mal stelle ich mir ganz offen diese Fragen, die ich unbewusst, seit dem Tag an dem ich mich entschlossen habe Richard zu folgen, tief in mir trage, aber konsequent verdrängte.

Wie kam ich überhaupt darauf, die beiden könnten auf mich warten? Und selbst wenn, unter Umständen darf ich gar nicht zu ihnen, weil ich als Selbstmörderin das Himmelreich nicht sehen darf – so zumindest steht es in der Bibel. Andererseits ist die Bibel gesteckt voll mit Metaphern. Vielleicht bezieht sich ja Selbstmord auf den nichtvorhandenen Glauben an Gott? Na ja, sei's drum, diese Frage muss warten.

Ich wische über meine feuchten Wangen und lege noch mal ein wenig Make-up auf. Kritisch mein Gesicht betrachtend, atme ich tief durch.

Als ich auf den Flur hinaustrete, bemerke ich sofort die Stille im Haus. Kein Kaffeearoma steigt in meine Nase, kein Geschirrklappern aus der ... *Der Junge wird doch nicht noch schlafen?*

In der Küche ist er nicht, stelle ich verwundert fest. Zunächst schalte ich die Kaffeemaschine an, drehe anschließend den Temperaturregler des Backofens auf hundertachtzig Grad, hole drei Semmeln zum Aufbacken aus der Gefriertruhe und decke den Tisch. Mittlerweile hat der Backofen die richtige Temperatur und ich lege die Semmeln auf den Rost.

Der Junge, fällt mir ein, *wollte seine Nase noch ins Gesetzbuch stecken. Ist wohl spät geworden letzte Nacht.* Ich werfe einen Blick auf die Küchenuhr. *Um zehn findet die Beisetzung statt. Höchste Zeit, dass er aufsteht. Schließlich muss er zuvor noch in seine Wohnung, um sich umzuziehen.*

Der Timer am Herd surrt. Die Semmeln sind fertig. Ich nehme sie aus dem Backofen und lege sie in den Brotkorb. Nachdem ich ihn auf den Tisch gestellt habe, gehe ich nach oben und klopfe an die Tür des Gästezimmers. Doch die Antwort, die ich erwarte, bleibt aus. Ich klopfe ein weiteres Mal. Da ich wieder keine Antwort erhalte, öffne ich die Tür einen Spalt weit und werfe einen vorsichtigen Blick hinein.

Zusammengerollt und eingeigelt in die Steppdecke scheint der Junge immer noch zu schlafen, doch da vernehme ich ein leises Schluchzen.

„Hallo?"

Keine Antwort.

„Hallo? Es ist Zeit. Du musst aufstehen."

Er schnieft, schlägt aber gleich darauf die Decke zurück und setzt sich auf.

Das war fast zu erwarten. Der Junge war während der letzten Tage viel zu gefasst. Da müssen die Gefühle ja mal überschwappen und das ist auch gut so. Ich laufe schnell in mein Schlafzimmer um eine Packung Papiertaschentücher zu holen.

„Es ist in Ordnung", sage ich, als ich ihm ein Taschentuch reiche.

Mit gesenktem Kopf, ohne mich eines Blickes zu würdigen, greift er danach und schnäuzt sich. Die Situation ist ihm offensichtlich peinlich. Seine ganze zur Schau getragene Coolness scheint sich in Luft aufgelöst zu haben.

Ein beunruhigend trauriger Blick trifft mich. „Es ist gut, dass sie tot ist", sagte er und nickt zur Bekräftigung seiner Worte stoisch vor sich hin.

Ich weiß, was er meint. Der Tod hat sie von ihren Schmerzen erlöst.

Als er bemerkt, dass ich etwas dazu sagen will, hebt er abwehrend den Arm. „Nein, verstehen Sie mich nicht falsch. Natürlich wäre es mir lieber, sie würde noch leben, aber nicht mit dieser schrecklichen Krankheit."

„Das weiß ich doch."

„Während der letzten Tage war das Leben für sie eine einzige Qual. Sie hat es mir nicht gesagt, aber es muss so gewesen sein. Ich höre immer noch das Röcheln bei jedem ihrer Atemzüge. Ihre Lunge war gefüllt mit ekelhaftem Schleim. Zwar haben die ihr einen Schlauch durch die Nase in die Luftröhre geschoben und diesen Auswurf immer wieder abgesaugt, was ihr sicherlich in gewisser Weise Erleichterung verschafft hat, aber wirklich geholfen hat es ihr nicht. An ihrem letzten Abend, bevor sie einschlief, nahm ich ihre Hand in meine. Es fiel ihr sichtlich schwer, aber sie drehte ihren Kopf zu mir und sah mir direkt in die Augen. Es war einer dieser Momente, in denen sie ganz klar schien. Da sagte ich ihr, dass ich sie liebe. Sie schloss und öffnete ihre Augen, um mir zu zeigen, dass sie mich verstanden hat. Als sie ihre Augen dann erneut schloss, schimmerte eine Träne auf ihrer Wange. Da wusste ich, dass ihre letzten Gedanken mir gegolten haben. Selbst im Sterben sorgte sie sich um mich. Ich habe ihr dann gesagt, dass ich es schon schaffen werde. Sie hat mich noch mal angesehen und gelächelt. Dann hat sie die Augen wieder geschlossen und nie mehr aufgemacht. Gegen Morgen fiel sie ins Koma und kurz nach Sieben tat sie ihre letzten Atemzüge."

„Das war sicher das Schlimmste, das du in deinem jungen Leben mitmachen musstest. Aber du warst sehr tapfer und ich bin davon überzeugt, deine Mutter war stolz auf dich. Doch jetzt musst du ihr noch einen Liebesdienst erweisen, begleite sie auf ihrem letzten Weg. Tu es für deine Mutter und auch für dich selbst."

„Ich kann nicht", flüstert er. „Ich kann diese Urne nicht ansehen und daran denken, dass die Asche meiner Mutter da drinnen ist. Meine Mutter, verstehen Sie? Ich kann nicht glauben, dass alles, was von meiner wundervollen Mutter bleibt, nur eine Hand voll Asche ist."

Erneut laufen ihm Tränen über die Wangen. Er schüttelt verzweifelt seinen Kopf, schnieft und schnäuzt sich.

Ich setze mich an seine Seite, lege ihm meinen Arm um die Schultern und drücke ihn aufmunternd an mich. „Das, was deine Mutter für dich war und noch lange Zeit – vermutlich dein Leben lang – sein wird, hat nichts mit dieser Asche zu tun. Lass ihr den Platz in deinem Herzen, den sie schon zu ihren Lebzeiten innehatte und sie wird immer bei dir sein."

„Im Moment kann ich mir nicht vorstellen, jemals wieder ein anderes Bild vor meinen Augen zu sehen, als das, wie ich an ihrem Grab stehe. Der Pfaffe wird einige unbedeutende Worte verlieren, über eine Frau, die er nie gekannt, nie verstanden, nie geliebt hat. Mutter war Zeit ihres Lebens keine Kirchgängerin. Was nicht heißt, dass sie ungläubig war", beeilt er sich, mir zu versichern, „denn das war sie ohne Zweifel nicht. Sie hat mich im christlichen Glauben erzogen, hat mich gelehrt zu beten, vertrauen zu haben in himmlische Mächte, von denen sie überzeugt war, dass sie um uns sind."

„Du meinst, sie hat dir von deinem Schutzengel erzählt?"

Er nickt. „Ich habe sie immer ein wenig belächelt – heimlich natürlich."

„Ich denke, sie hatte recht. Ob das Engel sind, die speziell zu unserem Schutz abgestellt werden und in wie weit deren Kompetenzen reichen, das weiß ich nicht, aber ich glaube, es gibt jemanden, der darauf achtet, dass uns nur aufgebürdet wird, was wir auch tragen können." *Was rede ich denn da? Die Schicksalsschläge, die ich erleiden musste, sind entschieden zu viel.*

„Ich halte das für Nonsens. Zu viele offene Fragen, auf die meine Mutter keine Antwort wusste und Sie sicher auch nicht. Was sind das für Schutzengel, die nicht fähig sind, uns zu beschützen?", begehrt er auf.

„Gott hat den Menschen einen freien Willen gegeben. Das heißt, wir sind für unser Glück und Unglück selbst verantwortlich. Viele Krankheiten entstehen, weil wir falsche Entscheidungen für unser Leben treffen, gegen unsere Talente handeln, in Berufen arbeiten, die uns unzufrieden machen, wodurch Seele und Körper nicht eins miteinander sind. Die daraus resultierende Unzufriedenheit kann durchaus krank machen. Ob das für deine Mutter zutrifft, kann ich natürlich nicht beurteilen."

„Ich dachte immer, sie wäre glücklich. Jedenfalls hat sie nie gejammert, sich nie negativ über ihre Arbeit und ihr Leben geäußert. Aber manchmal, wenn sie sich unbeobachtet glaubte, konnte ich so einen merkwürdig sehnsuchtsvollen Ausdruck und ein kaum wahrnehmbares Lächeln auf ihrem Gesicht erkennen. So als ob sie sich an jemanden oder etwas erinnert, nachdem sie sich ... sehnt. Wenn ich sie dann fragte, meinte sie nur, es gäbe Dinge und Momente im Leben die einen an Situationen erinnern, an die man gerne zurückdenkt, obwohl sie einem das Herz ein wenig schwer machen. Aber dann lachte sie auch schon wieder und ich habe mir nichts weiter dabei gedacht."

„Deine Mutter war eine kluge Frau. Ich habe mal gelesen, dass unser wirkliches Leben woanders stattfindet, dass wir schon existierten, bevor wir in dieses geboren wurden. Wir sind nur hier, um Erfahrungen zu sammeln und um unseren Charakter zu formen. Damit wir die Aufgaben erfüllen können, die dafür nötig sind, erhalten wir Talente, die wir nutzen dürfen. Charaktereigenschaften zum Beispiel, herausragende Begabungen und auch Menschen werden uns zur Seite gestellt, die uns auf unserem Weg durchs Leben begleiten."

„Das hieße dann, meine Mutter hätte sich für diese Krankheit entschieden, um eine Erfahrung zu machen? Und ich? Ich wollte den Schmerz kennenlernen? Wozu?"

„Weil Schmerz, in welcher Form auch immer, unseren Charakter formt. Nur wer den Schmerz kennt, wird auch die daraus resultierenden Gefühle kennenlernen. Demut, Dankbarkeit für Freude, Glück und Liebe, aber auch Wut und den Wunsch etwas zu verändern, bei uns selbst oder auch in der Welt. Manche von uns müssen aber vielleicht auch nur lernen, den Schmerz zu ertragen." *Was rede ich denn da? Es gibt Schmerzen, die niemand ertragen kann.*

„Na, vielen Dank aber auch. Auf diese Erfahrung könnte ich dankend verzichten."

„Weiß Gott, ich auch. Meine Mutter war eine sehr gläubige Frau. Sie hat mir erzählt, Engel würden uns nur dann beistehen, wenn wir sie darum bitten. Aber schau dich doch mal um in dieser Welt, die meisten Menschen glauben nicht mal an Gott, wie sollten sie da an Engel glauben? Und wie kann man jemanden um Hilfe bitten, an den man nicht glaubt?" *So wie ich,* füge ich in Gedanken hinzu.

„Meine Mutter war auch gläubig, trotzdem schien sie von allen Engeln verlassen zu sein. Keiner hat ihr bei dieser Krankheit beigestanden und hätten die Ärzte sie nicht mit Morphium vollgepumpt, hätte sie auch die Schmerzen ertragen müssen."

„Irgendwann werden wir die Gründe erfahren, davon bin ich überzeugt. Verliere deinen Glauben nicht durch diesen Schmerz. Ganz sicher wird dich dann dein Schutzengel auch auf diesem schweren Weg begleiten und sobald du glaubst nicht mehr gehen zu können, wird er dich stützen."

Noch während ich das sage, werde ich mir endgültig meiner eigenen Hoffnungslosigkeit, meiner Zweifel und Ängste bewusst und senke beschämt den Kopf.

Er ergreift meine Hand und mit gesenktem Blick sagt er: „Ich bin so froh, dass Sie mich begleiten. Sie sind mein Engel."

Ich suche noch nach einer passenden Erwiderung, da sieht er mir direkt in die Augen. „Darf ich Sie nach der Beerdigung mal besuchen? Nicht sofort", beeilt er sich, mich wohl zu beruhigen, „aber vielleicht nach ein paar Tagen."

Unbewusst nicke ich, antworte aber: „Du weißt doch, ich verreise nach der Beerdigung."

„Ach ja", sagt er enttäuscht.

„Na komm schon, zieh dich an. Wir müssen noch in deine Wohnung."

„In meine Wohnung", flüstert er ausdruckslos.

„Du willst dich doch noch umziehen", erinnere ich ihn.

„Umziehen. Ja", sagt er wie erwachend. „Ja, ich beeile mich."

„Gut, ich warte in der Küche auf dich. Wir haben gerade noch so viel Zeit, um wenigstens eine Tasse Kaffee zu trinken und eine Semmel zu essen."

„Ich habe keinen Hunger", murmelt er.

„Trotzdem wirst du ein paar Bissen essen", entscheide ich resolut.

Er antwortet nicht, zieht aber bereits das T-Shirt über seinen Kopf. Ich verlasse das Zimmer und gehe hinunter in die Küche. Damit er wenigstens ein wenig isst, schneide ich eine Semmel auf, bestreiche sie mit Butter und lege eine Scheibe Wurst darauf. Dann gieße ich Kaffee in die Tassen und nehme mir ebenfalls eine Semmel. Noch während ich sie bestreiche, betritt der Junge die Küche. Er setzt sich und trinkt einen Schluck.

„Jetzt iss schon", dränge ich ihn.

„Sie sind nicht meine Mutter", blafft er mich unfreundlich an, senkt jedoch sogleich den Blick und murmelt leise: „Entschuldigung."

„Schon gut."

Er greift nach einer Semmelhälfte, legt sie aber gleich wieder auf den Teller. „Ich kann wirklich nicht."

Ich nicke verständnisvoll. „Wenigstens zwei, drei Bissen, damit dein Magen während der Predigt nicht rebelliert. Ich fahre inzwischen das Auto aus der Gerage."

Mein Termin beim Notar ist erst gegen eins. Da haben wir noch genügend Zeit, um in ein nettes Lokal zum Essen zu gehen, bevor ich ihn zu Hause absetze. Er sollte zumindest danach etwas essen.

*

Die Gräber des Münchner Waldfriedhofs liegen zugedeckt unter einer dicken Schicht Neuschnee.

Unwillkürlich denke ich an weiße Leichentücher. Grabsteine, lediglich mit einer weißen Schneehaube bedeckt, ragen wie graue Mahnmale daraus hervor. Dagegen möchten uns die alles überragenden, immergrünen Tannen mit ihrem Bilderbuchäußeren glauben machen, jemand hätte sie mit Puderzucker bestäubt. Alte, gespenstisch wirkende Laubbäume mit blätterlosen Ästen wurden weitgehend verschont, während fast alle Buchskugeln Schneehauben tragen, die wie kleine Baskenmützen aussehen. An einigen Büschen, deren Namen ich nicht kenne, entdecke ich sogar noch braune Blätter. Irgendwo krächzt eine Krähe.

Eisiger Wind, den selbst die hohen Bäume nicht abhalten können, schneidet mir scharf ins Gesicht. Ich ziehe den dicken Wollschal etwas höher über Mund und Wangen und die Mütze ein wenig tiefer in die Stirn. Dann stecke ich meine behandschuhten Hände tief in die Manteltaschen.

Der Junge stellt den Kragen seiner gefütterten Lederjacke auf und verknotet den Schal, den er zuvor nur lässig über den Nacken gelegt hatte.

Die Totenglocke beginnt zu läuten.

Wir gehen langsam über den anscheinend mit Salz bestreuten, eis- und schneefreien, geschotterten Weg und betreten bald darauf die Aussegnungshalle.

Plötzlich ist es wieder still.

Zwei Sargträger vom Beerdigungsinstitut stehen etwas Abseits, die Hände jeweils würdevoll ineinander verschlungen.

In der hintersten Bankreihe sitzt eine ältere Frau, vermutlich die Mesnerin, die eben noch die Glocke geläutet hat.

Ein älterer Mann nimmt am rechts vor uns an der Wand stehenden, schwarz lackierten Klavier Platz.

Nur einen Moment wüsste ich gerne, was diese Leute denken. Vermutlich ist jeder mit seinen eigenen Sorgen oder Freuden beschäftigt, während sie hoffnungsvoll einem baldigen Ende der Trauerfeier entgegensehen.

Ein großer, grauhaariger Mann im dunkelblauen Trenchcoat kommt auf uns zu. Er nimmt seinen Hut ab und reicht Leon die Hand.

„Mein herzliches Beileid, Leon."

„Herr Wagenbrecht", sagt Leon überrascht und erhebt sich.

„Du weißt hoffentlich, dass du mit Problemen jederzeit zu mir kommen kannst."

„Danke."

„Ich würde gerne ein paar Worte sagen, vorausgesetzt es ist dir recht?"

„Ja, aber es wird niemand außer ..."

Die Tür schwingt auf. Einige junge Leute in Leons Alter – Schulfreunde – betreten die Halle und setzen sich in die Bank hinter uns. Zwei Frauen folgen ihnen. Erneut schwingt die Tür auf und weitere Trauergäste nehmen in den Bänken Platz.

Leon nickt und setzt sich wieder. Herr Wagenbrecht setzt sich in die Bank hinter uns.

„Das ist unser Rektor", flüstert der Junge.

Ich nicke verstehend.

Zunehmend füllt sich die Halle.

Frau Landmann scheint bei Schülern und Kollegen ziemlich beliebt gewesen zu sein.

Jemand hustet.

Hier drinnen ist es trotz der vielen Leute empfindlich kalt.

Ich werfe einen Blick auf meine Armbanduhr. Es ist bereits zehn und der Pfarrer noch nicht mal in Sicht.

Ein pfeifendes und knirschendes Geräusch lässt mich aufblicken. Durch die etwas geöffnete Seitentür sehe ich zunächst nur ein Rad, dann den Mann im schwarzen Wollmantel, der es in gebückter Haltung vor sich herschiebt, während er sich der Klammern an seinen Hosenbeinen entledigt.

Der Pfarrer.

Zwei Minuten später erscheint er im schwarzen Talar, die Bibel in beiden Händen, wie eine Rüstung vor der Brust tragend. Er ergreift zunächst die Hand des Jungen, dann auch meine, vermutlich denkt er, da ich neben Leon sitze, ich wäre eine nahestehende Verwandte der Verstorbenen.

Wie der Junge es bereits vermutet hat, leiert der Pfarrer einige belanglose Floskeln, die auf jede x-beliebige Trauerfeier gepasst hätten und spricht ein Gebet für die Verstorbene. Dann bittet er die Trauergemeinde, das Liederbuch aufzuschlagen.

Verhaltene Unruhe entsteht. Einige Leute räuspern sich.

Der Pianist spielt einige Töne an, dann beginnen die Anwesenden zu singen. „Es ist genug! So nimm, Herr, meinen Geist zu Zions Geistern hin! Lös auf das Band, das ...“

Ein Segen für die Verstorbene folgt, dann gibt der Pfarrer den beiden Männern vom Beerdigungsinstitut ein Zeichen.

Wieder beginnt die Glocke zu läuten.

Die Sargträger nehmen die Urne auf. Dem Ereignis angemessen gehen sie langsam aus der Aussegnungshalle.

Der Pfarrer folgt ihnen.

Leon, ich und alle anderen Anwesenden folgen dem Priester.

Wieder krächzt irgendwo eine Krähe, die sich wohl in ihrer Ruhe gestört fühlt.

Am offenen Grab gähnt uns ein heraus gebohrtes Loch entgegen.

Einer der Männer lässt die Urne langsam – würdevoll – sagt man wohl dazu, mit ernstem Gesichtsausdruck in das tiefe Loch hinuntergleiten.

Auf Geheiß des Pfarrers beten wir gemeinsam das Vaterunser.

Herr Wagenbrecht tritt hervor. Er spricht einige anerkennende Worte über die Verstorbene und findet auch tröstende Worte für Leon. Danach legt er seine Hand auf Leons Schulter und stellt sich an seine Seite.

„Von Erde bist du genommen, zu Erde wirst du wieder werden“, sagt der Pfarrer, nimmt das Schäufelchen aus dem Gefäß, das mit Erde gefüllt am Grab steht, und wirft etwas davon in die Öffnung. „Gehe hin und ruhe, bis du aufstehst zu deinem Erbteil am Ende der Tage." Er legt das Schäufelchen zurück und wendet sich an uns: „Und der Friede Gottes, der höher ist als alle Vernunft, wird eure Herzen und Gedanken bewahren in Christus Jesus. Amen."

Ich denke an ein anderes Begräbnis. Alter Friedhof in Herrsching – Familiengrab der Familie Weidentaler. Wie anders hat der Pfarrer gesprochen. Nun ja, er kannte Richard. Als Jungs haben sie dasselbe Gymnasium besucht. Ich schließe die Augen um die Tränen zurückzuhalten, die ich jetzt nicht für angebracht halte, da ich sie nicht für diese unbekannte Frau vergießen würde.

Der Junge sucht nach meiner Hand. Ich ergreife sie und drücke sie beruhigend.

Der Pfarrer, von dem ich annehmen möchte, dass er einen schlechten Tag hat, da ich ihn sonst für absolut unfähig halten müsste, gibt den beiden schwarz gekleideten Männern erneut ein Zeichen.

Die Männer wenden sich ab und gehen.

Er selbst verabschiedet sich, sichtlich erleichtert, diese Zeremonie zu Ende gebracht zu haben.

Ich spüre den festen Druck der Hand des Jungen, der mir dadurch unbewusst seinen Schmerz vermittelt. *Was kann ich tun, um diesen Schmerz zu lindern,* frage ich mich und gebe mir auch gleich die Antwort – *nichts.*

„Du kannst nicht mal dir selbst helfen", sagt meine innere Stimme. *Ich könnte für ihn da sein*, denke ich.

In diesem Moment nehme ich mir vor, noch eine Weile bei ihm zu bleiben.

„Könnten Sie ...", bittet Leon Herrn Wagenbrecht und deutet mit schwacher Kopfbewegung auf die Anwesenden.

Der versteht ihn auch ohne Worte. Er bedeutet den Anwesenden sich diskret zurückzuziehen.

„Ich werde am kleinen Weiher bei der Aussegnungshalle auf dich warten", sage ich und lasse ihn, nachdem er kaum merklich genickt hat, allein am Grab zurück.

Meine Finger sind von der Kälte ganz steif und meine Füße fühlen sich trotz der gefütterten Stiefel eiskalt an.

Ein alter Mann geht in gebückter Haltung gemächlich an mir vorbei. Eine junge Frau, die eine alte Dame im Rollstuhl schiebt, vermutlich Mutter und Tochter, bleibt stehen. Als der Mann die beiden erreicht, begrüßen sie sich mit Handschlag, sprechen ein paar Worte, trennen sich wieder und gehen weiter, jeder seinen Weg.

Da, endlich, der Junge kommt.

„Bringen Sie mich noch nach Hause?", fragt er bittend.

Ich nicke. „Aber ja. Wir könnten auch noch ein nettes Lokal aufsuchen und was essen oder wenigstens einen Kaffee trinken."

„Den sogenannten Leichenschmaus meinen Sie?", fragt er spöttisch, fügt dann aber bittend hinzu: „Könnten wir darauf verzichten? Ich lade Sie gerne ein andermal zum Essen ein, aber bitte nicht heute."

„Ganz davon abgesehen, dass ich dich einladen möchte, könnte dich das vielleicht ein wenig ablenken oder gar trösten." Gerne würde ich ihm erklären, dass so ein Leichenschmaus nicht nur eine traditionelle, sondern auch eine symbolische Bedeutung hat, die durchaus ihren Zweck erfüllt. Ich könnte ihn bitten, von gemeinsamen Begebenheiten zu erzählen. Schon des Öfteren konnte ich erleben, dass sich währenddessen ein erstes Lächeln auf die Lippen der Hinterbliebenen gestohlen hat. Trotz des Abschiedsschmerzes könnte dann vielleicht auch er erkennen, dass vieles von seiner Mutter zurückbleibt. Doch ich sage nichts von all dem. Ich kann nicht. Denn das alles ist absoluter Blödsinn. Für mich war der Leichenschmaus nach Richards Beerdigung eine einzige Tortur. Ich lege meine Hand auf Leons Arm. „Ein Mensch ist erst tot, wenn er vergessen ist. Deine Mutter wird, so du es willst, immer bei dir sein." Ich lege meine Hand demonstrativ auf seine Brust. „Hier drinnen in deinem Herzen."

Er nickt. „Ich verstehe, was Sie mir sagen wollen, aber ich wäre jetzt trotzdem gerne allein."

Ich nicke nur. *Wenn ihn der Hunger übermannt wird er schon essen.*

Nachdem ich den Jungen vor seiner Wohnung abgesetzt habe, begebe ich mich in die „Friesische Teestube", die nur wenige Schritte von Martins Kanzlei entfernt ist, und nehme eine Kleinigkeit zu mir. Großen Appetit habe ich in Anbetracht dessen, was gleich auf mich zukommt, ohnehin nicht.

Kapitel 4

„Schon geraume Zeit her, als wir uns das letzte Mal sahen", begrüßt mich Martin Kleinert, Notar und Richards bester Freund. „An der Beerdigung. Du hast nicht einen meiner Anrufe beantwortet. Dabei hatte ich gehofft, du würdest jetzt, nach Richards Tod, die Verbindung nicht völlig kappen. Wir waren sogar mal bei dir draußen, aber du warst anscheinend nicht zu Hause. Jedenfalls hast du uns nicht hereingebeten", fügt er vorwurfsvoll hinzu.

„Entschuldige, ich konnte einfach mit niemandem sprechen. Aber euch beide habe ich nicht gesehen. Kann sein, dass ich wie so oft während der letzten Tage am See spazieren ging. Da habe ich euch wohl verpasst. Sag Dany liebe Grüße, ich melde mich demnächst bei ihr."

Mit einladender Geste bietet er mir einen Platz auf der anderen Seite seines wuchtigen Schreibtisches an.

„Nun sag schon, wie geht es dir?", fragt er unnötigerweise, aber scheinbar interessiert, während er um den Schreibtisch herumgeht.

Ich zucke mit den Schultern. „Na ja …"

„Du hast abgenommen", bemerkt er mit besorgtem Unterton in der Stimme.

Spontan sehe ich an mir herunter. „Ja, kann sein, jetzt da du es erwähnst …", sage ich und streiche unwillkürlich über meine rechte Pobacke. *Tatsächlich.* Bis zu diesem Moment war mir nicht aufgefallen, wie locker die Hose an mir herunterhängt. Dabei hatte ich ohnehin kaum etwas auf meinen Hüften. Aber was soll's? Auch das ist nicht mehr wichtig.

„Du solltest dir eine Reise gönnen. Besuche euer Haus auf Föhr oder noch besser, flieg nach Menorca, da verbrachtet ihr doch so gerne eure Winterurlaube. Lass dich verwöhnen und sammle interessante Eindrücke. Schreibst du zurzeit nicht an einem neuen Roman? Du könntest deinen Laptop einpacken, dann kannst du überall auf der Welt schreiben. Das würde dich sicher auf andere Gedanken bringen", begann er mich aufzumuntern.

„Allein dieser Termin hielt mich bisher davon ab", bemerke ich ein wenig zynisch und frage irritiert: „Wer hat dir erzählt, dass ich an einem neuen Roman arbeite?"

„Richard natürlich."

„Richard?", frage ich erstaunt und setze mich. Richard hinderte mich zwar nie am Schreiben, aber er interessierte sich auch nie sonderlich dafür. Als ich ihm von meinem neuen Projekt erzählte, nickte er nur und meinte: „Dann mach mal."

„Ja, ä …, ä …, kommen wir, ä …, am besten gleich zur Sache", stottert er, setzt sich ebenfalls und schlägt eine Schreibmappe aus schwarz eingefärbtem Leder auf.

Mein Blick fällt auf das Kuvert, das oben auf liegt. *Ist das Richards Testament? Richards Testament …* Ich spüre einen schmerzhaften Stich in meinem Herzen und lenke meinen Blick auf Martins Gesicht.

Er wirkt befangen, betrachtet mich mit gerunzelter Stirn, dann nimmt er das Kuvert zur Hand.

„Ich … habe hier einen Brief … von Richard, den soll ich dir vor der Testamentseröffnung überreichen."

„Ein Brief von Richard?", frage ich erstaunt, betrachte den Briefumschlag und dann Martins Gesicht, als könne ich die Antwort von dort ablesen. „Weshalb lässt er mir durch dich einen Brief zukommen?", frage ich misstrauisch weiter, da sein Herumgedrucke und sein offensichtliches Unbehagen mich ein wenig beunruhigen.

Doch er zieht nur die Augenbrauen hoch und händigt mir den weißen Umschlag aus.

Was könnte Richard, überlege ich, *mir erst jetzt, nach seinem Tod, auf diesem doch etwas ungewöhnlichen Weg mitzuteilen haben? Konnte er zu seinen Lebzeiten nicht darüber sprechen?*

Neugierig öffne ich den Umschlag, ziehe den Briefbogen heraus und falte ihn auseinander.

Meine geliebte Greta,

da Du nun diese Zeilen liest, weile ich nicht mehr unter den Lebenden.

Ich denke gerade daran, wie Du Dich stets über meine korrekte Art, den Arbeitstag abzuschließen, lustig gemacht hast. Also wirst Du jetzt nicht weiter überrascht sein, aber sicher erleichtert, dass ich für diesen nun eingetretenen Fall entsprechend vorgesorgt und alles geordnet hinterlassen habe.

Bis auf eine Sache, die ich ein Leben lang bereute. Ich tat etwas, das Du mir vermutlich nie verziehen hättest. Darum, weil ich Dich über alle Maße liebte und Dich nicht verletzen wollte und auch, weil ich befürchtete Dich zu verlieren, habe ich es Dir nie erzählt.

Doch nun darf ich nicht mehr schweigen.

Erinnerst Du Dich an die Zeit, als Dein zweites Buch „Die Bernsteinkette" verlegt wurde? Du befandst Dich wieder mal auf Lesereise, warst ständig bei irgendwelchen Interviews und Shows. Wir, Fabian und ich, ich vermutlich mehr als er, fühlten uns nur noch wie ein schönes Beiwerk, mit dem Du Dich, wann immer es Dir beliebte, schmücken konntest. Du schienst in einer anderen Welt zu leben und warst zu beschäftigt, um es zu bemerken, aber wir vermissten Dich. In manchen Nächten konnte ich nicht schlafen, weil ich mich so sehr nach Dir sehnte.

Jedenfalls war ich derjenige, der plötzlich für Fabians körperliches und seelisches Wohl sorgen musste. Ich war für ihn da, wenn er Probleme hatte. Und die hatte er. Einmal musste ich sogar bei seiner Lehrerin vorsprechen. Damit komme ich zum eigentlichen Grund dieses Schreibens.

Frederike Landmann war Fabians Lehrerin und die Frau mit der ich mich einmal über meine Einsamkeit getröstet habe.

Frederike Landmann? Frederike Landmann? Das kann doch nur ein dummer… Nein, mit so etwas scherzt man nicht.

Ich blicke auf. Mir ist übel und mein Interesse, den Rest des Briefes zu lesen, ist auf den Tiefpunkt gesunken. Martin hat sich inzwischen erhoben. Er steht mit dem Rücken zu mir am Fenster. Ich senke den Blick und lese trotz meiner inneren Abwehr weiter.

Sie war so wunderbar verständnisvoll und hat mir zugehört. Bei ihr fand ich die Geborgenheit, die ich bei Dir schon lange vermisste. Und weil ich mich so entsetzlich allein fühlte, kam das eine zum anderen und da ist es passiert.

Es war nur diese eine Nacht.

Leider blieb sie nicht ohne Folgen. Frederike und ich haben einen gemeinsamen Sohn. Einen Sohn, der nie von meiner Person erfuhr. Sie wollte es so. Auch gab sie mich weder als Vater an, noch durfte ich die üblichen Alimente bezahlen. Sie wollte nichts mehr mit mir zu tun haben. Ich musste sogar eine Verzichterklärung unterschreiben. Was ich unter den gegebenen Umständen, wie Du Dir sicher denken kannst, erleichtert tat. Ich wollte diese Nacht und die Folgen einfach aus meinem Gedächtnis streichen. Schlimm genug.

Die Erleichterung darüber hielt dann auch nicht lange an. Bald schon nagten die ersten Gewissensbisse an mir und letztendlich konnte ich Frederike dazu bewegen, mich als Vater des Kindes anzugeben und ich bestätigte es.

Die Vaterschaftserklärung liegt notariell beglaubigt diesem Brief bei.

Der Junge hat zumindest ein Recht auf sein Erbe. Denn, obwohl Frederike mich dann letztendlich doch noch als seinen Vater eintragen ließ, durfte ich mich dem Jungen nie zu erkennen geben. Das war ihre Bedingung. So konnte ich an seinem Leben nur aus der Ferne teilhaben. Dennoch kann ich sagen, dass ich Leon liebte und immer mächtig stolz auf ihn und seine schulischen Leistungen war. Er wird seinen Weg gehen.

Ja, ich kann nicht leugnen, dass ich Dich hintergangen und betrogen habe und Du wirst jetzt vermutlich auch sehr enttäuscht von mir und meinem Handeln sein.

Ich war ein Feigling.

Dennoch hoffe ich, dass Du Dich, obwohl Du durch diese Zeilen sehr verletzt sein wirst, meinen Wünschen nicht widersetzt und dass Du mir eines Tages vielleicht sogar verzeihen kannst. Was geschehen ist, tut mir unsagbar leid.

Aber bitte glaube mir, Du warst die Liebe meines Lebens und bis auf diese eine Nacht der Schwäche, war ich Dir stets treu. Ist das nicht das einzige, das am Ende zählt?

In ewiger Liebe Dein Richard

Fassungslos lasse ich den Brief sinken. Ich wage es nicht, Martin, der sich inzwischen wieder gesetzt hat, in die Augen zu sehen. *Ich bin eine betrogene Ehefrau. Mein Gott, wie demütigend. Und mein wundervoller Ehemann, für den ich ohne zu zögern beide Hände ins Feuer gelegt hätte, war auch nur ein Mann.* Bei diesem Gedanken ergreift mich eine Welle ungeheurer Wut. *Betrogen!* Das Wort hallt hämisch in meinem Kopf wider und wider nach. *Richard hat mich mit einer anderen Frau betrogen. Mit der Frau, an deren Grab ich vor etwa einer Stunde gestanden bin. Mein Gott! Dann ist der Junge ... Ich fass es nicht.*

Um mich zu beruhigen, atme ich tief ein und aus, ein und aus. In meinem Kopf herrscht ein heilloses Tohuwabohu. Bevor ich auch nur einen klaren Gedanken fassen kann, scheint er wie eine Seifenblase zu explodieren.

Martin räuspert sich. „Greta?"

„Wusstest du davon?", frage ich knapp.

Er räuspert sich noch einmal. „Ja", antwortet er einsilbig.

„Hm", lache ich abfällig auf. Natürlich wusste er davon. Er hat es schließlich notariell beglaubigt. Plötzlich bekomme ich keine Luft mehr in diesem Raum, in dem sich Betrug und Falschheit breit gemacht haben. Tränen verschleiern meinen Blick. Ich erhebe mich. Achtlos flattert der Brief zu Boden. Der natürlichen Reaktion, mich danach zu bücken, widerstehe ich.

Martin erhebt sich, geht um den Schreibtisch herum und bückt sich. Er hebt den Brief auf und streckt ihn mir entgegen.

Ohne ihn oder das Papier eines Blickes zu würdigen, wende ich mich ab. Mein Magen rebelliert. Magensäure brennt durch meine Speiseröhre hoch. Das unangenehme Gefühl, mich übergeben zu müssen, nimmt zu. Ich schlucke, presse meine Hand auf den Magen, während meine Blicke unruhig über die Wände des Raumes huschen, die sich scheinbar auf mich zu bewegen und verspüre das dringende Bedürfnis, diesen unseligen Ort auf dem schnellsten Weg zu verlassen.

In diesem Moment, nach zaghaftem Klopfen, öffnet sich die Tür.

Ein junger Mann, der mir auf fatale Weise bekannt vorkommt, betritt den Raum. An jedem anderen Ort hätte ich ihn erwartet, nur nicht an diesem.

„Guten Tag. Entschuldigung, ich bin Leon Land ...“, er unterbricht sich und starrt mich überrascht an. „Greta, Sie sind auch hier?“

„Ha, ha ...“, hauche ich hysterisch.

„Greta“, meldet sich nun Martin zu Wort, „darf ich dir Frederike Landmanns Sohn, Leon Landmann, vorstellen?“

Gleich darauf wendet er sich an den Jungen.

„Herr Landmann, darf ich Sie mit Greta Weidentaler bekannt machen?“

Ja – klar, die Augen und die Ähnlichkeit mit Fabian. Ich habe sie mir nicht nur eingebildet.

„Aber Sie sagten doch ...“, unterbricht der Junge meine Gedanken, „Sie wären Greta Sander, die Schriftstellerin“, stellt er verwundert fest.

„Sander, ist mein Mädchenname“, kläre ich ihn auf, „ich benutze ihn als Pseudonym und manchmal rutscht ...“ *Was rede ich da? Ich bin dem Jungen keine Rechenschaft schuldig.* Verwirrt fasse ich an meine Stirn, als könnte ich so meine Gedanken ordnen. *Ich muss mich hier nicht rechtfertigen. Er hat mich hintergangen. Er hat von Anfang an gewusst, wer ich bin.*

„Findest du dein Verhalten eigentlich besonders komisch?“, fahre ich ihn gleich darauf zornig an. Erneut wird meine Sicht durch Tränen getrübt. Ich bemühe mich Haltung zu bewahren und blinzle sie weg. *Gibt es nur noch Falschheit und Betrug um mich herum?*

Auf dem Gesicht des Jungen macht sich ein Ausdruck der Verwirrung breit. „Ich weiß nicht, was Sie meinen?“

„Kennst du den jungen Mann etwa schon?“, fragt Martin konsterniert.

Ich nicke. „Das kann man wohl sagen", antworte ich und denke an die Szene am See.

„Aber wie ist das möglich?", fragt Martin weiter.

„Der Junge hat sich auf äußerst makabre Weise in mein Leben geschlichen", erkläre ich abweisend, ohne wirklich etwas aufzuklären.

„Von 'geschlichen' kann ja wohl nicht Rede sein", wehrt sich der Junge. „Ich wusste weder wer Sie sind, noch wusste ich, dass ich Ihnen heute hier begegnen würde. Ganz davon abgesehen", sein Blick richtet sich auf Martin, „weiß ich noch nicht einmal, was ich hier soll."

Martin deutet auf die beiden Sessel, die vor seinem Schreibtisch stehen.

„Bitte nehmen Sie erst mal Platz", sagt er zu dem Jungen. „Und darf ich dich ebenfalls bitten, Greta."

Ich kann der Versuchung, den Raum zu verlassen, nur schwer widerstehen, doch um die Form zu wahren und vielleicht auch aus einem guten Stück Neugier, setze ich mich. Ein Gedankenblitz jagt mir durchs Gehirn. *Wenn ich mich jetzt umbringe, glaubt jeder, zumindest Martin, ganz sicher auch Dany ...*

„Weiß es Dany?", höre ich mich fragen.

„Nein, sie weiß es nicht", antwortet er bestimmt und setzt sich in seinen Sessel.

Ach ja, die Schweigepflicht. Na gut, Dany weiß es nicht, aber der Junge würde es wissen, zumindest würde er es vermuten. Kann mir doch aber eigentlich egal sein. Danach ist mir wahrscheinlich ohnehin alles egal. Aber welchen Sinn macht es, einem Mann, der mich betrogen hat, bis in den Tod zu folgen?

„Haben Sie das verstanden?", höre ich Martins Frage, die mich aus meinen Gedanken reißt.

„Ich denke schon. Richard Weidentaler war mein Erzeuger", antwortet der Junge sarkastisch.

„Richard Weidentaler war Ihr Vater."

Der Junge springt auf. „Ich hatte nie einen Vater. Unter einem Vater stelle ich mir etwas anderes vor", zischt er wütend. „Ich habe diesen Mann einmal in meinem Leben gesehen und er war zu mir so freundlich, wie er vermutlich zu jedem x-beliebigen Kind auf jeder x-beliebigen Straße dieser verdammten Welt gewesen ist. Der Mann war ein Feigling, der nicht Manns genug war, mich während seines Lebens anzuerkennen. Er hätte zu mir stehen, um mich kämpfen müssen. Das tun Väter."

„Nun seien Sie mal nicht ungerecht", beschwichtigte ihn Martin.

Alle Achtung! Hätte ich einen Hut auf, ich würde ihn vor dem Jungen ziehen. Sollte er Theater spielen, tut er das ziemlich glaubwürdig und wenn nicht, kann ich nur sagen, alle Achtung.

„Ungerecht? Jetzt nach seinem Tod, da er niemandem mehr Rede und Antwort stehen muss, will er auf unsere Kosten", er wirft mir einen raschen Blick zu, „sein schlechtes Gewissen erleichtern. Dass ich nicht lache! Ich will nichts mit diesem Menschen zu tun haben. Er war mein Vater, sagen Sie? Ein Vater, der es nicht für nötig hält, sich um seinen Sohn zu kümmern, ist kein Vater", schleudert er Martin entgegen, fügt aber leise hinzu: „Dabei habe ich mich manchmal so sehr nach einem gesehnt." Mit schnellen Schritten eilt er zur Tür und reißt sie auf. „Jetzt komme ich gut allein zurecht."

„Warten Sie doch, Herr Landmann", ruft Martin hinter ihm her. „Hören Sie sich wenigstens an, was ich Ihnen zu sagen habe. Bitte."

Ich atme einmal tief durch. „Jetzt bleib schon, Junge. Ich bleib ja auch."

„Frau Sander", wendet er sich an mich, „Weidentaler ... Mist! Wie soll ich Sie nun nennen?", fragt er, unsicher mit den Schultern zuckend. Dann presst er seine Lippen fest zusammen und zieht dabei eine Grimasse, die ihn hilflos erscheinen lässt.

„Sander", entscheide ich prompt. Da mir der Name Weidentaler im Moment wie Hohn in den Ohren klingt und ich meinem betrügerischen Ehemann, wäre das noch möglich, am liebsten an die Gurgel gehen möchte. Das ganze Szenario ist mir so unbeschreiblich peinlich und das macht mich zusätzlich wütend. Mit meinem Vornamen wird er mich jedenfalls nicht mehr ansprechen.

„Frau Sander, bitte glauben Sie mir, ich wusste von all dem ebenso wenig wie Sie."

„Du verstehst sicher, dass ich daran so meine Zweifel hege", antworte ich gereizt. „Denn dass alles was während der letzten Tage passiert ist, reiner Zufall gewesen sein soll, kann ich nun nicht mehr glauben."

Andererseits muss einer schon ziemlich verrückt sein, um ins eiskalte Wasser zu springen, darauf hoffend, dass sein Hilferuf gehört, er rechtzeitig gefunden und dann auch noch gerettet wird.

„Für wie blöd halten Sie mich? Unsere Begegnung am See war nicht geplant", beteuert er. „Das Schreiben, welches mich hierher zitierte, fand ich erst vorhin in meiner Post. Da ich annahm, dass es sich um eine Verwechslung handelt, ich konnte mit dem Namen Weidentaler nichts anfangen, wollte ich zuerst nicht mal kommen. Doch um den Irrtum aufzuklären, rief ich hier an. Ich vermute es war", er deutet auf Martin, „seine Sekretärin, mit der ich sprach. Sie sagte, dass es mit der Einladung durchaus seine Richtigkeit hätte und bat mich eindringlich zum Termin zu erscheinen. Glauben Sie mir bitte, letztendlich bin ich nur hier, weil mich die Neugier gepackt hat."

„Nun setz dich schon", fordere ich ihn resolut auf und wende mich sogleich an Martin: „Mach fix, damit ich endlich von hier wegkomme."

Nach kurzem Zögern setzt sich der Junge. Wir tauschen einen schnellen Blick, dann wenden wir uns abwartend Martin zu.

Martin nimmt ein weiteres Kuvert aus seiner Schreibmappe, bricht das Siegel und zieht das Schreiben heraus.

Nun wird's interessant, denke ich, während ich durch mehrfaches Schlucken versuche, dem erneuten Schub Magensäure Herr zu werden. „Kann ich ein Glas Wasser haben?"

„Wieder dein Sodbrennen?", fragt er mich besorgt.

Ich nicke.

Er drückt auf die Gegensprechanlage, nachdem er den Jungen gefragt hat, ob er ihm ebenfalls etwas anbieten dürfe, und bestellt das Gewünschte bei seiner Sekretärin.

Gleich darauf öffnet sich die Tür. Die Sekretärin kommt herein, reicht mir ein Glas, dann stellt sie ein kleines Tablett, auf dem sich eine Tasse Kaffee, Zuckerdose und Milchkännchen befinden, vor den Jungen auf Martins Schreibtisch ab und verschwindet wieder.

Das wohlriechende Aroma des Kaffees steigt mir in die Nase. *Wäre mir jetzt auch lieber – mit 'nem kräftigen Schluck Cognac drin.* Um das Verlangen danach zu stillen, trinke ich hastig einige Schlucke Wasser.

„Kann ich beginnen?", fragt Martin und wirft mir einen abwartenden Blick zu.

Ich ziehe lediglich meine linke Augenbraue nach oben. Das Testament ist mir an sich gleichgültig, jetzt mehr denn je.

Zunächst wendet er sich dem Jungen zu.

Aus den Augenwinkeln beobachte ich, wie er nickt. Mich beschäftigt erneut die Frage, wie Richard mich all die Jahre belügen und hintergehen konnte. *War es nun ein Opfer für ihn, seinen Fehltritt zu verschweigen oder war er, wie auch der Junge vermutet, einfach nur feige? Er selbst schreibt es in seinem Brief. Was hätte ich getan, wäre es bei dem ständigen Geplänkel mit Michael … Hätte ich es Richard erzählt? Blödsinn,* weise ich diesen Gedanken strikt von mir. *Nicht einmal im Traum dachte ich daran, Richard zu betrügen.* „Hast du nicht?", meldet sich meine innere Stimme. *Nein!*

Ich war stets gern mit Michael zusammen und bin es noch. Er versteht mich auf eine Weise, wie Richard es nie tat. Wie oft las ich Richard aus einem Kapitel des neuesten Manuskripts vor, um seine Meinung zu hören? Wie oft bemühte ich mich dabei, seine Gleichgültigkeit zu übersehen und das kurz gemurmelte 'gut', das ich danach immer zu hören bekam, in der Hoffnung hinuntergeschluckt, eines Tages sein Interesse wecken zu können. Wie oft zog sich mein Herz vor Enttäuschung zusammen, weil ich immer und immer wieder erkennen musste, dass er lediglich aus Höflichkeit zuhörte, obwohl es ihm offensichtlich ziemlich lästig war. Und nun erinnere ich mich auch an den Abend, an dem ich ihm zum letzten Mal vorlas. Er saß vor dem Fernseher und verfolgte die Nachrichten. Ich fragte ihn, ob er mir kurz zuhören könne. Er sagte nur: 'Hm.' Ich hatte fast zwei Drittel des Absatzes gelesen, als er mich anblaffte: 'Du, ich kann nur eins, entweder die Nachrichten ansehen oder dir zuhören.' Das war so verdammt demütigend … Selbst jetzt, nach so langer Zeit, fühle ich noch dieselbe Enttäuschung, die ich an jenem Abend empfunden habe. Verwundert über diese Empfindung schüttle ich unmerklich den Kopf und atme einmal tief ein und langsam wieder aus. Ganz anders Michael. Er las meine Arbeiten von Anfang an mit größtem Interesse. Er wusste immer, was ich mit dem jeweiligen Text ausdrücken wollte, selbst wenn ich den Nagel mal nicht auf den Kopf traf. Und er gab mir die passenden Tipps, wie ich ihn verbessern könnte. Er kritisierte genau die Stellen, mit denen auch ich nicht so ganz zufrieden war. Aber er lobte mich auch. Na ja, ich darf sein Interesse nicht überbewerten, da dies ja letztendlich seine Arbeit als Lektor ist.

Dann geschah Fabians Unfall. Richard war sehr besorgt um mich, er ließ mich die Tage danach nicht aus den Augen. Nach einigen Wochen jedoch holte uns der Alltag wieder ein. Richard stürzte sich zunehmend in seine Arbeit. Ja, ich denke, er wollte seinen Schmerz auf diese Weise betäuben. Damals empfand ich Michaels Nähe und seine Fürsorge als sehr tröstlich. Mit ihm konnte ich über den Unfall sprechen. Über den von der Trauer verursachten Herzschmerz, der einfach nicht aufhören wollte. Wer weiß, was geschehen wäre, hätte Michael die Situation ausgenutzt. Ich war damals sehr empfänglich für Trost aller Art. Nein! Geschlafen hätte ich nicht mit ihm. Er war stets mein Freund, nicht mehr und nicht weniger, und so wird es immer bleiben. Er ist nicht mein Typ, und denke ich an seine diversen Frauengeschichten, ich auch nicht seiner.

Hätte ich mehr auf Richard eingehen, mich mehr um ihn kümmern müssen? Immerhin hatte er nicht nur seinen einzigen Sohn, sondern auch seinen Erben verloren. Fabian wollte ebenfalls Architektur studieren und irgendwann die Firma übernehmen. Richard ist so stolz auf ihn gewesen. *Gab es nach Fabians Tod Momente, in denen er an seinen anderen Sohn, an Leon gedacht hat?* Der Gedanke bohrt sich wie ein Dolch in mein Herz und ich frage mich, warum wir keine weiteren Kinder bekamen. Wir waren beide gesund und an mangelndem Sex kann es auch nicht gelegen haben. *Mein Gott! Was geht in meinem Kopf herum?*

„Hast du alles verstanden?", reißt mich Martins Frage aus meinen Gedanken.

„Entschuldige, aber …" Ich schüttle ablehnend den Kopf. „Nein, ich habe …"

„Du hast gar nicht zugehört", stellt er empört fest.

„Ich habe zugehört und jetzt gehe ich", sagt der Junge, schiebt seinen Stuhl zurück und erhebt sich. „Ich will nichts von diesem Mann."

„Bitte setzen Sie sich, wir sind noch nicht fertig", sagt Martin freundlich.

„Ich schon."

„Bitte, Herr Landmann."

Der Junge wirft mir einen kurzen vielsagenden Blick zu und setzt sich.

„Das Ganze hier interessiert mich nicht", sage ich. „Richard kann mit seiner Baufirma machen, was er will. Ich bin ohnehin schon viel zu lange aus dem Beruf heraus, um eine solche Firma leiten zu können. Und sein Geld brauche ich erst recht nicht. Obwohl Richard für meine Arbeit nichts übrighatte", ich kann die aufsteigenden Tränen nicht mehr zurückhalten, „so verdiente ich doch ziemlich gut damit."

„Richard hatte für deine Arbeit nichts übrig? Was redest du denn da? Weißt du denn nicht, wie stolz er auf dich war? Bei jeder sich bietenden Gelegenheit prahlte er mit dir und deiner Arbeit. Mag sein, dass er dir das nicht so zeigen konnte, aber er hat dich immer bewundert."

Ich schniefe, ziehe ein Taschentuch aus meiner Jackentasche, wische mir die Tränen, die ich nun nicht mehr zurückhalten kann, vom Gesicht und schnäuze mir die Nase.

„Also, dann noch mal im Klartext. Euer Haus am Ammersee, das auf Föhr und das auf Menorca, die Hälfte der Aktien und das gesamte Barvermögen gehen an dich. Für Herrn Landmann hat Richard einen Fond eingerichtet. Vorerst erhält er lediglich die Studiengebühren und eine monatliche Apanage, damit er sich ganz auf sein Jurastudium konzentrieren kann."

„Jurastudium? Woher wissen Sie ...?", fragt der Junge perplex.

„Richard hat es mal erwähnt."

„Er wusste, dass ich vorhabe Jura zu studieren?" In Leons Gesicht spiegelt sich Fassungslosigkeit.

Martin nickt. „Wie du weißt", wendet er sich wieder an mich, „wird die Firma zurzeit von Peter Hufnagel, seinem Prokuristen, geleitet. Das soll vorerst auch so bleiben. Sobald Herr Landmann das Studium abgeschlossen hat, kann er nach einer angemessenen Einarbeitungszeit von drei Jahren die Firma übernehmen. So! Und nun ... Hast du verstanden, was es bedeutet, dass Richard seinen Sohn anerkannt hat?"

„Ja natürlich. Ich bin ja nicht blöd. Wann hat er das eigentlich getan?"

„Vor vierzehn Jahren."

Ich rechne nach. Da war der Junge fünf. „Das war ...," ich blicke den Jungen an.

Er nickt. „Als ich mit meiner Mutter im Haus am See war", vollendet er den Satz. „Es tut mir leid, Greta – Frau Sander. Ich lehne das Erbe selbstverständlich ab."

„Den Teufel wirst du tun", fahre ich ihn an und springe auf. „Du weißt nicht mal, wovon du deine Miete bezahlen sollst. Richard mag sich als Vater nicht besonders bewährt haben, so hat er dich doch als Sohn anerkannt und dein Anspruch auf das Erbe ist unumstritten. Ich dagegen verzichte."

„Das kannst du nicht", empört sich Martin und fügt aufgebracht hinzu: „Du hast anscheinend gar nichts von dem mitgekriegt, was ich eben vorgelesen habe."

Stimmt, denke ich trotzig, *weil es mir am Arsch vorbei geht.*

„Es kann doch wohl nicht angehen, dass wegen dieses banalen Seitensprungs, den Richard ein Leben lang bereute ... Entschuldigen Sie, Herr Landmann", wendet er sich verlegen an den Jungen, „das ist nicht gegen Sie gerichtet."

„Schon gut, tun Sie ruhig so, als wäre ich gar nicht hier", bemerkt der Junge mit einem winzigen Anflug von Sarkasmus.

Ich versuche nicht zu grinsen. *Der Junge imponiert mir.*

„Ja, also …" Martin rollt den Kugelschreiber zwischen seinen Fingern hin und her. Er räuspert sich. „Ja, was wollte ich noch sagen? Genau. Ich wollte sagen, dass dir wegen …", er räuspert sich erneut, „dass dir deswegen", fährt er zurückhaltend fort, „doch wohl nicht alles am Arsch vorbei gehen kann", beendet er den Satz, lockert peinlich berührt von seiner obszönen Ausdrucksweise die Krawatte und schnappt nach Luft.

Der Mann kann Gedanken lesen, denke ich einen Moment verblüfft. „Wie redest du eigentlich mit mir?", frage ich erregt, erhebe mich und wende mich ab, um sein Büro nun endgültig zu verlassen. „Das muss ich mir nun wirklich nicht bieten lassen."

Doch bevor ich die Tür erreiche, ergreift Martin mein Handgelenk.

„Du hörst dir jetzt an, welche Klausel an das Testament gebunden ist."

„Klausel? Was für eine Klausel?", will ich verwundert wissen und starre ihn mit hochgezogenen Augenbrauen abwartend an. *Anscheinend habe ich wirklich nichts mitbekommen.*

Er schüttelt entnervt seinen Kopf. „Setz dich! Bitte!", faucht er mich leise aber bestimmt an. „Richard hat deine Reaktion vorausgesehen und darum eine Klausel an das Erbe gehängt. Solltest du das Erbe ablehnen, fällt alles, und zwar das komplette Erbe, selbst das Haus am Ammersee, an ein sechsköpfiges Gremium. Diese Damen und Herren werden das Erbe eine gewisse Zeit verwalten, letztendlich aber werden sie alles veräußern. Das Geld, das sie aus dem Verkauf sämtlicher Immobilien erzielen, auch das aus der Baufirma, die mittlerweile – wohlgemerkt, von der vierten Generation geführt wurde, werden sie für wohltätige Zwecke einsetzen, die Richard bestimmt hat."

Das trifft mich nun doch, da ich logischerweise angenommen habe, der Junge würde dann alles erben. Ich meine, nichts gegen wohltätige Einrichtungen, dafür haben wir uns schon immer engagiert, aber das übertrifft nun alles bisher Dagewesene.

„Na und", sage ich dennoch trotzig.

„Du bestimmst hier auch über Herrn Landmanns Erbe", fügt Martin zynisch hinzu, als wäre das ein besonderes Sahnehäubchen. „Das ist dir doch hoffentlich klar?"

Ich werfe einen Blick auf den Jungen.

Er erhebt sich nun ebenfalls und zuckt lächelnd mit den Schultern. „Ich wollte es ohnehin nicht."

Zum ersten Mal sehe ich die Ähnlichkeit mit Fabian und natürlich mit Richard in dem Wissen, dass der Junge Fabians Halbbruder und Richards Sohn ist. Ich blicke in Richards Augen und erkenne nun auch gewisse Gesichtszüge, die er nur von ihm haben kann. Lächelt er, zieht er wie Richard den linken Mundwinkel ein wenig höher. Diese Ähnlichkeiten …, ja, sie waren mir bereits aufgefallen. Aber wie hätte ich auch nur ahnen können, was es damit auf sich hat. *Verdammt!* Ich trete nervös von einem Bein auf das andere. Dann fahre ich mit den Fingerspitzen über meine Stirn, als wäre es mir dadurch möglich, all die unerfreulichen Gedanken wegzuwischen. *Richard, wie konntest du mir das antun? Was erwartest du jetzt von mir? Dass ich dir verzeihe und deinen Sohn in die Arme schließe? Das ist nicht so einfach, wie du dir das vorgestellt hast. Nein, das hast du gar nicht. Du hast geahnt, was dein Geständnis in mir auslösen wird, darum hast du ja all die Jahre geschwiegen. Und nun? Nun willst du mit diesem lächerlichen Erpres-*

sungsversuch ... Ich schüttle fassungslos den Kopf. *Ja, genau das ist es – Erpressung. Er hat wieder mal mir den schwarzen Peter zugeschoben. Sollte ich ablehnen, werde ich von Gewissensbissen geplagt, nicht er. Was soll ich tun?*

Die Hand des Jungen liegt bereits auf dem Türgriff. Er scheint nur darauf zu warten, dass ich dem Ganzen ein Ende setze.

Gut, du konntest nicht ahnen, dass seine Mutter ebenfalls sterben und du mir eine Verantwortung hinterlassen würdest, die ich nicht zu tragen bereit bin. Was geht mich schließlich dieser fremde Junge an? Andererseits ... Ich kaue solange auf meinen Zähnen, bis ich leises Knirschen wahrnehme.

Martin setzt an, etwas zu sagen.

Ich hebe abwehrend die Hände. *Eins steht fest, selbst wenn sie nicht gestorben wäre, hätte ich heute von deinem Seitensprung erfahren. Nur wäre sie möglicherweise an Leons Seite zum heutigen Termin erschienen. Wie auch immer, es spielt keine Rolle mehr. Jedenfalls bekommt die Aussage, über Tote soll man nicht schlecht reden, eine ganz neue Bedeutung.* Verstohlen betrachte ich den Jungen. *Mein Gott, er ist doch noch fast ein Kind und er wirkt so verloren.* „Der Junge kann nichts für diese Situation", ermahnt mich mein Gewissen. *Nein, ich habe kein Recht, ihm durch meine Sturheit sein Erbe vorzuenthalten.* Wie erwachend räuspere ich mich, gehe zu meinem Stuhl zurück und setze mich wieder.

„Na endlich wirst du vernünftig", murmelt Martin.

„Wegen mir müssen Sie das nicht tun", begehrt der Junge auf. „Was mach ich hier überhaupt noch?", murmelt er und verabschiedet sich knapp.

Martin gestikuliert in einer Art und Weise mit seinem ganzen Gesicht, dass unschwer zu erkennen ist, was er dem Jungen signalisieren möchte.

Armer Martin. Du siehst aus, als wärst du mit dieser Testamentseröffnung absolut überfordert. Aber das gönne ich dir, denke ich, höhnisch in mich hinein grinsend, ohne auch nur die geringste Spur Mitleid. *Du warst Richards bester Freund. Du hättest ihn, ungeachtet seiner sicher gut überlegten Argumente entsprechend beeinflussen müssen, dann hätte er mir seinen Seitensprung gebeichtet. Zumindest moralisch gesehen wärst du sogar dazu verpflichtet gewesen. Aber vermutlich hast du ihn eher noch darin bestärkt zu schweigen. Es ist schließlich viel einfacher, einen Fehler wie Dreck unter den Teppich zu kehren, als ihn ordentlich zu entsorgen. Verdammt noch mal! Richard hätte es mir sagen müssen. Ja, vermutlich wäre ich zutiefst enttäuscht und stinksauer gewesen, hätte mich in mein Arbeitszimmer eingeschlossen und mich erst mal ausgeheult. Doch dann ... Ja, was hätte ich dann getan? Ich hätte mir das Gesicht gewaschen und wäre zu Michael gefahren. Bei Michael hätte ich mich dann erneut ausgeheult und mich von ihm trösten lassen. Michael kann so wunderbar trösten.*

Plötzlich fallen mir einige Bemerkungen ein, die Richard über Michael und meine Beziehung zu ihm geäußert hat. 'Ja, geh nur zu **deinem** Michael. Was sagt denn **dein** Michael dazu? Ich versteh nichts davon, frag doch **deinen** Michael.' *Richard war eifersüchtig!* Ein kaum fassbarer Gedanke, der jedoch zunehmend Form annimmt. *Hatte er tatsächlich Angst, mich zu verlieren – an Michael? Warum hat er mir das nie gesagt? Ich habe doch nur ihn geliebt. Ich liebe ihn ja immer noch.*

„Greta?"

Ich hole einmal tief Luft, blicke Martin an und wende mich dann an den Jungen. „Doch", sage ich bestimmt, „wegen dir werde ich das Erbe annehmen. Du hast ein Recht darauf, endlich etwas von deinem Vater zu bekommen und nun setz dich wieder."

Er blickt mich verwirrt an und gehorcht wie ein Kind, das nach begangener Dummheit eingeschüchtert vom verärgerten Ton der Mutter Schelte erwartet.

Ich muss unwillkürlich lächeln. „Wir müssen uns wohl beide erst daran gewöhnen, dass du sein Sohn bist", sage ich aufmunternd, obwohl ich mir im Moment nicht sicher bin, wer mehr Aufmunterung benötigt.

„Können wir dann zum Ende kommen?", fragt Martin entnervt.

Ich lächle den Jungen noch einmal an, wende mich Martin zu und nicke.

Kapitel 5

Eine Weile bleibe ich bewegungslos in der geräumigen Diele stehen. Allein mein Blick wandert freudlos am unteren Teil der Treppe vorbei, über die stummen Wände, die weiße Garderobenkonsole, den dazu passenden Spiegel, bis zum an der Wand gegenüber stehenden Schuhschrank, in dem sich immer noch Richards Schuhe befinden. Das ganze Haus ist ein Mausoleum, gefüllt mit Erinnerungen, die mich zu erdrücken drohen.

Wie erschreckend einsam man sich im eigenen Haus fühlen kann, sinniere ich wie so oft während der letzten Tage.

Kein Ton ist zu hören, kein fröhliches Kinderlachen wird diese Räume jemals wieder mit Leben erfüllen, kein Türenschlagen, keine tapsenden Füße, die leise über die Treppe herunterschleichen. Kein 'Hallo Mami, habe keine Zeit. Die Jungs warten am See auf mich.' Kein 'Schatz, schön, dass du wieder dahoam bist', oder 'Schatz, i bin hier oben'. Nie wieder werde ich die Stimmen der beiden Menschen hören, die mir die liebsten auf dieser Welt waren. Nie wieder wird Richard mich fragen, ob ich weiß, wo sein blaues Lieblingshemd ist. Keine Schritte, keine Stimmen, keine Musik aus dem Fernseher oder dem Radio, kein einziger Ton, der auf Leben hinweist. Selbst das ständige Klingeln des Telefons, das mich manchmal fast wahnsinnig gemacht hat, vermisse ich. Seltsam eigentlich, dass auch das nach Richards Tod einfach so aufgehört hat. Peter, unser gemeinsamer Freund und Prokurist in Richards Unternehmen, scheint bis auf seltene Ausnahmen auch ohne ihn zu wissen, was zu tun ist.

Ich bin müde, entsetzlich müde. Auf meiner Brust liegt ein riesiger Stein, der mich zu erdrücken droht – jedenfalls fühlt es sich so an. Ich atme tief ein und langsam wieder aus. Dann setze ich mich auf die zweite Stufe. Meine Hände umklammern die schwarze Handtasche auf meinem Schoß, als könne sie mir Halt geben. Doch mein Kopf sinkt langsam, aber schwer auf meine Brust, während bereits wieder Tränen meinen Blick verschleiern. So viele Tränen.

Wo kommt eigentlich das viele Wasser her? Salzwasser. Ein Meer in mir? Irgendwo in meinem Kopf? Jedenfalls eines ohne Fische. Mein Kopf gleicht ein Aquarium. Der Gedanke gefällt mir und lässt mich lächeln. Ich wische die Feuchtigkeit von meinen Wangen. Einige Augenblicke halte ich mein Gesicht fest in beiden Händen. „Oh Gott, wie geht es jetzt weiter?" *Ich denke, es war gut Martin zu erzählen, dass ich vorhabe einige Wochen zu verreisen. Das verschafft mir erst mal Zeit. Und was das Erbe angeht ..., dafür ist ebenfalls gesorgt.*

„Hm", lache ich auf, ziehe Richards Brief aus meiner Handtasche, wende ihn einige Male hin und her, während ich überlege, ob ich ihn noch einmal lesen soll. Doch dann erhebe ich mich mühsam, lege den Brief auf der Konsole ab, die Tasche und den Schlüsselbund ebenfalls.

War mein ganzes Leben eine Lüge? Warum konnte Richard mir nicht sagen, dass ich ihm fehle? Warum hat er mich stattdessen mit dieser Frau betrogen? All die Lesereisen, die Interviews, die Fernsehauftritte – ja, es hat Spaß gemacht, aber hätte ich auch nur geahnt ... Mein Gott! Ich hätte liebend gern darauf verzichtet, hätte er nur einmal erwähnt, dass ich ihm fehle. Ich dachte doch, er wäre in der Firma mehr als ausgelastet. Mitunter kam er so spät nach Hause, dass er nur noch todmüde ins Bett fiel. Da musste ich doch annehmen, er wäre froh, sich nicht auch noch um mich kümmern zu müssen. Ging ich so sehr in meiner Arbeit auf, dass ich nicht mehr merkte, was um mich herum geschah? Ist es da nicht fast verständlich, dass er Trost bei einer anderen suchte? Richard in den Armen einer anderen Frau. Oh Gott! Das will ich mir gar nicht vorstellen. Nur einmal, ein Ausrutscher, eine Verzweiflungstat sozusagen.

„Ha!", lache ich auf. *Jetzt fange ich schon an, die Schuld bei mir zu suchen. Wie oft fühlte ich mich allein, während er mit seiner Arbeit beschäftigt war? Er hat mich betrogen, nicht ich ihn. Das einzig Gute heute war, dass er sich letztendlich zu seinem Sohn bekannte.*

Ich sehe das Gesicht des Jungen vor mir. Er wirkte ziemlich niedergeschlagen, als er die Kanzlei verließ. *Kein Wunder. Der Tod seiner Mutter hat ihm schon erheblich zugesetzt. Dann die Beerdigung heute Vormittag. Und als krönender Abschluss diese makabre Testamentseröffnung am Nachmittag, bei der er zum ersten Mal etwas über seinen bereits ebenfalls verstorbenen Vater erfahren hat, der nicht mehr für Erklärungen zur Verfügung steht. Das muss so ein junger Mensch erst mal verkraften. Und Martin ...*

„Pff...", schnaube ich. Ein lautes Lachen gelingt mir nicht. Gleich nachdem der Junge gegangen war, bat ich ihn, mein Testament ebenfalls zu Gunsten des Jungen zu ändern. Lediglich die Rechte an meinen Werken soll Michael erhalten. An Martins fassungslosem Gesichtsausdruck ließ sich unschwer erkennen, was er davon hielt. Ich lächle und denke, damit bin ich aus der Verantwortung.

Plötzlich fällt mir auf, dass ich die Plastiktüten mit den Schlafmitteln aus fünf Apotheken in Herrsching und der näheren Umgebung auf der Rückbank des Wagens vergessen habe.

Noch einmal gehe ich in die Garage. Fast ein bisschen wehmütig denke ich daran, dass ich die Verbindungstür, durch die man vom Haus in die Garage gelangt, wohl endgültig zum letzten Mal nutze. Auf diese Weise das Haus, geschützt vor Wind und Wetter, unbeschadet betreten zu können, fand ich immer schon sehr praktisch.

Wieder verschleiern Tränen meinen Blick, als ich in die Diele zurückkomme. Ich habe dieses Haus so geliebt. Es war von dem Tag an, als ich mit Richard hier einzog, ein Heim in dem ich mich geborgen fühlen durfte. Das Heim in dem ich Trost fand, als ich nach Fabians Tod die schlimmste Zeit meines Lebens durchlebte, in dem ich aber auch so viele Jahre glücklich war. Meine Welt war in Ordnung, zumindest glaubte ich das. Doch nun ist es nur noch ein leeres, seelenloses Haus, in dem mich niemand jemals wieder erwarten wird. Das Haus, in dem ich unter einem Dach mit der Lüge lebte. Eine unbändige Sehnsucht nach Ruhe überkommt mich. Nach einer Ruhe, von der ich weiß, dass ich sie in diesem Leben nicht finden werde.

Ich lege die Tragetasche ebenfalls auf der Konsole ab, schlüpfe aus meinem Mantel, danach aus den mit warmem Fell gefütterten Stiefeln und gehe erst mal hoch ins Ankleidezimmer, um mich meiner Kleider zu entledigen und in einen bequemen Hausanzug zu schlüpfen.

Nachdem ich im alten Ohrensessel meiner Großmutter Platz genommen habe, gieße ich Cognac in ein Glas. Da fällt mir ein, dass ich noch einiges erledigen muss, bevor ich meine Augen endgültig schließe. *Mist! Jetzt muss ich die ganze Chose noch mal hinter mich bringen.*

Der während der letzten Tage, angesammelte Müll will entsorgt werden und das Frühstücksgeschirr steht noch auf dem Küchentisch.

Zur Stärkung und weil mir gerade danach ist, nehme ich einen kräftigen Schluck. Der Cognac brennt auf der Zunge und während er durch meine Kehle und die Speiseröhre rinnt. In meinem Magen breitet sich Wärme aus. Kein Sodbrennen, richtig echte Wärme.

Ich stelle das Glas ab und begebe mich nach oben.

Zunächst sehe ich in jedem Zimmer nach, ob alles in Ordnung ist. Während ich das Bett in meinem Schlafzimmer mache, am Morgen war keine Zeit mehr dafür, fällt mir ein, dass das Bett im Gästezimmer auch noch zu machen ist.

Richards Sohn hat in dem Bett geschlafen. Richards Sohn. Nicht sein und mein Sohn – Richards Sohn.

Mit gemischten Gefühlen betrete ich das Gästezimmer und stelle verwundert fest, dass das Bett bereits ordentlich gemacht ist. Auf der Nachtkonsole liegt ein Zettel. Ich hebe ihn hoch und lese.

Liebe Frau Sander,

vielen Dank für alles, ganz besonders aber dafür, dass Sie am schlimmsten Tag meines bisherigen Lebens für mich da waren.

Für immer Ihr Leon Landmann.

Als hätte ich mir die Finger verbrannt, lasse ich den Zettel augenblicklich los. Er flattert zu Boden. Ich setze mich aufs Bett und fahre mit den Fingern über meine Stirn. Würde es mir doch gelingen diese unliebsamen Gedanken, die mit aller Macht versuchen meine wunderschönen Erinnerungen an Richard zu zerstören, einfach wegzuwischen.

Verdammt noch mal! Warum geht das nicht? Ich denke an das Glas in meinem Büro. *Ja, das ist der einzige Weg. Bald habe ich all das überstanden. All die Erinnerungen an Fabian und Richard, an die schönen Momente der Gemeinsamkeit, an all die zärtlichen und fröhlichen Augenblicke, die niemals wiederkehren. Und auch der Schmerz, den ich seit ihrem Tod empfinde, der sich wie Feuer in meine Seele gebrannt hat, wird bald nicht mehr sein. Ach, Richard ...*

Wie nicht anders zu erwarten, erinnere ich mich nun auch an Richards Gewohnheiten und Gesten. Wie er die Brauen vor Begeisterung hochzog und seine Augen strahlten, sobald er aus dem Betrieb kam und mich in der Küche werkeln sah. Wie er mich dann stets umarmte, mich fest an sich drückte, mir zunächst einen stürmischen Kuss auf meine Lippen gab und gleich danach zärtlich auf den Hals. Das Glas Cognac, das er stets nach dem Abendessen in seinem Büro zu trinken pflegte und der angenehm süßlich duftende Tabak des Pfeifchens, das er dazu paffte.

Seit Richards Tod bin ich kein einziges Mal in seinem Büro gewesen aus Angst vor dem über die Jahre so lieb gewonnenen Geruch, der in den Gardinen, im Teppich, in den Möbeln, ja im ganzen Raum hängt. *Ich sollte mein Vorhaben in sein Büro verlegen,* überlege ich noch, bevor mich eine ungewohnte Schwere überfällt.

Oh, bereits sieben, stelle ich bei einem noch verschlafenen Blick auf den kleinen Reisewecker fest.

Erst jetzt bemerke ich, dass ich mit über den Bettrand herabhängenden Beinen auf dem Bett des Gästezimmers liege.

Bin ich doch tatsächlich eingeschlafen. Kein Wunder, all die Ereignisse der letzten Tage waren einfach zu viel für mich.

Der winzige Funke Lebensfreude, den der Junge ins Haus gebracht hat, ist bereits wieder erloschen und macht erneut meiner Todessehnsucht Platz.

Es wird Zeit. Ich muss endlich gehen. Und diesmal kommt niemand dazwischen. Ich erhebe mich, streiche das Bettzeug glatt und gehe nach unten.

Die Essensreste wandern in den Müll, den ich gleich darauf wie beim letzten Mal in die Garage trage und in der Tonne entsorge. Das Frühstücksgeschirr verschwindet in der Spülmaschine. Anschließend setze ich mich in Großmutters Ohrensessel und drücke eine Tablette in die bronzefarbene Flüssigkeit.

Was tu ich hier eigentlich, frage ich mich plötzlich und lasse meine Hände sinken. *Setze ich fort, was ich begonnen habe, nur um es zu beenden? Ist der Schmerz über meinen Verlust so unerträglich oder der des Betrugs. Was würde ich meiner Freundin in derselben Situation raten? Die Zeit heilt alle Wunden? Und so wie die Wunde heilt, lässt auch der Schmerz nach? Nein, meine Wunde kann nicht heilen. Der Junge würde sie immer wieder aufreißen. Warum haben wir kein weiteres Kind bekommen? Warum musste Fabian sterben. Warum hast du mich betrogen, Richard? Warum nur? Warum? Warum will ich mir das Leben nehmen?*

Ich erinnere mich an das, was ich bei der Testamentseröffnung dachte. Jeder wird denken, dass ich mir das Leben nahm, weil ich von Richard betrogen worden war. Nein, nicht jeder, nur Martin. Es sei denn, er plaudert nach meinem Tod Richards Geheimnis aus. Er muss es nicht ausplaudern, es wird offensichtlich sein, sowie der Junge das Erbe antritt. *Aber das,* denke ich gleichgültig, *spielt nun auch schon keine Rolle mehr. Ich will endlich meinen Frieden finden.*

Ich drücke die restlichen Tabletten ins Glas und rühre solange, bis sie sich aufgelöst haben. Da fällt mir ein, dass ich den Kühlschrank nicht ausgeräumt und die Heizung noch nicht ausgeschaltet habe.

Einen Fuß bereits auf die Kellertreppe, meldet sich unerwartet die Türglocke.

„Das darf doch wohl nicht wahr sein", murmle ich leise vor mich hin. *Wer ist das nun wieder? Es ist schon bald acht. Nein, heute stört mich niemand. Bin ich verpflichtet die Tür zu öffnen? Nein, bin ich nicht.*

Dennoch wende ich mich neugierig der nur wenige Schritte von der Kellertür entfernten Haustür zu und werfe einen Blick auf den kleinen Bildschirm am Türöffner.

Das Bild, das mir die Kamera vom Eingangsbereich des Geländes übermittelt, zeigt Leon Landmann.

Ich seufze. *Schon wieder der Junge. Was will er denn noch von mir?* frage ich mich verwundert. *Und wie ist er diesmal hier herausgekommen? Vermutlich mit dem letzten Bus. Mein Gott!! Jetzt steht der da draußen und schlottert vor Kälte. Der erfriert glatt, wenn ich ihn nicht reinlasse.*

Obwohl mir die Störung deutlich gegen den Strich geht, drücke ich auf den Türöffner.

Es dauert eine Weile, bis er an der Haustür ankommt.

„Was willst du noch von mir?", frage ich ziemlich barsch.

„Können Sie sich das nicht denken? Ich will mit Ihnen reden. Ich muss wissen, was für ein Mensch der Mann war, der angeblich mein Vater sein soll."

„Angeblich ist in Anbetracht der Tatsachen wohl kaum das passende Wort", antworte ich kühl.

„Tut mir wirklich leid", sagt er leise, „meine Anwesenheit muss ein wahrer Horror für Sie sein."

„Oh! So weit denkst du dann doch?"

Er nickt zusimmend. „Aber ich weiß nicht, wie ich mit diesem Wissen umgehen soll und Sie sind nun mal der einzige Mensch, mit dem ich über Richard Weidentaler sprechen kann."

„Ich vermute, du musst diese Neuigkeit auch erst verdauen", sage ich in einem um etliche Nuancen verständnisvolleren Ton, füge aber wieder etwas kühler hinzu: „Mir geht es nämlich genauso."

Wieder nickt er.

„Dann verstehst du sicher, dass ich jetzt lieber alleine wäre."

Seine Lippen öffnen sich.

Ich weiß genau, was er sagen will, aber ich will es nicht hören. „Ich geb dir einen Tipp. Im Internet kannst du eine Menge über deinen Vater und seine Firma erfahren. "

„Ja, ich weiß. Da habe ich auch schon reingeschaut", gesteht er, „aber da steht nur etwas über den Bauunternehmer Richard Weidentaler, nichts über den Menschen, der hinter dem Geschäftsmann steht. Nichts über den Vater, den ich gerne kennengelernt hätte."

Auch das noch. Was mach ich jetzt? Ich muss den Jungen schnellstens wieder loswerden. „Mag sein, aber heute geht das nicht, ich habe schon was anderes vor."

„Sie wollten ausgehen?", fragt er skeptisch, während sein Blick kritisch an mir herunterstreift.

Na klar, er ist nicht blind. Obwohl er mich noch nicht besonders gut kennt, weiß er bereits, dass ich nicht im Hausanzug ausgehen würde.

„Ich wollte gerade nach oben gehen um mich umzuziehen, als es läutete", antworte ich spitz. Was ich auch tatsächlich nach meiner Aufräumaktion getan hätte. Schließlich möchte ich auch als Leiche gut gekleidet sein. Zumindest derjenige, der mich findet, soll mich als schöne Leiche in Erinnerung behalten, obwohl mein Gesicht dann vielleicht schon eine grünliche Farbe angenommen hat.

„Ach so …, ja dann …", sagt er leise und wendet sich mit gesenktem Kopf enttäuscht von mir ab.

Mist! Der arme Junge. „Nun komm schon rein", fahre ich ihn mürrisch an. Nur nicht zu freundlich sein. Sonst bildet sich der Junge noch wer weiß was ein. Unbewusst führe ich ihn zu meinem Büro. Gerade noch rechtzeitig fällt mir ein, dass dort auf dem kleinen Tischchen ein Glas Cognac steht, angereichert mit jeder Menge Schlaftabletten und daneben liegen noch die leeren Packungen.

„Ach", sage ich und drehe mich zu ihm um, „lass uns in die Küche gehen. Dort ist es doch viel gemütlicher und ich könnte uns eine Kanne Tee aufbrühen. Du trinkst doch eine Tasse mit mir?"

Er zuckt mit den Schultern, nickt und folgt mir. Als wäre es sein angestammter Platz, setzt er sich wieder auf den Stuhl, auf dem er bereits während der letzten Tage gesessen hat.

Ja, das ist sein Platz, denke ich und plötzlich wird mir ganz warm ums Herz. Schnell wende ich mich ab, nehme den Behälter des Wasserkochers von der Heizplatte, lasse ihn halbvoll laufen, stelle ihn zurück und drücke den Einschaltknopf nach unten. „Na dann", sage ich leise und setze mich ebenfalls, „was willst du wissen?"

„Alles!"

„Alles? Das weiß nicht mal ich", sage ich abfällig, „und nach dem heutigen Tag bin ich nicht sicher, ob ich Richard jemals gekannt habe."

Der Junge schiebt einen weißen Umschlag über den Tisch. „Lesen Sie."

Ein mulmiges Gefühl beschleicht mich und mein Herz beginnt aufgeregt zu schlagen. Natürlich sehe ich, dass es sich um einen Brief handelt, dennoch frage ich: „Was ist das?"

Er deutet mit seinem Kinn auf den Brief. „Ich abe ihn bei Mutters Unterlagen gefunden. Er ist an mich gerichtet. Als sie ihn schrieb, wusste sie bereits, dass sie sterben würde. Sie sollten ihn lesen. Ich denke, Mutter hätte nichts dagegen."

Das Wasser brodelt.

Ich greife nach dem Stövchen, das immer griffbereit auf der Fensterbank hinter meinem Platz steht, und stelle es auf den Tisch. Während ich mich erhebe, zündet der Junge das Teelicht an. Sowie ich die Teebeutel übergossen habe, stelle ich die Kanne auf das Stövchen. Dann nehme ich zwei große Tassen vom Regal, die Zuckerdose, zwei Löffel aus der Schublade. Nachdem ich die Sachen abgestellt habe, fällt mir ein, dass der Junge immer hungrig ist. Ich nehme eine Keksdose vom Regal, stelle sie vor ihn hin und setze mich. Immer noch froh etwas zu tun zu haben, gieße ich Tee in die Tassen.

„Bedien dich."

Wie nicht anders zu erwarten, öffnet er die Dose und greift nach einem Schokoladenkeks.

Fabian mochte die auch am liebsten.

Es kostet mich einige Überwindung, den Brief, den er mir nun erneut entgegenstreckt, an mich zu nehmen. Ich atme noch einmal durch, bevor ich den Umschlag öffne, das beschriebene Papier herausziehe und sorgsam auffalte. Noch einmal werfe ich dem Jungen einen fragenden Blick zu.

Er nickt ungeduldig. „Nun lesen Sie schon."

München, 12. November 2015

Mein geliebter Schatz,

es ist höchste Zeit, die Dinge zu ordnen.

Bitte verzeih mir, dass ich dir auf diesem Wege zu erklären versuche (ich gebe zu, ich will langen Diskussionen aus dem Weg gehen), wie geschehen konnte, was nicht geschehen durfte, aber dennoch geschah. Klingt ziemlich pathetisch, was? Du kannst dir dein Schmunzeln und dieses kaum merkliche Kopfschütteln sparen. Ja, ich weiß sehr wohl, dass du mich und meine Ansichten manchmal belächelt hast. Aber lassen wir das jetzt. Du musst erfahren, an wen du dich wenden kannst, solltest du Hilfe brauchen.

Du weißt, mein Schatz, dass du das Liebste und Wichtigste in meinem Leben bist. Oft genug habe ich bereut, dass ich mich mit deinem Vater eingelassen habe. Doch das Ergebnis habe ich nicht eine Sekunde bereut.

Dein Vater ist kein schlechter Mensch. Er machte nie einen Hehl daraus, dass er seine Familie über alles liebt.

Es war an einem Elternabend, als ich ihn kennenlernte. Ich war die Klassenlehrerin seines Sohnes. Er war der letzte Vater, der meine Sprechstunde an diesem Abend aufsuchte. Das, was es über seinen Sohn zu berichten gab, war schnell gesagt.

Fabian, dein Halbbruder, war ein exzellenter Schüler. Allerdings zu der Zeit ein wenig bockig. Er rebellierte damals gegen alles und jeden.

Von seinem Vater erfuhr ich den vermeintlichen Grund. Der Junge vermisste seine Mutter, die zu der Zeit im Begriff stand, eine bekannte Schriftstellerin zu werden. Sie befand sich oft auf Lesereisen, gab Interviews oder besuchte Messen.

Ich habe sie nie persönlich kennengelernt. Aber nachdem ich aus Neugier eins ihrer Bücher gelesen habe, wollte ich auch jedes weitere lesen. Du weißt, wen ich meine — Greta Sander.

Ich weiß bis heute nicht, wie es letztendlich dazu kam. Nachdem er mir seine Vermutung mitgeteilt hatte, erzählte er mehr von seiner Frau. Quasi durch die Blume erfuhr ich, wie sehr er sie liebt, wie stolz er auf sie und ihren Erfolg ist und wie einsam er sich oft fühlt, wegen ihrer wachsenden Berühmtheit und der häufigen Abwesenheit.

Ich weiß nicht, welcher Teufel mich geritten hat, aber da mir der Mann auf Anhieb sympathisch war und er mir auch irgendwie leidtat, lud ich ihn zu einem Glas Wein ein. In meine Wohnung. Nur so, um zu reden.

Dann ist es passiert. Ich habe mich in den Mann verliebt. Und als er wohl nur das Bedürfnis nach Nähe verspürte, sehnte ich mich danach von ihm wiedergeliebt zu werden.

In dieser Nacht wurdest du gezeugt.

Der nächste Morgen brachte mich sehr hart auf den Boden der Realität zurück. Als ich erwachte, war er bereits gegangen.

Auf dem Kissen neben mir lag ein kleiner Zettel, worauf geschrieben stand: „Es tut mir leid."

Da wusste ich, was ich ohnehin bereits vermutete, nämlich dass mich dieser Mann nur als Trostpflaster benutzt hatte.

Denkst du jetzt, das sind die zynischen Worte einer enttäuschten, verbitterten Frau, die im Grunde selbst schuld an dieser Situation war?

Nein, das denkst du nicht, denn verbittert war ich nie. Ich sah die Sache nur realistisch.

Am Abend stand er noch einmal vor meiner Wohnungstür. Wir redeten kurz über die letzte Nacht. Er bat mich noch einmal um Verzeihung und ging. Wir trennten uns wie zwei Reisende, die eine viel zu kurze Strecke auf der Fahrt durchs Leben gemeinsam zurückgelegt hatten.

Es blieb nicht aus, dass wir uns ab und zu über den Weg liefen, aber es kam nie zu mehr als einer knappen Begrüßung und ein paar höflichen Worten.

Als er jedoch meine Schwangerschaft bemerkte, sprach er mich darauf an. Er war sofort bereit Verantwortung zu übernehmen, aber das lehnte ich rigoros ab. Ich konnte und wollte selbst für dich sorgen.

Dann passierte etwas sehr Tragisches. Sein Sohn verunglückte tödlich.

Du warst damals gerade fünf Jahre alt geworden. Einige Wochen später besuchte mich dein Vater und bat mich, ihn als deinen Vater eintragen zu lassen.

Ich lehnte zunächst ab, da ich befürchtete, dass er in dir einen Ersatz für Fabian suchen könnte.

Doch dein Vater gab nicht nach, er bekniete mich monatelang. Und letztendlich konnte ich mich seinen durchaus vernünftigen Argumenten nicht mehr verschließen und stimmte zu. Ich habe es für dich getan.

Wir ließen die Vaterschaft notariell beglaubigen, da ihm wichtig war, dass du deinen Anspruch auf das Erbe geltend machen kannst.

Außerdem verfolgte er deine Entwicklung mit größtem Interesse, obwohl er meinen Wunsch sich dir nie zu nähern stets respektierte. Ich weiß, er wird dich mit offenen Armen bei sich aufnehmen.

Bitte geh zu ihm!!!

Trage ihm nichts nach, denn ich tue es auch nicht. Wie könnte ich auch, er hat mir das schönste Geschenk gemacht, das ein Mann einer liebenden Frau machen kann. Ja, ich habe deinen Vater geliebt, darum versuche auch du ihn zu lieben. Du bist sein Sohn.

Ich weiß nicht an welchen Ort ich nach meinem Tod gehen werde, aber sollte es mir möglich sein, mein Schatz, werde ich über dich wachen.

In Liebe deine Mutter.

Eine Weile ist es still zwischen uns. Tränen verschleiern meinen Blick. Ich hole tief Luft, atme laut wieder aus, atme erneut ein, lehne mich zurück und räuspere mich, während ich einen letzten Blick auf den Brief werfe, bevor ich ihn wieder zusammenfalte, in den Umschlag stecke und an den Jungen reiche.

„Deine Mutter muss eine großherzige, wunderbare Frau gewesen sein", sage ich ohne Groll und meine es auch so. Fast bedaure ich, dass ich sie nie kennenlernen durfte. „Als sie den Brief schrieb, war nicht abzusehen, dass Richard so plötzlich, noch vor ihr, sterben würde. Vermutlich bekam sie das gar nicht mehr mit", sage ich und als ich feststelle, dass seine Tasse bereits leer ist, ergreife ich die Teekanne und frage während ich bereits eingieße: „Du trinkst doch sicher noch eine Tasse Tee?"

Er nickt. „Aber wollten Sie nicht ausgehen?", fragt er.

„Nein, ich wollte nur allein sein", gebe ich leise zu, während ich den Tee in seine Tasse gieße. Nachdem ich die Kanne wieder auf dem Stövchen abgestellt habe, schweift mein Blick zum Fenster. Vereinzelte Schneeflocken, von einer Windbö erfasst, werden sanft gegen die Scheibe geweht, fortgetragen und um einiges heftiger wieder zurückschleudert. In Sekundenschnelle werden die Flocken größer und zunehmend dichter. Das scheint der Beginn eines ziemlich heftigen Schneesturms zu sein, überlege ich und sage laut: „Da du nun schon mal da bist, können wir auch reden. Zumal du ohnehin einige Fragen hast. Du kannst natürlich hier übernachten."

„Danke, aber das …"

„Nun stell dich nicht so an. Wie willst du denn nach Hause kommen – per Anhalter? Mich kriegst du heute jedenfalls nicht mehr aus dem Haus und der letzte Bus ist sicher auch schon weg."

„Ich kann mir ein Taxi rufen", meint er trotzig.

„Na, komm schon. Was hat sich denn geändert? Wir wissen ein wenig mehr über den andern und müssen uns nun daran gewöhnen, dass du Richards Sohn bist." *Du,* füge ich in Gedanken hinzu, *musst dich daran gewöhnen, ich habe nicht vor, das zu tun.* „Zumindest musst du dir zukünftig nicht mehr den Kopf über deine finanzielle Lage zerbrechen."

„Der Brief lag bei Mutters Versicherungsunterlagen. Sie hatte eine Lebensversicherung und für mein Studium ist ebenfalls gesorgt. Ich bin also nicht auf das Geld meines Vaters angewiesen", erklärt er überheblich. „Sie müssen das Erbe nicht annehmen, nicht meinetwegen. Ich würde allerdings gerne mehr über meinen Vater erfahren."

Alle Achtung! Hat Charakter, der Junge. Aber was erwartet er von mir? Einen Lebenslauf, Geschichten aus Richards Kindheit oder solche, die meine Geschichten sind, meine Erinnerungen?

Das schrille Läuten des Telefons reißt mich aus meinen Gedanken.

„Entschuldige." Ich erhebe mich und öffne die beiden Glastüren, die Esszimmer und Küche vom Wohnzimmer trennen. Das Telefon liegt auf dem kleinen Beistelltischchen. Ich drücke die Taste, denke eine Sekunde, während ich meinen Namen nenne, dass ich dieses Gespräch, wäre alles so gelaufen wie ich es vorhatte, gar nicht mehr annehmen könnte.

„Ich bin's, Michael. Sag mal, was ist los mit dir? Wo steckst du?", fragt er ungeduldig. „Ich stehe hier und warte auf dich."

„Du wartest auf mich?", frage ich verwirrt. „Wo und weshalb?"

„Liebste Greta, ich weiß ja, dass du zurzeit etwas durch den Wind bist. Versteh ich auch", erklärt er, „aber wir hatten doch ausgemacht, gemeinsam zur Premiere des Films zu gehen."

„Film? Wovon sprichst du?", frage ich weiter, aber im selben Augenblick fällt es mir wieder ein. „Ach so ..."

„Ja, ach so. Du hast so viel Arbeit da reingehängt und dann vergisst du die Premiere?", fragt er eindeutig verärgert.

„Michael entschuldige, aber ich kann nicht."

„Du kannst nicht?", dröhnt es durchs Telefon.

„Nein, ich kann nicht", antworte ich ruhig.

„Das ist nicht dein Ernst", kommt es empört zurück. „Verdammt! Ich hätte darauf bestehen sollen dich abzuholen."

„Ich habe einen Gast."

„Du hast einen Gast", stellt er knapp fest. „Ich verstehe."

„Was soll dieser Unterton in deiner Stimme? Was verstehst du? Du verstehst gar nichts", zische ich nun meinerseits verärgert.

„Wie auch immer. Die Leute erwarten dich. Pack deinen Gast ins Auto und komm hier her. Du kannst jetzt nicht einfach fernbleiben."

„Kann ich doch", antworte ich trotzig. „Du wirst mich entschuldigen", fordere ich ihn auf und füge bittend hinzu. „Das tust du doch?"

Eine Weile herrscht Schweigen zwischen uns. Ich kann Michaels nachdenkliches Gesicht förmlich vor mir sehen. Die zwei steilen Falten, die sich auf seiner Stirn gebildet haben und den zuckenden

Mund, sobald er nachdenklich auf der Innenseite seiner linken Wange kaut. Selbst die immer gleiche Geste, sich nach gefasstem Entschluss die Nase zu reiben, sehe ich vor mir und muss unwillkürlich lächeln. Er wird mir den Wunsch nicht abschlagen.

„Unter einer Bedingung", antwortet er dann auch endlich, „wir treffen uns morgen. Sagen wir, gegen halb eins im La Stella zum Mittagessen."

„Meinetwegen", gehe ich missmutig auf seine Bedingung ein, beende das Gespräch und murmle: „Verdammter Mist!" In mir brodelt es. *Was ist hier eigentlich los? Nicht mal in Ruhe aus dem Leben scheiden kann ich.* Mein Magen rebelliert, es stößt mir sauer auf und ich presse beide Hände fest auf meinen Bauch, während ich mich überwinde und zu Richards Büro gehen. *Noch eine Nacht und der morgige Tag. Sollte das mit den Unterbrechungen allerdings so weitergehen ....*, sinniere ich, unterbinde diesen Gedanken aber sofort, als ich das Büro betrete.

Abgestandene, mit Pfeifentabakduft vermischte Luft schlägt mir entgegen. Der Schmerz überrollt mich so plötzlich, dass mir Tränen in die Augen steigen. Ich bleibe einen Moment stehen und lasse die Atmosphäre auf mich wirken. Dann blinzle ich, wische die Tränen von meinen Wangen und betrete das Büro. Nach einem Schritt in Richtung Bücherwand überlege ich es mir von einer Sekunde zur nächsten anders, begebe mich zum Fenster, öffne es um wenigstens kurz frische Luft hereinzulassen. Dann begebe ich mich zum Regal und ziehe das alte Fotoalbum heraus, das von Richard vermutlich seit Jahren vergessen ganz oben auf liegt. Ich blase den losen Staub fort und wische den Rest mit der Hand weg. Die Kinder- und Jugendfotos, die Richards Mutter jahrelang ordentlich hineingeklebt hat, werden Leon einen gewissen Einblick in das frühe Leben seines Vaters gewähren. Bevor ich das Büro wieder verlasse, schließe ich das Fenster und sehe mich um. *Es ist höchste Zeit, hier mal wieder Staub zu wischen.* Um dem Jungen besser vermitteln zu können, wie dessen Leben später aussah, begebe ich mich nach oben in mein Schlafzimmer, ziehe den Karton mit der orangefarbenen Aufschrift – PHOTOS – vom obersten Regalfach und gehe wieder nach unten. *Anhand der Fotos kann ich dem Jungen am besten vermitteln, wer sein Vater war.*

Der Junge nippt gerade an seiner Tasse und starrt nachdenklich vor sich hin. Als er mich bemerkt, hebt er den Kopf und wendet sich mir mit fragendem Blick zu.

„Sie hatten also doch eine Verabredung."

„Hast du etwa gelauscht?"

„Das war nicht nötig."

„Ach so. Das war nur Michael Bader, mein Lektor. Einer meiner Romane ist verfilmt worden. Heute findet die Premiere statt und er wollte gemeinsam mit mir daran teilnehmen. Aber ich habe keine Lust dorthin zu gehen", sage ich lässig, verschweige aber, dass ich den Termin tatsächlich verschwitzt habe.

„Aber da müssen Sie hingehen."

„Nein, muss ich nicht. Du willst also etwas über deinen Vater erfahren", lenke ich das Thema in die gewünschte Richtung, lege das Album auf den Tisch und stelle den Karton dazu. „Nun gut. Anhand dieser Fotos, wirst du eine Menge über deinen Vater erfahren. Wenn ich kann, werde ich dir die entsprechenden Erklärungen zu den Bildern geben, was mir zu den Fotos vor meiner Zeit sicher nicht immer gelingen wird. Ich kann nur weitergeben, was mir deine Großmutter berichtet hat", erkläre ich, während ich das hellblaue Album aufschlage und zu ihm rüberschiebe.

„So sah dein Vater gleich nach seiner Geburt aus."

„Ha! Ein ziemlich schrumpeliges Kerlchen", spöttelt er respektlos.

„Sahst du besser aus?", frage ich gutmütig lächelnd.

„Na klar. Meine Mutter sagte immer, ich wäre das schönste Baby der Welt gewesen", prahlt er.

„Das behauptet jede Mutter, die ihr Baby liebt", bemerke ich treffend. *Ich muss es wissen,* denke ich. *Schließlich hatte ich das schönste.*

„Ist das so?", fragt er lächelnd.

„Ja, das ist so", sage ich mit feuchten Augen. „Weil eine Mutter nicht mit den Augen, sondern mit dem Herzen sieht."

Er lächelt mich plötzlich auf eine Art und Weise an ..., fast ..., ja fast so, als bewundere er mich.

„Klingt gut", sagt er plötzlich und senkt gleich darauf verlegen lächelnd sein Haupt.

Ich lächle ebenfalls und nicke, dann beuge auch ich mich wieder über das Album. Eine gute Stunde vergeht, bis wir damit durch sind. Leon will fast zu jedem Foto eine Erklärung hören.

„Deine endlose Fragerei ist ganz schön anstrengend. Ich muss etwas essen, sonst bringt mich dieses verdammte Sodbrennen noch um."

„Karottensaft", wirft er in den Raum, als wäre das ein Zauberwort.

„Karottensaft?", frage ich ungläubig.

„Ja das einzig Wahre, da Sie anscheinend keine Medikamente einnehmen mögen. Allerdings gäbe es da schon auch …"

„Diesen weißen Brei in den Beuteln", falle ich ihm ins Wort, „ich weiß. Aber allein bei dem Gedanken daran kommt's mir hoch. Ich habe das Zeug jahrelang geschluckt. Es hängt mir zum Hals heraus."

„Nein, das meine ich nicht. Ich denke dabei an Omeprazol Hartkapseln. Meine Mutter hat die regelmäßig geschluckt."

„Ach?" *Noch etwas, das wir gemeinsam haben.*

„Sodbrennen kann gefährlich werden", fährt er fort. „Das wissen Sie hoffentlich?"

Mein Arzt hat mich hinlänglich aufgeklärt und das Medikament kenne ich auch, aber das sage ich ihm nicht und auch nicht, dass er recht mit seiner Annahme hat. Ich wollte sie tatsächlich nicht nehmen, weil ich Tabletten nun mal verabscheue. Ich nicke nur und frage: „Möchtest du nicht lieber Medizin studieren, Leon?"

Nun habe ich ihn bei seinem Namen genannt. Das wollte ich unter allen Umständen vermeiden – wegen der Distanz.

Da sagt er auch schon: „Jetzt haben Sie mich zum ersten Mal bei meinem Namen genannt."

Ja, das ist mir bewusst. Nickend lächle ich ihn an, während ich darüber nachdenke, dass der Junge schließlich nichts für all das kann. *Mein Gott, es ist Richards Sohn, den ich da aus dem Ammersee gefischt habe.*

Mir fällt ein, dass ich noch eingefrorenen Toast habe. „Was hältst du von Toast Hawaii?", frage ich spontan und füge in Gedanken hinzu: *Dann kommt der Schinken auch noch weg.*

„Au ja, das habe ich schon seit mindestens zehn Jahren nicht mehr gegessen", antwortet er begeistert. „Mama hat das früher meistens Samstagabends gemacht. Wir aßen dann immer im Wohnzimmer und guckten irgendeine Musiksendung oder 'Wetten dass?'. Das war echt cool. Seltsam …", murmelt er, schüttelt stumm den Kopf und meint: „Ich weiß gar nicht, wann das aufgehört hat?"

Ich bemerke, dass es mir so gar nichts ausmacht, ihn über seine Mutter sprechen zu hören. Seltsamerweise kann ich dieser Frau nicht mehr böse sein. Selbst die Wut, die ich in Martins Kanzlei empfunden habe, ist verraucht. Dabei hätte ich allen Grund wütend auf sie zu sein. Schließlich ist sie mit Richard ins Bett gestiegen, obwohl sie wusste, dass er verheiratet ist.

Ich gehe in die Vorratskammer, nehme den Toast aus der Gefriertruhe und eine Dose Ananas vom Regal.

Als ich zurückkomme, hat Leon bereits Schinken und Butter aus dem Kühlschrank genommen.

Nur gut, dass ich den Kühlschrank noch nicht ausgeräumt habe. Sonst hätte ich ihn wieder belügen oder ihm erneut erklären müssen, dass ich ja schon vor Tagen vorhatte zu verreisen.

Seltsam, irgendwie fühle ich mich erleichtert. So, als hätte ich den Bus gerade noch rechtzeitig erwischt.

„Die Butter ist ziemlich hart", bemerkt er. „Sie bestreichen den Toast", befiehlt er gut gelaunt, „ich lege den Schinken und die Ananas drauf."

„Du hast den Käse vergessen", bemerke ich.

„Wie?" Nur einen Augenblick später hebt er den Zeigefinger hoch. „Ach ja, jetzt fällt es mir wieder ein." Er öffnet den Kühlschrank und sagt enttäuscht: „Sie haben keine Scheibletten."

„Aber ich habe einen jungen Gouda."

„Das geht auch?"

„Und ob. Richtiger Käse geht immer."

Etwa eine halbe Stunde später sitzen wir satt und zufrieden, zumindest wirkt Leon so, über die Fotos aus dem Karton gebeugt. Mein Sodbrennen ist leider nicht weg. Die Ananas, das Weißbrot – keine Ahnung. *Morgen besorge ich diese verdammten Kapseln. Am besten, ich ruf gleich früh morgens in der Praxis an. Dann kann ich das Rezept noch vor dem Treffen mit Michael in der Apotheke einlösen. Doktor Eisner wird selbstgefällig grinsen, bemühte er sich doch seit Jahren, mir die Dinger aufzuschwatzen.*

Eine weitere Stunde, während der ich versuche, all die Fragen des Jungen zu beantworten und einige kleine Geschichten zum Besten zu geben, vergeht wie im Flug.

„Genug geredet", sage ich, raffe die Fotos zusammen und lege sie wieder in den Karton zurück. „Es wird Zeit zu Bett zu gehen. Ich bin müde."

„Schade. Erzählen Sie doch bitte noch eine Geschichte", bettelt er.

„Hast du schon mal auf die Uhr gesehen? Morgen ist auch noch ein Tag", sage ich und erhebe mich. „Apropos, du kannst morgen mit mir nach München fahren. Du bist neunzehn", erinnere ich mich und frage sogleich: „Hast du eigentlich 'nen Führerschein?"

„Ja, habe ich. Aber die alte Karre meiner Mutter hat vor einigen Wochen den Geist aufgegeben."

„Dann sollten wir beizeiten fahren. Du brauchst einen fahrbaren Untersatz. Ich schlage vor, du überlegst dir schon mal, was für einen Wagen du haben möchtest."

Mit offenem Mund starrt er mich an, als hätte er nicht wirklich verstanden, was ich ihm eben vorschlug.

„Was ist?", frage ich. „Willst du etwa kein Auto?"

Sein Mund schließt und öffnet sich, wie der eines nach Luft schnappenden Karpfens. „Darüber muss ich erst nachdenken. Wie stellen sie sich das denn vor? Ich habe doch gar kein Geld und einen Kredit …"

„Hast du vergessen, dass du heute geerbt hast? Das Geld steht dir ab sofort zur Verfügung", erinnere ich ihn.

Einige Augenblicke blickt er nachdenklich vor sich hin und sagt nichts. „Ach ja", antwortet er. „Daran muss ich mich erst gewöhnen."

„Das geht schneller als du dir vorstellen kannst", bemerke ich.

„Kann ich hier unten noch ein wenig lesen oder fernsehen?"

„Klar. Du weißt ja, wo du Bücher findest und wie der Fernseher funktioniert, weißt du inzwischen auch. Gute Nacht, Junge."

„Greta. Frau Weidentaler …"

„Nenn mich ruhig Greta."

Er nickt und lächelt. „Danke, dass Sie mir Ihre Zeit geschenkt haben, obwohl ich …"

„Schon gut", murmle ich vor mich hin, verlasse die Küche und schlendere langsam nach oben in mein Schlafzimmer.

Bereits vor mich hindösend, kurz vor dem Einschlafen, jagt mir ein Gedankenblitz durchs Hirn. *Das Glas!* Spontan schlage ich die Bettdecke zurück, ziehe meinen Morgenrock über und hetze mit klopfendem Herzen hinunter zu meinem Büro.

Die Tür steht offen.

Habe ich sie vorhin nicht geschlossen? Vermutlich nicht. Ich wollte ja nur schnell in den Keller und den Kühlschrank ausräumen. Doch da fällt mir wieder ein, dass ich sie geschlossen habe. *Aber dann ...*

Ich gebe der Tür einen leichten Stoß und erkenne Leon, der mit dem Rücken zu mir steht. Gerade in diesem Moment hält er mein Glas gegen das Licht. Er stellt es wieder ab, betrachtet die bereits leeren und noch nicht ausgedrückten Packungen und fährt sich mit beiden Händen durchs Haar. „Nicht mit mir, Greta", murmelt er.

„Was ...?", fahre ich ihn an. „Was machst du hier?"

Erschrocken zuckt er zusammen und dreht sich zu mir um. „Sie haben mir doch erlaubt, eines Ihrer Fachbücher zu holen und nun sehe ich dieses ..."

„Ich schlafe seit einiger Zeit schlecht", erkläre ich, „und da nehme ich schon mal eine Schlaftablette."

Erneut ergreift er das Glas und streckt es mir entgegen. „Eine?", fragt er mit hochgezogenen Augenbrauen und einem Blick, der mich stark an den tadelnden meines Vaters erinnert. Und wie damals fühle ich mich jetzt ganz klein. So wie das Kind, das wegen eines Ungeschicks gescholten wird. Doch gleichzeitig fühle ich, wie etwas in mir rebelliert. *Ich bin kein Kind mehr. Und dieser kleine Mistkerl, der sich hier aufspielt, als wäre er mein Richter, was bildet der sich ein,* denke ich wütend, während ich die Zähne zusammenbeiße und tief einatme. *Der erwartet doch nicht etwa, dass ich mich jetzt hier, vor ihm, wegen meines Vorhabens rechtfertige?*

„Greta", sagt er leise, „Sie wollten gar nicht verreisen, Sie wollten sich das Leben nehmen. Bei den beiden, die auf Sie warten, handelt es sich um Ihren Mann und Ihren Sohn. Warum, Greta? Sie haben doch alles, was ein Mensch sich nur wünschen kann. Ein wunderschönes Haus, Vermögen, Erfolg und bestimmt eine Menge Freunde. Ja", sagt er nickend, „Sie haben die beiden liebsten Menschen verloren, das ist sicher sehr schmerzhaft für Sie, aber noch lange kein Grund sich umzubringen. Dazu haben Sie einfach kein Recht. Nur weil Ihr Sohn und Ihr Mann am Ende ihres Weges angekommen sind, heißt das nicht, dass auch Ihr Weg zu Ende ist."

Nur? Obwohl es – Wut, Verzweiflung, Scham – in mir brodelt, berühren mich seine Worte und treffen mitten in mein Herz. Tränen verschleiern meinen Blick. „Doch genau das heißt es", schleudere ich ihm trotzig entgegen, obwohl ich ursprünglich nichts dazu sagen wollte. „Ich bin angekommen und wärst du nicht in diesen verdammten See gefallen, dann …"

„Ach? Bin ich jetzt schuld, dass Sie sich noch nicht umbringen konnten?", unterbricht er mich ironisch.

Umbringen konnten …, hallt es in mir nach. *Wie das klingt. Ich bin doch kein Mörder.* Diesmal entgegne ich nichts darauf, starre ihn nur an.

Er zieht seine Augenbrauen erwartungsvoll hoch, presst seine Lippen fest zusammen und nickt erneut. „Das ist gut", sagt er begreifend, „das ist wirklich gut." Plötzlich wirft er einen Blick an die Zimmerdecke. „He, du da oben, gab es keinen anderen Weg sie davon abzuhalten?", schreit er vorwurfsvoll.

Ich sehe ebenfalls hoch, kann niemanden entdecken, begreife aber in Sekundenschnelle, wen er meint.

„Du denkst", kann ich mir nun doch nicht verkneifen zu sagen, „du bist in den See gefallen um …" Ich schüttle den Kopf, obwohl mir dieser Gedanke ja vor einigen Tagen selbst schon mal gekommen ist. „So ein Unsinn."

Er legt mir seine Hand auf die Schulter. „Werfen Sie ihr Leben nicht weg. Sie werden noch gebraucht, Greta."

„So, meinst du? Wer sollte mich noch brauchen?", flüstere ich versonnen vor mich hin, während mein Blick in der Vergangenheit versinkt. Erst nach einer Weile bemerke ich, dass Leon zwar die Hand von meiner Schulter genommen hat, mich aber immer noch anstarrt. *Sieht so aus, als warte er auf eine Erklärung. Aber was soll ich ihm sagen? Was …, das er nicht längst weiß?*

„Alle die mir wirklich etwas bedeutet haben …, sind tot. Mein Leben ist so unsagbar leer, seit auch Richard gegangen ist. Er war der Halt, der mir nach Fabians Tod die Kraft gab, weiterzumachen. Und nun ist dieser Halt weg. Kein Körnchen Liebe um mich herum. Ich sehe keinen Sinn mehr in diesem Leben."

„Sie sehen keinen Sinn mehr in diesem – prallen – Leben?", fragt er zynisch. „Und wie war das noch mit der Liebe? Greta, machen Sie die Augen auf! Sehen Sie sich doch mal um. Allein in diesem Raum steckt so viel Liebe, dass Sie ein ganzes Dorf damit füllen könnten. Spüren Sie sie denn nicht? Ich kann es. Mein Gott, Greta. Wie war das noch mit den Aufgaben, die das Leben für uns bereithält? Und mit dem, der uns die Kraft gibt, diese Aufgaben zu meistern? Sie haben Ihre Aufgabe noch längst nicht erfüllt."

„Eine Menge Weisheiten, die du hier zum Besten gibst", spöttle ich, obwohl ich weiß, woher er diese hat. Ich erinnere mich noch gut an heute Morgen.

„Die ich zum Teil von Ihnen habe", sagt er trocken. „Ich habe mich, während meine Mutter im Sterben lag, ausgiebig mit entsprechender Literatur befasst."

„Ach, gibt es fürs Sterben Literatur? So was wie einen Leitfaden?", spöttle ich weiter.

„Kommen Sie, tun Sie doch nicht so, als hätten Sie noch nie etwas über Sterbebegleitung und Trauerbewältigung gehört", blafft er mich an. „Jedenfalls, als ich mich damit beschäftigte, fiel mir auch ein Buch über Nahtoderlebnisse in die Hände. Ich las zwei, drei Berichte und legte es dann weg. Ehrlich gesagt, wusste ich nicht wie ich diese, nun ja, wie soll ich sagen, mysteriös angehauchten Erfahrungen bewerten sollte. Doch die Neugier trieb mich dazu, es immer wieder in die Hände zu nehmen und letztendlich bis zur letzten Seite zu lesen. War ziemlich aufschlussreich. Die meisten Befragten sprachen davon, dass irgendjemand sie auf der anderen Seite zwar erwartete, aber nur, um sie wieder zurückzuschicken. Nun ja, zu diesem Thema gibt es auch noch wissenschaftlich belegte Meinungen. Zum Beispiel – Adrenalinschub während des Sterbens. Aber nachdem, was Sie heute Morgen zu mir gesagt haben, kann ich mir gut vorstellen, dass wir tatsächlich eine vorbestimmte Zeit auf dieser Erde verbringen müssen. Ihre Zeit ist noch nicht vorbei. Greta, ich brauche Sie", sagt er verlegen schmunzelnd. „Sie wissen doch: Jemandem das Leben retten heißt, ein Leben lang für ihn verantwortlich zu sein."

Seine Worte treffen bei mir genau ins Schwarze. Aber im Moment fällt es mir dennoch schwer, mein Unrecht einzugestehen. Schließlich habe ich mir gute Gründe für meinen Freitod zurechtgelegt – vernünftige Gründe, meines Erachtens. Ausschließlich emotionale Gründe, wie ich jetzt erkenne. Wie auch immer, ich verspüre nicht die geringste Lust, noch weiter über dieses Thema zu sprechen. Abrupt drehe ich mich um und verlasse das Zimmer.

„Greta", ruft er hinter mir her und ich bleibe unwillkürlich stehen, ohne mich nach ihm umzudrehen, „ich werde dieses Zeug in den Ausguss gießen und die Tabletten entsorgen. Natürlich weiß ich, dass ich den Wunsch zu gehen damit nicht aus Ihrem Gedächtnis löschen kann. Sie können sich jederzeit neue Tabletten besorgen. Ich kann Sie nur bitten, mir eine Chance zu geben, Ihnen zu beweisen, dass Ihr Leben trotz all der Verluste die Sie erlitten haben und all der Trauer, die Sie jetzt darüber empfinden, eines Tages wieder schön sein kann. Greta, auch ich trauere. Meine Mutter, die alles für mich getan hat, die immer für mich da war, meine wundervolle Mutter, die wichtigste Person in meinem Leben, ist tot. Das tut verdammt weh. Als sie starb hätte ich mir vor Wut auf den da oben am liebsten das Hirn eingerannt. Aber ich habe es nicht getan. Ich bin hier heraus an den See gefahren und habe Abschied genommen. Mag sein, dass der Schmerz einer Frau, die den Mann verloren hat, größer ist, als der eines Sohnes, der seine Mutter verloren hat, und der einer Mutter, die ihr Kind verliert, ist sicher unermesslich. Ich kenne nur meinen Schmerz. Aber egal wie groß ein Schmerz ist, er ist es nicht wert, dass wir seinetwegen aufgeben."

Meine aufgerissenen, starr ins Nichts blickenden Augen fühlen sich plötzlich kalt an. Ich blinzle. Die Wut ist verraucht und die Verzweiflung macht sich ebenfalls davon. Die zurückbleibende Scham drängt mich weiterzugehen. *Der Junge hat recht, man kann nicht einfach sagen, jetzt mache ich Schluss oder ich habe keine Lust oder keinen Mut weiterzumachen oder was auch immer. Doch um nichts in der Welt werde ich das jetzt zugeben und ganz sicher werde ich auch nicht, ausgerechnet mit ihm, darüber sprechen.* Ich gehe weiter.

„Sie sind Schriftstellerin. Da müssten Sie doch wissen, dass Geschichten erst interessant werden, sobald nicht alles glatt verläuft. Und werden die Protagonisten nicht gerade dadurch zu Helden, weil sie Schicksalsschläge meistern? Wie oft ließen Sie in Ihren Romanen die Figuren Mut fassen, um im Leben zu bestehen?"

Er hat recht. Er hat ja so verdammt recht. Ich bin drauf und dran, mich zu ihm umzudrehen.

„Ihr Leben – vergleichen Sie es mit einem guten Buch", spricht er ruhig weiter, „eines das es wert ist zu Ende gelesen zu werden. Schließen Sie es nicht vorzeitig, nur weil Sie gerade an einer Stelle angekommen sind, die Ihnen nicht gefällt. Lesen Sie es zu Ende. Ich bin sicher, es hält noch einige Überraschungen für Sie bereit. Greta, verdammt noch mal, sprechen Sie mit mir", fleht er.

Nein, das werde ich ganz sicher nicht tun – nicht jetzt.

„Mein Gott, ich finde Selbstmörder zum Kotzen", ruft er hinter mir her. „Nicht die manischdepressiven. Nein, die können anscheinend nichts für ihre Todessehnsucht. Aber all die andern, vor allem diejenigen, die andere in Gefahr bringen. Die Geisterfahrer zum Beispiel und die, die sich vor einen Zug legen oder so etwas Ähnliches. Die sind nämlich sogar zu feige, es selbst zu tun. Sie brauchen jemanden, der letztendlich dem Tod auf die Sprünge hilft. Das sind die Schlimmsten, denn während sie sich aus dem Staub machen, verpassen sie dem, der ihnen bei ihrem Selbstmord hilft, ein Trauma, das denjenigen mitunter ein Leben lang quält", sprudelt es nur so aus ihm heraus. „Und dann gibt es noch solche wie Sie, die zu feige sind ihr Leben in die Hände zu nehmen, um das Beste daraus zu machen."

Feige? Ich straffe meinen Körper, atme einmal tief durch und verlasse erhobenen Hauptes, ohne mich noch einmal nach ihm umzudrehen, mein Wohlfühlzurückziehzimmer.

„Greta! Da ich nun Bescheid weiß, bedenken Sie bitte auch, dass ich mit der Frage – warum konnte ich es nicht verhindern – weiterleben muss. Ach und noch etwas …, Selbstmörder kommen nicht ins Himmelreich. Denken Sie mal darüber nach."

Sowie ich die oberste Stufe erreiche und mich unbeobachtet fühle, lasse ich meine Schultern sinken, ja mein ganzer Körper sackt in sich zusammen. Wie ein windelweich geprügelter Hund mit eingezogenem Schwanz verziehe ich mich in mein Schlafzimmer. Müde setze ich mich auf den Bettrand und starre vor mich hin. Ich fühle mich leer und ausgelaugt. Endlich schlafen und nicht mehr denken müssen ist das Einzige, das ich mir im Moment wünsche. So wie ich bin, in meinem Hausanzug, lege ich mich ins Bett, ziehe die Decke bis unters Kinn und versuche die anklagenden Gedanken ziehen zu lassen, die mich eine feige, egoistische alte Närrin schelten. Doch es gelingt mir nicht. Immer wieder kommen mir Situationen in den Sinn, die mir vor Augen führen, wie dumm es wäre, mein Leben wegzuwerfen …

Kapitel 6

Meine Nase juckt. Ich kratze sie, strecke mich und, während meine Wirbel knirschen, gähne ich ganz undamenhaft. Erst jetzt öffne ich die Augen, schließe sie aber gleich wieder, geblendet von der Helligkeit des sonnendurchfluteten Zimmers. Eine Hand schützend über die Augen gelegt, schiele ich auf den Wecker. *Halb neun!*

Entsetzt reiße ich meine Lider auf, zwei, dreimal blinzle ich noch, dann kann ich das Tageslicht ertragen. Ich schlage die Steppdecke zurück und schwinge meine Beine aus dem Bett. Wie ein Keulenschlag trifft mich die Erinnerung an den gestrigen Abend und das mehr als peinliche Gespräch mit Leon. Nach einem für meine Verhältnisse kurzen Morgenritual angle ich meinen Morgenmantel, der wie immer am Fußende des Bettes liegt, und ziehe ihn über.

Schon auf der Treppe duftet es nach frisch aufgebrühtem Kaffee. Als ich die Küche betrete, bleibt mir fast das Herz stehen. Leon sitzt vornüber gebeugt auf „seinem" Platz und liest in einer Zeitschrift.

Herrgott noch mal! Wieder einmal fällt mir die Ähnlichkeit mit Richard auf und natürlich die mit Fabian – auch Fabian war Richard wie aus dem Gesicht geschnitten. Im Nachhinein wundere ich mich, dass mir die Ähnlichkeit nicht bereits zu denken gab, als sie mir zum ersten Mal auffiel.

„Ist das nicht ein herrlicher Tag?", begrüßt mich der Junge gut gelaunt.

Jetzt kommt es, denke ich. *Gleich wird er mir wieder Vorwürfe machen und mir erneut die Vorzüge dieses wundervollen Lebens vor Augen halten.*

„Genau der richtige Tag, um ein Auto zu kaufen", fährt er fort, faltet die Zeitung zusammen, legt sie beiseite und gießt Kaffee in meine Tasse. „Finden Sie nicht?"

Nanu, hat er vergessen, was vorgefallen ist? Sicher nicht. Er hat nur die Taktik geändert, überlege ich kurz, nicke aber und frage: „Du hast dir also schon überlegt, was für einen Wagen du haben möchtest?"

Er nickt. „Im Schuppen meines Vermieters steht ein VW-Cabrio, das er seit Jahren für seinen Sohn aufbewahrt", erklärt mir Leon begeistert. „Der Sohn hat in den Staaten studiert und während des Studiums die

Tochter eines schwerreichen Industriellen kennengelernt. Vor einigen Wochen hat er sie geheiratet und wie mein Vermieter mir erzählte, bleibt er nun für immer drüben. Vielleicht verkauft er mir den Wagen ja, jetzt da sein Sohn ihn nicht mehr braucht. Stellen Sie sich vor", er macht eine Handbewegung, als wolle er mir das Bild vor meinen geistigen Horizont malen, „schwarze Karosserie, blitzendes Chrom, rote Ledersitze ..."

„Und rotbraune Rostflecke", versuche ich ihn von seiner Traumwolke auf den Boden der Realität herunterzuholen.

„Eben nicht", fährt er eifrig fort. „Das Schmuckstück wartet poliert und ordentlich gewartet auf seinen zukünftigen Besitzer."

„Ah ja, und der bist du?", spöttle ich und nippe an meiner Tasse.

„Möglich!"

„Na gut. Dann wollen wir mal. Bist du soweit?", frage ich und lasse meinen Blick über den gedeckten Tisch und seinen Teller schweifen, auf dem nur noch Brösel liegen.

Er blickt ebenfalls auf seinen Teller, dann auf mich. „Ich schon. Sie möchten ja wohl wie üblich nichts frühstücken?"

„Ich habe keinen Appetit. Gib mir zehn, nein, besser zwanzig Minuten."

Nach einem letzten Schluck stelle ich die Tasse ab und verschwinde kurz darauf im Bad, um ein leichtes Make-up aufzulegen. Ich ziehe ein schwarzes Wollkostüm an und drehe mich vor dem hohen Spiegel. Was ich sehe, gefällt mir. *Es stimmt, was die Leute sagen, ich bin immer noch eine ziemlich attraktive Frau.*

„Du bist eitel", tadelt meine innere Stimme.

Nein, bin ich nicht. Ich gebe lediglich den Leuten recht. Sicher gäbe ich auch eine schöne Leiche ab, sollte ich rechtzeitig vor der Verwesung gefunden werden. Ein Gedankenblitz, den ich sogleich wieder verscheuche. *Ans Sterben will ich heute nicht denken.* Ich kann es mir nicht erklären, aber ich fühle mich richtig gut, so gut und vor allem so voller Tatendrang wie seit Wochen nicht mehr.

Der Junge erwartet mich bereits ungeduldig am Fuß der Treppe. „Sie sehen toll aus."

„Danke." Sein Kompliment macht mich noch um eine Nuance fröhlicher. Ich nehme den Autoschlüssel vom Haken und werfe ihn Leon zu. „Du fährst."

Er strahlt mich an, nickt und wendet sich der Haustür zu.

„Wo willst du hin?"

„Zur Garage?", fragt er, als wäre ich nicht ganz bei Verstand.

„Zur Garage geht's hier lang." Ich führe ihn an der Treppe vorbei zur Verbindungstür. „Das Garagentor lässt sich nur von innen oder durch die Toröffner der Autos von außen automatisch öffnen."

„Wie praktisch", bemerkt der Junge spöttisch. „Da kann ich ja gespannt sein, welche Überraschungen in diesem Haus sonst noch auf mich …"

Als er nicht weiterspricht, blicke ich mich nach ihm um.

Da steht er mit offenem Mund und weit aufgerissenen Augen.

„Wow!", entfährt ihm ein unüberhörbar erstaunter Schrei. „Ich glaub ich spinne. Da steht ein Lamborghini Gallardo Coupé!"

Ich nicke langsam und schmunzle vor mich hin, während meine Gedanken sogleich zu dem Tag abschweifen, an dem Richard mich in dieses Autohaus schleifte, um mir seinen Traumwagen zu zeigen.

Beim bloßen Anblick dieses Wagens begannen seine Augen buchstäblich von innen zu leuchten und seine Begeisterung kannte keine Grenzen. Innerhalb von Sekunden verwandelte sich mein gestandener Mann in einen kleinen Jungen. Ich weiß noch, dass ich das ziemlich komisch fand und dachte, fehlt nur noch, dass er sabbernd durch die Scheiben ins Wageninnere starrt und sich die Hose nass macht … Natürlich teilte ich ihm meine Bedenken bezüglich der vielen Pferdestärken unter der Haube mit. Doch letztendlich lag die Entscheidung, diesen Wagen zu kaufen, bei Richard.

Ob alt oder jung, Männer sind und bleiben wohl Jungs bis ans Ende ihres Lebens. „Du kennst dich mit Autos aus?"

„Das ist einer meiner Traumwagen. Jaguar und Porsche kämen auch noch in die engere Wahl."

Ich werfe Leon einen kurzen aber eindeutigen Blick zu, der seiner offensichtlichen Hoffnung ein jähes Ende bereitet. „Wir nehmen den Volvo", sage ich knapp.

Das eben noch vor Verzückung strahlende Gesicht fällt regelrecht in sich zusammen. „Och ..., Schade", murmelt er enttäuscht und wirft, während er zum Volvo geht, noch einen sehnsuchtsvollen Blick auf den Lamborghini.

Bald gehört er dir, mein Junge.

Leider verläuft das Gespräch mit Leons Vermieter nicht so, wie er es erhofft hatte.

„Mach dir nichts draus", tröste ich ihn und füge schnell hinzu – bevor ich es mir anders überlege: „Eigentlich ist es doch purer Nonsens, ein Auto für dich zu kaufen. In der Garage stehen drei und ich kann nur einen fahren."

Er wirft mir einen verwunderten Blick zu. Doch gleich darauf grinst er und seine Augen bekommen einen eigenartigen Glanz.

Ich sehe ihm an der Nasenspitze an, was er denkt. „Nicht den Lamborghini", stoppe ich seine zügellosen Gedanken, bevor er wie ein ausgehungerter Hund, dem man ein Leckerli vor die Schnauze hält, zu hecheln beginnt.

Enttäuschung zeichnet sich auf seinem Gesicht ab.

„Na, jetzt lass den Kopf nicht gleich hängen", sage ich und lasse mich auf den Beifahrersitz des Volvos gleiten.

Leon steigt ebenfalls ein, startet und fährt los.

„Was hältst du von meinem BMW Cabrio? Wenn du willst kannst du ihn während der schönen Jahreszeit fahren, jetzt nimmst du den Volvo."

„Aber wie stellen Sie sich das vor? Sie selbst fahren doch den Volvo. Und was, wenn Sie ihn brauchen? Soll ich Ihnen den Wagen dann zurückbringen? Ich lebe schließlich in München", gibt er zu bedenken.

„Ja, wie soll das gehen?" *War ich zu vorschnell? Ich müsste dann mit dem Cabrio fahren und da habe ich nicht mal Winterreifen drauf. Na und? Der Lamborghini jedenfalls geht gar nicht.* „Ich werde mir etwas einfallen lassen."

„Ich hätte da eine Idee. Sie leben doch ganz allein in diesem großen Haus. Könnten Sie sich nicht vorstellen ..., ich meine ...", stottert er.

„Nein! Nein, das ist unmöglich", wehre ich mich kopfschüttelnd gegen seine auf mich bereits bedrohlich wirkende Eingebung, noch bevor er die Frage zu Ende bringen kann.

„Was? Warum? Können Sie mich nun auf einmal doch nicht mehr leiden?", fragt er ärgerlich und schlägt mit beiden Händen aufs Lenkrad. „Gott! Ich kann doch nichts dafür."

Ich kann mir gut vorstellen, an was er denkt und was er mit dieser gemeinsamen Wohnidee bezweckt. Er will mich bewachen. Vermutlich fühlt er sich mir gegenüber verpflichtet, weil ich ihn aus dem See gefischt habe. Andererseits ist da diese unselige Verbindung durch Richard. Im Grunde ist dieser Junge mein ... Nein! Den Gedanken will ich gar nicht erst aufkommen lassen. *Womöglich befürchtet er aber auch lediglich, sein Erbe könnte ihm durch meinen Tod doch noch durch die Lappen gehen. Obwohl – der Betrieb gehörte ihm ja bereits in der Minute, als ich das Erbe annahm. Nun muss er sich lediglich an seinen Part halten und er ist ein reicher junger Mann.*

„Konnte ich dich denn schon mal leiden?", kann ich mir jedoch nicht verkneifen ihn spöttelnd zu fragen.

„Ha, ha", kommt es betont ironisch über seine Lippen.

„Könnte ich dich nicht leiden", erkläre ich, „würde ich das hier ganz sicher nicht mit dir veranstalten und ich würde dir auch keinen meiner Wagen geben. Konzentriere dich bitte auf den Verkehr", ermahne ich ihn, als ich seinen durchdringenden Blick bemerke.

Er kneift seine Augen zu schmalen Schlitzen zusammen. „Ja, jetzt weiß ich es …", sagt er schließlich, als hätte er nicht verstanden, was ich sagte. „Sie sind eifersüchtig. Sie können es nicht ertragen mich anzusehen und zu wissen, dass ich der Sohn jener Frau bin, mit der Ihr Mann Sie betrogen hat. Mein Gott! Wir haben uns doch so gut verstanden, als Sie es noch nicht wussten. Was hat sich denn nun wirklich geändert?"

„Alles!", sage ich knapp. Doch nach einer kurzen Pause füge ich besänftigend hinzu: „Anscheinend hast du mir eben nicht zugehört? Na gut, im Klartext. Ich habe nichts gegen dich. Fahr da vorne rechts ran. Ich treffe mich in dem Lokal mit meinem Lektor. Was hast du heute noch vor?"

„Das interessiert Sie doch sowieso nicht", murrt er.

„Dann würde ich nicht fragen. Also?"

„Mal sehen. Ich werde Mutters Grab besuchen und anschließend Leander – einen Schulfreund. Wir schreiben am Montag 'ne Klausur in Geschichte, wäre nicht gut, die in den Sand zu setzen. Darum muss ich mir von ihm einige Unterlagen besorgen, die ich wegen der freien Tage nicht erhalten habe."

Ich nicke verstehend. „Du kannst den Wagen behalten. Michael fährt mich sicher nach Hause", sage ich, wende mich von ihm ab und öffne die Wagentür.

„Ich bringe ihn später zurück", sagt er in einem Ton, der keinen Widerspruch duldet.

„Das ist nicht nötig", widerspreche ich trotzdem. „Wie ich schon sagte, du kannst ihn behalten."

„Greta …"

„Ja?" Ich wende mich noch einmal zu ihm um.

Der Junge kaut verlegen auf seiner Unterlippe. „Sie …"

„Nein, ich bringe mich nicht um", beruhige ich ihn, da ich plötzlich ahne, auf was er hinauswill. *Nicht heute.*

Offensichtlich erleichtert, atmet er hörbar auf.

Ich steige aus, doch bevor ich die Tür zuschlage, beuge ich mich noch mal ins Wageninnere. „Vergiss die Semmeln nicht, falls du morgen früh zum Frühstück kommst."

Er nickt eifrig und ich schlage die Tür zu.

*

„Greta", begrüßt mich Michael erfreut, während er mir gut gelaunt entgegenkommt. Wie üblich küsst er mich auf beide Wangen und geleitet mich an seinen Tisch, an dem bereits ein anderer Mann mit dem Rücken zu mir sitzt.

Was soll das, frage ich mich. *Wollte Michael nicht mit mir allein sprechen? Habe ich da was missverstanden?*

In diesem Moment erhebt sich der Unbekannte. Noch bevor er mir einen Blick zuwirft, um mich zu begrüßen, rückt er einen Stuhl für mich zurecht. „Darf ich dir meinen alten Freund Ulrich vorstellen? Ab und an kam schon mal die Sprache auf ihn. Erinnerst du dich?", fragt Michael und fügt noch erklärend hinzu: „Mit ihm mach ich einmal im

Jahr die Motorradtour. Letztes Jahr nach Genua, von wo aus wir mit einem Segelboot nach Madeira übersetzten. Erinnerst du dich?"

„Ulrich Herzog", stellt er sich selbst vor und streckt mir seine Hand entgegen.

Herzog? Der Name verursacht einen bitteren Geschmack in meinem Mund. Obwohl ein Gefühl aufmunternd meint, ich solle mich nicht so anstellen, da es diesen Namen nicht nur einmal gebe, mahnt mich ein anderes, tief in mir, zur Vorsicht. Zumal in Michaels Stimme der mir allzu bekannte Unterton mitschwingt, den ich immer dann heraushöre, wenn er mir etwas zu beichten hat. Die beiden sehen außerdem nicht so aus, als hätten sie sich zufällig hier getroffen. Möglicherweise bin ich aber zurzeit nicht in der Lage, objektiv zu denken, darum wische ich diesen Gedanken sogleich beiseite. Da Michaels Freund laut seiner Erzählungen ein prima Kerl ist und daher wohl kaum etwas mit meinem Herzog zu tun hat, ergreife lächelnd die Hand des Mannes.

Er beugt sich galant darüber und haucht formvollendet einen Kuss darauf. „Frau Sander, es ist mir eine Ehre und eine ganz besondere Freude, Sie kennenlernen zu dürfen."

„Ja, ich …", erwidere ich, während wir uns setzen. *Was wollte ich noch sagen?* „Ich freue mich auch", beschließe ich den Satz und wende mich an Michael. „Du hast immer ganz begeistert von dieser Tour gesprochen. Und wie du dich sicher erinnern kannst, habe ich dir bereits mehrfach geraten, ein Buch darüber zu schreiben – für Biker."

„Genau das habe ich ihm ebenfalls vorgeschlagen. Ich würde es sogar publizieren."

„Sie würden es publizieren?", frage ich argwöhnisch. *Also doch!* Wie vom Blitz getroffen, stellen sich sämtliche Haare an meinem Körper auf. *Der hat was mit dem Herzog-Verlag zu tun.*

Michael räuspert sich, senkt zunächst verlegen den Kopf, bevor er mir, offensichtlich allen Mut zusammennehmend, direkt in die Augen sieht. „Nun, wie du dir jetzt denken kannst, habe ich dich nicht hierhergebeten, um über mein ungeschriebenes Buch zu sprechen. Ich wollte dir Ulrich vorstellen. Und da ich von dieser unverschämten Absage weiß …, die du damals vom Herzog-Verlags erhalten ..." Er räuspert sich erneut. „Jedenfalls wurde der Verlag vor mehr als vierzig Jahren von Yolanda Herzog, Ulrichs Mutter, gegründet", erklärt Michael.

Als ob ich das nicht weiß. Was soll das alles?

„Vor etwa zwei Jahren, nach deren Tod, übernahm Ulrich die Leitung. Er …"

Ich beiße die Zähne zusammen und atme tief ein. *Herzog-Verlag! Herzog-Verlag! Herzog …,* schwirrt es durch meinen Kopf. Ich erinnere mich noch allzu gut an die Enttäuschung, die ich stets empfand, sobald wieder mal eine Absage von einem der Verlage eintraf, denen ich so hoffnungsvoll mein erstes Manuskript zukommen ließ. Beim Herzog-Verlag handelte es sich um einen jener Verlage. Aber im Gegensatz zu den anderen, nichtssagenden Antwortschreiben enthielt der Brief des Herzog-Verlags eine mehr als beleidigende Kritik, die mich allzu sehr verletzte. Ich war schon im Begriff, das Schreiben wieder an den Nagel zu hängen, da setzten sich mein Eigensinn und eine gute Portion Selbstvertrauen durch. Jetzt erst recht, dachte ich und denen werd' ich's zeigen.

„… und weil er ein großer Fan von dir ist …"

„Ach ja?", unterbreche ich Michaels Ausführungen, denen ich während der letzten Sekunden so gut wie keine Beachtung geschenkt habe. „Diesen Eindruck hatte ich ganz und gar nicht, als er mir damals mein erstes Manuskript zurückschickte. Und zwar ungelesen, wie anhand der nicht umgeknickten Seiten unschwer zu erkennen war."

„Unmöglich, ich lese alles, was auf meinen Schreibtisch gelangt. Das ist eins meiner Prinzipien", erklärt er bestimmt.

„Ach kommen Sie, wir wissen doch beide, wie das läuft", antworte ich verärgert. „Jedenfalls deutete nichts darauf hin, dass die Seiten auch nur einmal umgeblättert wurden. Dennoch bekam ich eine niederschmetternde Absage, die mich fast dazu veranlasste, mit dem Schreiben aufzuhören." *Was ist es, das mich noch nach zwanzig Jahren so wütend macht? Wäre aus mir das geworden, was ich heute bin, hätte ich diese beleidigende Absage nicht erhalten? Vermutlich hätte ich mich dann nicht an Michael gewandt und wäre nie Bestsellerautorin geworden. Unsinn! Auch beim Herzog-Verlag gibt es Lektoren und hätten die, wie Michael reagiert, wäre dieser Ulrich Herzog heute mein Verleger.* Langsam steigt so etwas wie Schadenfreude in mir hoch. Besonders der Gedanke an das Geld, das ich meinem Verlag im Laufe der Jahre eingebracht habe, verursacht ein kaum wahrnehmbares Lächeln auf meinen Lippen und ein lautes Lachen tief in mir drinnen.

„Wie war die Premiere?", wende ich mich übergangslos an Michael.

„Es war phantastisch", beginnt Michael sofort begeistert zu schwärmen. „Du hättest dabei sein müssen. Die Schauspieler überzeugen nicht nur durch ihr überragendes Können, sondern auch durch ihr Herzblut, das in jede Szene einzufließen scheint. Dieser Film wird auf der Berlinale einen Preis kassieren, das garantiere ich dir. Außerdem wird er auch auf internationaler Ebene und nicht zuletzt bei den Filmfestspielen in Cannes überzeugen."

„Jetzt übertreib mal nicht."

Michael ergreift meine Hand und blickt mir eindringlich in die Augen. „Das tu ich nicht. Am Ende wollte man die Schriftstellerin und Drehbuchautorin Greta Sander auf der Bühne sehen, aber die war ja anderweitig beschäftigt", bemerkt er vorwurfsvoll, fügt aber kameradschaftlich hinzu: „Mensch Greta, ich hätte dir den Applaus so gegönnt."

„Ja", kommt es wie ein Hauch über meine Lippen, ich nicke und lege meine freie Hand bedauernd lächelnd auf seine, „das weiß ich doch. Aber wie du schon sagtest, ich war anderweitig beschäftigt."

„Was war das denn für ein Gast? Du warst so komisch am Telefon."

„Es muss sich um eine äußerst bedeutsame Persönlichkeit gehandelt haben", mischt sich Ulrich Herzog anzüglich grinsend in die Unterhaltung, „wäre sie Frau Sander sonst wichtiger gewesen als die Premiere?"

Ein unangenehmer Zeitgenosse. Was findet Michael bloß an dem? Ich werfe Herzog einen Blick zu, der das Grinsen augenblicklich aus seinem Gesicht wischt. „Zum einen denke ich nicht, dass Sie beurteilen können, wer oder was mir wichtig ist, denn dafür kennen wir uns nicht gut genug. Zum anderen, sollten Sie diesen Umstand ändern wollen, und davon gehe ich aus, sonst säßen Sie nicht hier – wüssten Sie, dass ich erst vor einigen Tagen meinen Mann zu Grabe getragen habe und mir der Sinn ganz sicher nicht nach dem steht, was mir Ihr anzügliches Grinsen sagt", weise ich ihn unmissverständlich in seine Schranken.

„A..., aber ...", stottert Ulrich Herzog bestürzt und vergisst seinen Mund zu schließen, was ihn nicht gerade intelligent aussehen lässt.

Mario, der Kellner, tritt an unseren Tisch.

„Buon giorno, Frau Sander. Schön, dass Sie uns auch wieder mal beehren", begrüßt er mich mit seinem unwiderstehlich charmanten italienischen Akzent. Der angedeutete Vorwurf ist nicht zu überhören, doch gleich darauf fragt er in die Runde: „Darf ich Ihre Bestellung aufnehmen?"

Michael bestellt eine Pizza con i frutti di mare, Herzog bestellt Lasagne Alfredo und einen kleinen Salat.

Mir ist der Appetit gründlich vergangen, darum bestelle ich nur ein Wasser.

Herzog greift nach seinem Glas, trinkt und noch während er es absetzt, wendet er sich an mich und blickt mir direkt in die Augen. „Sollte ich Ihnen zu nahegetreten sein, Frau Sander, tut mir das sehr leid. Nichts liegt mir ferner, als Sie in irgendeiner Weise beleidigen zu wollen oder mich in Ihre Angelegenheiten zu mischen", beteuert er zerknirscht. „Und sollte Ihr despektierliches Verhalten mir gegenüber auf die Art und Weise der Ablehnung Ihres Manuskriptes zurückzuführen sein, so bitte ich auch dafür um Entschuldigung. Damals bekam ich nur sehr selten ein Manuskript auf den Schreibtisch und ich kann mich nicht erinnern, jemals eines von Ihnen erhalten zu haben", erklärt er zwar höflich, jedoch kühl, ja geradezu überheblich.

Ich koche innerlich vor Wut. *Dieser arrogante Kerl hat mich tatsächlich durchschaut, aber dass er das auch so offen ausspricht, ist der Gipfel der Unverschämtheit. Zumindest habe ich einen Grund, mich ihm gegenüber abweisend zu verhalten, aber welchen Grund hat er?*

Ich werfe ihm einen letzten, wie ich hoffe vernichtenden Blick zu und wende mich wieder Michael zu, ohne auf Ulrich Herzogs Erklärung einzugehen. „Ich hatte gehofft, mit dir unter vier Augen sprechen zu können."

„Entschuldige, ich hatte nicht vor dich zu überrumpeln. Es hat sich einfach so ergeben …"

„Du bist mit dem Wagen hier?"

Er nickt. „Ja."

„Ich habe meinen Wagen eben einem Bekannten geliehen."

„Na gut, wenn das so ist", sagt er zögernd, „ich könnte dich nach dem Essen nach Hause bringen."

Klingt nicht gerade begeistert. Scheint ihm schwer zu fallen, sich von seinem Freund loszureißen? Nun ja, ich bin nicht auf ihn angewiesen, genauso gut kann ich mir auch ein Taxi nehmen. Was ich jetzt noch brauche, ist eine gute Entschuldigung, damit ich schnell von hier verschwinden kann. Upps! Und schon ist sie da.

„Oh!" Ich lege meine Hand offensichtlich verstört auf die Lippen. „Da fällt mir ein …", ich erhebe mich rasch und greife von Panik ergriffen nach meiner Tasche. „Oh nein!", jammere ich, „ich muss sofort nach Hause."

Die beiden Männer erheben sich ebenfalls.

„Was?", fragt Michael verdutzt. „Aber ich …", er blickt hungrig auf die Pizza, die Mario just in dem Moment vor ihn auf den Tisch stellt.

„Tut mir leid, mein Lieber, ich habe vergessen den Stecker des Bügeleisens herauszuziehen", erkläre ich und füge hinzu: „Aber genieße du in aller Ruhe deine Pizza, ich nehme ein Taxi. Wir sprechen ein andermal. A presto amico."

Obwohl mir Herzogs Anwesenheit äußerst zuwider ist, schenke ich ihm einen kurzen Blick. „Leben Sie wohl, Herr Herzog."

Michael erhebt sich und wirft die Serviette, die er eben erst auf seine Schenkel gelegt hat, zurück auf den Tisch. „Das kannst du jetzt nicht machen", ruft er hinter mir her.

Ich bleibe stehen und drehe mich noch einmal zu ihm um. „Ist es dir lieber, ich ziehe demnächst bei dir ein, weil ich kein Dach mehr über dem Kopf habe?"

„Ja, das ist es. Und was das Dach über dem Kopf angeht, für dich würde ich sogar auf dem Sofa schlafen."

Ablehnend schüttle ich den Kopf, wende mich wieder dem Ausgang zu und gehe weiter. *Michael wird mir ganz sicher folgen.*

Er tut es nicht. Ich bin stinksauer. *Das ist doch wieder mal typisch Mann. Sowie sie Gefahr laufen, vor anderen wie Schlappis dazustehen, kneifen sie.* Enttäuscht ziehe ich mein Handy aus der Tasche und rufe in der Taxizentale an. *Na warte mein Lieber, du willst auch mal wieder was von mir.*

Ich lasse mich zum Herrschinger Friedhof bringen. Um meinen Frust loszuwerden, muss ich ihn mir bei Richard von der Seele reden.

*

Zitternd vor Kälte betrete ich das Haus. Mir war nicht mehr bewusst, wie weit der Weg vom Friedhof nach Hause ist, wenn man ihn allein zu Fuß zurücklegt. Als ich mit Leon dort war, erschien er mir entschieden näher. Ich ziehe meinen schneebedeckten Mantel aus und hänge ihn achtlos an den Kleiderständer.

Jetzt erst mal ein entspannendes Bad und dann ...

Ich erinnere mich an das Versprechen, das ich dem Jungen gegeben habe und begebe mich in die Küche, um ein Glas von dem herrlichen Merlot einzugießen. Mit dem Glas in der Hand gehe ich nach oben. Nachdem ich den Wasserhahn aufgedreht habe, gieße ich etwas von dem nach Flieder duftenden Schaumbad in die Wanne und lasse diese bis knapp unter den Rand volllaufen. Ich zünde eine fast heruntergebrannte Kerze an, steige in die Wanne und räkle mich im warmen Wasser.

Die grauen Schatten der Nacht schleichen bereits ins Badezimmer, als ich etwa eine halbe Stunde später aus dem mittlerweile abgekühlten Wasser steige. Ich greife nach dem weichen, blumig duftenden Badetuch, rubble mich gut ab und schlüpfe in den hellblauen Hausanzug aus flauschig angerauter Baumwolle. Da ich mein feuchtes Haar an der Luft trocknen lassen möchte, kämme ich es lediglich schnell durch und schlendere, das immer noch halb volle Weinglas in der Hand, nach unten in die Küche.

Die Wut auf Michael ist abgeklungen. Sicher hatte er gute Gründe für sein Verhalten und wie ich ihn kenne, wird er mir die auch ganz bestimmt noch mitteilen. Bisher hat er mein Vertrauen nicht enttäuscht und ich gehe davon aus, dass er das auch zukünftig nicht tun wird. Michael ist ein grundanständiger Kerl, der stets ehrlich zu mir gewesen ist und mich noch nie hintergangen hat.

Im Kühlschrank wartet, da ich am gestrigen Abend nicht mehr zum Entsorgen kam, eine Schachtel Pralinen auf mich. Nur gekühlte Schokolade ist gute Schokolade. Ich liebe das knackende Geräusch beim Hineinbeißen.

In einer Hand das Glas, in der anderen die Pralinen, schlendere ich ins Wohnzimmer. Dort stelle ich zunächst das Glas auf den Tisch, lege die Schachtel daneben und drücke die Taste des CD-Players, in dem sich seit Tagen eine CD mit Mozarts Violinkonzert Nr.3 in G-Dur befindet. Der unerwartete Wunsch nach Gemütlichkeit veranlasst mich, das Feuerzeug aus der Konsolenschublade zu nehmen und die darauf stehenden Kerzen anzuzünden. Zufrieden lächelnd setze ich mich aufs Sofa und ziehe die karierte Wolldecke über meine Beine.

Um der Gemütlichkeit die Krone aufzusetzen, schlage ich die Decke nochmal zurück, erhebe mich und gehe an meinen Leckerschrank. So nenne ich ihn, weil sich darin nur leckere Knabbereien befinden. Mit einer Packung Wiener Mandeln und einem Beutel Salzbrezeln kehre ich zurück.

Während ich genüsslich vor mich hinlächle, nehme ich mein Glas zur Hand und nippe daran. *Ja, so lieb ich das. Habe ich das jetzt wirklich gedacht?*

Die Erkenntnis, dass ich noch etwas liebe und ist es auch nur die Gemütlichkeit, animiert mich zum Nachdenken. Noch vor wenigen Tagen bewegte ich mich wie eine Schlafwandlerin durch die Räume des Hauses. Bevor der Junge kam, trank ich ab und an ein Glas Wasser und sowie mich Magenschmerzen oder das verdammte Sodbrennen plagten, aß ich ein Stück trockenes Brot.

Plötzlich erinnere ich mich an Richards Todestag.

Nachdem ich Peter von Richards Tod verständigt hatte, dauerte es keine Stunde, bis er mit seine Frau Renate vor unserer Tür stand. Die Hufnagels zählen seit Jahren zu unseren engsten Freunden. Renate brühte Tee auf und umsorgte mich. Als Peter in den Betrieb zurückfuhr, um die Belegschaft vom Tod ihres Chefs zu unterrichten, blieb sie bei mir. Sie wich bis zum Tag der Beerdigung lediglich einmal während Michaels Besuch von meiner Seite und als Martin mit seiner Frau zum Kondolenzbesuch bei mir antraten. Von Renate erfuhr ich Tage später, wie viele Leute telefonisch und auch persönlich zu mir vordringen wollten. Während Peter den Bestatter auswählte und mich bei der Organisation der Trauerfeier unterstützte, schottete Renate mich vollkommen von allem ab das mich in meiner Trauer stören könnte.

Wie ich den Tag der Beerdigung überstand, weiß ich nicht mehr. Ich erinnere mich nur daran, dass Michael und die Hufnagels mich zum Herschinger Friedhof begleiteten. Wenig später schien dieser wegen der Menschenmenge aus allen Nähten zu platzen. Während der gesamten Trauerfeier blieben die drei Freunde an meiner Seite. Der anschließende Leichenschmaus, den Peter für die Belegschaft in der großen Kantine des Betriebs organisiert hatte, fand ohne mich statt. Ich fand mich irgendwann in einem Lokal in Herrsching. Martin hatte sich erboten einen Umtrunk für Richards Familie und die engsten Freunde auszurichten. Er war es auch, der Richards Tante, eine Schwester seines Vaters, vom Tod des Neffen verständigte. Die Witwe nahm mit ihren beiden ledigen Söhnen, ihrer Tochter und deren Familie an der Trauerfeier teil. Irgendwann verspürte ich das Bedürfnis, mich zurückziehen zu wollen. Um alle davon zu überzeugen, dass ich es nun alleine schaffen würde, begann ich ihnen genau das zu versichern, zu lächeln und mich zu verabschieden. Michael brachte mich nach Hause.

Zu diesem Zeitpunkt dachte ich noch nicht an Suizid. Ich fragte mich nur immer und immer wieder, was ich tun könne, um den Schmerz zu besiegen. Mein ganzer Körper fühlte sich wie eine einzige Wunde an. Selbst die nicht versiegen wollenden Tränen konnten mir keine Erleichterung verschaffen. Irgendwann wurde mir klar, dass der Schmerz erst aufhören werde, nachdem mein Herz aufgehört hätte zu schlagen. Das war der Moment, als ich begann meinen Suizid zu planen.

Und nun liebe ich die Gemütlichkeit? Trotz des scharfen Schmerzes der Erkenntnis, dass niemand diese und mein zukünftiges Leben mit mir teilen wird? Ich erkenne die winzige Nuance, die zwischen Verzweiflung und Trauer liegt. Als mir Richards Tod bewusstwurde, ergriff mich eine Verzweiflung, die mich zu verbrennen drohte. Angst vor all den bedrückenden Bekümmernissen, die in den nächsten Tagen und Wochen auf mich zukommen würden, vor allem jedoch vor dem Leben ohne ihn. Gleichzeitig breitete sich auch ein anderes Gefühl in mir aus – Wut. Wut, weil er mich ohne Vorwarnung allein zurückgelassen hatte. Einfach so. Keine Krankheit durch die ich mich an seinen kommenden Tod hätte gewöhnen können. Mir war, als würde ich unendlich tief fallen, da er nicht mehr bei mir war, um mich aufzufangen. Nie zuvor in meinem ganzen Leben fühlte ich mich ohnmächtiger. Die Wut verbannte ich tief an einen Ort von dem ich annahm, dass sie keinen Weg zurückfinden konnte und ließ der Trauer ihren Platz.

Plötzlich wird mir bewusst, wie nah mir der Tod bereits stand. Sein Schatten, der vor wenigen Wochen so kalt auf Richard lag, hatte mich bereits berührt. Nur noch ein, zwei Schritte und er hätte seine Arme ausgebreitet, um mich unter seinem schwarzen Umhang aus diesem Jammertal herauszuführen. *Ist es egoistisch und undankbar dem Leben gegenüber, daran zu denken, dass es ohne Richard nicht mehr lebenswert ist?* Müde schließe ich die Augen, lehne mich zurück und lausche der Musik. *Wie wundervoll.*

Ich fühle eine Wärme in mir aufsteigen, die mir Trost spendet und mich gleichsam in Geborgenheit hüllt. *Das ist mein Leben. Und es ist nur einmal für mich da. Der Wunsch, es erleben zu wollen, mit all seinen vielfältigen Facetten, schönen, aufregenden und schmerzlichen, überrollt mich mit einer Macht, die mir fast die Luft zum Atmen nimmt. Möglicherweise ist es der Mühe wert, diesen Schmerz durchzustehen. Obwohl die Sehnsucht nach ihm nie aufhören wird, denn die Sehnsucht nach Fabian hat auch nie aufgehört.*

„Oh Gott, ich vermisse die beiden so sehr. Warum hast du mir das angetan?", frage ich und werfe einen vorwurfsvollen Blick nach oben. *Was würde Richard sagen, wüsste er von meinem Vorhaben? Und Fabian? Würde er wütend wie Leon reagieren? Selbstmörder, hat der Junge gesagt, werden das Himmelreich nicht sehen. Stimmt, so steht es in der Bibel. Sollte es so etwas wie ein Himmelreich tatsächlich geben, sind Fabian und Richard sicher dort. Sie waren gute Menschen. Das hieße dann aber, sollte ich das richtig verstanden haben, ich würde die beiden selbst nach meinem Suizid nicht wiedersehen. Schrecklicher Gedanke.*

Ich nicke versonnen vor mich hin. *Schluss mit diesen trüben Gedanken. Ich kann es schaffen.*

Ich greife nach dem Roman, den ich schon vor Richards Tod zu lesen begonnen habe, lehne mich entspannt zurück und schlage ihn auf.

Nicht einmal die erste Zeile kann ich zu Ende lesen, da mich das Surren der Türglocke davon abhält. *Wird doch nicht wieder der Junge sein?*

Obwohl ich nicht die geringste Lust auf seine Gesellschaft und schon gar nicht auf seine Fragen habe, schlage ich die Decke zurück und begebe mich unwillig, aber neugierig zur Gegensprechanlage.

Die Überwachungskamera zeigt mir Ulrich Herzog.

Oh, nein! Ich sehe an mir herunter. *So kann ich den unmöglich empfangen. Kann ich nicht? Schließlich habe ich ihn nicht eingeladen.*

Interessieren würde mich schon, was der von mir will. Andererseits ... „Hm!" *Jetzt drückt der doch glatt noch mal auf den Klingelknopf. Hey, sogar zweimal.* Ich schüttle empört den Kopf. *Ziemlich ungeduldig der Bursche. Scheint kalte Füße zu bekommen, so wie der von einem Fuß auf den andern tritt. Da, er reibt sich die Hände. Nicht ganz einfach mit einem Blumenstrauß in der einen Hand. Der wenn wüsste, dass ich ihn beobachte. Nein, ich habe keine Lust, mich mit ihm zu unterhalten – nicht heute Abend. Soll er sich anmelden, dann empfange ich ihn vielleicht.* Langsam schlendere ich zurück zum Sofa, setze mich, lege die Wolldecke erneut bis über meine Knie und schiebe eine Praline in meinen Mund. Erschien mir das Haus gestern noch so unendlich trist und leer, so beginne ich jetzt, nach diesem entspannenden Bad, die Stille zu genießen, die sich wie Balsam auf meine aufgewühlte Seele legt. Das Treffen mit Michael und diesem Herzog hat mir mehr zugesetzt als ich dachte. *Wie konnte es den beiden überhaupt gelingen mich derart zu irritieren? Herzog? Ist klar. Michael? Keine Ahnung. Vielleicht fühlte ich mich einfach nur emotional überfahren von einem Freund, der ganz genau weiß, was ich vom Herzog-Verlag halte. Und dass ich ein Problem mit seinem Freund haben würde, hätte er sich denken können. Wieso hat er mich nicht auf dieses Treffen vorbereitet? Wozu hat er den Mann überhaupt mitgebracht? Oder haben sich die beiden rein zufällig getroffen und die Gelegenheit beim Schopf gepackt? Was geht es mich an?*

„Der Mann steht immerhin vor deiner Tür!", flüstere ich und lache kurz auf, während ich mich wieder unter meine Wolldecke kuschle. *Was will der bloß von mir? Blöde Frage. Was könnte einen Verleger an einer Autorin interessieren? Natürlich! Ihr neuestes Werk. Das jedoch gehört bereits meinem Verlag. Ich verstehe nur nicht, weshalb Michael ihm das nicht gesagt hat? Und ein weiteres Buch wird es nicht geben.*

„Wärst du nicht weggelaufen, wüsstest du jetzt genau, was er von dir erwartet", sagt meine innere Stimme.

Als ich die halb volle Pralinenschachtel zu mir herziehe und mir eine weitere Kalorienbombe in den Mund stopfe, nehme ich mir vor, Michael darauf anzusprechen.

Schluss damit! Eine blöde Angewohnheit diese abendliche Nascherei! Um dem Ganzen einen Punkt zu setzen, schiebe ich die Schachtel beiseite und greife nach meinem Glas. Ich trinke einen Schluck, nehme erneut den Roman zur Hand, lege mich bequem zurück und beginne zu lesen. Auch diesmal komme ich nicht über den ersten Satz. Der Junge fällt mir wieder ein und der Gedanke, den ich vorhin hatte, als ich in der Wanne vor mich hindöste. Da zog ich es doch tatsächlich einen Moment in Erwägung, den Jungen bei mir, im Haus seines Vaters, aufzunehmen. Mittlerweile kann ich mir gut vorstellen, wie er auf einen derartigen Vorschlag reagieren würde.

Aber was ist mit mir? Kann ich Richard verzeihen? Wenn nicht, würde das auch nichts ändern. Ehekrach ist nicht mehr möglich und verlassen kann ich ihn auch nicht, das hat er bereits erledigt. Gedankenlos ziehe ich die Pralinenschachtel wieder zu mir her und schiebe eine Praline in meinen Mund. *Nougat igitt!* Da die Schokolade inzwischen ohnehin viel zu weich ist, schiebe ich die Schachtel abermals beiseite. *Ich bleibe – vorerst. Und der Junge zieht nicht ein, er würde mich nur ständig an Richards Fehltritt erinnern. Das geht gar nicht.*

Da ich mich ohnehin nicht auf den Inhalt des Buches konzentrieren kann, schlage ich es zu und lege es auf den Tisch. Stattdessen grüble ich weiter über die Geschichte zwischen Richard und der Mutter des Jungen nach. Letztendlich komme ich zu dem Ergebnis, dass der Junge nun wirklich nichts für den Fehltritt seiner Eltern kann. Wenn einer eine gewisse Mitschuld an dieser Misere trägt, so man überhaupt von Schuld sprechen kann, bin ich das. Ich habe im Erfolgsrausch meine Familie vernachlässigt und war mir dessen nicht einmal bewusst. Wie auch? Ich hatte jede Menge Trubel um mich herum.

Warum kam mir nicht einmal der Gedanke, die beiden könnten sich von mir im Stich gelassen fühlen? Oh Gott! Wie viel Zeit habe ich sinnlos verplempert, nur um mich im fragwürdigen Rausch des Erfolgs zu suhlen? Tränen verschleiern meinen Blick. *Wie viele Abende bist du allein in diesem Wohnzimmer gesessen und hast auf einen Anruf von mir gewartet, Richard? Es tut mir so unendlich leid. Du hast meine Nähe gesucht, als du mit dieser Frau geschlafen hast und als dir das bewusst geworden ist, hast du die Sache sofort beendet. Diese Frau dagegen hätte sich nicht mit einem verheirateten Mann einlassen dürfen. Was hat sie sich nur dabei gedacht? Nicht viel vermutlich. Andererseits weiß ich, wie charmant Richard sein konnte. Er hat ihr den Kopf verdreht. Im Grunde müsste mir die Frau leidtun. Sie hat sich in ihn verliebt und war nicht mehr fähig klar zu denken. Sicher litt sie sehr unter Richards späterem Verhalten. Warum hat sie nie geheiratet? War das mit Richard mehr für sie als bloße Liebelei? Oder war sie dermaßen enttäuscht von dem gedankenlosen Verhalten eines Mannes, dass sie keinem anderen mehr vertrauen konnte? Wie auch immer, mir kann das ja wohl egal sein. Na ja, es könnte mir egal sein, hätte ich jetzt nicht ihren Sohn an der Backe. Ab sofort jedenfalls zählt nur noch die Zukunft. Was hat mich nur auf die absurde Idee gebracht, meinem Leben ein Ende setzen zu wollen? Ich bleibe und zwar, bis ein anderer meinem Leben ein Ende setzt.*

Das Telefon läutet.

„Ha!", schrecke ich aus meinen Gedanken. Dann schmunzle ich. *Für wie doof hält der mich? Das ist doch wohl der älteste Trick der Welt. Die Tür wird nicht geöffnet. Also ruft man kurzerhand zur Kontrolle an. Nimmt tatsächlich keiner ab, kann man davon ausgehen, dass wirklich niemand zu Hause ist. Aber nicht mit mir. So schlau wie du bin ich allemal.*

Ich lasse es läuten. Der AB ist eingeschaltet. Soll der Typ doch aufs Band sprechen.

„Klinikum Großhadern, Schwester Beate", meldet sich die Stimme einer Frau, statt der tiefen maskulinen eines Mannes. „Es geht um Leon Landmann. Er wurde nach einem Verkehrsunfall bei uns eingeliefert und diese Nummer war die einzige, die in seinem Portemonnaie lag. Da wir annehmen, dass Sie eine Freundin oder Angehörige sind, wollten wir Sie nicht im Unklaren lassen. Ja, das war's. Bitte melden Sie …"

Ich reiße den Hörer vom Apparat. „Hallo", brülle ich in den Hörer. „Was ist mit Leon?"

„Nun, darüber darf ich Ihnen am Telefon keine Auskunft geben. Nur so viel, er wird gerade operiert."

„Ja, aber Sie müssen mir doch zumindest sagen können …"

„Tut mir leid, aber das darf ich wirklich nicht."

„Ich komme", sage ich spontan, knalle den Hörer auf den Apparat und nehme ihn, als ich bemerke, dass ich mich nicht mal verabschiedet habe, noch einmal ab. Etwas irritiert über mein törichtes Verhalten, schüttle ich den Kopf über mich selbst.

So schnell ich kann, laufe ich zwei Stufen auf einmal nehmend nach oben ins Schlafzimmer, ziehe Jeans, Pullover und Socken an, laufe wieder nach unten in die Diele, schlüpfe in Stiefel und meine dicke Daunenjacke. Erst in der Garage merke ich, dass ich den Autoschlüssel vergessen habe und laufe zurück. Schon greife ich nach dem Schlüssel, als ich meine Hand wieder sinken lasse. Einmal tief durchatmen, denke ich, und sage laut vor mich hin: „Jetzt beruhige dich erst mal."

Was ist los mit mir? Ich mache mich hier verrückt wegen eines Jungen, der mir nichts bedeutet, denke ich und lenke meinen Blick zur Zimmerdecke. *Wer auch immer von euch da oben dafür verantwortlich ist, dass sich unsere Wege gekreuzt haben, ist auch dafür verantwortlich, dass der Junge einen Unfall mit meinem Wagen gehabt hat. Also lass dir jetzt bloß nicht einfallen den Jungen im Stich zu lassen.*

Nachdem mir klar wird, dass der Junge mit dem Volvo unterwegs gewesen ist, greife ich nach dem Schlüssel des BMW. *Keine Winterreifen! Dann muss es eben ohne gehen. Es hat seit gestern nicht geschneit, die Straßen sind frei.* Ich nicke vor mich hin und gehe in gemäßigtem Tempo in die Garage zurück.

*

Grelles Licht und der Geruch nach Desinfektionsmitteln empfangen mich, als ich das Eingangsportal des Krankenhauses betrete. Der Pförtner blickt von der Bildzeitung hoch, als ich an die Scheibe des abgeteilten Raums klopfe, und grüßt mürrisch. Da er mich ungeduldig anstarrt, als hätte ich ihn bei einer äußerst wichtigen Tätigkeit gestört, entschuldige ich mich fast bei ihm, aber nur fast. Ich frage nach Leon Landmann.

Er erklärt mir dann jedoch unerwartet höflich, auf welcher Station der Junge untergebracht ist und wie ich diese finden kann.

Das Schwesternzimmer der Unfallchirurgie ist nicht besetzt. Ich blicke mich suchend um. In dem Moment öffnet sich die Tür des Operationsbereichs. Eine ältere Krankenschwester von hagerer Statur tritt mit hängenden Schultern heraus. Sie wirkt müde. Doch als sie mich bemerkt, strafft sich ihre Gestalt. Bereits während sie näher kommt, bemerke ich den wachen Blick in den dunklen Augen und ein freundliches Lächeln auf ihrem Gesicht, das sich noch vertieft, als sie nach meinem Anliegen fragt.

„Weidentaler", stelle ich mich vor und frage: „Haben Sie mich wegen Leon Landmann angerufen?"

„Nein, das war meine Kollegin, Schwester Beate, aber ich weiß Bescheid. Ich bin Schwester Ursula. Herr Landmann wird noch operiert. Sie können da vorne Platz nehmen. Sowie der Arzt aus dem OP kommt, gebe ich ihm Bescheid, dass Sie hier warten."

Ich bewege mich nicht vom Fleck, blicke nur starr vor mich hin. Diese Situation habe ich schon einmal erlebt. Die Erinnerung an den schlimmsten Tag meines Lebens überfällt mich mit gnadenloser Erbarmungslosigkeit. Dieselbe Angst legt sich wie ein Fels auf meine Brust und obwohl ich das Gefühl habe, keine Luft zu bekommen, atme ich viel zu schnell. Mein Puls beginnt zu rasen. Tränen verschleiern meinen Blick. Mir wird schwindelig.

Die Schwester erfasst die Situation. Spontan greift sie mir unter die Arme und führt mich ins Stationszimmer. „Sie machen mir doch nicht etwa schlapp? Setzen Sie sich erst mal hier hin. Atmen Sie ruhig und langsam."

Ich mache was sie sagt.

„Ja, so ist es richtig. Ruhig, ganz ruhig. Ich bringe Ihnen eine schöne Tasse Tee, die wird Ihnen guttun."

„Danke", murmle ich.

„Herr Landmann steht Ihnen wohl ziemlich nah?", fragt die Schwester, während sie den Tee in eine weiße Tasse gießt.

Der zweideutige Unterton, der diese Frage begleitet, entgeht mir dabei nicht. Normalerweise würde ich mich einen Teufel darum scheren, was diese Frau denkt. Womöglich würde ich mich sogar geschmeichelt fühlen. Aber nicht jetzt. Ich nicke und stelle erstaunt fest, dass es stimmt. Der Junge ist mir tatsächlich ans Herz gewachsen. Bevor ich mich zurückhalten kann, erkläre ich, erstaunt über mich selbst: „Er ist mein Stiefsohn."

„Ach so", sagt sie gedehnt und stellt die Tasse vor mir ab.

Also habe ich's mir nicht eingebildet. Ich lache in mich hinein. *Die hat doch tatsächlich gedacht, der Junge wäre mein jugendlicher Liebhaber.*

Pfefferminzgeruch steigt mir in die Nase. Obwohl ich Pfefferminztee hasse, nehme ich einen Schluck.

„Beruhigen Sie sich erst mal", sagt sie und legt ihre Hand auf meine Schulter. „Soviel ich weiß, wird er am Bein operiert. Sicher geht es ihm bald wieder besser."

„Die Schwester, die mich anrief, sagte, es handle sich um einen Unfall. Wissen Sie, was passiert ist?"

„Über den Unfallhergang kann ich Ihnen nichts sagen. Der Notarzt bemerkte nur, dass der junge Mann enormes Glück hatte, weil er in einem Wagen saß, der was aushält. Sonst wäre er jetzt vermutlich tot."

„Oh, Gott!", flüstere ich entsetzt.

„Sie sagten, Sie wären die Stiefmutter? Wo sind die Mutter und der Vater des jungen Mannes?"

„Mein Mann, Leons Vater, ist vor etwa zwei Wochen verstorben und die Mutter des Jungen ebenfalls vor wenigen Tagen."

Diesmal starrt Schwester Ursula mich betroffen an, sagt aber nichts dazu.

„Dauert es noch lange?", unterbreche ich ihr Schweigen.

Sie wirft einen Blick auf die Uhr. „Das kann ich Ihnen wirklich nicht sagen."

Wie aufs Stichwort betritt ein Arzt im grünen OP-Kittel das Stationszimmer.

„Ah, Doktor Gerlach. Das ist Frau Weidentaler, die Stiefmutter von Herrn Landmann."

Ich springe sofort hoch. „Wie geht es Leon?"

„Der Junge hat verdammtes Glück gehabt. Er hat lediglich einige Rippenquetschungen davongetragen, eine traumatische Drehfraktur des Schienbeins und eine Femur Fraktur – ein Bruch des linken Oberschenkels", erklärt er, nachdem er meinen fragenden Blick wahrnimmt. Wir konnten die Fraktur des Schienbeins einrichten und eine Marknagelung am Oberschenkelknochen vornehmen."

„Das hört sich alles ziemlich kompliziert an. Er wird doch wieder gehen können?", frage ich besorgt.

„Sofern keine unvorhergesehenen Komplikationen auftreten, ja."

„Und was könnten …", dringe ich weiter fragend in ihn.

„Jetzt machen Sie sich mal nicht verrückt", begann er mich zu beruhigen. „Gehen wir doch einfach davon aus, dass keine auftreten."

„Kann ich zu ihm?"

Er nickt. „Selbstverständlich. Aber er schläft jetzt."

„Ich werde ihn nicht wecken. Aber ich möchte bei ihm sein, wenn er aufwacht."

„Schwester Ursula, bringen Sie Frau Weidentaler bitte zur Intensivstation", sagt er müde, während er eine der umgestülpten Tassen von der Spüle nimmt und Kaffee eingießt.

Die Schwester nickt. „Selbstverständlich, Doktor. Kommen Sie, Frau Weidentaler", wendet sie sich an mich und geht vor mir her.

Ich erlebe den Weg, als hätte ich einen Zeitsprung gemacht. Es ist dieselbe Klinik, derselbe Gang, den ich vor vierzehn Jahren schon einmal gegangen bin. Damals wusste ich jedoch bereits, dass es nur eine winzig kleine Hoffnung gab, da Fabians Leben nur noch an dem sprichwörtlich seidenen Faden hing. Doch mit welcher Vehemenz, die schon fast an versteckte Hysterie grenzte, klammerte ich mich an diese Hoffnung. Ich erinnere mich daran, wie erschreckend hilflos er in diesem weißen Bett lag, angeschlossen an unzählige Schläuche und Kabel, die Angst einflößende Geräusche verursachten. In seinem Mund steckte ein Schlauch, der wiederholtes Zischen von sich gab. Seine Brust hob und senkte sich. Linien und Kurven auf Monitoren zeigten an, dass er lebte.

Nachdem ich vom zuständigen Arzt erfahren hatte, wie es um meinen Jungen stand, sprach ich kein Wort mehr. Ich setzte mich an sein Bett und betete ununterbrochen. Flehte Gott an und alle Heilige die mir einfielen. Aber Gott war in jener Nacht anscheinend nicht zu Hause, jedenfalls erreichten ihn meine Bitten nicht. Sein Sohn war vermutlich um das Heil der ganzen Welt besorgt. Er konnte sich nicht um einen einzelnen Jungen kümmern. Und all die Heiligen schienen ebenfalls anderweitig beschäftigt zu sein.

Mein Gesicht lag auf seiner Hand, als ein lang gezogener Pfeifton, den ich wohl mein ganzes Leben lang nicht mehr vergessen werde, den Raum in ein dunkles tiefes Loch verwandelte. Ein Loch in das ich, mich an mein Kind klammernd, tiefer und tiefer zu fallen schien, bis ich von all dem nichts mehr mitbekam. Ich kam erst wieder zu mir, als ich Richards Hand spürte, die meinen Arm liebevoll streichelte. Was für ein schrecklicher Albtraum, war mein erster Gedanke. Doch genau in diesem Moment riss jemand die graue, um meinen anderen Arm angebrachte Manschette auf. Da wusste ich, dass ich nicht in einem Albtraum steckte. Mein Kind war gestorben. Der ungeheuerliche Schmerz, der sich nach dieser Erkenntnis in meine Eingeweide bohrte, drohte mich zu verbrennen. Das war der Augenblick, als ich mir zum ersten Mal wünschte ebenfalls tot zu sein …

Schwester Ursula schiebt eine Karte in den dafür vorgesehenen Schlitz an der Tür zur Intensivstation, worauf sich diese lautlos öffnet. Sie spricht kurz mit einem entgegenkommenden Krankenpfleger im grünen Kittel.

Ich kann nicht hören, was sie sagt, denn sie spricht sehr leise. Dann wendet sie sich mir zu und verabschiedet sich mit einem kaum merklichen Kopfnicken und einem aufmunternden Augenblinzeln.

„Ich bin Andreas", stellt sich der Krankenpfleger vor und reicht mir ebenfalls einen grünen Kittel. „Es geht ihm den Umständen entsprechend gut", erklärt er beruhigend, während er mir in den Kittel hilft. „Sie müssen sich keine Sorgen machen. Er bleibt einen Tag hier auf Intensiv und kommt dann auf die Station von Schwester Ursula."

Ich nicke, um ihm zu zeigen, dass ich ihn verstanden habe.

Mit einer knappen Handbewegung weist er auf einen offenen Raum und nickt mir aufmunternd zu.

Es kostet mich eine Menge Überwindung, einen Schritt vor den anderen zu setzen. Meine Blicke huschen zunächst über all die Geräte und Monitore, die mir auch heute wieder Angst einflößen, bevor sie sich an Leons wie tot daliegendem Körper festsaugen. Ich atme einmal tief durch, nehme den Geruch von Desinfektionsmitteln und einen Hauch von Kamillentee wahr.

Es geht ihm den Umständen entsprechend gut, hat der Pfleger gesagt.

Ich bemerke die Infusionsnadel in seinem Handrücken und den schmalen Schlauch, der die Flüssigkeit aus einem Tropf in seine Vene leitet. Dann fällt mein Blick auf die Manschette des automatischen Blutdruckmessgerätes, die an seinem linken Oberarm angebracht ist.

Pfleger Andreas schiebt aufmerksam einen Stuhl für mich ans Bett.

Ich nicke ihm dankbar zu und setze mich. *Wie blass der Junge ist. Sein Gesicht wirkt noch schmaler, als es ohnehin ist.*

Während der Pfleger noch den Tropf kontrolliert, nehme ich Leons Hand in meine und streichle sanft darüber. „Leon, mein Junge", flüstere ich.

Seine Augäpfel bewegen sich unter den geschlossenen Lidern. *Er träumt,* denke ich. Doch dann bemerke ich das Zucken an seinen Lidern. Er kommt zu sich. Schon blinzelt er, öffnet die Augen, schließt sie gleich wieder und krächzt: „Mama?"

„Nein, ich bin's, Greta."

„Greta?" Er räuspert sich. „Ich habe Durst."

Der Pfleger, der eben noch damit beschäftigt war die Geräte zu kontrollieren, hat das anscheinend mitbekommen. Er tupft mit einem Wattebäuschchen, das er zuvor in ein Glas Wasser getunkt hat, über Leons trockene Lippen.

„Sie dürfen noch nichts trinken. Aber ich kann mit einem Spray zumindest ihre Mundhöhle befeuchten, sofern Sie das möchten."

Leon nickt.

Nachdem Pfleger Andreas uns verlassen hat, ergreift der Junge mein Handgelenk.

„Der – Volvo – ist – im Arsch", sagt er schleppend, aber mit einem gewissen Sarkasmus in der Stimme.

„Und wie geht es dir? Hast du Schmerzen?", frage ich besorgt.

„Nein." Er räuspert sich.

„Kannst du dich erinnern, wie es passiert ist?"

„Der Idiot – ist einfach – in mich reingedonnert."

Tränen steigen mir in die Augen. Ich halte mir schnell den Mund zu, als könne ich dadurch das Schluchzen unterdrücken, das mir bereits im Kehlkopf hängt. Es gelingt mir nur bedingt.

„Sie hatten doch – nicht etwa – Angst – um mich?"

Ich blinzle, räuspere mich und schlucke die Tränen hinunter. „Wie kommst du denn darauf? Es tut mir nur leid um mein schönes Auto."

Er lächelt. „Sie hätten mir doch – den Lamborghini geben sollen."

Ich denke an die Worte der Schwester. „Dann wärst du …"

„Schneller, gewesen", unterbricht er mich und fügt leise hinzu: „Es tut mir leid."

„Ich bin froh, dass dir nicht mehr passiert ist. Von Friedhöfen habe ich nämlich, zumindest vorläufig, die Nase voll."

„Kann ich mich", er gähnt, „darauf verlassen?"

„Ja, das kannst du."

Offensichtlich zufrieden schließt er die Augen. „Und da ist noch was …", füge ich spontan hinzu, da ich ihm meinen vor wenigen Minuten gefassten Entschluss sofort mitteilen will. „Ich habe mir überlegt, du könntest zu mir ziehen, vorausgesetzt du möchtest das noch immer."

Ich weiß nicht, was ich erwartet habe, vielleicht nicht gerade einen Jubelschrei, aber doch zumindest eine freudige Reaktion und wäre es nur das knappe Anheben eines Fingers. Doch weder das eine noch das andere geschieht. Erst jetzt bemerke ich, dass der Junge wieder eingeschlafen ist.

„Frau Weidentaler, Sie sollten nach Hause fahren", sagt der Pfleger, der etwa eine halbe Stunde später erneut den Raum betritt. „Der junge Mann wird jetzt schlafen. Und ehe Sie ihn morgen früh besuchen, liegt er schon auf Station, sofern nichts Unvorhergesehenes geschieht."

Ich nicke. „Na gut", antworte ich, folge ihm aus dem Raum und verabschiede mich mit den Worten: „Passen Sie gut auf ihn auf. Er ist der einzige Mensch, der mir geblieben ist."

„Das werde ich", antwortet der Krankenpfleger professionell lächelnd. „Machen Sie sich keine Sorgen, er ist bei uns in guten Händen."

Obwohl ich annehme, dass er diesen Satz stundenlang vor dem Spiegel geübt hat, fühle ich mich dennoch erleichtert.

Kapitel 7

Ich nehme die Kanne aus der Maschine und gieße Kaffee in meine große Gutenmorgentasse.

Der Blick aus dem Küchenfenster auf die eingeschneite, wie mit Zuckerguss überzogene Landschaft, die an diesem Morgen nach fast schlaflos verbrachter Nacht, einen eisig kalten Tag verspricht, wirkt nicht gerade erheiternd auf mich. Behutsam blase ich auf die dampfende, schwarze Brühe, bevor ich sie vorsichtig schlürfe.

Ein Blick auf die Küchenuhr sagt mir, dass es gerade mal sieben ist. Bis ich geduscht und angezogen sein werde, wird noch fast eine weitere Stunde vergehen. Da fällt mir ein, dass ich noch einiges für den Jungen besorgen muss. Er benötigt einen Pyjama, nein besser ein Nachthemd, wegen des Beins. Und einige Hygieneartikel muss ich ebenfalls besorgen. Obwohl …, Zahnbürste, Zahnpasta, Handtücher und Waschlappen nehme ich von hier mit. Dann muss ich lediglich in ein Wäschegeschäft.

Das Telefon läutet. Ich nehme es zur Hand und melde mich.

„Sag mal, was ist los mit dir?", brüllt der Anrufer aufgebracht in mein Ohr, noch bevor er sich mit Namen meldet und mich begrüßt.

Michael. Er muss seinen Namen nicht nennen. Ich erkenne seine unverkennbar raue Stimme. Trotzdem sollte es meines Erachtens doch wohl die Höflichkeit gebieten, sich die nötige Zeit für eine ordentliche Begrüßung zu nehmen. Ich beende den Anruf.

Wenige Sekunden später läutet es erneut.

„Entschuldige", sagt er kleinlaut und wünscht mir einen guten Morgen. „War das wirklich nötig?", murrt er gleich darauf.

„Wovon sprichst du?", frage ich, obwohl ich genau weiß, worauf er hinauswill.

„Tu doch nicht so, als ob du das nicht wüsstest. Ulrich ist ein netter, anständiger Kerl. Er hatte weder etwas mit den dubiosen Arbeitspraktiken seiner Mutter zu tun noch mit der Ablehnung deines Manuskripts."

„Das mag schon sein, aber ich verstehe trotzdem nicht, auf was du hinauswillst", antworte ich entspannt.

„Auf den Stecker deines Bügeleisens. Willst du auch jetzt noch behaupten, du hättest vergessen ihn herauszuziehen?", fragt er aufbrausend, da ihm, vermute ich, der Gedanke durch den Kopf dröhnt, ich könnte ihn womöglich für doof genug halten, dass er mir die Geschichte abnimmt.

„Wir sind Freunde, Michael. Das gibt dir jedoch noch lange nicht das Recht, mich derart zu überfahren, um mich für Belange deines Freundes auszunutzen. Es ist doch wohl offensichtlich, weshalb du mich gestern treffen wolltest."

„So, ist es das? Sobald man wieder vernünftig mit dir reden kann, melde dich."

Ein langanhaltendes Surren vermittelt mir, dass diesmal Michael das Gespräch beendet hat. „Spinnt der?", frage ich verärgert, schüttle den Kopf und lege das Telefon zur Seite.

*

Während ich nach etwas mehr als zwei Stunden endlich die Klinik betrete, läutet mein Handy. Ich krame in meiner Handtasche nach dem kleinen Nervtöter um den Anrufer unbesehen wegzudrücken, da ich vermute, dass es ohnehin nur Michael ist. Doch das Display zeigt eine mir unbekannte Nummer. *Wer kann das sein?* Spontan entschließe ich mich, das Gespräch anzunehmen und verlasse die Klinik. „Ja", melde ich mich ohne meinen Namen zu nennen.

„Herzog. Spreche ich mit Frau …?"

„Woher haben Sie meine Handynummer?", falle ich ihm verärgert ins Wort.

„Michael hat sie mir gegeben", antwortet er ohne Umschweife.

„Wie kommt der dazu?", empöre ich mich.

„Würden Sie mich ausreden lassen, könnte ich es Ihnen erklären."

Den ungeduldigen Unterton in seiner Stimme vernehme ich wohl, allein das Verständnis fehlt mir dafür. Ich drücke ihn weg und werfe das Handy zurück in meine Handtasche. Die Schwelle des Krankenhauses noch nicht überschritten, läutet es erneut. Noch einmal krame ich es heraus.

„Lassen Sie mich endlich in Ruhe", zische ich ins Handy.

„Sie benehmen sich wie ein trotziger Teenager. Können wir uns nicht einfach nur kurz wie zwei erwachsene Menschen unterhalten?", fragt er ungeduldig.

Unverschämter Kerl! Für einen Augenblick bin ich geneigt, ihn erneut wegzudrücken und das Handy abzuschalten. Doch irgendwie gefällt mir seine direkte, wenn auch dreiste Art meine Neugier zu wecken. „Ich höre", sage ich darum knapp.

„Leider konnte ich gestern Abend nicht mit Ihnen sprechen. Sie waren wohl anderweitig beschäftigt."

Da war er ja wieder, der vorwurfsvolle Unterton, den ich schon von unserer Begegnung im La Stella kenne. Ich überlege etwa eine Sekunde, ihm eine Erklärung zu geben, da seine Bemerkung jedoch nicht wie eine Frage klang, entschließe ich mich das Gesagte zu ignorieren. Anscheinend erwartet er eine Antwort, denn es dauert eine Weile, bis er weiterspricht. Ich schweige.

„Jedenfalls würde ich Ihnen sehr gerne einen Vorschlag unterbreiten, aber nicht am Telefon."

„Ach? Nicht am Telefon? Warum rufen Sie dann an?", frage ich nun gereizt, da mir der Sinn im Moment nicht nach leerem Geschwätz steht.

„Um Sie zum Mittagessen einzuladen."

Er ist genervt von mir. Das höre ich ganz deutlich. Wäre es möglich, würde er vermutlich durchs Telefon greifen, mich am Schlafittchen packen und kräftig schütteln. Die Vorstellung, wie er seine Augäpfel rollt, während er sich um Contenace bemüht, lässt mich schmunzeln und die Tatsache, dass ich am längeren Hebel sitze, bietet mir eine unerwartete Genugtuung. Ich hole hörbar Luft und lasse ihn noch einige Sekunden zappeln.

„Tut mir leid, aber dazu fehlt mir die Zeit und zudem jegliches Interesse." Das war eine glatte Lüge. Zumindest der zweite Teil. Denn grundsätzlich würde ich schon gerne wissen, was er mir vorzuschlagen hat.

„Frau Sander, es ist doch nur ein Mittagessen", erklärt er eindringlich. „Sollte Ihnen nicht gefallen, was ich Ihnen zu sagen habe, sehen wir uns nie wieder."

Da hat er allerdings recht. Würde ich nur die unüberhörbare Ungeduld vernehmen, die in seinen Worten mitschwingt und nicht den eindringlich bittenden Unterton, könnte mich selbst meine angeborene Neugier nicht veranlassen zuzustimmen. „Um halb zwölf im La Stella", sage ich knapp und klappe das Handy zu.

Bevor ich zur Intensivstation gehe, begebe ich mich auf Schwester Ursulas Station. Möglicherweise liegt mein „Stiefsohn" – ich fass es immer noch nicht, dass ich ihn ihr gegenüber so genannt habe – bereits in einem der Zimmer auf ihrer Station. Allerdings kann ich weder sie noch eine andere Schwester entdecken. Selbst im Stationszimmer scheint sich, soweit ich sehen kann, niemand aufzuhalten. Ich klopfe dennoch an die Scheibe.

Sogleich schiebt sich der brünette Kopf einer nicht mehr ganz jungen Krankenschwester über die Schreibtischkante. Die vollen Lippen in dem runden, rotwangigen Gesicht verziehen sich augenblicklich zu einem breiten Grinsen.

Ich erkundige mich nach Schwester Ursula.

Sie erhebt sich schwer schnaufend, was vermutlich ihrer ausladenden Figur zuzuschreiben ist, und erklärt mir, dass Schwester Ursula ihren Dienst ausschließlich nachts verrichtet.

Ich nicke verstehend und erkundige mich nach Leon.

Freundlich verrät sie mir seine Zimmernummer und verschwindet wieder unter dem Schreibtisch.

Nach kurzem Anklopfen betrete ich Leons Krankenzimmer.

Er sitzt einigermaßen aufrecht im Bett und lässt sich gierig, als hätte er seit Tagen nichts gegessen, das Frühstück schmecken. Es scheint ihm deutlich besser zu gehen.

„Deinem Appetit nach zu urteilen geht es dir ganz gut", spöttle ich, während ich meine Tasche und die Tragetasche vom Wäschegeschäft vor seinem Bett abstelle.

„Ich bekomme Schmerzmittel, sonst könnte ich hier nicht so sitzen. Das Atmen wird mir vermutlich noch 'ne ganze Zeit Schmerzen bereiten und lachen werde ich die nächsten Tage wohl eher zurückhaltend. Aber da ich im Moment ohnehin wenig zu lachen habe, werde ich einige ungewollte Ausrutscher ertragen können. In meinem Bein befindet sich jetzt ein Nagel von einem Zentimeter Durchmesser. Aber die Ärzte sind zuversichtlich. Sie sagen, es wird alles wieder gut verheilen. Außer einer Narbe wird letztendlich nichts zurückbleiben. Ich habe wirklich Glück gehabt."

„Ja", sage ich ernst und nicke kräftig, „das kannst du laut sagen."

„Nur schade um den schönen Wagen." Er legt die Semmel auf den Teller zurück und sieht mich betreten an. „Ich habe's wohl endgültig vermasselt?"

„Was?"

„Na ja, mich bei Ihnen ..."

„... lieb Kind zu machen?", vollende ich den Satz spöttelnd und füge betont überheblich hinzu: „Oder wie würdest du dich ausdrücken?"

„Beliebt zu machen, wollte ich sagen, nur beliebt machen", antwortet er betreten und schiebt das an der Nachtkonsole angebrachte, ausklappbare Tischchen zur Seite.

Ich kann mir ein Grinsen nicht mehr verkneifen. Wegen der Vorfreude auf seinen Gesichtsausdruck, den ich bestimmt in den nächsten Sekunden sehen werde.

„Was ist?", fährt er mich an. Als er eine unkontrollierte Bewegung macht, stöhnt er laut auf.

Sofort spüre ich einen unangenehmen Stich in der Magengegend, der mein Herz sogleich vor Mitleid überquellen lässt. Geneigt mich seinem Stöhnen anzuschließen, kann ich gerade noch rechtzeitig einen unangebrachten Beweis meiner Zuneigung unterdrücken. Schließlich will ich ihn noch einige Sekunden zappeln lassen.

„Was hat dieses selbstherrliche Grinsen zu bedeuten?", fragt er wesentlich ruhiger, aber doch ein wenig misstrauisch. „Ich weiß ja, dass ich Scheiße gebaut habe, aber müssen Sie ..."

„Jetzt frühstücke erst mal zu Ende", unterbreche ich ihn und ziehe das Tischchen wieder übers Bett. „Während du das tust, erzähl ich dir die Geschichte einer Frau, die ihrem Leben ein Ende setzen wollte, weil sie keinen Sinn mehr darin sah. Doch da begab es sich, dass sie einen Hilfeschrei vernahm und kurz darauf einen halb ertrunkenen Jungen aus dem eiskalten Ammersee zog. Vor Kälte schlotternd konnte er sich kaum noch auf den Beinen halten. Da blieb ihr nichts anderes übrig, als ihn in ihr Haus zu bringen. Ihr ursprüngliches Vorhaben verschob sie erst mal auf den anderen Tag. Aber der Junge hängte sich wie eine Klette an die Frau. Sie hatte keine Chance ihn loszuwerden. Und so kam es, wie es kommen musste, die Frau lebt heute noch. Mittlerweile kann sie den Jungen ganz gut leiden und soviel ich weiß, hat sie ihr

Vorhaben erst mal auf Eis gelegt, da sie ihm gestern Abend gesagt hat, dass er bei ihr einziehen könne."

Leon starrt mich skeptisch, aber mit offenem Mund an.

„Vorausgesetzt er will das immer noch", füge ich mit fragendem Blick hinzu.

Endlich krächzt er: „Ach?"

„Sonst hast du nichts dazu zu sagen?"

Er räuspert sich. „Was hat denn der Junge dazu gesagt?", fragte er listig.

Ich zucke mit den Schultern. „Nichts. Nachdem die Frau es ihm angeboten hatte, bemerkte sie, dass er von all dem nichts mitbekommen hatte, da er längst wieder eingeschlafen war."

„Der arme Kerl. Da hat er ja echt was verpasst", scherzt er spitzbübisch grinsend. „Ich würde ihm jedenfalls raten, gut über ein derart unmoralisches Angebot nachzudenken", meint er, greift nach seiner angebissenen Semmel und beißt herzhaft hinein.

„Ich mach dir gleich ein unmoralisches Angebot", sage ich und gebe ihm einen leichten Puffer an den Oberarm.

„Ah – au – au! Das fängt ja gut an", sagt er kauend und streicht über die Stelle, als würde sie tatsächlich schmerzen.

„Allerdings ist eine Bedingung daran geknüpft", dämpfe ich seine offensichtliche Freude.

„Was für eine Bedingung?", fragt er skeptisch.

„Ab sofort duzt du mich."

„Niemals!", antwortet er empört. „Das würde die Barriere zwischen uns endgültig zum Einsturz bringen. Dann könnte ich für nichts mehr garantieren", flachst er und schiebt sich einen weiteren Bissen in den Mund.

„Dafür kann ich dir garantieren, dass ich mir das Angebot gleich wieder aus dem Kopf schlage, solltest du weiter so frech sein."

„Nein, bitte", sagt er kauend, „ab sofort bin ich ganz brav."

„Dann sollten wir jetzt nur noch besprechen, wie wir vorgehen. Natürlich behältst du die Wohnung in München. Aber du solltest wenigstens einen Teil deiner Kleidung nach Herrsching bringen. Übrigens", ich bücke mich nach den Taschen, „habe ich dir erst mal das Nötigste mitgebracht. Statt eines Pyjamas habe ich dir allerdings ein Nachthemd besorgt, wegen des Beins."

„Das ist schon in Ordnung. Hauptsache, ich werde diesen Kittel endlich los." Er deutet mit dem Kopf zu seinem Rücken. „Da hinten zieht es nämlich ganz schön unangenehm. Vielen Dank – für alles."

„Schon gut. Einen Bademantel habe ich allerdings nicht mitgebracht. Aber du kannst ja ohnehin noch nicht aufstehen. Wie wär's, wenn du mir den Schlüssel zu deiner Wohnung gibst, dann könnte ich ihn dir holen."

Er stopft den letzten Bissen in den Mund und trinkt noch einen Schluck Kaffee. Dann schiebt er das Tischchen wieder zur Seite, greift in die Schublade der Nachtkonsole und holt einen Schlüsselbund heraus. „So was wie einen Bademantel habe ich gar nicht. Aber Sie – du – könntest mir mein Rasierzeug bringen, und wenn du schon dabei bist, bitte auch den Stapel Bücher, der auf dem Schreibtisch in meinem Zimmer liegt. Du kannst ihn nicht übersehen. Ach ja! Könntest du mich bitte in der Schule entschuldigen?"

„Ja, natürlich. Und einen Bademantel besorge ich dir auch. Aber ich kann erst am Nachmittag wiederkommen. Bis ich das alles erledigt habe, ist es vermutlich an der Zeit, zu meiner Verabredung zu gehen."

Augenblicklich bilden sich zwei steile Falten über seiner Nasenwurzel.

„Du hast ein Date?"

„Mit einem Verleger, den ich nicht ausstehen kann."

„Warum hast du dich dann mit ihm verabredet?"

„Das weiß ich selbst nicht", murmle ich nachdenklich vor mich hin, da ich bisher noch keine Gelegenheit gehabt habe, auf diese Frage eine Antwort zu finden. „Eigentlich kenne ich ihn gar nicht. Vermutlich bin ich nur wütend auf ihn, weil sein Verlag mein erstes Manuskript abgelehnt hat."

„Das, von dem du mir erzählt hast?"

Ich nicke.

„Ah!?" Er grinst. „Dieser Typ hat dich in deiner Eitelkeit getroffen."

„Ich ärgere mich lediglich über die Art und Weise, wie er – oder wer auch immer – es abgelehnt hat. Obwohl ich mittlerweile ja weiß, dass es grottenschlecht war."

Resignierend ziehe ich die Schultern hoch und lasse sie wieder fallen. „Was weiß ich, weshalb ich mich letztendlich habe breitschlagen lassen, mich doch mit ihm zu verabreden. Vielleicht weil er behauptet hat, es nie zu Gesicht bekommen zu haben", erkläre ich, ziehe hörbar Luft durch meine Nase und stoße sie über meine gespitzten Lippen resignierend wieder aus.

„Na gut, dann bis später", sagt er und gähnt verhalten.

„Du bist müde", stelle ich fest. „Dann geh ich jetzt."

Er nickt. „Lass dich aber nicht bequatschen."

„Bequatschen – zu was?"

„Keine Ahnung. Irgendwas wird er schon von dir wollen. Möglicherweise hegt er Ambitionen, die in eine ganz bestimmte Richtung gehen. Ihm könnte zu Ohren gekommen sein, dass du wieder zu haben bist. Aber nimm dich in Acht, schließlich bist du nicht nur eine schöne, sondern auch eine reiche Witwe."

„Und du meinst, meine Schönheit allein genügt nicht, um einen Mann zu betören", scherze ich.

„Kennst du Mitternachtsspitzen? Den Film, meine ich."

Ich nicke. *Wer aus meiner Altersgruppe kennt den nicht?* Gleichzeitig wundere ich mich, dass er ihn ebenfalls kennt. Da ich zudem nicht verstehe, auf was er hinauswill, hake ich nach. „Was willst du mir eigentlich sagen?"

„Doris Day war auch schön", erklärt er, „aber dennoch wollte ihr Ehemann sie wegen ihres Geldes töten."

„Wollte er das? Soweit ich mich erinnere, wollte er sie lediglich in den Wahnsinn treiben, aber ich kann mich auch täuschen", antworte ich amüsiert und wende mich ab.

„Und was ist mit Katharine Hepburn in diesem alten Schinken …", spricht er weiter. „Moment, wie hieß der noch mal? Gaslight! Ja, ich glaub, so hieß der. Mit diesem arrogant blickenden Schauspieler, den ich nicht leiden kann, weil ihm die Hinterlist förmlich ins Gesicht geschrieben steht. Mann! Mein Gedächtnis ist auch nicht mehr das Jüngste."

Der Junge hat anscheinend nicht nur eine lebhafte Fantasie, sondern auch eine Vorliebe für alte Filme.

Einigermaßen irritiert bleibe ich stehen und wende mich ihm noch einmal zu. „Charles Boyer meinst du wohl", unterstütze ich sein altersschwaches Gedächtnis. „Bei uns hieß der Film – 'Das Haus der Lady Alquist'. Und die Lady wurde verkörpert von Ingrid Bergmann. Aber da bin ich sicher, der wollte sie nur in den Wahnsinn treiben, um an ihr Vermögen zu kommen."

„Na und", sagt er, „was ist schlimmer – mit klarem Verstand im Irrenhaus oder tot? Ich für meinen Teil …"

„Jetzt hör aber auf", falle ich ihm ins Wort und wende mich wieder der Tür zu.

„Übrigens", ruft er mir nach, „hat deine Schönheit mich längst betört."

Seine Worte treffen mitten in mein wundes Mutterherz und lösen ein Gefühlschaos bei mir aus. Fabian hat mal was Ähnliches zu mir gesagt. Von einer Sekunde zur andern verschleiern Tränen meinen Blick, die ich, so gut es geht, wegzublinzeln versuche. *Dieses Bürschchen hat es faustdick hinter den Ohren. Anscheinend hat er mehr von Richard, als mir bisher bewusst war, vor allem den Charme. Ich sollte gut aufpassen, sonst wickelt der mich buchstäblich um seinen kleinen Finger.* Ich atme ein und langsam wieder aus, bevor ich mich ein letztes Mal nach ihm umdrehe und ihm einen strafenden Blick zuwerfe.

Doch der scheint regelrecht an ihm abzuprallen. Bequem zurückgelehnt, beide Hände auf der Bettdecke, den Blick eines Unschuldslamms, grinst er zufrieden vor sich hin. Ohne ein weiteres Wort zu verlieren verlasse ich das Krankenzimmer.

Da kommt noch einiges auf mich zu.

*

Ein etwas mulmiges Gefühl beschleicht mich nun doch, während ich den Schlüssel ins Schlüsselloch der Tür zu Leons Wohnung steckte. Schließlich war es auch die Wohnung der Frau, mit der Richard mich betrogen hat.

Seit wann sie wohl hier leben? Ist das dieselbe Wohnung, in der es geschah? Ich hätte den Jungen danach fragen sollen.

Bevor ich die Tür aufstoße, atme ich noch einmal tief durch.

Der Flur zeigt sich lichtdurchflutet. Er erinnert mich eher an ein Empfangszimmer, was vermutlich an der offenen Bauweise der Wohnung liegt. Lediglich durch Balken in Fachwerkbauweise vom großzü- gig bemessenen Wohnraum getrennt, geht der quadratische Flur direkt in den Essbereich über. Helle, rustikale Möbel im Landhausstil sorgen für ein gemütliches Ambiente.

Leons Mutter war anscheinend tatsächlich eine Leseratte, stelle ich fest, während mein Blick auf das riesige Bücherregal fällt.

Für zusätzliches Wohlbehagen sorgen die zahllosen, zum Teil riesi- gen Grünpflanzen, die an den Fenstern und in einigen Ecken stehen.

„Sie muss einen grünen Daumen gehabt haben", flüstere ich. *Und soweit ich anhand der Kerzenständer, der offenbar liebevoll zusam- mengetragenen Porzellanengel, Gläser, Keramikschalen und sonstigen Nippes erkennen kann, scheint sie auch eine verspielte Romantikerin gewesen zu sein.*

Im Wohnzimmer entdecke ich eine Tür, die möglicherweise in Leons Zimmer führt, und öffne sie. Das Flair, welches diesem Raum inne- wohnt, lässt allerdings darauf schließen, dass es sich um das Schlaf- zimmer seiner Mutter handelt. Schleunigst ziehe ich die Tür wieder zu und versuche die aufkeimenden Gedanken an das, was hier geschehen sein könnte, weit von mir zu schieben. Doch es gelingt mir erst, als ich den Tresen bemerke, der die Küche vom Esszimmer trennt, und die Tür, die sich direkt daneben befindet. Da ich sonst keine weiteren Türen im Wohnbereich entdecke, schließe ich daraus, dass diese die richtige sein muss. Zielsicher steure ich darauf zu und öffne sie.

Ja, das ist es.

Und da sehe ich auch den Stapel Bücher, von dem er gesprochen hat. Ich klemme ihn mir unter den Arm, kann dann jedoch nicht widerste- hen, mich kurz umzusehen. Sein Zimmer erinnert mich stark an Fabi- ans. Das Model auf dem Poster ist ein anderes. Bei Fabian war es die Schiffer, hier ist es ein mir unbekanntes Mädchen. An Fabians Wänden hingen Poster von bekannten Tennisprofis. Er spielte selbst Tennis. Leon scheint sich da eher für Fußball zu interessieren. Ich frage mich, ob er in einem Verein spielt. Mein Blick erfasst den Fußball, der vor seinem Bett liegt. Auch wenn die Poster andere sind, so erkenne ich doch gewisse Ähnlichkeiten an der Dekoration der Wände. Ich lächle wehmütig und verlasse den Raum.

„Jetzt muss ich nur noch das Bad finden", murmle ich leise vor mich hin. Ich vermute, dass ich eine Tür dort hinein beim Betreten der Wohnung übersehen habe und begebe mich zurück in die Diele. *Na, wer sagt's denn.*

Rasch packe ich das Nötigste in einen Kulturbeutel, den ich auf einer Konsole in der Nähe des Waschbeckens entdecke, und verlasse erleichtert die Wohnung.

Noch einmal besuche ich das Wäschegeschäft. Diesmal besorge ich einen Bademantel für Leon.

Zehn Minuten später als geplant erreiche ich das La Stella.

*

Ulrich Herzog erhebt sich sofort, als er mich hereinkommen sieht. Er strahlt mir geradezu entgegen. Da kann ich ja gespannt sein, welchen Vorschlag mir der Herr Verleger unterbreiten will.

Bevor ich weiß, wie mir geschieht, nimmt er mir den Mantel ab.

„Schön, dass Sie es einrichten konnten."

„Allerdings habe ich nur wenig Zeit", bemerke ich vorsorglich. Als ich seinen fragenden Blick auf meinen Mantel wahrnehme, füge ich hinzu: „Legen Sie ihn einfach über die Stuhllehne."

„Wie?"

„Den Mantel."

„Ach so, ja natürlich."

Ein Kellner, den ich hier zum ersten Mal sehe, reicht mir die Karte und fragt, was er zu trinken bringen darf. Ich bestelle einen Bardolino und ohne in die Karte geschaut zu haben einen Chefsalat.

Herzog bestellt einen Salat, Gnocchi mit Gorgonzolasoße und ebenfalls den Rotwein. Er zuckt mit den Schultern. „Ich muss zwar noch fahren, aber ..."

„... so ein kleines Glas Wein wird uns nicht umhauen", vollende ich den Satz.

Er räuspert sich und lächelt. „Nein, sicher nicht."

„Nun, welchen Vorschlag möchten Sie mir unterbreiten?", komme ich gleich zur Sache.

„Es ist so ...", beginnt er seine Ausführung. „Wie Sie vielleicht bereits von Michael hörten, hatte der Herzog-Verlag in den letzten drei

Jahren einige Schwierigkeiten konzeptioneller Natur, wodurch sich massive finanzielle Probleme ergaben."

„Ja, ich denke, er hat mal so was erwähnt. Da mein Interesse am Herzog-Verlag äußerst begrenzt ist, habe ich derartige Bemerkungen immer gleich abgewürgt. Wie Sie ja bereits wissen, hege ich eine gewisse Aversion gegen Ihren Verlag."

„Das habe ich allerdings mitbekommen. Deshalb wollte ich auch persönlich mit Ihnen sprechen. Frau Sander, lassen Sie mich Ihnen noch einmal versichern, dass ich von dem Missgeschick, das mit Ihrem Manuskript passierte, nicht das Geringste mitbekam. Meine Mutter baute den Verlag gleich nach dem Krieg mit eigenwilligen Methoden auf. Viele Jahre war sie damit erfolgreich. Doch als ich nach meinem Studium in den Verlag eintrat, erkannte ich verhältnismäßig schnell, dass dringende Veränderungen von Nöten waren. Aber Mutter konnte ziemlich stur sein. Es kam immer wieder zu Auseinandersetzungen und letztendlich schmiss ich alles hin. Ich lebte dann fast zwanzig Jahre in Mailand und leitete dort einen Verlag. Etwa ein halbes Jahr vor ihrem Tod bat sie mich zurückzukommen, um ihr Lebenswerk weiterzuführen. Glauben Sie mir, am liebsten hätte ich abgelehnt, aber was blieb mir anderes übrig, sie war meine Mutter und sie war totkrank."

Ich nicke verständnisvoll.

Er schlägt seine Hände zusammen und verschlingt die Finger ineinander, als wolle er beten. „Zu meinem Leidwesen musste ich feststellen, dass es sich bei meinem zu erwartendem Erbe um einen ziemlich maroden Verlag handelte. Wir hatten zwar einige sehr gute Autoren unter Vertrag, die dem Verlag wegen ihrer Verbundenheit zu meiner Mutter die Treue hielten, aber das war gerade mal eine Handvoll. Mutter hatte anscheinend eine Begabung dafür, die meisten der Autoren, durch die der Verlag getragen wurde, vor den Kopf zu stoßen und letztendlich zu vergraulen. Mittlerweile habe ich Werke von einigen jungen Autoren publiziert, aber deren Bekanntheitsgrad ist noch nicht allzu hoch. Auch konnte ich bereits Percy Randal und Liana Bartoldie für unseren Verlag gewinnen, die ich aus meiner Zeit in Mailand kenne."

Percy Randal – aha. Ich erinnere mich sofort an das interessante Interview auf der Frankfurter Buchmesse, zu dem ich ebenfalls eingeladen war. *Wie lange ist das jetzt her? Drei oder gar vier Jahre? Augenscheinlich ein interessanter Mann, dieser Percy Randal, aber auch ein Zyniker par excellence.* „Ich habe seinen Roman 'Eisfieber' gelesen", erwähne ich. „Randal ist ein Bestsellerautor der ersten Liga, verdientermaßen, das muss ich neidlos zugeben."

„Ja, ich verschlinge geradezu jeden seiner Romane. Haben Sie 'Wiegenlied für Schmetterlinge' gelesen?"

Ich schüttle verneinend den Kopf. „Zwar lese ich sehr gerne, finde aber nur wenig Zeit dafür."

„Die Zeit sollten Sie sich nehmen. Spannend von der ersten bis zur letzten Seite. Aber ich bin nicht hier, um Ihnen von Randal vorzuschwärmen. Frau Sander, nach allem, was ich von Michael über Ihr erstes Manuskript weiß, hätte ich es vermutlich ebenfalls abgelehnt. Aber ich versichere Ihnen, ich hätte es gelesen und ohne beleidigenden Kommentar zurückgeschickt."

Ich bemerke, dass Herzogs Arroganz vom Vortag während seiner Erklärung völlig von ihm abfällt. *Habe ich ihn falsch eingeschätzt? Habe ich die Wut, die ich gegen diesen Verlag hege, unbewusst auf ihn übertragen?* Mir gegenüber sitzt ein Mann, dessen unverhohlene Ehrlichkeit mich nun doch ziemlich beeindruckt. Unwillkürlich überlege ich, ob er diese Überheblichkeit nur aufgesetzt hatte, um sich nicht allzu klein zu fühlen. Was mich zu der Frage führt, weshalb er sich nochmal mit mir trifft. Sicher nicht, um sich für die Fehler seiner Mutter zu entschuldigen.

Er will einen Roman von mir in seinem Verlag herausbringen, das war mir schon gestern klar. Aber Michael hat ihm doch sicherlich erzählt, dass ich den Vertrag für meinen letzten Roman bereits unterschrieben habe? Und er weiß auch, dass ich nichts mehr schreiben werde. „Warum erzählen Sie mir das alles?"

Der Kellner tritt an unseren Tisch, serviert die Getränke und unterbricht dadurch unser Gespräch.

Herzog sieht mich schweigend an. „Um ganz ehrlich zu sein", antwortet er, nachdem der Kellner Wein und Wasser eingeschenkt und den Tisch wieder verlassen hat, „sollte ich es nicht schaffen, einige repräsentative Autoren zu verpflichten, kann ich dicht machen."

„Aber wie Sie bereits sagten, haben Sie doch …"

Er nickt zustimmend. „Ja, aber die beiden bedienen, wie Sie wissen, ein ganz anderes Genre", unterbricht er mich. „Was ich brauche ist ein echter Kassenreißer. Einen Roman, der sowohl Männer als auch Frauen anspricht. „Glashaus" wäre so ein Roman. Michael hat mir davon erzählt. Ich würde ihn gerne verlegen."

„Aber mein Verlag hat sich die Rechte bereits vertraglich gesichert", gebe ich zu bedenken.

„Noch nicht, wie Michael mir versicherte."

„Wie bitte? Das ist doch bereits vor ettlichen Tagen geschehen, bevor ich …", gerade noch rechtzeitig kann ich meinen Redefluss stoppen.

„Ja? Bevor Sie was?", fragt er interessiert.

„Ach nichts. Aber wieso …? Ich meine, ich bin mir sicher …", murmle ich perplex vor mich hin.

In diesem Moment tritt der Kellner erneut an unseren Tisch und serviert das Essen.

Das gibt mir Gelegenheit, mich an den Tag zu erinnern, als Michael, etwa eine Woche nach Richards Beerdigung, überraschend auftauchte. Er kam um mir, wie er sagte, einige Änderungsvorschläge bezüglich des Manuskripts zu unterbreiten. Er meinte, das würde mich vielleicht ein wenig ablenken. Doch ich fühlte mich leer und müde, hatte weder Lust, mich an die Arbeit zu machen, noch mich mit ihm zu unterhalten. Also sagte ich ihm, er könne sie dalassen. Ich gab vor unter Kopfschmerzen zu leiden, bat ihn zu gehen und brachte ihn zur Tür. Aber ja, jetzt erinnere ich mich. Bevor er ging, fragte er nach dem Vertrag – was mir reichlich merkwürdig vorkam, da Michael normalerweise nichts mit den Verträgen zu tun hat.

„Buona Appetito."

„Danke", antworte ich automatisch, versinke aber sogleich wieder gedanklich in meiner Erinnerung. Ich weiß noch, dass ich an diesem Tag, wie an jedem Tag seit Richards Tod, ein wenig neben mir ging. Mir war so ziemlich alles egal. Darum machte ich mir auch weiter keine Gedanken darüber. Ich kramte das noch verschlossene Kuvert unter all den andern hervor, öffnete es, zog den Vertrag heraus, unterschrieb ihn ungelesen, steckte ihn wieder in den Umschlag zurück und gab ihn an Michael mit der Bitte, ihn weiterzuleiten. „Michael hat den Vertrag zurückgehalten", stelle ich wie erwachend fest.

„Eigentlich wollte er bereits an diesem Tag mit Ihnen sprechen – über mich. Aber Sie schienen so sehr in Ihrer Trauer gefangen und nicht so ganz bei der Sache zu sein, dass er Sie nicht unnötig aufregen wollte. Doch den Vertrag weiterleiten wollte er auch nicht. Zum einen meinetwegen, aber auch ihretwegen."

Ich schiebe mir eine Gabel Salat in den Mund und kaue bedächtig, während ich das Gesicht meines Gegenübers betrachte. *Dass er seinem Freund helfen will, kann ich verstehen. Doch was meint Herzog mit – aber auch ihretwegen?*

Ich tupfe mit der Serviette meine Mundwinkel ab, nehme einen Schluck Wein und frage mich, auf welcher Seite Michael steht. „Michael möchte, dass ich den Roman vom Herzog-Verlag publizieren lasse, um Ihnen zu helfen, das ist mir klar. Aber Sie sagten eben, er hätte es auch meinetwegen getan?" Ich nehme einen weiteren Schluck und stelle das Glas wieder ab. „Was also bieten Sie mir?"

„Was ich Ihnen …? Ja …, nun …", er räuspert sich verlegen, „das ist mein Problem. Ich kann Ihnen keinen Autorenvorschuss zahlen. Aber ich …"

„Ja?", hake ich nach und werfe ihm einen herausfordernden Blick zu.

„Ich werde sämtliche Werberegister ziehen, um diesen Roman zu einem Bestseller werden zu lassen", antwortet er impulsiv.

„Was durchaus auch in Ihrem Sinne wäre", murmle ich, füge dann noch mit einer guten Portion Überheblichkeit hinzu: „Meine Leser warten bereits auf dieses Buch. Ein Bestseller wird es also ohnehin. Michael hat Sie diesbezüglich bestimmt bestens informiert. Was ich ihm ein wenig übel nehme, da er sich zuvor nicht mit mir abgesprochen hat. Andererseits kann ich es ihm nicht verdenken."

Vor mein geistiges Auge schiebt sich eine Szene, die ich zufällig beobachtet habe. Michael und Sophie Bernbacher in heftigem Wortwechsel. Und der wirkte keineswegs wie eine normale Diskussion auf mich. Die Bernbacher warf ihm einige ziemlich deftige Ausdrücke an den Kopf. Schon an dem Tag war mir klar, dass Michael sich eine derartige Behandlung nicht lange bieten lassen würde. *Aber dass es so schnell ...* Ich tupfe mir erneut die Lippen ab. Dann falte ich die Serviette zusammen und lege sie neben meinem Teller ab. „Sie hoffen durch Randal, Bartoldie und mich auch noch den einen oder anderen Bestsellerautor für Ihren Verlag gewinnen zu können."

„Stimmt", gibt er zu.

„Ich werde über Ihr Angebot nachdenken. Zuvor muss ich jedoch dringend mit Michael sprechen. Das verstehen Sie doch sicher?", frage ich noch und erhebe mich.

„A … a … aber, Frau Sander", stottert er perplex. Plötzlich verdunkelt sich seine Stirn, zwei tiefe Falten zeigen sich über der Nasenwurzel. „Bleiben Sie!", fährt er mich verärgert an, doch noch in derselben Sekunde scheint er sein impertinentes Verhalten zu bemerken. Seine Stirn glättet sich. „Bitte, bleiben Sie", sagte er leise aber eindringlich. „Die letzten Wochen waren ein ständiges Auf und Ab. Bitte sehen Sie mir mein unverzeihliches Verhalten nach."

Er lächelt zerknirscht. Das sieht so komisch aus, dass ich nicht anders kann, als mich wieder zu setzen. *Dann kann ich auch zu Ende essen.* Ich greife wieder nach der Serviette und lege sie auf meinen Schoß.

„Es fällt mir nicht leicht, vor einer Frau wie Ihnen als Bittsteller dazustehen."

„Wie praktisch, dass Sie sitzen."

„Hätte ich auch nur geahnt, was Ihnen widerfahren ist, ich hätte mich niemals auf Michaels Vorschlag eingelassen. Er hat mir nämlich nie davon erzählt. Doch nun habe ich den ersten Schritt gemacht und da möchte ich …, na ja, ich würde mich freuen, nicht schon von Ihnen – sitzen gelassen – zu werden, bevor wir in Verhandlungen treten."

Jetzt tut er mir leid. Zumal es völlig gleichgültig ist, wer das Buch verlegt. Schließlich werde ich es nicht mehr … *Stopp! Ich habe mich entschlossen weiterzuleben. Also werde ich auch das Erscheinen des Buches noch erleben. Ach, was soll's? Ich kann es mir leisten, einem Verlag unter die Arme zu greifen.* „Na gut, machen Sie mir ein annehmbares schriftliches Angebot, eines das ich in Händen halten und von meinem Anwalt prüfen lassen kann. Schließlich will ich mich nicht mit Haut und Haar an Sie verschenken", lenke ich ein und lächle verbindlich. „Ich denke, Sie haben Glück, dass ich Sophie Bernbacher nicht ausstehen kann."

„Hm", lacht er auf. „Sie also auch. Wie Michael erzählte, will sie das Pferd verkehrt herum aufzäumen."

„Was auch immer das bedeuten soll. Vielleicht sollte man ihr zugutehalten, dass sie jung und unerfahren ist. Wäre allerdings auch möglich, dass sie gerade deshalb einige innovative Ideen einbringt, die den Verlag beleben. Ich hatte bisher nicht viel mit ihr zu tun. Es ist wohl eher ihre überhebliche Art, die ich nicht mag."

Herzog nickt. „Michael ist zwar mein Freund und er würde mir sicher so manchen Gefallen tun, aber ich mache mir nichts vor, unter Rösners Leitung hätte er sich nie entschlossen, in meinen Verlag zu wechseln."

„Ach! Er will für Sie arbeiten. Davon hat er mir nichts erzählt."

„Soviel ich weiß, wollte er das gestern. Aber", er schmunzelt, „dann fiel Ihnen ein, dass Sie vergessen hatten, den Stecker des Bügeleisens aus der Steckdose zu ziehen und er kam nicht mehr dazu. Sie haben das nicht wirklich vergessen, oder?"

„Nein", antworte ich knapp.

„Schätze, ich bin tatsächlich ein echter Glückspilz. Jedenfalls freue ich mich, Sie im Autorenkreis meines Verlags begrüßen zu dürfen."

„Ich habe noch nicht unterschrieben", warne ich vor allzu großem Enthusiasmus.

So ganz nebenbei ist mein Teller leer geworden. Ich tupfe mir mit der Serviette den Mund ab, lege sie auf den Tisch und nehme einen letzten Schluck Rotwein. Während ich das Glas zurückstelle fühle ich seinen Blick auf mir.

„Sie möchten mich aber jetzt nicht allein hier sitzen lassen?", fragt er und fügt charmant hinzu: „Ich hatte gehofft, Ihnen den Verlag zeigen zu dürfen."

In meinen Ohren klingt dieser Satz wie ein ganz ähnlicher, in dem lediglich „Schallplattensammlung" statt Verlag vorkommt. Zum ersten Mal sehe ich mir den Mann genauer an. Graumeliertes Haar, das er ziemlich kurz trägt. Der schmale Bart, der an den Koteletten beginnend den Kiefer betont und sich am Kinn mit dem ebenso schmalen Oberlippenbart verbindet, verleiht seinem Gesicht ein markantes, fast südländisches Aussehen. Was mich jedoch besonders anspricht, sind die strahlend azurblauen Augen. Feine Linien an den Außenwinkeln seiner Augen sagen mir, dass dieser Mann gerne lacht. Dagegen zeugt die fragile, aristokratisch wirkende Nase eher von enormem Durchsetzungsvermögen. *Ein gutaussehender Mann. Ob er verheiratet ist,* streift mich ein Gedanke, den ich augenblicklich wieder verwerfe. *Wen interessiert's?*

Ich nicke bestätigend. „Ein andermal gern, aber jetzt muss ich noch mal ins Krankenhaus."

Er blickt mich fragend an.

„Der Sohn meines Mannes hatte gestern Abend einen Autounfall. Der arme Junge liegt ziemlich derangiert in seinem Bett und da ich die einzige Familie bin, die er noch hat, muss ich mich kümmern."

„So, müssen Sie?", fragt er mit einem seltsam lauernden Unterton in der Stimme.

Was meint er? Will er wissen, ob ich „muss" sagte, weil mir der Besuch lästig ist oder weil es mir eine Herzensangelegenheit ist? „Ja", antworte ich ein wenig irritiert. „Womöglich habe ich mich nicht richtig ausgedrückt. Ich mache das nicht, weil mich jemand dazu zwingt, sondern weil ich mich für den Jungen verantwortlich fühle und weil er sich über meinen Besuch freut."

„Michael hat mir erzählt, Sie hätten Ihren Sohn vor Jahren durch einen Unfall verloren und Ihren Mann erst vor einigen Tagen. Von einem Stiefsohn hat er nicht gesprochen."

Seine Worte klingen wie eine Feststellung, aber ich nehme die Frage, die dahintersteht, ebenfalls wahr. Nur habe ich im Moment wenig Lust, das Gespräch zu vertiefen. „Ach, Sie denken, ich schiebe den Stiefsohn nur als Ausrede vor – wie den Stecker meines Bügeleisens?"

„Verzeihen Sie. Ich wunderte mich nur. Tut mir leid. Trinken Sie doch noch einen Cappuccino oder einen Espresso und wenn Sie mögen, erzählen Sie mir von dem jungen Mann", bittet er freundlich. „Sie sagten, er hätte einen Unfall gehabt?"

Entgegen meinem eigentlichen Wunsch zu gehen, bleibe ich sitzen. Obwohl dieser Mann ein Fremder für mich ist und ihn meine Familien-angelegenheiten nicht das Geringste angehen, atme ich einmal tief durch und nicke bejahend.

Worauf er den Kellner herbeiwinkt und zwei Espressi bestellt.

Eine Sekunde frage ich mich zwar dann doch, warum ich bleibe, aber als er mich erneut bittet von Leon zu erzählen, sprudelt es nur so aus mir heraus.

„Das ist eine fast unglaubliche Geschichte. Sie haben also erst beim Notar erfahren, dass Ihr Mann Sie vor Jahren betrogen hat?", fragt er erstaunt und fügt missbilligend hinzu: „Auch nicht gerade die feine Englische."

„Nein, gewiss nicht. Ich war fassungslos. Doch dann wurde ich so wütend, weil er mich in eine derart beschämende Situation gebracht hat."

„Beschämend für Sie?"

„Nun ja, plötzlich war ich eine betrogene Ehefrau und das dazugehörige Klischee kennen Sie genauso gut wie ich."

„Sie empfanden den Seitensprung Ihres Mannes beschämend, weil Sie die Schuld bei sich suchten", stellt er fest.

Ich nicke. „Vor allem aber war ich wütend, weil dieser Seitensprung nicht ohne Folgen geblieben war und dadurch so offensichtlich wurde. Und dass mich ausgerechnet der Notar damit konfrontierte, der übrigens Richards Freund und irgendwie auch meiner ist, machte es auch nicht besser. Dann betrat dieser Junge, den ich, stellen Sie sich das mal vor, einige Tage zuvor aus dem Ammersee gefischt hatte, Martins Kanzlei. Aus Richards Brief hatte ich wenige Minuten zuvor erfahren, dass Leon Landmann sein Sohn ist. Das alles passte, wie die Faust aufs Auge. Da ich einen Augenblick dachte, dass er bereits Bescheid wusste und sich mit einer List in mein Leben schleichen wollte, fühlte ich mich auch von ihm getäuscht."

„Aber", unterbricht Herzog mich, „das war nicht so."

„Nein, natürlich nicht. Wer springt schon in einen eiskalten See, nur um gerettet zu werden? Zumal der Junge nicht wissen konnte, ob auch tatsächlich jemand da sein würde, der ihn herausfischt."

„Da kann ich Ihnen nur zustimmen."

„Jedenfalls fühlte ich mich entsetzlich hilflos, als ich von seiner Herkunft erfuhr. Plötzlich wusste ich nicht mehr, wie ich mich ihm gegenüber verhalten sollte. Ich mochte den Jungen von Anfang an. Aber nachdem ich erfahren hatte, um wen es sich bei meinem jungen Freund handelte – das Ergebnis eines Seitensprunges meines Mannes – wollte ich nichts mehr mit ihm zu tun haben."

„Was hat Ihre Meinung geändert?"

„Der Junge hängte sich wie eine Klette an mich. Bevor ich aus Richards Brief erfuhr, mit wem ich es zu tun hatte, lernte ich ihn Tage zuvor ja völlig unvoreingenommen kennen", erkläre ich und werfe einen bedeutungsvollen Blick nach oben. „Mittlerweile vermute ich, wer auch immer dafür verantwortlich ist, dass wir uns auf diese Weise begegnet sind, wollte genau das erreichen. Ich mag den Jungen."

Herzog lächelt und blickt mir dabei tief in die Augen. „Sie sind eine außergewöhnliche Frau."

Den feinen Stich, den ich zwar nur kurz in meinem Herzen spüre, empfinde ich dennoch wie einen Stromschlag, da ich ihn bis in die Fingerspitzen fühle. Ich atme tief ein und werfe einen Blick auf die Uhr. „Es ist höchste Zeit für mich", erkläre ich und erhebe mich sogleich.

„Schade", sagt er, schiebt jedoch sofort auch seinen Stuhl zurück und steht ebenfalls auf. Galant hilft er mir in den Mantel und lässt mich, lächelnd nickend, ohne ein weiteres Wort zu verlieren, einfach gehen.

Was soll ich von diesem Mann halten? Sein Verhalten wird mir zunehmend suspektr. Und mein eigenes ebenfalls. Wie komme ich dazu, mit ihm über Leon und meine Gefühle zu sprechen?

*

Etwa dreißig Minuten später betrete ich, bepackt mit Leons Sporttasche und einigen Zeitschriften, erneut die Klinik.

Dem Jungen scheint es langweilig zu sein, denn er freut sich merklich, als ich das Krankenzimmer betrete.

„Greta", ruft er mir begeistert entgegen.

Da fällt mein Blick auf die Flasche Asti Spumante, deren Hals mit blauem Schleifchen und langen gekräuselten Bändern geschmückt ist. Der Junge hatte offensichtlich Besuch. Jetzt entdecke ich auch den bunten Blumenstrauß, der in einer weißen Vase auf der Nachtkonsole steht. Eine Schachtel Katzenzungen liegt dabei, und was mich etwas wundert, Bananen. Jede Menge Bananenbüschel.

„Stell dir vor", zieht er meine Aufmerksamkeit wieder auf sich, „ich kann die Klinik in spätestens zwei Wochen verlassen. Vorausgesetzt, du kümmerst dich um mich."

„Und du denkst, ich habe nichts anderes zu tun, als dich zu bedienen?", frage ich, während ich einen Stuhl an sein Bett rücke und mich setze.

„Da du vorhattest aus dem Leben zu scheiden", flüstert er, „ging ich davon aus, dass du alles Irdische erledigt hast."

„Kann es sein, dass du mich nur auf Trab halten willst?"

„Nein, wie kommst du denn auf so etwas?", fragt er gespielt empört. „Was war mit deinem Date?", wechselt er gekonnt das Thema. „Hat er dir einen Antrag gemacht?"

„Antrag würde ich das nicht gerade nennen. Er will meinen neuen Roman veröffentlichen."

„Ha! Das Gesicht hätte ich sehen mögen, als du abgelehnt hast", antwortet er grinsend. Doch während er die Zeitschriften entgegennimmt, verschwindet das Grinsen aus seinem Gesicht und er starrt mich fragend an.

Obwohl ich weiß, dass ich nichts falsch gemacht habe, und selbst wenn, ich bin ihm schließlich keine Rechenschaft schuldig, fühle ich mich plötzlich wie ertappt.

„Du hast nicht abgelehnt?", hakt er nach, als ich nicht sofort antworte.

„Er hat dieses bewusste Manuskript niemals gesehen. Stell dir vor, zu der Zeit lebte er bereits in Italien und arbeitete als Verlagsleiter in einem renommierten Verlag in Mailand. Dieses unverschämte Schreiben hatte vermutlich seine Mutter verfasst und die lebt nicht mehr. Hattest du mittlerweile Besuch?", lenke ich nun meinerseits vom Thema ab und deute mit meinem Kinn auf die Mitbringsel.

„Ja, einige Schulfreunde waren hier."

„Ach so", sage ich, die Bananen im Blick.

„Du wunderst dich wegen der Bananenstauden, stimmt's?", fragt er prompt.

Kann der Junge Gedanken lesen? Ich starre weiter auf die Bananen. „Staude mag vielleicht etwas zu viel gesagt sein, aber ja, ich wundere mich schon etwas."

„Das ist 'ne Macke von mir. In Bananen und Katzenzungen könnte ich mich reinlegen. Die Kombination ist einfach gigantisch."

„Schon mal über Schokobananen nachgedacht?"

„Nein, aber könnten wir bitte zum Thema Verlag zurückkehren? Du hast eben geschickt das Thema gewechselt."

Ich ziehe die Augenbrauen hoch und starre ihn erstaunt an. Dieser kleine Intelligenzbolzen hat mich glatt durchschaut.

„Du hast also vor, deinen neuen Roman in einem anderen Verlag publizieren zu lassen. Geht das denn so einfach?"

„Vermutlich wäre es nicht so einfach, wäre ich vertraglich fest an den Verlag gebunden. Aber das bin ich nicht. Und seit diese Bernbacher mit ihren intellektuellen Ideen den Verlag leitet, habe ich ohnehin mehr als einmal darüber nachgedacht, den Verlag zu wechseln."

„War das vor oder nach deiner Himmelfahrtsplanung?", fragt er sarkastisch.

„Schon vor Monaten. Dann, nach Richards Tod, war mir alles egal. Aber jetzt denke ich erneut darüber nach."

„Du hast dich doch längst entschieden."

„Ja ...? Und?", antworte ich trotzig. „Kannst du mir mal sagen, was dich das angeht?"

„Nichts. Aber ich mach mir halt so meine Gedanken. Herzog ist der langjährige Freund deines Lektors, der, wie du sagtest, auch dein Freund ist, und er wusste von der Geschichte mit dem Verlag."

„Ja, und?"

„Wieso hat er dir während all der Zeit nicht erzählt, wer sein Freund ist? Wieso gerade jetzt?"

„Er hat mir von seinem Freund, dem Verlagsleiter in Mailand erzählt. Mittlerweile erinnere ich mich auch daran, dass er in letzter Zeit des Öfteren über den Herzog-Verlag zu sprechen begann. Aber beleidigt und stur, wie ich war, habe ich jeden Ansatz zu diesem Thema gleich im Keim erstickt. Gestern nun hat er die Initiative ergriffen und ihn mir vorgestellt."

„Ist er nett?"

„Nett? Nun ja, ich denke schon. Er war höflich, besitzt gute Umgangsformen und er machte mich nicht an. Meinst du das?"

„Ist er verheiratet?"

„Was weiß ich. Das interessiert mich nicht. Er ist mein zukünftiger Verleger – basta. Und jetzt genug davon", bestimme ich.

Die Unterhaltung nimmt eine belanglose Wende. Doch dann, völlig unerwartet, erkundigt Leon sich über Richards Firma. Leider kann ich ihm darauf keine befriedigende Antwort geben.

„Bisher konnte sich Richard stets auf Peter verlassen. Peter Hufnagel ist der Prokurist. Er und seine Familie stehen uns auch privat sehr nah. Als er vor etwa zwanzig Jahren in die Firma kam, entwickelte sich schon bald ein freundschaftliches Verhältnis. Nicht, dass wir ständig beieinanderhockten, aber wir luden Renate und Peter zu Familienfeiern ein und sie uns ebenso. Ab und zu gingen wir zusammen essen, in die Oper oder ins Konzert. Nach Richards Tod war Renate Tag und Nacht für mich da. Sobald du aus dem Krankenhaus heraus bist, laden wir sie ein, damit ich dich den beiden vorstellen kann. Bis du soweit bist, wird er den Betrieb leiten."

Leon legt eine Hand auf meine und sagt zögernd: „Ich werde tun, was mein Vater für mich vorgesehen hat. Und um mich schon mal mit der Materie vertraut zu machen, werde ich während der Semesterferien in der Firma arbeiten."

„Ja, aber …"

„Nichts aber", spricht er weiter, „genauso mache ich es. Bei der derzeitigen Wirtschaftslage braucht die Firma eine starke Hand."

„Und die willst du sein?", frage ich skeptisch.

Er nickt. „Ja. Nein, natürlich nicht mit der Schaufel in der Hand, aber nach meinem Studium. Dieser Hufnagel wird mir doch keine Schwierigkeiten machen?"

„Ich bin sicher, er wird dich genauso unterstützen, wie er deinen Vater unterstützt hat."

„Du könntest wieder als Architektin arbeiten. Dann hätte ich jemanden im Betrieb, der mir den Rücken stärkt."

„Ich kann das nicht mehr und will es auch nicht. Ich habe meinen Lebensinhalt gefunden. Das Schreiben. Aber hast du nicht eben etwas von einer starken Hand gesagt?"

„Ja schon, aber … Reizt es dich denn kein bisschen, wieder mal in deinem erlernten Beruf zu arbeiten? Du hast doch Architektur studiert?"

„Weil ich mich bereits im Gymnasium in den Sohn eines Bauunternehmers verliebt habe."

„Ach so. Ich hatte ja nun genügend Zeit, nachzudenken und muss zugeben", er schob sein Kinn hoch, wodurch er ziemlich arrogant wirkte, „die Aufgabe, meine eigene Firma zu leiten, reizt mich schon."

„Komm mal wieder runter. Der Reiz allein genügt nicht. Du hast ja keine Ahnung, was es bedeutet einen solchen Betrieb zu führen."

„Ich kann es mir aber vorstellen", bemerkt er trotzig.

„Es bedeutet nicht, einige Papiere zu unterschreiben, mit der Sekretärin zu flirten und mit dem Lamborghini die Baustellen zu inspizieren", betone ich eindringlich und füge erklärend hinzu: „Es bedeutet, stets über alle Vorgänge informiert und immer der erste in der Firma zu sein. Fast jeden Tag Ärger und Aufregung. Dein Vater liebte die Firma. Er wuchs in ihr auf. Während andere Jungs Fußball spielten, fuhr er mit den LKW-Fahrern zu Schotterwerken, Kies- und Sandgruben, um Material für die Baustellen zu holen. Er kannte jeden Fahrer mit Namen, kannte ihren familiären Hintergrund und die Fahrer schätzten ihn. Nach dem Abitur studierte er zunächst wie ich Architektur, danach hängte er ein Betriebswirtschaftsstudium dran. Während der Semesterferien arbeitete er in der Firma, Seite an Seite mit den Bauarbeitern und den Architekten. Seine Familie war die Firma und jeder Arbeiter und Angestellte war Teil dieser Familie. Er war das Herz der Firma und das hat aufgehört zu schlagen. Glaubst du tatsächlich, ihn ersetzen zu können?"

„Nein, ersetzen werde ich ihn wohl nie können", sagt er nun kleinlaut, „aber ich kann versuchen in seine Fußstapfen zu treten."

Plötzlich fühle ich mich ausgelaugt und müde. Alles ist wieder da. Richard ist wieder da. Erst jetzt bemerke ich, dass meine Wangen tränennass sind und wische sie rigeros ab. *Werde ich dieses elende Gefühl des Verlassenseins niemals los?*

Leon ergreift meine Hand. „Ich mache mir keine Illusionen über die nächsten Jahre. Ich weiß, dass sie mit viel Arbeit verbunden sein werden. Auch Arbeiten die mir fremd sind. Ich bin noch nie in einem LKW gefahren und Straßenbau kenne ich nur von Staus. Aber ich bin lernfähig und ehrgeizig. Obwohl ich meinen Vater nie wirklich kennenlernen durfte, bin ich doch sein Sohn. Du wirst schon sehen, ich schaffe das!", sagt er energisch, fügt aber gleich darauf leise hinzu: „Mit deiner Hilfe."

Eine Weile sehe ich nur stumm in seine Augen, dann senke ich zustimmend die Lider und nicke. „Die hast du.“

Kapitel 8

Es ist so weit. Ich hole Leon nach Hause. Nach Hause … Ein mulmiges Gefühl bemächtigte sich meiner.

Die letzten Tage waren nur so dahingeflogen. Zwischen zwei Verabredungen mit Michael und meinem neuen Verleger traf ich mich mit Martin. Er begleitete mich letzten Samstagvormittag zum ersten Abteilungsleiter-Meeting nach Richards Tod, um mich in rechtlichen Fragen zu beraten. Dieses Meeting war laut Peters Ansicht dringend notwendig. Das Unternehmen befand sich seit Richards Tod in einer ähnlichen Situation wie ein Schiff ohne Kapitän. Obwohl Peter sein Bestes gab und gibt, ist er doch nur Prokurist. Während des Meetings setzte ich ihn offiziell als Geschäftsführer ein und ersuchte die Führungskräfte, ihn in jeglicher Hinsicht zu unterstützen. Gegen zehn trafen, soweit ich es überblicken konnte, alle Mitarbeiter zur Betriebsversammlung ein. Ich stellte ihnen Peter als Geschäftsführer vor und bat sie, ihre Arbeit unter seiner Führung so gewissenhaft wie unter Richards zu erledigen. Zudem konnte ich sie bezüglich eines Gerüchtes beruhigen, das Unternehmen würde an den Meistbietenden verkauft werden. Am Ende erntete ich begeisterten Beifall.

Leon erwähnte ich nicht. Wie mit ihm besprochen, lade ich Peter und seine Frau zum Essen ein, um sie über Richards Testament und unsere Pläne zu unterrichten. Die Arbeiter und Angestellten sollen ihn zunächst als einen von ihnen kennenlernen. Erst nach seinem Jurastudium werde ich ihn der Belegschaft als Richards Sohn und Nachfolger vorstellen. Dann wird er von Peter in die Belange der Firma eingearbeitet und übernimmt nach drei Jahren, wie Richard es in seinem Testament verfügt hat, deren Leitung.

Während ich Kaffee in meine Lieblingstasse gieße, atme ich einmal tief ein und wieder aus. Bereits nach den ersten Schlucken meldet sich das altbekannte Leiden direkt hinter dem Brustbein in meiner Magengrube. Ich greife nach dem kleinen weißen Behälter und entnehme ihm eine Kapsel Omeprazol, die ich mir inzwischen von meinem Hausarzt besorgt habe.

Ein Blick auf die Küchenuhr sagt mir, dass ich wieder mal die Zeit vertrödele. Ich stelle die Tasse in den Ausguss, begebe mich in die Diele zur Konsole und greife nach meiner Handtasche.

Während ich durch die Klinikflure eile, überfallen mich wie immer Erinnerungsfetzen an Richard und Florian, die sich diesmal jedoch unaufhörlich mit Zukunftsvisionen und offenen Fragen vermischen. *Was hat mich letztendlich zu dieser Entscheidung veranlasst? Handle ich unbedacht, nur aus Mitleid? Und wie wird mein Leben durch seine Anwesenheit beeinflusst?*

Vor der Tür des Krankenzimmers angekommen, hebe ich den Arm um anzuklopfen, lasse ihn aber gleich wieder sinken und bleibe reglos stehen. Plötzlich wird mir bewusst, wie sehr ich all diese Gedanken während der letzten Wochen verdrängt habe und was die Entscheidung, Leon bei mir wohnen zu lassen, für mich bedeutet. Ich lasse den Jungen nicht nur in mein Haus, ich lasse ihn in mein Leben und ich frage mich, ob ich das wirklich will. Möglicherweise habe ich nicht ausreichend darüber nachgedacht. *Doch habe ich! Schluss damit!*

Durch die vielen Stunden an Leons Krankenbett habe ich ihn ein wenig besser kennenlernen können. Ich habe Charakterzüge an ihm entdeckt, Gesten in seinen Bewegungen, seine leicht gekrümmte Körperhaltung – während er über etwas grübelt –, und die Mimik in seinem Gesicht, die mich doch sehr an Richard und somit auch an Fabian erinnern. Teilweise finde ich das ziemlich erheiternd. Allerdings löst manches auch Erinnerungen in mir aus, die mich traurig stimmen.

Vielleicht hätte ich die Gedanken, die mir zur Vorsicht rieten, nicht so einfach beiseiteschieben sollen? Im Grunde ist mir bewusst, weshalb ich es getan habe. Möglicherweise hätte ich meine Entscheidung sogar revidiert, doch irgendetwas in mir hat sich vehement dagegen gesträubt, habe die Bedenken immer wieder beiseitegewischt und nun ist es ohnehin zu spät dafür. *Verdammt! Ich mag den Jungen. Warum also jetzt diese Unsicherheit? Er kann weder Fabian noch Richard ersetzen. Doch er ist ein Teil von Richard. Tu ich es deshalb? Will ich Richard durch seinen Sohn festhalten?*

Erneut macht der Schließmuskel meines Magens schlapp. Manchmal dauert es ganz schön lange, bis das Zeug wirkt. Ich schlucke aufsteigende Magensäure wieder hinunter. Dann atme ich noch einmal tief durch, bevor ich an die Tür klopfe und diese energisch öffne, noch ehe ich eine Aufforderung zum Eintreten vernehme.

„Na endlich", ruft er mir erleichtert entgegen. „Ich habe schon befürchtet, du könntest es dir anders überlegt haben" fügt er verhalten hinzu, während er nach seinen Krücken greift und sich sichtlich mühsam erhebt.

Wenn der Junge wüsste ... „Wie kommst du denn darauf?", frage ich gut gelaunt, als hätte ich nicht mal im Traum an so etwas gedacht. Um der Sache einen Punkt zu setzen, bücke ich mich nach seiner Tasche, die bereits fertig gepackt vor ihm steht. „Na los, verlassen wir dieses von Krankheit belastete Haus", füge ich resolut hinzu.

Noch etwas unsicher setzt er sich mit seinen Krücken in Bewegung.

Ich folge ihm.

Bevor wir die Tür erreichen, dreht er sich noch einmal nach mir um.

„Danke!", sagt er mit Nachdruck. „Du ahnst nicht, was du für mich bedeutest."

„Ich habe dir keinen Heiratsantrag gemacht", versuche ich spöttelnd seine ernsten Worte herunterzuspielen.

„Nicht? Aber ich dachte ..." entgegnet er schlagfertig und dann lacht er – lacht wie sein Vater.

Ich lache ebenfalls. Es ist ein befreiendes Lachen, eines das diesen Felsbrocken sprengt, der bis eben noch auf meiner Brust lastete. All die Bedenken sind plötzlich wie weggewischt. *Der Junge hat viel von Richard, aber er ist Leon Landmann und ich mochte ihn schon bevor ich wusste, dass er sein Sohn ist.*

Um ihm behilflich zu sein, überhole ich ihn, öffne die Tür und warte, während er an mir vorbei aus dem Zimmer humpelt. Doch plötzlich bleibt er stehen, gibt mir einen Kuss auf die Wange und grinst übers ganze Gesicht. *Auf was habe ich mich da bloß eingelassen,* frage ich mich keineswegs beunruhigt, schüttle schmunzelnd den Kopf und folge ihm. „Hast du deine Entlassungspapiere?"

„Ja, habe ich in der Tasche."

„Gut, dann verabschieden wir uns noch von den Schwestern."

Nachdem wir auch das hinter uns gebracht haben, verlassen wir die Klinik endgültig.

„Na, der sieht ja wie neu aus", bemerkt er, als ich auf den Volvo zusteure.

„Ja, dank dir hat er jetzt 'ne neue Stoßstange. Haube und Kotflügel wurden ebenfalls ersetzt und eine neue Tür bekam er auch. Was ich übrigens nicht bedaure, da die ohnehin eine Delle hatte."

„Es freut mich, dass ich dir zu Diensten sein konnte. Du kannst dich auch in Zukunft stets auf mich verlassen."

„Davon gehe ich aus. Ach, da fällt mir ein, ich müsste kurz im Verlag vorbei. Macht es dir was aus, fünf Minuten im Auto zu warten."

„Nein, natürlich nicht."

Als ich direkt vor dem Verlagsgebäude parke, öffnet er ebenfalls seine Tür und steigt schwerfällig aus.

„Du willst doch jetzt nicht spazieren gehen?"

„Nein. Ich dachte, da ich schon hier bin, schau ich mir den Typ mal an."

„Wie bitte?", frage ich überrascht.

„Na ja, früher oder später lerne ich ihn ja ohnehin kennen. Warum also nicht gleich?"

„Aber es ist nicht nötig, dich jetzt da hinaufzuplagen. Ulrich kommt ohnehin zum Abendessen."

„Ulrich?", fragt er erstaunt. „Wann ist das denn passiert?"

„Was meinst du?"

„Dass du ihn beim Vornamen nennst. Duzt du ihn auch?", fährt er mich gereizt an.

„Ja", antworte ich und zucke gleichgültig mit den Schultern. Irgendwie verstehe ich seine Aufregung nicht. „Dagegen ist wohl kaum etwas einzuwenden. Wir arbeiten eng zusammen und verstehen uns ganz gut. Er hat fabelhafte Ideen."

„Das kann ich mir lebhaft vorstellen", bemerkt er sarkastisch.

„Sag mal, was soll das jetzt?", frage ich begriffsstutzig. „Wenn du mich unbedingt begleiten willst – bitte, ich habe nichts dagegen. Ich will nur nicht, dass du dich über die Stufen quälst. Hier im Haus gibt es nämlich keinen Fahrstuhl."

„Lass das mal meine Sorge sein", antwortet er trotzig. Etwas pikiert über sein seltsames Verhalten, zucke ich resignierend mit den Schultern und fordere ihn mit ausladender Handbewegung auf voranzugehen. Da wir in den dritten Stock müssen, sehe ich dem Ganzen etwas skeptisch entgegen. Aber ich sage nichts weiter. Meines Erachtens gibt es Erfahrungen, die jeder selber machen muss.

Bis zum ersten Absatz geht es ganz gut, den zweiten schafft er gerade mal mit viel Gestöhne. Er bleibt stehen und sagt, ich solle vorangehen, er würde langsam nachkommen.

Ich sage nichts, gehe an ihm vorbei und steige zum zweiten Stock hoch. Dort warte ich. Es dauert geschlagene fünf Minuten bis er stöhnend und keuchend bei mir ankommt.

„Was machst du hier?", blafft er mich an, als er mich, wartend an die Wand gelehnt, auf der ersten Stufe zum dritten Stock entdeckt. „Geh schon, ich komme zurecht", zischt er, wohl eher wütend auf sich selbst.

„Ist dir eigentlich klar, dass du all diese Stufen auch wieder nach unten musst? In der Zeit, während ich hier auf dich gewartet habe, hätte ich den Korrekturausdruck abholen können und wäre schon wieder bei dir im Wagen. Sei doch vernünftig. Du musst mir nicht beweisen, dass du allein zurechtkommst. Hier, nimm die Schlüssel. Geh bitte wieder nach unten und warte im Wagen."

Er sieht mich eine Weile nachdenklich an, dann nickt er.

„Na gut, aber beeile dich."

„Hast du unterwegs ein Nickerchen gemacht?", spöttelt Ulrich und erhebt sich aus seinem schweren Lederchefsessel, der irgendwie nicht recht zu dem grazilen Glasschreibtisch passt, der noch aus der Verlagszeit seiner Mutter stammt. Mittlerweile weiß ich, dass es wegen Ulrichs kräftiger Gestalt von Nöten war, zumindest den schmalen Bürostuhl seiner Mutter auszutauschen.

„Ich habe deinen Wagen schon vor zehn Minuten auf dem Parkplatz entdeckt", fügt er hinzu.

„Obwohl ich Leon warnte", antworte ich aufgebracht, „dass es zu anstrengend ist, mit dem geschienten Bein hier heraufzusteigen, wollte er mich unbedingt begleiten. Dabei sind ihm die Krücken momentan eher noch hinderlich denn dienlich. Bis in den zweiten Stock hat er's geschafft."

„Ach ja, jetzt fällt es mir wieder ein, du hast bereits erwähnt, dass du ihn heute aus der Klinik holst. Wie geht's ihm?"

„Es scheint ihm ganz gut zu gehen. Seinen Humor hat er behalten und sein Dickschädel scheint ebenfalls ungebrochen. Und jetzt, da er hoffentlich eingesehen hat, dass er in nächster Zeit besser keine Berge erklimmt, wird's schon werden."

„Und weshalb wollte er dich unbedingt begleiten?", fragt er interessiert weiter. „Befürchtet er etwa, ich könnte dir etwas antun?"

Ich erinnere mich an das Gespräch, das ich an dem Tag mit Leon führte, als ich mich zum ersten Mal allein mit Ulrich traf. „Könnte durchaus sein."

„Nur gut, dass du diese Befürchtung mittlerweile nicht mehr teilst", murmelt er, mir dabei gerade in die Augen blickend. „Allerdings …"

„Allerdings?", hake ich nach.

Er räuspert sich. „Allerdings beanspruche ich im Moment eine Menge deiner Zeit. Ich hoffe, du nimmst mir das nicht übel."

„Aber wie kommst du denn darauf? Darf ich dich daran erinnern, dass das nicht mein erstes Buch ist? Ich kenne den Ablauf. Nun gib mir schon den Korrekturausdruck. Vielleicht schaffe ich es ja, mir einen Teil davon anzusehen, bevor du nachher kommst. Dann können wir während des Essens darüber sprechen."

„Du wolltest dir noch eine Widmung überlegen", antwortet er, als er mir einen flachen Karton reicht.

„Habe ich schon. Ich widme dieses Buch meinem Mann, an dessen Seite ich immer ich selbst sein durfte. Und darunter steht ein Spruch von Wilhelm Busch – Die Summe unseres Lebens sind die Stunden in denen wir liebten.""

Keine Regung in Ulrichs Gesicht deutet darauf hin, wie er darüber denkt. Er starrt mich nur wortlos an, als wäre er geistig gar nicht anwesend. Erst nach einigen Sekunden räuspert er sich und meint: „Wie du willst. Es ist deine Widmung."

„Was willst du damit sagen?"

„Dieser Mann hat dich immerhin betrogen und …"

„Er hat seine Frau geliebt", unterbricht Leon, der von uns beiden unbeobachtet das Zimmer betreten hat.

Wie vom Blitz getroffen fahre ich herum. *Dieser Dickschädel!*

„Wie lange stehst du schon hier?", frage ich unnötigerweise, da ich diesen Satz in meinen Romanen nur verwende, wenn sich eine Person ertappt fühlt. Ich hingegen habe nichts zu verbergen.

„Lange genug. Können wir jetzt gehen?"

Er wendet sich ab und verlässt das Zimmer, ohne mir Gelegenheit zu geben, ihn mit Ulrich bekannt zu machen. Während ich Leon folge, werfe ich Ulrich, hilflos mit den Schultern zuckend, einen entschuldigenden Blick zu. Als ich ihn auf der obersten Stufe erreiche, frage ich ihn, was sein unerhörtes Verhalten eben sollte. Doch ohne zu antworten, steigt er langsam nach unten.

Als wir das Verlagsgebäude verlassen, werfe ich einen besorgten Blick zum Himmel. Schon am Morgen habe ich die ersten dunklen Wolken bemerkt, die sich langsam zusammengerottet haben und den Himmel inzwischen bedrohlich verdunkeln. Mittlerweile ist auch noch kräftiger Wind aufgekommen. Er zerrt an meinen Haaren und Kleidern. Laut Wettervorhersage soll sich der Wind am Spätnachmittag sogar zu einem orkanartigen Sturm entwickeln. *Vielleicht sollte ich noch mal nach oben gehen und die Einladung zum Abendessen verschieben. Nicht nur wegen des aufkommenden Sturms.*

Ich öffne die Tür der Beifahrerseite, halte sie solange, bis Leon eingestiegen ist und mir seine Krücken entgegenstreckt.

„Dieser Kerl hat keine ehrlichen Absichten", begehrt der Junge auf.

Ich lege die Krücken auf den Rücksitz und schlage die Tür kraftvoll zu, wodurch sich ein Teil meiner Wut entlädt. Einige Male tief durchatmend, gehe ich um den Wagen herum. Als ich mich auf den Fahrersitz gleiten lasse, habe ich mich entschieden, die Einladung nicht zu verschieben.

„Der nutzt dich nur für seine Zwecke aus."

„Dein unschickliches Benehmen eben empfand ich als zutiefst empörend, ganz abgesehen von der Respektlosigkeit mir gegenüber", tadle ich. „Außerdem klopft man an, bevor man unerwartet einen Raum betritt. Hat dir das deine Mutter nicht beigebracht?"

„Lass meine Mutter da raus", fährt er mich an. „Außerdem stand die Tür offen. Wo also hätte ich anklopfen sollen?"

„Es gibt immer eine Möglichkeit, auf sich aufmerksam zu machen. Du hattest kein Recht, derart unverschämt in unsere Unterhaltung zu platzen. Selbst wenn du einen Teil davon mitbekommen hast, kennst du doch die Zus…"

„Um was es ging", fällt er mir ins Wort, „habe ich sehr wohl mitbekommen. Der Kerl ist heiß auf dich und war gerade im Begriff, meinen Vater schlecht zu machen, um an dich ranzukommen. Begreifst du denn gar nichts?"

„Der 'Kerl' ist mein Verleger, sonst nichts", antworte ich verhältnismäßig ruhig, obwohl Wut erneut in mir zu brodeln beginnt. *War meine Entscheidung, ihn bei mir wohnen zu lassen, doch etwas zu vorschnell? Der Junge mischt sich in mein Leben, als hätte er ein angeborenes Recht darauf.*

„Tut mir leid", sagt er plötzlich leise und senkt beschämt sein Haupt.

Ich starte den Wagen und gebe Gas. „Wir reden später."

Von der Aktion im Verlag offensichtlich geschafft, zieht sich der Junge mit einer knappen Entschuldigung ins Gästezimmer zurück.

Während seines Klinikaufenthalts dachte ich tatsächlich darüber nach, ihn in Fabians Räumen unterzubringen. Dort hätte er mehr Platz, heller wären die Räume ebenfalls und er könnte den phantastischen Blick über den See genießen. Schließlich ist er Richards Sohn und als solcher sollte er das Haus seines Vaters als sein Heim betrachten. Doch dann, vor einigen Tagen, suchte ich Fabians Räume auf, setzte mich auf den Rand seines Bettes und ließ die Erinnerungen auf mich wirken. Als ich es wieder verließ, war mir klar, dass diese Räume immer Fabians sein würden. Fabian war Richards und mein Sohn. Ich werde nicht zulassen, dass ein anderer seinen Platz einnimmt. Und dann gibt es da auch noch einen weiteren Grund – der immer noch vorhandene Schmerz über Richards Fehltritt. Der Stachel des Betrugs steckt noch zu tief in meinem Herzen. Leon ist nun mal das Produkt dieses Fehltritts. Obwohl ich ihn sehr gern mag, schaffe ich es nicht, mich dieser Tatsache zu entziehen und wer weiß, ob ich es jemals kann. Andererseits ist mir klar, dass er in dem kleinen Zimmer nicht bleiben kann. Ich muss eine andere Lösung finden.

Lautes Klirren reißt mich aus meinen Gedanken. *Was war das?*

Der Krach kam aus dem ehemaligen Schlafzimmer meiner Schwiegereltern. So schnell ich kann, laufe ich nach oben. Die bunten

Porzellanscherben unter den sich blähenden Gardinen sind nicht zu übersehen.

Mist! Ich habe vergessen das Fenster zu schließen. Bevor ich es nun jedoch schließe, ziehe ich die Fensterläden zu und verriegle sie. *Schade um die wertvolle Vase. Nur gut, dass weder Wasser noch Blumen drinsteckten, sonst hätte ich jetzt 'ne riesengroße Sauerei auf dem Parkettboden und der Hochflorteppich wäre ebenfalls durchweicht.*

Ich hole Besen, Schäufelchen und Putzeimer aus dem Besenschrank, lese die gröbsten Scherben in den Eimer und kehre den Rest zusammen. Just in dem Moment, als ich die Schwelle des Zimmers betrete, um es wieder zu verlassen, macht es klick in meinem Kopf und ich bleibe ruckartig stehen. Noch einmal wende ich mich um, stelle den Eimer ab und setze mich auf die Bettkante. *Diese Räumlichkeiten sind ebenso groß wie Fabians Räume. Genau das Richtige für Leon. Warum bin ich nicht schon längst darauf gekommen? Ankleideraum, Bad, Schlafzimmer und kleines Wohnzimmer, das er auch als Büro nutzen könnte.*

Über diese unerwartete Eingebung freue ich mich so sehr, dass ich sogleich aufspringe, um zu ihm zu eilen und ihn davon in Kenntnis zu setzen. Doch dann erinnere ich mich an den Vorfall im Verlag. *Muss ihm mein Vorschlag nicht wie ein Zugeständnis an sein ungebührliches Verhalten vorkommen? Möglicherweise denkt er sogar, ich wolle mich entschuldigen, weil ich ihn zurechtgewiesen habe.* Ich beschließe abzuwarten, wie er sich während des Abendessens Ulrich gegenüber verhält.

Der Sturm rüttelt bedenklich an den Fensterläden. Um sicher zu gehen, dass hier im oberen Stockwerk nichts mehr passieren kann, gehe ich durch alle Räume – mit Ausnahme des kleinen Gästezimmers. Ich schließe die Fensterläden und sichere sie zusätzlich mit den Sturmhaken. Zuletzt die in meinem Schlafzimmer. Während ich mühsam gegen den Sturm ankämpfe, ärgere ich mich ein weiteres Mal über Richard. Hätte er im letzten Sommer, als ich auf Lesereise war, den Termin mit den Handwerkern nicht verschusselt, könnte ich jetzt einfach die Rollos herunterlassen. Andererseits muss ich zugeben, dass ich mich jahrelang mit der Begründung, sie würde den Charme des Hauses zerstören, gegen die Renovierung gesträubt habe.

Die roten Ziffern des Radioweckers auf Richards Nachtkonsole sagen mir, dass es höchste Zeit ist, das Abendessen vorzubereiten. Dennoch schlendere ich gemächlich und nachdenklich den Flur entlang. Niemand hetzt mich. Während ich Stufe für Stufe hinuntersteige, lasse ich meine Hand über das gedrechselte Geländer gleiten. Mein Ärger auf Richard ist verraucht und der auf den Jungen ebenso. Ich fühle mich gut.

„Himmel, Arsch und Wolkenbruch!"

Erschrocken zucke ich zusammen und bleibe wie angewurzelt stehen. Mit offenem Mund starre ich sekundenlang vor mich hin. „Richard", flüstere ich fassungslos. Doch dann blinzle ich wie erwachend, schüttle den Kopf, fasse mir an die Stirn und atme tief durch. Augenblicklich wird mir klar, wer eben diesen deftigen Fluch gebraucht hat, den ich seit Richards Tod nicht mehr gehört habe. Wie der Vater so der Sohn, huscht ein Gedankenblitz durch meine Gehirnwindungen und ich beeile mich zu ihm zu kommen. Da wird auch schon seine Zimmertür aufgerissen und ich blicke in ein wutverzerrtes Gesicht.

„Was ist denn passiert?"

„Nichts weiter, einer meiner 'Spazierstöcke' ist umgefallen", antwortet er verärgert. „Ich musste mich nach ihm bücken und das war gar nicht so einfach. Du hast alle Fensterläden geschlossen?"

„Ja, der Wetterbericht hat Sturm vorhergesagt. Habe ich dich geweckt?"

„Nein. Ich habe nicht geschlafen. Ich habe nachgedacht", erklärt er geknickt. „Greta, mein Verhalten vorhin war wirklich unerhört. Ich habe kein Recht, mich in dein Leben einzumischen. Es tut mir leid. Das wird nie wieder vorkommen."

„Das möchte ich dir auch geraten haben", antworte ich distanziert. Der Junge soll ruhig merken, dass ich sein Verhalten nicht billige.

„Sorry."

„Schon gut", lenke ich ein. „Ich habe auch nachgedacht. Aber lass uns das später besprechen. Das Unwetter wütet von Minute zu Minute heftiger und ich muss noch diesen Fensterladen schließen."

Es dauert eine Weile, bis wir in der Küche ankommen.

Der Junge lässt sich erschöpft auf seinen Stuhl in der Essnische fallen.

Ich hänge Teebeutel in zwei Tassen, gieße heißes Wasser darüber und stelle sie auf den Tisch. Wir sprechen über Rollläden, Renovierung und seine zukünftigen Räume.

„Könnte ich nicht noch heute dort einziehen?", fragt er außer sich vor Freude.

„Du könntest schon, aber ich dachte, im Zuge der Renovierungsarbeiten …, im Ankleidezimmer mit den Einbauschränken ist nichts zu verändern, aber das Schlafzimmer und den dazugehörigen kleinen Wohnraum könntest du dann nach deinem Geschmack gestalten. Tapeten, Möbel und so weiter."

„Ja schon, aber provinzieller als mein jetziges Zimmer kann das auch nicht sein. Darf ich es mir ansehen?"

„Meinetwegen."

Die Räume meiner verstorbenen Schwiegereltern sind, wie der Junge schon vermutete, im selben Landhausstil eingerichtet wie das kleine Gästezimmer – gemütlich, aber für einen jungen Mann sicher nicht das Passende.

Beim besten Willen, kann ich mir nicht vorstellen, dass er hier mit einem Mädchen … Oh Gott, wohin driften meine Gedanken?

Leon ist Single. Das heißt …, bisher bin ich einfach davon ausgegangen. Zumindest hat er nie eine Freundin erwähnt. Wie auch immer, früher oder später wird er seine diversen Freundinnen hierherbringen.

„Gemütlich", stellt er hinter meinem Rücken trocken fest.

„Ja, durchaus", stimme ich ihm zu. Wir sehen uns an und lächeln.

„Daraus lässt sich etwas machen. Wow! Das ist unglaublich. Meine eigene Wohnung."

„Das mit den Renovierungsarbeiten nimmst du in die Hand. In der Küche hängt eine Liste mit Telefonnummern von Handwerkern. Solltest du den Wunsch äußern, begleite ich dich gerne zum Möbelkauf."

Er nickt. „Ja, das wäre sehr nett von dir."

Nach etwa einer halben Stunde ist der provisorische Umzug getätigt und ich kann mich endlich der Zubereitung des Abendessens widmen.

Außer einem kurzen, ärgerlichen Schnauben ist keine Reaktion von Leon zu vernehmen, als eine Stunde später Ulrichs Wagen in die Einfahrt biegt.

Nach dem mehr oder weniger harmonisch verlaufenden Abendessen verabschiedet sich Leon – mit der etwas sarkastisch klingenden Bemerkung, er wolle nicht weiter stören.

Ich fordere ihn nicht auf zu bleiben und gebe auch sonst keinen Kommentar dazu ab. Zustimmend nickend beginne ich den Tisch abzuräumen.

Ulrich erhebt sich ebenfalls, geht mir hilfreich zur Hand und folgt mir anschließend ins Arbeitszimmer. Wir besprechen ausschließlich die Vermarktung meines neuen Romans. Obwohl er während des ganzen Abends mit keinem Wort auf den Zwischenfall am Nachmittag eingeht, bemerke ich doch eine gewisse Zurückhaltung. Gegen zehn verabschiedet er sich.

Während ich die Lichter lösche, denke ich über ihn nach. Plötzlich wird mir bewusst, wie vertraut Ulrich und ich während der letzten Tage miteinander umgegangen sind. Und während ich nach oben steige, wird mir klar, wie leid es mir täte, sollte Leons Verhalten einen Keil zwischen unser gutes Verhältnis getrieben haben. Aber da es schon spät ist und ich viel zu müde bin, um darüber nachzudenken, wie ich die Situation entschärfen könnte, verschiebe ich das auf morgen. Ich will nur noch eines – schlafen.

Aus Leons Räumen dringt leise Klaviermusik zu mir heraus. Einen Augenblick bin ich geneigt anzuklopfen, um ihm eine gute Nacht zu wünschen, überlege es mir dann doch anders. Vermutlich ist er bereits eingeschlafen und wecken möchte ich ihn zu dieser Zeit nicht mehr.

Ein behagliches Gefühl erfüllt mich, als ich mein müdes Haupt auf das Kissen lege und mir die Steppdecke über die Schulter ziehe. Trotz der Müdigkeit kann ich jedoch nicht einschlafen. Wie stets nach einem ereignisreichen Tag spuken mir Fragen und mögliche Antworten durch den Kopf. Immer und immer wieder lasse ich den Tag, Leons flegelhaftes Benehmen gegenüber Ulrich und dessen distanziertes Verhalten am Abend Revue passieren. Zudem wütet noch immer der Sturm. Obwohl ich sie gut verschlossen habe, klappern die Fensterläden. Unruhig drehe ich mich von einer Seite auf die andere.

Irgendwann muss ich dann wohl doch eingeschlafen sein, denn ein lautes Krachen und Scheppern reist mich aus einem Traum, der eine unangenehme Empfindung in meiner Brust hinterlässt, obwohl ich mich nicht an den Inhalt erinnern kann. Ich knipse die Nachttischlampe an und schlage die Steppdecke zurück. Ein scharfer Schmerz im Nacken verhindert, dass ich mich aufrichte. Bin anscheinend schlecht gelegen und habe mir irgendetwas verzerrt. Da ich trotzdem nachsehen möchte, was diesen Krach verursacht hat, drehe ich mich auf die Seite und quäle mich mühsam aus dem Bett.

Zwei Uhr sechsundvierzig zeigt mein Wecker. Was für eine Nacht.

Obwohl ich meinen Nacken massiere und ein paar, wohl eher komisch aussehende Dehn- und Streckbewegungen mache, lässt der Schmerz nicht nach. Da ist wohl wieder mal ein Besuch bei meinem Physiotherapeuten angesagt.

Mein Blick fällt im Vorübergehen auf die Tür, hinter der Leon vermutlich seelenruhig schläft, da weder Klaviermusik noch ein anderer Ton aus seinem Zimmer dringen.

Ein beruhigendes Gefühl, zu wissen, dass man nicht allein ist, besonders in Nächten, in denen derart heftige Unwetter toben. Der Krach wurde vermutlich von meinem Putzeimer verursacht, den ich am Nachmittag auf der Terrasse abgestellt habe. Ich gehe langsam nach unten. Die Tür meines Büros ist einen Spalt weit geöffnet. Während ich sie schließe, erinnere ich mich eine winzige Sekunde an den Traum, in dem ich mich mit Ulrich hier aufhielt und er etwas tat oder sagte das mich zutiefst beunruhigte. Doch noch bevor ich die Erinnerung greifen kann, versinkt sie wieder in diesem tiefen dunklen Loch, das unser Gehirn für unwichtige Informationen vorgesehen hat. Da ich diese Spielchen bereits kenne, die mein Hirnkasten immer wieder mit mir treibt, versuche ich erst gar nicht mich zu erinnern. Eines Tages, sollte ich sie dringend benötigen, wird sie wieder da sein.

Ich schiebe den Griff der Terrassentür nach oben, um sie zu öffnen. Beim Aufdrücken der Klappläden muss ich mich gewaltig dagegenstemmen. Der Sturm scheint jetzt seinen Höhepunkt erreicht zu haben. Schnell greife ich nach dem hin und her rollenden Eimer und stelle ihn auf seinen Platz in der Küche unter dem Ausguss. Während ich die Läden wieder zuziehe, stelle ich fest, dass fast der ganze Schnee geschmolzen ist. *Wird auch Zeit. Vielleicht verscheucht ja der Frühling meine letzten dunklen Gedanken.*

Prompt fällt mir Ulrichs distanziertes Verhalten wieder ein. *Schon seltsam, dass mich das derart belastet. Ich muss damit aufhören, mir allzu viele Gedanken um seine Person zu machen. Er ist mein Verleger und nur mein Verleger. Wir konnten die wesentlichsten Punkte, die ihm wichtig waren, klären. Was sicher nicht einfach für ihn war, da ich ihn über meine Vorstellungen nicht im Unklaren ließ. Der Roman kann in Druck gehen. Das war's bis auf Weiteres und es ist gut so.*

Leon hat von dem Krach anscheinend nichts mitgekriegt. *Das ist der Schlaf der Jugend.*

*

Nach dem heftigen Sturm der vergangenen Nacht ist es eine angenehme Überraschung, am späten Vormittag die ersten Strahlen der Sonne zu entdecken, die sich auf die wie leergefegt wirkende Erde legen.

Ich stehe auf der Terrasse, recke mein Kinn der Sonne entgegen, damit ich die Wärme auf meinem Gesicht besser spüren kann.

Endlich!

Der Winter war lang und kalt – eisig, um genau zu sein und letztendlich ekelhaft matschig. Vermutlich wird der Frühling von allen Menschen sehnsüchtig erwartet, doch von mir ganz besonders. Obwohl ich mittlerweile nicht mehr daran denke aus dem Leben zu scheiden, benötigt meine Seele doch dringend die Heiterkeit des erwachenden Frühlings. Fabian fehlt mir und Richard, meine Liebe und mein Halt, fehlt mir ebenfalls. Doch zndest schleiche ich nicht mehr wie ein Schlafwandler durchs Haus. Ich habe die Trauer angenommen und lasse sie zu. Selbst Renate, mit der ich neulich in einem Café saß, bemerkte ziemlich schnell, dass es mir gut geht. Das hat sie mir dann auch gesagt. Und dann berichtete ich ihr unter dem Deckmantel der Verschwiegenheit – nur Peter sollte sie einbeziehen, von Richards Seitensprung. Zunächst war sie geschockt. Ich befürchtete schon, dass sie den Mund nie mehr zu bekommt. Doch dann legte sie ihre Hand auf meine und fragte besorgt: „Und dir geht es wirklich gut?"

Ich konnte sie beruhigen. Und um ihr zu beweisen, dass ich diese Geschichte mittlerweile verkraftet habe, und weil Peter den Jungen ohnehin kennenlernen sollte, habe ich die beiden für das kommende Wochenende eingeladen.

*

Drei Wochen sind seitdem ins Land gezogen. Leons Gips wird heute entfernt.

Darüber ist nicht nur er, sondern auch ich unsagbar froh. Endlich hört dann die elende Flucherei wegen der Krücken auf. Da mittlerweile auch seine Rippenbrüche gut verheilt sind, sehe ich einer hoffentlich nörgeljammerquängelfreien Zukunft entgegen …

*

Mit geschlossenen Augen stehe ich am offenen Schlafzimmerfenster, atme tief durch die Nase ein, nicht nur um meine Lungen mit lebensnotwendigem Sauerstoff zu füllen, sondern um den süßen Blütenduft mit meinem Geruchssinn besser wahrnehmen zu können.

Der Sommer steht vor der Tür.

Leon schreibt heute die letzte Prüfungsarbeit. Auch die kann zwar nichts mehr daran ändern, dass er sein Abitur durch seine hervorragenden Klausuren längst in der Tasche hat, aber ein wenig Nervosität bleibt immer. Bei Fabian war es nicht anders. Jedenfalls bin ich schon jetzt mächtig stolz auf ihn.

Ich schließe das Fenster, wende mich ab und gehe langsam nach unten. Voller Vorfreude vor mich hin schmunzelnd, öffne ich die oberste Schublade der Garderobenkonsole und entnehme das Flugticket nach San Franzisco, das bereits seit einigen Tagen unter meinen Seidenschals versteckt auf seinen großen Auftritt wartet. Da ich mich jetzt schon auf sein Gesicht freue, kann ich es kaum erwarten, ihm das Ticket zum Dessert zu servieren.

Zur Feier des Tages, und weil das Wetter passt, greife ich nach dem Schlüssel des Lamborghini. Leon wird Augen machen …

Als ich das Restaurant betrete, erwartet er mich bereits. Sofort als er mich entdeckt, erhebt er sich und rückt mir einen Stuhl zurecht.

„Du bist schon hier?", frage ich, einen Blick auf meine Armbanduhr werfend. „Sagtest du nicht halb zwölf?"

„Wir konnten früher gehen. Frei!", jubelt er gedämpft. „Ich bin endlich frei."

171

Rainer, der Ober den ich seit Jahren kenne, begrüßt mich freudig und reicht mir und danach Leon die Speisekarte. Dann beugt er sich ein wenig zu mir herunter. „Ich habe heute Morgen einen Seeteufel bei der Fischlieferung entdeckt. Den mögen Sie doch so gerne", flüstert er mir zu, da er weiß, dass „Seeteufel Winzerart" zu meinen Lieblingsgerichten gehört.

Ich klappe die Karte sofort wieder zu. „Oh ja, den nehme ich", antworte ich begeistert.

„Dazu einen frischen Riesling?"

Ich nicke.

„Darf ich als Vorspeise den Friséesalat mit Roquefortdressing empfehlen?"

„Sehr gerne. Danke, Rainer."

„Es ist mir ein Vergnügen, Gnädige Frau. Und was", wendet er sich an Leon, „darf ich dem jungen Herrn bringen?"

„Mit Fisch habe ich's nicht so", antwortet Leon. „Ich nehme die Schweinemedaillons in Calvados. Mit dem Salat bin ich einverstanden. Zum Trinken hätte ich gerne eine Cola."

„Cola? Wie Sie wünschen", sagt er mit undurchdringlicher Miene. Einen Kommentar würde er sich nie erlauben.

Rainer verbeugt sich knapp und geht.

„Dein Vater mochte Fisch auch nicht."

„Und Fabian?"

Ich erinnere mich an unser letztes gemeinsames Essen und lächle. „Er schon, sehr gerne sogar."

„Aha", sagt er nur knapp und fügt gleich darauf hinzu: „Hätte Fabian in diesem Laden eine Cola bestellt?"

„Fabian trank lieber Apfelschorle", antworte ich grinsend.

„Mhm", meint er und beendet das Thema, indem er mir von der Prüfung berichtet und von seinem Freund Leander, der sich für ein BWL-Studium eingetragen hat. Dann erwähnt er noch einmal die Abi-Party, die für den nächsten Abend geplant ist.

„Welches der beiden Kleider, die du gestern in die engere Wahl gezogen hast, ist denn nun dein Favorit?"

Ich zucke unwissend mit den Schultern. „Kann ich noch nicht sagen, beide Kleider hängen nach wie vor nebeneinander an meinem Kleiderschrank."

Rainer serviert den appetitlich angerichteten Salatteller während Paul, der Sommelier, den Riesling kredenzt und das Glas Cola neben Leons Teller stellt.

„Mmm, lecker", sagt Leon bereits nach den ersten Bissen. „Du verkehrst schon in edlen Schuppen."

Ich nicke. Entgegen meiner Gewohnheit, jede Mahlzeit getreu dem Motto „gut gekaut, ist halb verdaut" zu genießen, beeile ich mich heute, den Teller schnell zu leeren. Selbst der Seeteufel, der wie immer hervorragend zubereitet ist, kann mich nicht wie sonst begeistern. Meine Spannung wächst von Minute zu Minute.

„Hast du später noch einen Termin?"

„Nicht, dass ich wüsste."

„Warum schlingst du dann so?"

„Ich schlinge?"

„Ja, du befürchtest doch nicht etwa, dir könnte jemand etwas davon wegessen?"

„Unsinn!" Ich lege das Besteck an den Tellerrand, tupfe mir mit der schneeweißen Serviette den Mund ab und nehme genussvoll einen Schluck Wein. „Möchtest du noch ein Dessert?"

„Schon", antwortet er knapp.

Diskret winke ich Rainer herbei. „Der junge Mann wünscht noch ein Dessert."

„Selbstverständlich. Ich bringe Ihnen sofort die Dessertkarte."

„Nicht nötig, danke", sagt Leon. „Bringen Sie doch bitte einfach etwas Erfrischendes, mit Obst vielleicht."

„Sehr gerne", antwortet Rainer mit einem kaum wahrnehmbaren Lächeln.

Keine zehn Minuten später erscheint ein anderer Kellner an unserem Tisch und räumt die Teller ab.

Endlich, denke ich, während ich nach meiner Handtasche greife, *da kommt das Dessert.*

„Exotische Früchte an Champagnersorbet", sagt Rainer, während er das Dessert serviert. „Ist das genehm, der Herr?"

„Sehr genehm", antwortet Leon grinsend. „Danke schön."

Ich warte bis er einige Löffel davon genossen hat – obwohl Geduld nicht meine Stärke ist, dann schiebe ich den Umschlag langsam und kommentarlos über den Tisch.

„Was ist das?", fragt er skeptisch und wirft mir einen neugierigen Blick zu.

„Tja, es gibt nur eine Möglichkeit das herauszufinden. Schau rein."

Leon lässt den Löffel im Früchtesorbet stecken und angelt nach dem Kuvert. Bedächtig zieht er die Lasche heraus, wirft mir jedoch vorsichtshalber noch einen fragenden Blick zu, bevor er das Ticket herauszieht. Seine Augen werden immer größer, gleichzeitig öffnet sich sein Mund und er schnappt nach Luft wie ein Fisch auf dem Trockenen.

„Wow, ein Flugticket. Wohin?"

„Das steht drauf."

„San Franzisco – New York – Los Angeles. Wow!", ruft er noch einmal aus.

Ein älteres Paar am Nachbartisch dreht sich mit vorwurfsvollem Blick nach uns um.

Doch Leon, der es in seiner Freude nicht bemerkt, jauchzt noch einmal: „Ja!" Ihm kann heute niemand die Laune vermiesen.

„Nach dem Essen müssen wir aber unbedingt einige Besorgungen machen", sage ich. „Es sei denn, es ist dir peinlich mit mir die Läden zu durchstöbern."

„Machst du Witze?"

*

Kurz nach fünf Uhr morgens, wir fahren der aufgehenden Sonne entgegen, bringe ich Leon am darauffolgenden Dienstag zum Flughafen. Beim Betreten des riesigen Gebäudes und als er in den Sicherheitsbereich entschwindet, wird mir doch ein wenig bang ums Herz. Schließlich werde ich drei Wochen allein im Haus sein. Mittlerweile habe ich mich so an den Jungen gewöhnt, dass mir schon der Gedanke daran schwerfällt. *Na was soll's. Die nächsten Tage sind ohnehin mit Arbeit angefüllt. Heute Abend möchte Ulrich mir den Umbruch zum Korrekturlesen vorbeibringen. Dabei hätte ich den genauso gut jetzt auf dem Rückweg abholen können. Wieso will er mir bloß ständig irgendetwas persönlich vorbeibringen? In letzter Zeit benimmt er sich wirklich eigenartig. Na ja, wir werden gemeinsam essen und die Unterhaltungen mit ihm sind ja auch ganz amüsant. Morgen Vormittag habe ich dann mit dem Umbruch zu tun und zum Mittagessen treffe ich Renate. Die Tage werden nur so dahinfliegen.*

Bevor ich nach Hause fahre, lenke ich meinen Wagen zum Friedhof. Seit der Testamentseröffnung war ich nicht mehr am Grab meiner Lieben. Ich erzähle von Leon und kann förmlich das Bild vor mir sehen, wie Richard unseren Sohn mit dem Ellbogen in die Seite stupst. Was so viel bedeutet wie: „Schau sie dir an, Fabian. Das ist deine Mutter."

Ich lächle.

*

Da ich erwartete, dass Ulrich nach dem Essen sofort in den Verlag zurückwill, bin ich doch etwas überrascht, als er mir einen Spaziergang am See vorschlägt. Trotzdem nehme ich seinen Vorschlag gerne an.

Während wir am Ufer des Sees entlangschlendern, erwähne ich meine neue Romanidee. Bereits an der Mimik seines Gesichts erkenne ich großes Interesse. Er will mehr darüber erfahren. Wir verabreden uns für den kommenden Samstagabend.

*

Obwohl mir der Junge tatsächlich fehlte, verging die erste Woche wie im Flug. So es das Wetter erlaubte, werkelte ich im Garten, ging spazieren oder genoss die wärmende Sonne im Liegestuhl. Die Stille im Haus empfinde ich nicht mehr beklemmend. Selbst der Gedanke, dass der Junge während des gesamten Studiums in seiner Münchner Wohnung leben wird, beunruhigt mich nicht, auch nicht, dass er die Wochenenden ebenfalls ab und an mit Freunden in München verbringen wird.

Heute Morgen nun, bereits zu früher Stunde, speichere ich die Idee für meinen neuen Roman im PC ab. Gegen zehn gehe ich in den Garten, jäte Unkraut und mähe den Rasen. Am Nachmittag schlendere ich runter zum See, lasse meine Gedanken freien Lauf und döse vor mich hin. Ein Blick auf meine Armbanduhr verrät mir, dass es bereits kurz nach sechs ist. Ulrich wird bald erscheinen und ich habe nicht die geringste Lust zum Kochen. Doch da ich mich nun mal mit ihm verabredet habe, zwar nicht direkt zum Essen, decke ich den Tisch auf der Terrasse mit verschiedenen Sorten Käse, Schinken und Geräuchertem, dazu Baguette, rote und weiße Trauben, Oliven und Tomaten.

Beim entkorken einer Flasche Bardolino bemerke ich, dass noch keine Gläser auf dem Tisch stehen. Auf dem Weg zur Küche vernehme ich das Läuten der Haustürklingel.

Mein Herz macht einen unerwarteten Hüpfer. Unwillkürlich lege ich eine Hand auf meine Brust und schüttle verwirrt den Kopf. *He, es ist nur Ulrich,* versuche ich mich zu beruhigen, während ich auf den Türöffner drücke, doch so richtig gelingt es mir nicht.

Strahlend überreicht er mir einen riesigen Sommerblumenstrauß.

Ich liebe diese bunte Pracht. Artig bedanke ich mich und führe ihn auf die Terrasse.

„Das sieht ja phantastisch aus", bemerkt er, zupft sogleich eine Traube ab und schiebt sie in den Mund.

„Setz dich doch. Ich stelle nur noch rasch die Blumen in eine passende Vase und ..., was wollte ich noch? Ach ja, die Weingläser."

Vor mich hin lächelnd schneide ich die Stängel an und drapiere die Blumen in der Vase, die ich anschließend auf den Terrassentisch stelle.

Ulrich steht mit dem Rücken zu mir vor der niedrigen, die Terrasse begrenzenden Mauer, seinen Blick auf den Garten und den in der Abendsonne glitzernden Ammersee gerichtet. „Es ist wirklich schön hier", sagt er, während er sich langsam zu mir umdreht.

Wie konnte ich mich in dem Mann nur so täuschen? „Ja, das ist es", antworte ich und bitte ihn noch einmal, sich doch zu setzen, bevor ich erneut in die Küche gehe, um die vergessenen Gläser zu holen.

Ulrich gießt Wein ein und ich schiebe mir ein Stück Käse in den Mund. Kauend beobachte ich ihn. *Eigentlich ist er richtig nett.*

„Was ist? Stimmt was nicht mit meinem Gesicht? Habe ich etwas ...?"

„Nein", unterbreche ich ihn, „alles in Ordnung. Warum fragst du?"

„Du hast mich eben so seltsam angeschaut."

„Ach! Habe ich? Entschuldige, ich war in Gedanken." Verlegen greife ich nach meinem Glas und proste ihm zu.

Zum ersten Mal, seit ich Ulrich kenne, sprechen wir während des Essens über private Dinge.

„Wie ist es", fragt er unerwartet, „Lust auf einen kleinen Verdauungs-spaziergang unten am See?"

„Warum nicht? Ja, sehr gerne", antworte ich und erhebe mich.

Wir schlendern am Ufer entlang, betrachten den Himmel, beobachten die Wellenbewegungen des Wassers und die vielen unterschiedlichen Boote, die über den See schippern. In einiger Entfernung sehe ich den großen Passagierdampfer auf seiner vermutlich letzten Fahrt an diesem Tag.

Ulrich gibt einige witzige Geschichten aus seinem Leben zum Besten. Ich komme aus dem Lachen nicht mehr heraus. Zwischen zwei Anekdoten zieht er sein Jackett aus und legt es mir um die Schultern. Wieder macht mein Herz einen kleinen Hüpfer. Die Welt um mich herum scheint während der letzten Wochen ein wenig heller geworden zu sein. Seine Fürsorge tut mir gut. Seit Monaten ist es das erste Mal, dass ich mich an der Seite eines Menschen geborgen fühle.

Es ist bereits kurz vor Mitternacht als Ulrich sich verabschiedet.

„Das war ein bezaubernder Abend. Ich hoffe, wir wiederholen das bald mal wieder."

Ich lächle und nicke. *Ich habe nichts dagegen.*

*

Der Sonntag zeigt sich wieder mal in grauem Kleid. Undurchdring-licher Nebel liegt über dem Ammersee. Ich lese, sehe fern, verzichte aufs Kochen, esse über den ganzen Tag nur Obst und irgendwelche Naschereien.

Am Montagnachmittag meldet sich Dany Kleinert, Martins Frau, um mich für den nächsten Morgen zum Frühstück einzuladen.

„Und ich dulde kein Nein. Du hast dich lange genug verkrochen", meint sie vorwurfsvoll.

„Das habe ich gar nicht", erkläre ich. „Zwar hat Martin erwähnt, du wärst mal hier gewesen, aber danach habe ich nichts mehr von dir gehört."

„Ich wollte dir nicht auf die Pelle rücken", erklärte sie süffisant. „Du hattest sicher genug um die Ohren, und dann auch noch die Geschichte mit dem Jungen …"

Es folgt eine längere Pause.

Vermutlich hofft sie, eine brisante Erklärung zu erhalten, aber da hat sie sich geschnitten.

„Na, ich weiß ja nicht, ob ich da so gelassen reagiert hätte, wie du das anscheinend getan hast."

Also hat Martin die Sache nicht für sich behalten, denke ich, sage aber: „Na ja, geschockt war ich zunächst schon, aber das Ganze liegt so lange zurück und ändern kann ich es ohnehin nicht mehr."

„Da hast du allerdings recht", säuselte sie mitleidig. „Jedenfalls musst du mir alles haarklein erzählen. Aus Martin ist ja nichts heraus zu kriegen. Von dem Jungen weiß ich nur, weil wir euch vorletzten Sonnabend in München beim Shoppen gesehen haben. Du kannst dir sicher vorstellen, dass ich einigermaßen verwundert war, dich mit einem jungen Mann zu sehen. Martin sagte nur, ich solle nicht auf dumme Gedanken kommen, das wäre Richards Sohn. Ich war sprachlos!"

Was in deinem Fall allerdings an ein Wunder grenzt. Ich frage mich nur, warum du nicht schon eher angerufen hast. Bevor ich fragen kann, schnattert sie auch schon weiter.

„Ich hätte dich am liebsten noch am selben Abend angerufen, aber du weißt ja, wie das mit den gesellschaftlichen Verpflichtungen ist. Am Sonntag musste ich dann packen, da ich noch am Abend nach Malle flog. Du kannst dir nicht vorstellen, wie oft ich an dich gedacht habe. Jedenfalls bin ich schon sehr gespannt auf diese Geschichte. Also dann bis morgen."

„Stopp! Stopp! Stopp! Morgen, das geht gar nicht. Ich bin bereits verplant. Tut mir leid." Tut es natürlich nicht und verplant bin ich auch nicht, aber Danys Geplapper ist kaum auszuhalten. Wieder einmal frage ich mich, wie umnebelt Martin gewesen sein muss, als er dieser Frau einen Antrag gemacht und sie letztendlich auch geheiratet hat.

„Das kannst du mir nicht antun. Du könntest deinen Termin verschieben."

Sonst noch was. „Tut mir leid. Ein andermal gerne."

„Na ja, da kann man wohl nichts machen. Und am Mittwoch?"

„Mittwoch ist ganz schlecht. Ich ruf dich an", beeile ich mich zu sagen, bevor sie einen weiteren Termin vorschlägt, verabschiede mich und drücke sie weg. Das hätte mir gerade noch gefehlt. Ich konnte

Dany noch nie leiden, aber da sie nun mal Martins Frau ist, musste ich mich wohl oder übel mit ihr arrangieren. Dabei konnte ich ihre affektierte Art und dieses hohle Geschwätz kaum ertragen. Aber in Zukunft wird mein Leben weitgehend „Dany-freie-Zone" sein, dafür werde ich sorgen.

Tatsächlich endet der Mittwoch mit einer Besprechung im Verlag und einem netten Abendessen mit Ulrich und Michael.

„Du findest ihn nett – stimmt's?", fragt Michael, während er mich zu meinem Auto begleitet.

„Wen meinst du?"

„Na, Ulrich natürlich."

„Nun ja, er ist ganz in Ordnung."

„Nur in Ordnung?"

„Was erwartest du?", frage ich aufgebracht.

Er zuckt mit den Schultern. „Nichts. Schon gut. Also dann bis nächste Woche."

„Ja, bis dann", sage ich und beende das Gespräch.

*

Endlich! Morgen kommt Leon zurück. Wie es ihm wohl ergangen ist? Bei den kurzen Telefonaten konnte ich ja nun wirklich nicht viel heraushören.

„Es geht mir gut, es ist absolut geil hier, das Wetter ist prächtig und die Leute sind alle gut drauf", das in unterschiedlicher Wortwahl war so ziemlich alles, was er mir zu sagen hatte.

Jedenfalls lässt mich die Vorfreude auf ihn und alles, was er zu erzählen hat, schon ganz aufgeregt durch die Wohnung wandern. Frische Blumen habe ich bereits heute Vormittag besorgt. Die Schokobananentorte steht im Kühlschrank. Für eines seiner Lieblingsgerichte habe ich Pfannkuchen herausgebacken, Hackfleisch mit gehackten Zwiebeln angebraten, Petersilie dazu gegeben und mit Pfeffer, Paprika und Salz gewürzt. Nun muss ich nur noch die Pfannkuchen mit dem Hackfleisch füllen. *Das mach ich aber erst morgen – oder soll ich gleich? Besser gleich, dann bin ich fertig und muss sie morgen nur noch zum Überbacken ins Backrohr schieben.* Nachdem ich den letzten gefüllt und gerollt habe, decke ich die Auflaufform mit Alufolie ab und stelle sie in den Kühlschrank. „So!

Und was mache ich jetzt?", murmle ich leise vor mich hin, während ich meine Hände wasche.

Na, mal schauen, was das Abendprogramm zu bieten hat.

Das Läuten der Türglocke reißt mich aus meinen Überlegungen.

Es ist Ulrich. Ohne mir zu sagen was er vorhat, überredet er mich ihn zu begleiten.

Irgendwann habe ich wohl mal erwähnt, schon seit Jahren kein Kino mehr von innen gesehen zu haben.

Wir sehen uns „Glasknochen" an, den Film, dem mein gleichnamiger Roman zugrunde liegt. Auf diese Weise komme ich doch noch in den Genuss, ihn im Kino zu sehen und ich muss zugeben, dass Michael recht hat. Die Schauspieler sind gut und die Story sowieso. Schließlich entstammt sie meiner Feder.

Zum Abschied beugt sich Ulrich plötzlich zu mir herunter und küsst mich auf die Wange. Das hat er noch nie getan.

Zu meiner Verwunderung fühlt es sich richtig gut an.

*

Der Flieger, der Leon nach Hause bringt, landet am späten Nachmittag.

Strahlend übers ganze Gesicht kommt er aus dem Sicherheitsbereich und ich empfinde Erleichterung und unsagbares Glück, ihn wieder bei mir zu haben.

Dieser Junge hält mich am Leben. Ein Gedanke, der mich ohne Vorwarnung trifft und ein wenig verwirrt. Ich werde darüber nachdenken müssen.

*

Zwei Tage sind wie im Fluge vergangen.

Leon hat mich mit seinen Berichten oft zum Lachen gebracht, manchmal auch zum Nachdenken. Er ist ein fabelhafter Erzähler, schildert Situationen, Farben und Gerüche so anschaulich, dass mir das Herz aufgeht und ich mich mitunter fühle, als wäre ich dabei gewesen.

Am liebsten würde ich auch heute etwas mit ihm unternehmen. Zum Beispiel auf den See hinaus rudern, irgendwo schön essen gehen oder sonst was. Schließlich hat der Junge Ferien – die letzten Sommerferien in seinem Leben.

Schon vor und während des Frühstücks bemerke ich seine Nervosität. Er isst zwar eine Butterbrezel, aber er kaut darauf herum, als wäre sie Kaugummi. Ein wenig tut er mir leid. Doch irgendwann ist nun mal für jeden der erste Arbeitstag, heute ist es Leons. Der Termin für das fingierte Vorstellungsgespräch steht und ich werde ihn nicht ändern.

Wir haben gemeinsam mit Peter abgesprochen, dass ich wie zufällig ebenfalls im Büro anwesend sein werde.

„Also dann, mach's gut", sage ich, winke ihm nochmal zu und steige in mein BMW-Cabrio, während Leon nur nickt und hinter dem Steuer seines Fiat Panda Platz nimmt. Den kleinen Wagen haben wir vor zwei Tagen von einem Gebrauchtwagenhändler erworben, da er ja keinesfalls mit dem Wagen seines Vaters zur Firma fahren kann. Es sei denn, wir hätten gewollt, dass unser kleines Geheimnis gleich am ersten Tag auffliegt.

Das schmeckt ihm zwar nicht wirklich, aber er hat eingesehen, dass es nötig ist.

Peter hat Wort gehalten und niemandem Leons wahre Identität preisgegeben. Er übernimmt auch die Aufgabe, Leon unserem Ingenieur Roderich Sandmann und Hans Büttner dem Polier, als jungen Mann vorzustellen, der sich bis zum Studium ein paar Euro dazu verdienen möchte.

Hans, den ich noch aus meiner Zeit als Architektin kenne, nimmt ihn sogleich unter seine Fittiche.

Bis zum Beginn des ersten Semesters wird er auf dem Straßenbau arbeiten.

Ich bin zufrieden, bedanke mich bei Peter und verlasse die Firma. Schließlich wartet zuhause eine Menge Arbeit auf mich – mein neuer Roman. Der irgendwie auch Leons ist.

*

Trotz Muskelkater überstand Leon die ersten Arbeitstage ohne größere Blessuren. Die ersten Nächte verbrachte er in München, weil er zu müde war, um nach Herrsching zu fahren. Am ersten Wochenende jammerte er noch ein wenig, am zweiten sprach er begeistert von Hans und seinen Kollegen, die ohne Murren wirklich gute Arbeit leisten, obwohl diese bei fast jedem Wetter, Hitze, Wind und sogar Regen zu verrichten ist. „Und weißt du was?", fragt er und prostet mir mit seinem

Bier zu. „Ich freue mich schon auf die Herbstferien, da möchte ich mit Herbert, das ist ein Fahrer, ...“

Ich nicke. Klar kenne ich Herbert. Keine noch so unwegsame Baustelle, mit der Herbert nicht klarkommt.

„Du kennst den?“

„Herbert Wallner, verheiratet, zwei Kinder – ein Mädchen und ein Junge – beide studieren. Seine Frau arbeitet als Bäckereiverkäuferin. Herbert ist unser bester Fahrer.“

„Jedenfalls werde ich dann mit unserem besten Fahrer die Baustellen, Kies- und Schotterwerke abfahren.“

„Du magst die Männer?“

„Ja“, antwortet er knapp.

„Es ist spät“, sage ich nach einem Blick auf meine Armbanduhr. „Hast du deine Sachen für morgen gepackt?“

„Ja, habe ich.“

*

Es ist so weit.

Der Morgen vor der ersten Vorlesung und ich überreiche Leon die Wagenschlüssel für mein BMW-Cabrio.

Grinsend wie ein Honigkuchenpferd schnappt er danach, bückt sich nach seinem Rucksack und verschwindet fröhlich vor sich hin pfeifend in der Garage.

Laut hupend lässt er den Wagen, wie erwartet mit offenem Verdeck, aus der Garage rollen.

„Ist es dafür nicht zu frisch, so früh am Morgen?“

„Schon, aber ich wollte doch ...“

„Unsinn!“, unterbreche ich ihn. „Sobald der Nebel sich lichtet, wird es sicher ein sonniger Tag, dann kannst du das Verdeck immer noch herunterlassen.“

„Du hast recht“, gibt er achselzuckend zu und drückt auf den Schalter, wodurch sich das Verdeck langsam schließt.

„Sehr vernünftig.“

„Also dann, bis heute Abend“, ruft er und fährt winkend an mir vorbei.

Ich winke ebenfalls, und obwohl ich vermute, dass er es gar nicht hört, rufe ich ihm nach: „Fahr vorsichtig!“

Kapitel 9

Als „Das Salz der Tränen" einige Wochen vor Weihnachten auf dem Büchermarkt erscheint, kann ich mir nicht vorstellen, dass dieser Roman die Bestsellerlisten stürmt.

Meine Fans sind anderes von mir gewohnt. Sie suchen nervenzerreißende Spannung, Verschwörungen, durch die das Weltgeschehen oder auch nur ein Leben verändert werden könnte. Und sie setzen ihr Vertrauen auf kleine Helden, denen man es kaum zutraut, die aber alles dransetzen, größere Katastrophen zu verhindern.

Es war mir jedoch ein persönliches Bedürfnis über dieses Gefühl zu schreiben, das die meisten von uns kennen, oft genug verdrängen und nur selten darüber sprechen – die Trauer.

Der Tod hat viele Gesichter und selten ist es ein schönes – zumindest aus der Sicht der meisten Hinterbliebenen. Wir alle tragen das Wissen um den Tod in uns, doch erst, wenn er uns persönlich gegenübertritt, legt sich die Angst wie eine eiskalte Hand auf unsere Schulter oder brennt sich wie ein glühend heißes Eisen tief in unsere Brust. Die Angst vor dem Schmerz, den das Sterben möglicherweise verursacht, und dann die Ungewissheit vor dem, was danach kommt.

Tod, ein Name, der für Endlichkeit steht. Endlichkeit für den Sterbenden wie für den Angehörigen. Schickt uns der Tod den Vorboten Krankheit, ist das Sterben oft qualvoll und zwar für beide Seiten. Der Sterbende erfährt den körperlichen Schmerz. Der Angehörige den seelischen, der oftmals von Hilflosigkeit und Handlungsunfähigkeit geprägt ist. Der Tod kommt dann für beide als Erlöser und wir heißen ihn willkommen, obwohl wir loslassen müssen – der Sterbende das Leben und wir den Sterbenden. Klopft er ohne Vorwarnung an unsere Tür, möchten wir ihm diese am liebsten wie einem ungebetenen Gast, nur allzu gerne vor der Nase zuschlagen.

Letzten Endes spielt es jedoch keine Rolle, wie wir einen lieben Menschen verloren haben, denn eines bleibt immer – die Trauer.

Für mich bedeutet sie das schmerzhafte Ziehen am Morgen, der erste Gedanke, der mich daran erinnert, dass der geliebte Mensch aus meinem Leben gerissen wurde und nie mehr an meiner Seite sein wird. Ich kenne niemanden – vorausgesetzt der Mensch, der gegangen ist, hat ihm etwas bedeutet – der nicht leidet und sich nicht wenigstens während der folgenden Wochen fragt: „Wie überlebe ich diesen Tag?"

Egal in welcher Beziehung wir zu einem Verstorbenen standen, letztendlich sind es Lebenssituation, Denkweise und Glaubenssätze, welche über die Tiefe des Schmerzes oder die Art und Weise der Trauer entscheiden.

Darum wollte ich auch über die Hoffnung schreiben. Die Zeit heilt alle Wunden. Eine Floskel, die wir stets dann in den Mund nehmen, sobald uns passende, aussagekräftige, wirklich trostspendende Worte fehlen. Die Zeit heilt alle Wunden. Ja, der Schmerz verändert sich, er wird leiser. Manchmal sorgt die Zeit dafür, manchmal tun wir das selbst, indem wir ihn tief in unserem Herzen vergraben. Und in den meisten Fällen ermöglicht es die Zeit, bei der Erinnerung an geliebte Menschen zu lächeln und uns an gemeinsam Erlebtem zu erfreuen.

Auch mein Schmerz ist leiser geworden, sonst hätte ich diesen Roman vermutlich nicht schreiben können. Vielleicht ist es aber auch umgekehrt, der Schmerz leiser geworden, weil ich den Roman geschrieben habe. Ich weiß es nicht. Doch jetzt, da ich darüber nachdenke, erkenne ich, dass es währenddessen geschah. Jedenfalls bedeutet er mir mehr, als irgendeine andere Geschichte. Es ist meine Geschichte.

Sie handelt von einem Teil meines Lebens, auf den ich nicht besonders stolz bin. Zum einen, weil ich mein, wie ich glaubte, so sinnlos gewordenes Leben einfach wegwerfen wollte, zum anderen, weil ich im Grunde dann doch zu „feige" war, es letztendlich zu tun. Während der Tage der Planung jedenfalls war ich davon überzeugt, dass ich genau das wollte. Und an dem bewussten Tag – ja, es gab ihn, diesen Moment, in dem ich es getan hätte. Doch als Leon auftauchte, strich dieser Moment – nein, nicht lautlos – jedoch endgültig an mir vorüber. Sinniere ich jetzt darüber nach, läuft es mir eiskalt über den Rücken.

Ich bin kein Psychiater, aber ich denke, Menschen begehen Selbstmord, ohne lange darüber nachzudenken, also spontan oder weil sie schwer depressiv sind und von ihrer kranken Seele geradezu gezwungen werden, diesem lästig gewordenen Körper und wer weiß welch quälenden Schatten zu entfliehen.

„Alle die sich spontan das Leben nehmen, sind zu feige es zu leben", hat Leon gesagt. Und ich möchte ihm teilweise recht geben, es erfordert oftmals eine gute Portion Mut, Problemen die Stirn zu bieten. Die Angst vor dem, was die Zukunft bringen könnte – Schmerz, Einsamkeit, gesellschaftlicher und finanzieller Ruin – kann mitunter jede Hoffnung im Keim ersticken. Bringt man jedoch diesen Mut auf, erkennt man mit der Zeit, wie viel Schönes das Leben, trotz aller Widrigkeiten, zu bieten hat.

Leon ist der Einzige, der weiß, dass sich in dieser Geschichte ein großer Teil Wahrheit verbirgt.

*

Entgegen meiner Prognose läuft der Roman gut an. Das erzählt mir Ulrich, als er mich am Nachmittag des 24. Dezember gemeinsam mit Michael besucht. Obwohl er dem Roman zunächst ebenfalls etwas skeptisch gegenüberstand, packte er die Herausforderung regelrecht bei den Hörnern und ergriff entsprechende Werbemaßnahmen.

Wir trinken Tee und essen Plätzchen, die ich dieses Jahr ausnahmsweise beim Bäcker besorgt habe, danach verabschieden sich die beiden wieder.

„Endlich", mault Leon, bevor er in den Keller geht. Gleich wird er mit der Nordmanntanne heraufkommen, die er am Abend zuvor in die Waschküche zum Abtrocknen gestellt hat. Er hat auf einen Weihnachtsbaum bestanden und darum hat er ihn auch schon vor Tagen besorgt.

Unterdessen gehe ich auf den Dachboden, um den Christbaumständer und den Karton mit Weihnachtsschmuck herunterzuholen.

Das erste Weihnachtsfest nach Richards Tod. Dieses Jahr wird mir nicht nur Fabian fehlen, sondern auch Richard und Leon wird seine Mutter vermissen, aber in wenigen Minuten werden wir gemeinsam diesen Baum schmücken, der wie kein anderer das Leben symbolisiert.

*

Ich nehme den dreihundertachtundsechzig Seiten umfassenden Roman vom Schreibtisch und setze mich in meinen Schaukelstuhl. *Nun gut. In einigen Tagen ist es also soweit. Er wird auf der Leipziger Buchmesse offiziell vorgestellt.*

Bereits vor Wochen habe ich zugesagt, zwei Tage daran teilzunehmen – Lesung, ein Interview und eine Autogrammstunde.

Leon zeigte sich alles andere als begeistert, als er davon erfuhr. Etliche Diskussionen folgten. Diskussionen, die ich nicht für angebracht hielt und am Ende blieb ihm nichts anderes übrig, als meine Entscheidung zu akzeptieren. *Hoffentlich benimmt er sich heute Abend nicht daneben, falls beim Essen die Sprache darauf kommt.*

Ich lege das Buch wieder auf den Schreibtisch und begebe mich in die Küche.

Zwei Stunden später berichtet Ulrich, dass er zwei Tage vor Beginn der Messe nach Leipzig fliegen wird, um die letzten Aufbauten zu überwachen. Dann erwähnt er, dass er Donnerstagabend einen wichtigen Termin im Verlag wahrnehmen müsse und darum noch mal zurückkäme. Ohne Umschweife meinte er: „Da bietet es sich doch an, dass wir gemeinsam nach Leipzig fliegen."

Warum nicht? Ich nicke ihm zu. „Buchst du die Flüge?"

Er lächelt zufrieden. „Noch heute Abend."

Leon lässt sein Besteck auf den Teller fallen und wirft uns abwechselnd Blicke zu, die uns ganz sicher, wäre das möglich, auf der Stelle töten könnten. Dann schiebt er seinen Stuhl so heftig zurück, dass der nach hinten kippt und laut auf den Fliesenboden knallt.

Ich bin perplex und verärgert zugleich. „Leon! Was …"

Mit wutverzerrtem Gesicht unterbricht er mich und brüllt, so wäre das nicht abgemacht gewesen, zieht mit üblen Worten über Ulrich her und schimpft mich gar, unterbelichtet genug zu sein, um nicht zu schnallen, dass der Kerl mich nur ausnutzt. Danach rauscht er aus der Küche, poltert über die Stufen nach oben und verkriecht sich in seinen Räumen.

Gleich darauf hören wir lautdröhnende Musik. Die hört er nur, wenn er stinksauer ist.

Ulrich zieht kommentarlos die Brauen nach oben, hebt seine Schultern an, lässt sie wieder sinken und isst, nachdem er mich mit einem fragwürdigen Lächeln bedacht hat, mit gutem Appetit weiter.

Unwillkürlich entschuldige ich mich für Leons Verhalten. Doch gleich darauf sinne ich darüber nach, welches Nachspiel dieses unangemessene Verhalten für Leon haben wird. So kann das nicht weitergehen.

*

Die Müdigkeit noch in den Augen setze ich mich auf und lehne mich an die Rückenlehne des Bettes. Während der letzten Nacht habe ich kaum ein Auge zugetan. Immer wieder habe ich an den Jungen denken müssen.

Was ist bloß los mit ihm? Ich schlage die Bettdecke zurück und erhebe mich. *Bevor Leon nachher das Haus verlässt, muss ich mit ihm reden.*

Das Erste, das ich sehe, als ich die Küche betrete, ist der gedeckte Tisch. Allerdings steht kein Gedeck auf Leons Platz. Das wundert mich. Seine Vorlesung beginnt doch heute erst gegen zehn. Da ich vermute, dass er in seinem Zimmer ist, begebe ich mich nach oben und klopfe an seine Tür.

„Hm", gebe ich verwundert von mir, als sich nichts tut. Ich öffne die Tür und werfe einen Blick hinein. Das Bett ist unberührt. *Das ist jetzt nicht wahr, oder? Der Vogel ist ausgeflogen.*

Ich vermute, er hat das Haus früh genug verlassen, um einem Gespräch mit mir aus dem Wege zu gehen. *Wie soll das nur weitergehen?* Enttäuscht begebe ich mich wieder in die Küche, gieße Kaffee in meine Tasse und grüble weiter über Leon nach.

Mehr als ein Jahr ist seit Richards Tod vergangen. Ich vermisse ihn. Ich vermisse Fabian. Und dieses grauenhafte Gefühl, irgendwie amputiert zu sein, wird mich wohl den Rest meines Lebens begleiten. Die Trauer um ihn und Fabian ist zu einem leisen Bestandteil meines Lebens geworden.

Seitdem ist so vieles geschehen. Ich bin froh, dass ich es erleben durfte. Niemals hätte ich gedacht, dass der lebende Seitensprung meines Mannes mir so viel Halt und neuen Lebensmut geben könnte. Zumal er mir, als ich von der unleidlichen Geschichte und seiner Rolle darin erfuhr, zunächst wie das berühmte Pünktchen auf dem i erschien, das mir noch zu meinem Unglück fehlte. Man könnte auch sagen, der Tropfen, der das Fass endgültig zum Überlaufen brachte.

Warum auch immer, seit dem letzten Streit über Ulrich haben wir dieses Thema bewusst gemieden. Vermutlich will weder er noch ich unsere Freundschaft gefährden. Aber seit gestern Abend weiß ich, dass es unterschwellig immer in ihm gebrodelt hat. Es ist wohl noch lange nicht vom Tisch. Er kann ihn nun mal nicht leiden. Warum auch immer. Aber das ist sein Problem. Er wird sich damit abfinden müssen, dass Ulrich einen, wenn auch kleinen Platz in meinem Leben einnimmt. *Na ja, dann verschieben wir das Gespräch halt.*

*

Von Leon höre ich die nächsten Tage kein Wort. Ich habe mich dazu entschlossen ihn ebenfalls nicht zu kontaktieren. Soll er sich doch mal Gedanken über das machen, was er wirklich will. Vielleicht erkennt er dann, dass er gerne an meinem Leben teilhaben, nicht jedoch darüber bestimmen darf. Möglicherweise denkt er ja, dass er für mich verantwortlich ist, weil er mich von meiner Entscheidung – aus dem Leben zu scheiden – abgehalten hat. Dann sollte er allerdings auch erkennen, dass wir im Grunde quitt sind.

*

Donnerstag Abend ruft Leon an. Er entschuldigt sich für sein Verhalten. Wir wechseln ein paar Worte die eher distanziert denn herzlich klingen. Das eigendliche Problem bleibt ungeklärt, aber am Ende des Gespräches wünscht er mir viel Erfolg für die Messe. Dennoch bleibt ein schales Gefühl zurück.

*

Gleich am ersten Tag in Leipzig lerne ich zwei weitere Autoren des Herzog-Verlags kennen.

Hildegard Weiß, eine junge Nachwuchsautorin, die Ulrich nicht im Unklaren über ihr allzu offensichtliches Interesse an seiner Person lässt. Jedenfalls lassen ihr mehr als übertriebenes Wimpernklimpern und die schmachtenden Blicke keine Zweifel darüber aufkommen.

Manfred Bender, der in seinem Buch über eine wochenlange Geiselhaft im Nordirak berichtet, ist mir auf Anhieb sympathisch. Er erzählt in seiner Biographie die Geschichte vom Überleben in einem fremden Land derart spannend und anschaulich, dass sie jeden in seinen Bann zieht. Jeden zumindest, der sich ein wenig für das interessiert, was in einem Land passiert, das von Hass, Gewalt und Korruption regiert wird. Ich hoffe Gelegenheit zu bekommen, mich noch ausführlich mit ihm unterhalten zu können.

Auch Percy Randal gibt sich die Ehre. Liana Bartoldie liegt mit Grippe im Bett. Dafür besuchen drei ehemalige Autoren des Herzog-Verlages, die unzufrieden mit der Leitung von Ulrichs Mutter den

Verlag gewechselt hatten, den Messestand. Einige Damen und Herren, die Ulrich bereits aus seiner Zeit in Mailand kennt, zeigen offen ihre Freude, ihn wiederzusehen. Auch Autoren, die noch nicht sehr erfolgreich sind und junge Autoren, die ihr erstes Werk vorstellen, geben sich quasi die Klinke in die Hand. Einige Autoren, die noch nicht veröffentlicht haben, treten an ihn heran, um ihm ihr Manuskript zur Ansicht zu überlassen. Ich weiß, er wird sie lesen und sollte er sie ablehnen, wird er dies respektvoll tun.

Meine Lesung wird mit großem Beifall honoriert. Zwei Stunden bin ich damit beschäftigt persönliche Widmungen zu schreiben. Dabei lerne ich einige langjährige Fans kennen, die einfach reizend zu mir sind – vornehmlich Frauen. Ich sonne mich in deren Bewunderung. Gelassen nehme ich die Kritik eines jungen Mannes hin, der seiner Enttäuschung bezüglich der Thematik meines neuesten Werkes Luft macht. Ich frage ihn, ob er es denn gelesen habe. Er schüttelt den Kopf und meint, das müsse er nicht. Allein schon das Thema interessiere ihn nicht. Darum hätte er auch an der Lesung nicht teilgenommen. Ein anderer, etwas älterer Herr nickt beipflichtend. Ich verspreche ihm, mit einem kurzen Seitenblick auf den älteren, dass mein nächster Roman, der bereits in Arbeit ist, seinen Ansprüchen sicher wieder gerecht werden wird.

Nach einem kurzen Interview, das ich am Spätnachmittag fürs Bayerische Fernsehen gebe, fragt mich Ulrich, ob ich Lust hätte, das Abendessen mit ihm gemeinsam in einem netten Lokal einzunehmen, das ausschließlich Gerichte der Region serviert. Spontan sage ich zu. Und Hildegard Weiß, die interessiert zu lauschen schien, nimmt die Einladung ebenfalls an, obwohl sie sicherlich bemerkt hat, dass diese nicht ihr galt. Da kommt Manfred Bender an unseren Stand. Er hatte bei „Leipzig liest" teilgenommen. Sein Lächeln lässt ihn erleichtert wirken.

„Sie nehmen doch ebenfalls an einem gemeinsamen Essen teil?", ruft Hildegard Weiß ihm entgegen.

„Gerne, außer es handelt sich um asiatisches Essen?"

„Bestimmt nicht", antworte ich.

Percy Randal schlendert mit süffisantem Lächeln auf uns zu. An seinem Arm eine kleine, junge Frau mit üppig weiblichen Formen, die mir bekannt vorkommt. Es ist Samanta Mangold. Ab und zu bin ich ihr bereits im Verlag begegnet. Samanta schreibt Kinderbücher, was ihrem heiteren Naturell durchaus entgegenkommt. Sie ist einfach reizend.

„Sie kennen sich?", fragt Ulrich überrascht und wackelt mit seinem Zeigefinger zwischen Randal und ihr hin und her.

„Eigentlich nicht", antwortet Randal überheblich. „Die junge Dame sprach mich an. Sie wollte wissen, wie sie zum Stand des Herzog-Verlags kommt. Da konnte ich nicht anders, als mich bereiterklären, sie zu begleiten. Ich wollte mich ohnehin verabschieden. In einer Stunde geht mein Flieger. Wir sehen uns dann in München. Frau Sander", wendet er sich an mich, „über ein baldiges Wiedersehen würde ich mich sehr freuen." Er haucht einen Kuss auf meinen Handrücken und blickt mir dabei schmachtend in die Augen.

„Vielleicht sehen wir uns ja mal im Verlag", antworte ich ablehnend.

Randal ist ein Autor mit außergewöhnlichen Fähigkeiten, aber auch ein aufgeblasener Gockel, den ich noch nie leiden konnte. Ich bin erleichtert, als er mir den Rücken zukehrt und den Stand verlässt.

Etwa eine Stunde später verlassen auch wir das Messegelände und fahren zum Restaurant.

Ulrich empfiehlt Leipziger Allerlei.

„Oder hast du es bereits bei einem früheren Aufenthalt in der Stadt schon gekostet?"

„Nein."

Ich liebe Krebsschwänze, doch in dieser Kombination habe ich sie noch nie gegessen. Während ich mir das vorzüglich zubereitete Gericht schmecken lasse, versuche ich Manfred Benders interessanten Erzählungen zu folgen, die leider immer wieder von Hildegards Gekicher unterbrochen werden.

Wie es aussieht, fühlt sie sich ausnehmend wohl an Ulrichs Seite.

Ulrich dagegen macht eine ziemlich bemitleidenswerte Figur. In einem unbeobachteten Augenblick rollt er entnervt mit den Augen.

Fast tut er mir leid. Vielleicht hätte ich ihm doch zu Hilfe eilen sollen, als er mir, gleich nachdem wir das Lokal betraten, diesen unmissverständlich, nach Beistand heischenden Blick zuwarf. Hildegard hängte sich wie eine Klette an ihn und ließ sich dann wie selbstverständlich auf den Stuhl neben seinem nieder. Ich dagegen lächelte nur ermutigend. Selbstverständlich gönne ich ihm die Freude, von einer so jungen Frau angehimmelt zu werden. Allerdings frage ich mich, wie eine Frau so unsensibel sein kann und nicht begreift, dass ihre Flirtversuche bei Ulrich nicht fruchten. *Wie kann man sich nur derart anbiedern?*

Ich bin davon überzeugt, Ulrich verflucht mittlerweile den Tag, an dem er sich entschlossen hat, diese Autorin unter Vertrag zu nehmen.

Ein Kellner trägt die Dessertschalen ab. Es ist spät geworden. Manfred Bender verabschiedet sich mit der Bemerkung, er müsse dringend ins Bett.

Erleichtert atme ich auf, da ich ebenfalls ziemlich müde bin und schon mehrfach ein Gähnen unterdrücken musste.

Anscheinend hält auch Ulrich den Zeitpunkt für passend, um aufzubrechen, denn er winkt den Kellner heran und bittet um die Rechnung. Auf Hildegards Gesicht zeigt sich deutlich Enttäuschung. Da sie wärend der Messetage bei einer Bekannten untergekommen ist, verabschiedet sie sich vor dem Lokal.

Während der kurzen Fahrt im Taxi stelle ich seltsamerweise fest, dass meine Müdigkeit verfliegt, je näher wir zu unserem Hotel kommen.

Als wir durchs Foyer gehen, schiebt mich Ulrich plötzlich sanft in die Hotelbar, in der sich nur wenige Hotelgäste aufhalten.

„Da genehmigen wir uns jetzt noch einen Absacker", flüstert er und blinzelt mir verschwörerisch zu.

Aus einem werden zwei, und da die Cocktails in den mit Zucker am Rand und exotischen Früchteschaschlikstäbchen drapierten Gläsern wirklich lecker schmecken, genehmigen wir uns einen dritten und einige weitere.

Die Gesprächsthemen scheinen uns nicht ausgehen zu wollen. Längst sind wir wieder im privaten Bereich gelandet und zum ersten Mal stelle ich bewusst fest, wie sympathisch mir Ulrich ist und wie sehr ich seine Gesellschaft genieße.

Mein Blick versinkt geradezu in seinen vor Begeisterung strahlenden, azurblauen Augen, während er mir von seiner Reise zu einem südamerikanischen Autor erzählt. Als ich ihn – den Blick – endlich vor dem Ertrinken retten kann, wandert er langsam über Ulrichs schmale Nase und bleibt letztendlich an seinen wohlgeformten, männlich markanten

Lippen hängen. *Lippen, zum Küssen wie geschaffen. Bestimmt sind sie weich und ...* „Hm", seufze ich fast lautlos. *Greta! Wohin verirren sich deine Gedanken,* rufe ich mich entsetzt zur Räson. Doch gleich darauf fällt mir ein, dass ich noch nie einen Mann mit Bart geküsst habe. Beschämt senke ich den Blick, der aber an Ulrichs feingliedrigen Händen hängen bleibt, die sich lebhaft bewegen, um seine Worte und Empfindungen zu unterstreichen. Mir fallen seine sauberen, exakt gefeilten Fingernägel auf. Ein absolut verbotenes Bild schiebt sich vor mein inneres Auge. Schnell nehme ich einen kräftigen Schluck von meinem vierten oder fünften Cocktail und ermahne mich, endlich zu Bett zu gehen. Als er dann gleich darauf seine Erzählung beendet, bitte ich um Entschuldigung und erhebe mich.

„Es war ein anstrengender Tag. Ich muss ins Bett", murmle ich, obwohl ich überhaupt nicht müde bin. Im Gegenteil, ich fühle mich energiegeladen und lebendig wie schon lange nicht mehr. Vermutlich könnte ich ihm noch stundenlang zuhören oder ..., was auch immer. Aber das liegt sicher an den Cocktails.

Er erhebt sich ebenfalls. „So plötzlich? Sollte ich dich gelangweilt haben, täte mir das sehr leid."

„Oh nein! Nein! Ganz im Gegenteil", beeile ich mich zu sagen. „Du musst mir unbedingt mehr erzählen, aber nicht jetzt, mir fallen gleich die Augen zu."

Um meine Worte zu unterstreichen, gähne ich verhalten. *Wie kann man nur so schamlos lügen?*

„Na gut, gehen wir. Schreiben Sie alles auf mein Zimmer", wendet er sich an den Kellner und reicht ihm seine Zimmerkarte.

„Du kannst gerne noch bleiben. Ich finde mein Zimmer allein", erkläre ich. „Gute Nacht, Ulrich."

Doch sowie ich einen Schritt in Richtung Ausgang mache, gesellt er sich an meine Seite.

„Auf keinen Fall. Selbstverständlich begleite ich dich."

Das muss ich wohl akzeptieren. Und da ich sogleich bemerke, dass die Cocktails ihre Wirkung nicht verfehlen, bin ich sogar froh, ihn an meiner Seite zu haben.

Im Fahrstuhl sprechen wir kein Wort. Mir ist plötzlich ganz elend zumute. So, als hätte ich verbotenerweise am Honigtopf genascht. *Was ist los mit mir? Ich weiß! Es sind die Drinks. Exotische Getränke machen exotische Gefühle.* Verwirrt werfe ich Ulrich einen flüchtigen Blick zu und bemerke, dass er mich durchdringend betrachtet. Schnell wende ich mich meiner Handtasche zu, öffne sie und suche nach meiner Karte. Als der Fahrstuhl hält und die Tür sich öffnet, beeile ich mich ihn zu verlassen. Auf der Etage ist es still. Selbst unsere Schritte werden von dem blauen Teppich verschluckt. Dafür höre ich das Klopfen meines Herzens umso lauter. *Wirklich höchste Zeit, dass ich ins Bett komme.*

Vor meiner Zimmertür angekommen, beeile ich mich die Keycard in den Schlitz zu stecken.

Keine Reaktion.

Ich versuche es ein weiteres Mal.

Nichts.

„Darf ich?", fragt Ulrich gelassen und nimmt sie mir auch schon aus der Hand.

Die knappe Berührung unserer Hände trifft mich wie ein elektrischer Schlag.

Er steckt die Karte ins Schloss.

Die Tür ist offen.

„Bitte Madame", sagt er scherzend und verneigt sich leicht.

Meine Stimmbänder sind belegt. Ich räuspere mich. „Danke", sage ich, ohne ihn anzusehen und stoße die Tür auf. Um mich von ihm zu verabschieden, drehe ich mich dann jedoch noch einmal zu ihm um.

Viel zu nah steht er hinter mir. Der würzige Duft seines Aftershaves umschmeichelt meine Nase. Ich starre auf seine Krawatte.

Da legt er seine Fingerspitzen unter mein Kinn und hebt mein Gesicht an.

Wie angewurzelt bleibe ich stehen. Etwa eine Sekunde schaffe ich es meine Lider gesenkt zu halten, um ihm nicht in die Augen blicken zu müssen. Doch dann ...

Bevor ich weiß, wie mir geschieht, legen sich seine Lippen sanft auf meine. *Mein Gott ist das schön. Ich will mehr.*

Doch das Ganze dauert nur einen flüchtigen Augenblick und bevor ich entsprechend reagieren kann, ist er vorbei.

„Gute Nacht, Greta", sagt er heiser, wendet sich ab und geht.

Ich bleibe verwirrt zurück und frage mich, wie Ulrich dazu kommt, mich so zu küssen. Womöglich sendete ich unbewusste Signale oder er hat welche wahrgenommen, wo keine sind. *Wie auch immer, es hat mir gefallen. Und das ist mehr als bedenklich. Bin ich von allen guten Geistern verlassen? Hat mir eben der Duft seines Aftershaves das Hirn vernebelt? Oder macht sich die Abstinenz langsam bemerkbar? Quatsch! Es sind die Drinks,* versuche ich mich erneut zu beruhigen. *Ich muss ins Bett. Morgen ist mein Kopf wieder klar.*

Es gelingt mir jedoch nicht sofort einzuschlafen. Ich wälze mich von einer Seite auf die andere. Erst gegen Morgen werde ich von unruhigem Schlaf übermannt.

Als ich erwache, fühle ich mich wie gerädert. Ich hasse fremde Betten und vor allem fremde Kissen, auf denen fremde Köpfe lagen, die in diese Kissen geatmet haben. Es ist also kein Wunder, dass sich mein Körper ganz steif anfühlt.

„Ich bin ausgeruht und fühle mich phantastisch", flüstere ich vor mich hin, wackle derweil mit den Zehen und bewege meine Füße auf und ab, um meinen Kreislauf in Schwung zu bringen. „Ich bin ausgeruht und fühle mich phantastisch."

Meine Glieder streckend, mit weit aufgerissenem Mund gähnend, fällt mir plötzlich Ulrich ein. Mir wird heiß und ich spüre, wie diese Hitze meine Wangen rötet. *Was war gestern Abend bloß los mit mir? Die Drinks!*

Ich schlage die Bettdecke zurück und bewege meine trotz des ermunternden Spruchs immer noch steifen Glieder aus dem Bett. Meine Fußsohlen schmerzen. Das kommt vom langen Stehen in hochhackigen Pumps.

Da ich für den heutigen Tag mein ultramarinblaues Etuikleid eingepackt habe, muss ich nicht lange überlegen, was ich anziehen soll. Während ich mit dem Reißverschluss des Kleides kämpfe, der sich offenbar im Stoff verklemmt hat und weder vor noch zurück verschieben lässt, vernehme ich ein kräftiges Klopfen an der Zimmertür.

„Verdammter Mist!", fluche ich durch meine zusammengebissenen Zähne.

Um diesen dämlichen Reißverschluss zuzubekommen, musste ich mir schon im Modehaus von der Verkäuferin helfen lassen. Verärgert frage ich mich, welcher Teufel mich geritten hat, dieses Kleid trotzdem zu kaufen und erst recht, weshalb ich ausgerechnet das eingepackt habe?

Weil du gut darin aussiehst – richtig gut, antworte ich mir selbst, während ich mich im Spiegel betrachte. „Wer ist da?", frage ich vorsichtshalber, da ich mich nicht erinnern kann, irgendetwas beim Zimmerservice bestellt zu haben.

„Ich bin's, Ulrich. Bist du soweit?"

„Wozu?", rufe ich durch die Tür, während ich weiter an dem verflixten Reißverschluß zerre.

„Wozu? Das Frühstück wartet. Außerdem hast du in anderthalb Stunden ein Interview."

„Geh schon mal vor. Ich komme ... gleich nach", presse ich mühsam über meine Lippen und verrenke mir dabei fast das Kreuz.

„Kann ich dir helfen?", fragt er mit besorgt klingender Stimme.

„Nein, ich ..." *Warum eigentlich nicht? Bevor ich mir hier alle Glieder verrenke. Schließlich, was ist schon dabei. Er kann nichts sehen das er nicht im Freibad ebenfalls sehen könnte.*

„Warte!", rufe ich und reiße die Tür auf. „Du könntest mir doch einen Gefallen tun."

„Ja?"

„Der Reißverschluß an meinem Kleid hat sich irgendwie verklemmt", erkläre ich und frage, ihm meinen Rücken zuwendend: „Würdest du versuchen ihn hochzuziehen?"

Er zieht kurz die linke Augenbraue hoch, doch es dauert einen Augenblick bis er antwortet. „Aber mit dem allergrößten Vergnügen."

Zwar kann ich sein Gesicht nicht sehen, dieses siegessichere Schmunzeln, das ich schon des Öfteren an ihm beobachtet habe, kann ich mir dagegen sehr gut vorstellen. Es geht mir durch und durch, als er seine linke Hand an meine Hüfte legt und mit der rechten, als hätte er es schon tausendmal gemacht, den Reißverschluss problemlos hochzieht. Einige Sekunden, die mir wie eine Ewigkeit erscheinen, bleiben wir danach reglos stehen. Ich schließe die Augen und atme einmal tief durch. *Verdammt! Was geschieht mit mir?*

Bevor ich mir eine Antwort darauf geben kann, spüre ich seine Lippen auf meiner Schulter, die wegen des tiefen Rückenausschnitts unverhüllt ist.

„Du bist wunderschön", sagt er heiser.

Ich weiß das, aber dass es ihm aufgefallen ist, verwirrt mich. Mein Puls beginnt zu rasen. Langsam drehe ich mich um und blicke in azurblaue Augen, die mir in diesem Moment dunkler als sonst und unendlich tief erscheinen. *Greta! Reiß dich zusammen.*

„Ja", krächze ich, räuspere mich und füge, mich von ihm abwendend, hinzu: „Es wird Zeit. Lass uns gehen."

Ohne auf den Vorfall und seine Worte einzugehen, schlüpfe ich in die farblich zum Kleid abgestimmten, hochhackigen Pumps und stakse zum Schrank, streife die Jacke vom Kleiderbügel, nehme meine Handtasche und verlasse erhobenen Hauptes das Zimmer.

Es ist nichts geschehen, versuche ich mich zu beruhigen und bemühe mich meine Gedanken zu ordnen.

Ulrich zieht die Tür hinter sich ins Schloss und folgt mir. „Warte." Behutsam nimmt er mir die Jacke ab und hält sie mir hin, damit ich hineinschlüpfen kann.

Verdammt! Was ist heute anders als gestern oder vorgestern? Bisher hat er sich mir gegenüber doch stets tadellos verhalten? Liegt es an diesem Hotel?

Irgendwo habe ich gehört oder gelesen, dass sich manche Menschen in Hotels anders benehmen als zu Hause. Die einen gehen quasi auf leisen Sohlen, weil sie sich beobachtet fühlen und befürchten unangenehm aufzufallen. Vom Buffet nehmen sie darum nur Speisen, die sie kennen, da sie wissen, wie man sie isst. Im Gegensatz zu diesen Leisetretern erscheinen jedoch leider auch diejenigen auf der Bildfläche, die laut prahlen, in der ganzen Welt zu Hause zu sein. Menschen, die bewusst auffallen möchten, denen es einen besonderen Kick gibt, wenn Leute sich nach ihnen umdrehen. Nun ja, Ulrich gehört weder zu der einen noch zu der anderen Sorte. Er bewegt sich ganz natürlich auf dem internationalen Parkett. Aber vielleicht gehört er ja zu denen, die sich in neutraler Umgebung ungezwungener fühlen und sich dadurch gewisse Freiheiten gönnen? *Oder habe ich ihn durch mein Verhalten zu derartig taktlosen Reaktionen aufgefordert?*

Ich erinnere mich an den gestrigen Abend. Die Keycard, ich habe sie verkehrt herum in den Schlitz gesteckt.

Nimmt er etwa an, ich hätte das mit Absicht getan? Die Szene vor meiner Tür war jedenfalls filmreif. Und eben, das mit dem dämlichen Reißverschluss ..., mein Gott! Er musste das ja als Aufforderung verstehen. Mir wird schlecht. *Na gut – mein Fehler. Ab sofort wird es keine Gelegenheit mehr zu derartigen Annahmen geben. Allerdings ..., sollte er mein Verhalten tatsächlich falsch interpretiert haben, warum hat er sich darauf eingelassen? Er hätte es auch ignorieren können.*

Die Fahrstuhltür öffnet sich sofort als Ulrich auf den Rufknopf drückt. Lediglich durch eine einladende Handbewegung bittet er mich einzusteigen. Sein Lächeln, das jedes Frauenherz zumindest zum Stolpern bringen kann, davon bin ich überzeugt, erscheint mir von einer Sekunde zur anderen mehr wie eine Grimasse, die mich verhöhnt.

Ich tu ihm leid. Ja, das ist es. Diese arme Witwe, der keine Liebe mehr zuteilwird, weder psychisch noch physisch, die tut ihm leid. Hitze steigt mir vom Bauch bis in die Haarspitzen. Wieder spüre ich, wie Röte meine Wangen färbt. *Mein Gott, ich muss hier raus.*

In diesem Moment öffnet sich die Fahrstuhltür erneut und ich stürme hinaus, als wäre der Teufel persönlich hinter mir her. Verwirrt sehe ich mich im Foyer um.

Da legt Ulrich auch schon seine Hand an meinen Ellbogen. „Wir müssen hier lang", erklärt er ruhig und schiebt mich an einem unübersehbar großen Messingschild in Form eines Pfeils vorbei in Richtung Speiseraum.

Was soll ich hier? Mein Magen meldet Säureüberschuss und hungrig bin ich ohnehin nicht. *Du reißt dich jetzt zusammen,* ermahne ich mich. *Du trinkst eine Tasse Kaffee, nein Tee, wegen deines Magens, und verhältst dich wie eine erwachsene Frau. Solltest du dich nämlich weiterhin so dämlich benehmen, vor allem nach dem, was du dir bisher geleistet hast, hält er dich nicht nur für eine gefühlsverdorrte Witwe, sondern auch noch für eine verliebte Gans. Verliebte Gans? Verliebt? So ein Schwachsinn!*

Fast jeder Tisch im Speiseraum ist bereits besetzt. Die Atmosphäre wirkt gelöst. Das stetige Gemurmel wird zum Teil von leisem Lachen begleitet und alle scheinen einen gesegneten Appetit zu haben. Es duftet nach frisch aufgebrühtem Kaffee, nach Semmeln, die hier

Schrippen heißen, soweit ich weiß, gebackenen Waffeln, Würstchen und Rührei mit Schinken.

Ulrich zieht den Stuhl an einem unbesetzten Tisch zurück und deutet darauf.

Widerstrebend setze ich mich.

Sogleich erscheint ein sehr junger Kellner mit hübschem, von Sommersprossen übersätem Gesicht und derart karottenrotem Haar, wie ich es selten sah. Ich denke an Meister Eder und seinen Pumuckl und muss lächeln.

Er hält eine Kanne mit Kaffee in der Hand und fragt freundlich, ob er eingießen darf.

Ulrich nickt zustimmend. Ich bitte ihn um einen Pfefferminztee.

„Wie ist es, gehen wir gleich zum Buffet?", fragt Ulrich gutgelaunt.

„Ich bin nicht hungrig, aber geh du nur", antworte ich.

„Du solltest aber essen. Das Frühstück ist die wichtigste Mahlzeit. Sie versorgt dich mit der nötigen Energie für den ganzen Tag."

„Was du nicht sagst", murmle ich.

Er zuckt gleichmütig mit den Schultern. „Wie du willst. Ich habe jedenfalls einen Mordshunger."

Er erhebt sich und entschwindet aus meinem Sichtfeld.

Ich atme erleichtert auf.

Der rothaarige Sommersprossenkellner tritt erneut an unseren Tisch und gießt Tee in meine Tasse. Danach zündet er das Teelicht im Stövchen an und stellt die kleine Teekanne darauf.

Ich gebe drei Löffel Zucker in die Tasse und rühre um. Vorsichtig blase ich hinein und ebenso vorsichtig nippe ich an der Tasse. Unterdessen kommt Ulrich mit einem gefüllten Teller zurück. Er hat nicht übertrieben, sein Hunger scheint gigantisch zu sein.

„Möchtest du nicht wenigstens eine Semmel mit Marmelade oder Honig? Ich bring dir das gerne", sagt er kauend, als er mir einen Blick zuwirft und bemerkt, wie ich ihn beobachte.

„Nein, danke. Ich kann mich nur wundern, wie du schon so früh am Morgen einen solch gesegneten Appetit hast", sprudelt es aus mir heraus.

„Bei mir war das nicht immer so. Ich erinnere mich noch an die Kämpfe mit Hilde – unserer Haushälterin. Später, nach dem Studium, als ich im Verlag mit Mutter zusammenarbeitete, musste ich mir jeden Morgen dieselbe Litanei anhören, Frühstücken wie ein König, Mittagessen wie ein Edelmann und …, na, du weißt schon. Ich ließ sie reden und tat doch was ich wollte. Dann ging ich nach Italien. Kennst du Lucca?"

Ich nicke.

„Meine Wohnung lag an der Piazza Napoleone. Das erwachende Lucca mit den Menschen, die schon am Morgen lachen und streiten, der würzige, mediterrane Geruch dieser Stadt und letztendlich der Bäcker um die Ecke brachten mich dazu, mein Verhalten zu ändern. Den ständigen Stress im Verlag hältst du auf Dauer ohnehin nur mit einer guten Grundlage im Magen aus. Dafür fällt bei mir nicht selten das Mittagessen aus."

Ich nicke verstehend und nippe an meiner Tasse.

Ulrich bestreicht eine Semmelhälfte mit Butter, gibt eine Scheibe Schinken darauf und legt sie auf meinen Teller. „Probier mal, der Schinken hier ist vorzüglich. Vielleicht kommt ja der Appetit beim Essen."

Je länger ich die belegte Semmelhälfte betrachte, desto klarer wird mir, wie recht er hat. Der Tag wird sicher stressig. Wer weiß, wann ich zum Mittagessen komme. Da ich keine Lust habe, noch weiter darüber zu diskutieren, zumal das Teil auf meinem Teller wirklich lecker aussieht, greife ich zu und beiße hinein. Der Schinken ist saftig, sein Geschmack tatsächlich sehr delikat und die Semmelhälfte ist viel zu schnell verputzt. Zudem stelle ich fest, dass mir der Tee dazu besser schmeckt als Kaffee. Ich muss zu meinen Gedanken unbewusst genickt haben, denn er erhebt sich, geht erneut zum Buffet und kommt kurz darauf mit Hörnchen, einer weiteren Semmel und einem Teller zurück, auf dem sich Schinken, Käse und eine kleine Portion Rührei befinden.

Ich blicke verwundert zu ihm auf.

„Aber …", protestiere ich schwach und schüttle ablehnend den Kopf.

Ulrich lässt sich jedoch nicht beirren. Fürsorglich stellt er den Teller vor mich hin. „Kein aber. Iss!", befiehlt er wohlwollend. „Ich brauche dich nach dem Interview am Verlagsstand."

*

Es ist bereits dunkel, als ich mich erleichtert in den Taxi-Sitz fallen lasse. Endlich ist auch dieser Tag zu Ende.

Im Restaurant des Hotels genieße ich bei leiser Tischmusik stillschweigend ein Steak und Salat.

„Dieses Steak war köstlich", sage ich, lege das Besteck auf den leer gegessenen Teller und lehne mich satt und müde zurück.

„Stimmt", antwortet Ulrich, der mir gegenübersitzt. „Jetzt noch ein Dessert und ich bin restlos zufrieden."

„Danke, aber ich kann nicht mehr."

Noch bevor Ulrich sein Dessert serviert bekommt, verabschiede ich mich.

Ulrichs Gesicht zeigt offen Enttäuschung. Er lädt mich auf einen Drink an die Bar ein, doch ich lehne ab und ziehe mich auf mein Zimmer zurück. Das Einzige, das ich heute Abend noch unbedingt brauche, ist ein heißes, wohlriechendes Bad.

Entspannt, mit geschlossenen Augen in der Wanne liegend, lasse ich die Begebenheiten des Tages noch einmal Revue passieren.

Gut, dass ich auf Ulrich gehört und gefrühstückt habe. Vor allem der Vormittag war ziemlich hektisch verlaufen. Beim Interview mit der jungen Journalistin von 3sat, hatte ich ein gutes Gefühl. Nettes Mädel, die wird's noch zu was bringen.

Dass meine Entscheidung, nach all den Jahren den Verlag zu wechseln, selbst jetzt noch Aufsehen erregt, kann ich allerdings nicht nachvollziehen. Vor allem nicht, weil „Das Salz der Tränen" bereits der zweite Roman ist, den ich im Herzog-Verlag veröffentliche. Und mein Roman? Wie gestern erhielt ich auch heute wieder die unterschiedlichsten Kritiken. Im Großen und Ganzen erwartete ich nichts Anderes.

Und dann der Winkler. Ich seufze. Dieser unangenehme Zeitgenosse tauchte bisher lediglich dann in meinem Leben auf, wenn es Neuigkeiten über mein Privatleben zu berichten gab. Selbst vor Fabians Unfall und Richards Beerdigung machte er nicht halt. Und wie erwartet, zielte seine von anzüglichem Grinsen unterstrichene Frage, ob ich wirklich nur aus rein geschäftlichen Gründen gehandelt hätte, da Ulrich und ich doch ein schönes Paar abgäben, tatsächlich in diese Richtung.

„Da liegt die Vermutung doch nahe, dass Sie eine Entscheidung auf privater Ebene trafen", wiederhole ich seine unverschämte Frage zwar leise, aber unverhohlen wütend. *Dieser verdammte Idiot! Wäre mir Ulrich nicht zuvorgekommen, ich hätte ihm schon eine passende Antwort gegeben. Mein Gott!!*

Ich sehe mich noch mit diesem gönnerhaften Lächeln im Gesicht, als Ulrich sagte: „Da täuschen Sie sich. Frau Sander und mich verbindet lediglich ein Autorenvertrag." Hätte ich auch nur geahnt, was Ulrich dieser Aussage gleich darauf hinzufügte, ich hätte mich rechtzeitig aus dem Staub gemacht. „Aber ich muss Ihnen zustimmen, wir wären ein schönes Paar. Jetzt müssen Sie das nur noch Frau Sander klar machen."

Wie dämlich muss ich geguckt haben, als dieses Lächeln auf meinem Gesicht gefror. Und wie erst, als es vollständig daraus verschwand, während die beiden lachten, als hätte einer von ihnen einen besonders guten Witz erzählt. Mein Gott! Wie konnte er bloß? War ihm nicht klar, was für eine Lawine er damit lostreten würde? Der Kerl hat natürlich sofort Blut geleckt. Das konnte ich deutlich an der Mimik dieses Schreiberlings ablesen. So gewiss, wie die Schlange ein von ihr hypnotisiertes Kaninchen verschlingt, so anstandslos wird dieser Kerl eine entsprechende Story schreiben. Wenigstens auf die hinterlistige Andeutung dieses Idioten, ich wäre ein anderer Typ als Romina Vescera, hätte ich eine abschließende Antwort von Ulrich erwartet. Auf die Schlagzeile bin ich gespannt.

„Als ich Romina heiratete, war sie brünett", nuschle ich seine abschließende Aussage abfällig vor mich hin. *Wie kommt ein gebildeter Mann dazu, sich auf ein derart niederes Niveau zu begeben? Und dann die üblich provokanten, nicht anders zu erwartenden Fragen dieses Schmierfinks auch noch zu beantworten.*

„Hm", lache ich verhalten auf. *Wie konntest du nur Ulrich? Der Kerl wird die Story bis zur Neige ausschlachten. Dabei hast du gegrinst, als wäre dieser Idiot dein bester Freund. Als er dann ganz nonchalant meinte: „Aber was interessieren uns die Kamellen von gestern? Wo das Heute doch um so vieles attraktiver ist", hätte ich ihm am liebsten einen Tritt in den Hintern gegeben.*

Noch jetzt stellen sich mir die Haare bei dem Gedanken an Winklers letzten, abschätzenden Blick, den er mit anzüglichem Grinsen über meinen Körper kriechen ließ. War ich erleichtert, als der Kerl hatte, was er wollte, und in der Menge verschwand.

Eigentlich müsste ich über Ulrichs Verhalten sauer sein. Ach, was soll's? Allerdings kann ich immer noch nicht verstehen, was er damit bezweckt. Und wie gelassen er mich daraufhin angelächelt hat. „Na komm schon, du kennst doch solche Typen. Egal, was du denen erzählst, sie schreiben ohnehin nur das, was sie sich aus den Fingern saugen." Da muss ich ihm rechtgeben. Mit dem kleinen, aber feinen Imbiss, zu dem er mich anschließend eingeladen hat, ist ja dann meine Laune auch wieder gestiegen. Und seit der Nachmittagslesung habe ich tatsächlich keinen Gedanken mehr an den idiotischen Reporter verschwendet. Bis jetzt. Warum lässt Ulrich zu, dass so ein Schmierfink Gerüchte über unser Privatleben in die Zeitschrift setzt? Publicity? Habe ich das nötig? Oder er? Nein, sicher nicht.

Erneuter Groll steigt in mir hoch. Solche Schmierfinken wird es wohl immer geben und derartige Storys ebenfalls. *Worüber also rege ich mich eigentlich auf? Ulrich! Es ist Ulrich. Er hätte meine Ehre verteidigen müssen. Stattdessen stimmt er diesem Idioten auch noch zu. „Wären wir nicht ein schönes Paar?" Ich wäre ihm am liebsten ins Gesicht gesprungen. Ein schönes Paar ...*

Plötzlich erinnere ich mich an den letzten Abend, als seine Lippen sanft und viel zu kurz meinen Mund berührten. Gleich darauf fällt mir die komische Situation von heute Morgen wieder ein. *Er hat das mit dem Reißverschluss doch nicht etwa als Aufforderung gewertet? Jedenfalls hat er meine Schulter geküsst. Was ist hier in Leipzig anders? Ist es, weil ich zugestimmt habe mit ihm gemeinsam anzureisen? Quatsch!*

Ich versuche meine Gedanken in eine andere Bahn zu lenken. Doch es gelingt mir nicht. Ulrichs Gesicht, seine azurblauen Augen, sein Lächeln …, ich krieg ihn einfach nicht aus meinem Kopf. Ich atme einmal tief durch und räkle mich in der Wanne.

Vielleicht hegt Ulrich ja Gefühle für mich, die er bisher geschickt vor mir verborgen hat. Und ich? Habe ich wirklich nichts bemerkt – einen Blick, eine Geste, eine Berührung oder ein Wort? Spontan fallen mir bruchstückhaft winzige Situationen ein, die eine gewisse Sympathie vermuten ließen. *Aber mehr? Ich mag jetzt nicht darüber nachdenken. Ich mag gar nicht mehr denken. Morgen Vormittag noch das Literaturforum, dann zurück ins Hotel, Koffer abholen und ab zum Flugha-*

fen. Gott sei's gedankt. Damit wäre dann auch mein Problem mit Ulrich gelöst. Zumindest bis zu dem Tag, an dem ich ihm mein neues Manuskript vorlege ...

Das Wasser ist ziemlich abgekühlt, als ich plötzlich aufschrecke. *Jetzt bin ich doch tatsächlich eingenickt.*

Bevor ich aus der Wanne steige, öffne ich das Ablaufventil, nehme das flauschige, nach Weichspüler duftende Badetuch von der Halterung und rubble mich gut ab. Ganz und gar undamenhaft gähnend, laufe ich nackt zu meinem Bett, greife den Pyjama und ziehe ihn über. Noch einmal gähne ich, hebe die Steppdecke und lasse mich ins Bett fallen.

Eine Sekunde nur bin ich bereit, erneut über das Geschehene nachzudenken, doch diesmal gelingt es mir, die Gedanken ziehen zu lassen. Morgen ist schließlich auch noch ein Tag.

*

Das schrille Läuten des Telefons reißt mich aus tiefem Schlaf.

Ulrich!

Sofort bin ich hellwach, greife nach dem Hörer und halte ihn an mein Ohr. „Ja?", krächze ich und räuspere mich. Mittlerweile klopft mein Herz, als wolle es aus meinem Körper springen.

„Guten Morgen, Frau Sander. Sie wollten um sieben Uhr geweckt werden", sagt die unverschämt munter klingende Stimme einer Frau am anderen Ende.

„Danke", antworte ich und lege auf. Das Pochen in meiner Brust normalisiert sich langsam wieder. *Wie komme ich nur darauf, er könnte mich um diese Zeit anrufen? Ich habe den Weckruf doch selbst bestellt. Was ist bloß los mit mir? Der letzte Tag,* kommt es mir in den Sinn. „Oh Gott!", stöhne ich. *Heute noch. Ab morgen herrscht wieder Normalität in meinem Leben.*

An diesem Morgen sitzen nur zwei weitere Personen, ein Mann und eine Frau, vermutlich ein Ehepaar, an einem der kleineren Tische des Speisesaals. Des Weiteren eine Gruppe junger Leute. Ihrer zwar kargen Unterhaltung, aber der rollenden englischen Aussprache nach zu urteilen – Amerikaner. Sie frühstücken an einem größeren, nah an der Fensterfront stehenden Tisch. Nach deren Rucksäcken zu urteilen,

203

reisen die gleich nach dem Frühstück ab. Sie scheinen noch ziemlich müde zu sein. War wohl 'ne lange Nacht.

Ich lege meinen leichten Trenchcoat über eine Stuhllehne und setze mich an einen etwas abseitsstehenden Tisch, von dem aus ich aber dennoch alles im Blickfeld habe.

Gerade als mir der rothaarige Kellner den gewünschten Tee eingießt, knallt die vermeintliche Ehefrau ihre Serviette auf den Tisch und zischt so laut, dass ich es hören kann – dass es alle hören können: „Nicht mit mir, mein Lieber."

Um dem Ganzen einen weiteren theatralischen Anstrich zu geben, wiederholt sie den Anfang des Satzes und erhebt sich dabei so stürmisch, dass der Stuhl nach hinten kippt. Ohne darauf zu achten, rauscht sie aus dem Saal.

Ein Kellner eilt herbei, um den Stuhl wieder aufzustellen.

Der Mann, bei dem es sich vermutlich doch nicht um den Ehemann handelt, bleibt betreten sitzen. Gleich darauf wirft er mir aber einen zerknirschten Blick zu. Zieht dann, erkennend, dass weder die Sache an sich, noch die peinliche Szene zu ändern ist, die Augenbrauen hoch und zuckt verlegen grinsend mit den Schultern. Traurig scheint er jedenfalls nicht zu sein.

Ich nippe an meiner Tasse und starre auf den leeren Teller vor mir. Das Frühstück gestern hat mir gutgetan. Ich gebe mir einen Ruck, erhebe mich und nehme das Buffet in Augenschein.

„Du bist schon hier?", fragt Ulrich sichtlich betroffen, als ich ihm bereits auf dem Weg zum Ausgang direkt vor dem Aufzug begegne.

„Ja, ich habe sogar schon gefrühstückt. Und jetzt will ich ein paar Schritte gehen."

„Aber da kann ich dich doch begleiten", bietet er mir freundlich seine Gesellschaft an.

„Geh du erst mal frühstücken. Ich komme ganz gut allein zurecht", lehne ich sein Angebot kühl ab.

„Wie du meinst", antwortet er reserviert, sich meines Versuchs, Distanz zu wahren, anscheinend bewusst. „Aber nimm einen Schirm mit, es sieht nach Regen aus", fügt er besorgt hinzu, verbeugt sich knapp vor mir und lässt mich stehen.

Ich werfe einen Blick aus dem Fenster und bitte den Concierge am Empfang vorsichtshalber um einen Regenschirm. Er reicht ihn mir über den Empfangstresen und bittet mich den Schirm, falls er zum Einsatz kommt, bei einem der Pagen am Entree abzugeben.

Eigentlich schade, sinniere ich, einen Schritt vor den anderen setzend, *zu zweit macht so ein Bummel durch eine fremde Stadt nun wirklich mehr Spaß.*

Leider konnte ich dieses Vergnügen mit Richard viel zu selten genießen. Und nun ist er tot. Nie wieder werde ich verborgene Plätze und alte, schmale Gassen einer Stadt durch seine Augen betrachten können. Tränen verschleiern meinen Blick. *Es ist noch nicht vorbei.* Die Erinnerung an Richard schmerzt nach wie vor und manchmal läuft mein Herz vor Sehnsucht nach ihm über. Doch so, wie die Wunde heilte, welche die Trauer um Fabian hinterließ, die Wunde, die eingebrannt wie eine alte Narbe auf meiner Seele lastet und zu einem Teil von mir wurde, so wird es auch mit der Wunde geschehen, die Richards Tod hinterließ.

Die Leute sagen, kein Verlust wäre so schwer zu ertragen wie der eines Kindes. Das stimmt. Aber auch der Verlust einer großen Liebe schmerzt. Möglicherweise schaffe ich es ja eines Tages, an Richard wie an einen alten Freund zu denken, den man lange nicht gesehen hat. Ob ich mein Herz noch einmal für einen anderen Mann öffnen kann? Sofort schiebt sich das Gesicht eines Mannes vor mein geistiges Auge, den ich bisher lediglich sympathisch fand. Darum verstehe ich auch nicht, was ich auf einmal gegen ihn habe. Bei dem Gedanken an den Abend, als er mich küsste, und an den gestrigen Morgen beginnt mein Puls zu rasen. *Höchste Zeit, dass ich nach Hause komme.*

Mein Handy surrt. Ich ziehe es aus der Tasche meines Trenchcoats. Auf dem Display steht Leons Name. „Guten Morgen, Leon", melde ich mich gut gelaunt. „Du bist schon wach?"

„Na, du doch auch. Es ist gleich halb neun. Was denkst du, wo ich bin?", fragt er und gibt mir auch sofort die Antwort: „Meine Vorlesung fängt gleich an. Ich wollte nur wissen, wann du ankommst?"

„Das weiß ich noch gar nicht." Ich beginne nachzurechnen. „Voraussichtlich landet mein Flieger etwa gegen fünfzehn Uhr. Folglich werde ich spätestens um sechzehn Uhr zu Hause sein. Du hast doch nicht etwa vor, für mich zu kochen?"", spöttle ich leutselig, denn ich erinnere mich noch lebhaft an das letzte Desaster.

„Im Gegenteil. Ich werde dich vom Flughafen abholen, damit ich früher zu einem ordentlichen Essen komme", sagt er.

„Ach?"

„Das war ein Witz."

„Tatsächlich?"

„Du willst nicht, dass ich dich abhole, stimmt's? Du willst dich lieber von dem Verlagsschnösel fahren lassen", schmollt er verschnupft.

„Der 'Verlagsschnösel' muss noch zwei weitere Tage in Leipzig bleiben", mäßige ich seinen Unmut.

„Na dann. Ich werde rechtzeitig am Flughafen sein."

Das Gespräch ist beendet. Ich lächle, klappe das Handy zu und stecke es zurück in die Manteltasche. Ein Blick auf meine Armbanduhr verrät mir, dass es Zeit wird umzukehren. Ulrich wird schon Ausschau nach mir halten.

Schon vom Entree aus sehe ich ihn.

Er spricht mit dem Concierge, der daraufhin den Hörer des Telefons abnimmt.

„Greta, da bist du ja. Ich lasse uns gerade ein Taxi bestellen. Bist du soweit oder musst du noch mal ins Zimmer?"

Ich gebe den trockenen Regenschirm an den Concierge zurück. „Noch hat es nicht geregnet, aber lange wird es sicher nicht mehr dauern, bis der Himmel über Leipzig seine Pforten öffnet", sage ich freundlich und schenke ihm dankend mein schönstes Lächeln.

„Ja, ich dachte, ich checke gleich aus", wende ich mich an Ulrich. „Da ich das Zimmer ohnehin nicht mehr brauche, könntest du dir die Zimmerkosten für heute ersparen. Ich muss nur meinen Koffer herausnehmen und sollte es dir recht sein, in deinem Zimmer unterstellen."

„Ah …", kommt es zunächst verdutzt über seine Lippen. Dann nickt er heftig. „Ja, sicher. Warum nicht?"

Der Vormittag vergeht wie im Fluge. Ulrich wendet sich lediglich an mich, wenn es unumgänglich ist.

Warum verhält er sich mir gegenüber plötzlich derart distanziert? Habe ich etwa ihn geküsst? Was erwartet er von mir? Hätte ich ihn wieder küssen sollen? Dafür, entscheide ich, *gab es weder eine Veranlassung noch eine passende Gelegenheit. Ich hätte ihm eine scheuern sollen, das wäre eine deutliche Antwort gewesen. Vermutlich hat er ja genau das erwartet. Warum sonst hat er sich so schnell aus dem Staub gemacht? Und dann dieser Kuss auf meine Schulter – eine Unverschämtheit. Andererseits … Mein Gott! Was ist bloß los mit mir?*

Ulrich besteht darauf, mich eine Stunde vor Abflug des Fliegers zum Flughafen zu bringen. Er gibt mein Gepäck auf, verabschiedet sich äußerst zurückhaltend und lässt mich allein im Terminal stehen.

Jetzt versteh ich überhaupt nichts mehr. *Es liegt an mir, an meinem Verhalten ihm gegenüber. Ich hätte nicht so tun sollen, als wäre nichts geschehen. Natürlich erwartet ein Mann wie er eine Reaktion – irgendeine.*

Kapitel 10

Während der Himmel über Leipzig mit grauen Regenwolken verhangen war, die sich prompt in dem Moment zu entleeren begannen, als wir gerade vor dem Messezentrum ankamen, empfängt mich München mit strahlend blauem Himmel und Sonnenschein.

Im Terminal erwartet mich Leon mit einem riesigen Strauß Frühlingsblumen.

„Schön, dass du wieder zu Hause bist. Geht es dir gut?", fragt er lächelnd.

Ich bemerke eine Spur Besorgnis sowohl in seiner Stimme als auch in seinen Augen. Ein eigenartiges Gefühl kriecht in mir hoch, eines das mir mindestens so suspekt ist wie das, welches ich Ulrich gegenüber empfinde, und doch ist es ganz anders. Manchmal ist mir, als trenne uns nur ein Wort. Ein Wort, dessen Bedeutung ich ihm gegenüber zwar auf eigenartige Weise empfinde, das sich, obwohl ich mich zuerst dagegen gesträubt habe, einfach ohne mein Zutun entwickelt hat.

In letzter Zeit frage ich mich allerdings wiederholt, wie er diese merkwürdige Verbindung sieht, zu der wir gezwungenermaßen – nein, das ist das falsche Wort, zu der wir, man könnte sagen, mit einem Schubs in die entsprechende Richtung geschoben wurden? Zumal wir uns ja letztendlich selbst dazu entschlossen haben. Ich, um genau zu sein, habe es entschieden. Sieht er in mir etwa tatsächlich so etwas wie die Stiefmutter? Ein grässliches Wort.

„Du hast mich doch nicht etwa vermisst?"

„Doch habe ich", antwortet er prompt, lächelt dabei jungenhaft verschmitzt und fügt schmollend hinzu: „Du warst bis auf das eine mal heute Morgen nicht erreichbar."

„Na ja, die Zuhörer werden gebeten ihre Handys auszuschalten. Da wäre es doch mehr als unpassend", erkläre ich ihm, „würde dann ausgerechnet das der Autorin läuten. Meinst du nicht auch?"

Er nickt.

Der Junge macht mir Sorgen. Während der letzten Wochen habe ich zunehmend den Eindruck gewonnen, dass er sich regelrecht an mich klammert. Mir scheint, er hat Angst mich wieder zu verlieren. Genau wie vor einem Jahr, als er bei mir einzog. Ja, ich erinnere mich, während der ersten Wochen fühlte ich mich ständig beobachtet. Na ja, ab und zu war ich ziemlich deprimiert und manchmal so sehr in meinen Erinnerungen versunken, dass ich die Umgebung völlig vergaß. Stets wenn er mich so vorfand, riss er mich mit immer derselben Frage aus meinen trüben Gedanken: „Geht es dir gut?" Und stets stand diese unterdrückte Angst in seinen Augen, die ich sehr wohl bemerkt habe. Obwohl er meinen Selbstmordversuch nie wieder mit einem einzigen Wort erwähnte, dauerte es Wochen, bis sein Misstrauen nachließ und letztendlich ganz aufhörte. Ich war erleichtert darüber. Warum lese ich jetzt wieder diese Angst in seinen Augen, die mich wie eine unausgesprochene Frage durchbohrt?

Ich packe ihn aufmunternd am Genick, schüttle ihn ein wenig und gebe ihm einen liebevollen Klaps auf den Hinterkopf. „Jedenfalls bin ich froh wieder zu Hause zu sein."

„Du hast mich also auch ein wenig vermisst?", fragt er und nimmt mir den Koffer ab.

„Na ja, so war das nicht …"

„Heißt das etwa – nein?"

„Ach weißt du, die Tage waren vollgepackt mit Terminen, da blieb wenig Zeit, überhaupt jemanden zu vermissen. Und was dich anbelangt … Um dich zu vermissen, müsstest du dich erst mal unentbehrlich gemacht haben. Und davon kann ja wohl kaum die Rede sein. Seit Beginn deines Studiums lässt du dich nur an den Wochenenden in Herrsching sehen und das auch nur, um deine Klamotten zu wechseln."

Meine Aufmerksamkeit, füge ich in Gedanken hinzu, *wurde zudem während der letzten Tage vornehmlich auf ein anderes männliches Objekt gelenkt.* Ich spüre einen schmerzhaften Stich in der Herzgegend, der eindeutig auf Ulrichs Konto geht.

„Das wird sich jetzt ändern. Ich habe mich entschlossen, die Wohnung aufzugeben und ganz nach Herrsching zu ziehen", platzt er mit seinem Entschluss heraus.

„Du hast was?", frage ich ungläubig.

„Ja, ich habe dem Vermieter Bescheid gesagt und der hat bereits einen Makler beauftragt. Morgen werden die ersten Interessenten zur Besichtigung Schlange stehen", antwortet er, in Richtung Ausgang eilend. Dann bleibt er plötzlich stehen und wirft einen fragenden Blick zurück zu mir. „Oder hast du irgendwelche Einwände?"

Diese Eröffnung und die anschließende Frage kommen dermaßen überraschend für mich, dass ich meine Bedenken zunächst für mich behalte und weitergehe. Ich bin verwirrt. Damit habe ich nicht gerechnet. Als ich dem Jungen vor einem Jahr anbot, in das Haus seines Vaters zu ziehen, war ich emotional betroffen und ein wenig besorgt. Ich hatte Mitleid mit ihm und wollte ihm begreiflich machen, dass er nicht allein ist auf dieser graumelierten Welt. Da er während der Woche ohnehin in München leben würde, war nicht zu befürchten, dass sich eine allzu große emotionale Bindung zwischen uns aufbauen könnte.

Woher rührt dieser Sinneswandel? „Nein", antworte ich, entgegen meiner Überlegung, „ich habe keine Einwände. Aber ist das nicht sehr umständlich für dich? Du bist von Herrsching zur Uni eine gute Stunde unterwegs. Ach, was sage ich? Bedenke den Berufsverkehr. Du musst durch ganz München. Und was hast du mit den Möbeln vor?"

„Ich dachte an den Dachboden", antwortet er prompt, als er wieder an meiner Seite geht.

„An den Dachboden?", fahre ich ihn entsetzt an und bleibe stehen. Augenblicklich denke ich an diesen trüben Herbsttag vor etwa fünf oder sechs Jahren. Meine Laune befand sich an jenem Morgen auf dem Nullpunkt. Ich hatte Richard tagelang gebeten, den antiken Garderobenständer aus massivem Messing, den wir durch eine elegante Wandgarderobe ersetzt hatten, auf den Dachboden zu bringen. Bei jeder sich bietenden Gelegenheit stolperte ich über das Ding. Richard schob ihn zwar ständig von einem Platz auf den anderen, da er ihm ebenfalls im Weg stand, aber er konnte sich einfach nicht aufraffen, das überflüssig gewordene Teil endgültig wegzuräumen. Als ich mir dann an bewusstem Morgen wieder einmal den großen Zeh daran gestoßen und entsprechend geflucht hatte – ich kann fluchen wie ein Bierkutscher so es vonnöten ist – stürmte er besorgt aus seinem Büro. Er schnappte ihn und endlich, verärgert vor sich hin maulend, trug er ihn nach oben. Vorsorglich folgte ich ihm. Bei Richard wusste man nie. Es war durchaus möglich, dass er ihn irgendwo im oberen Stock abstellte mit der Begründung, es wäre doch ganz praktisch auch hier einen Kleiderständer zu haben. Um ihn dann vermutlich nie zu benutzen, da er seine Kleider ohnehin gleich dort ablegte, wo er sie auszog.

In all den Jahren, die wir in seinem Elternhaus lebten, bin ich noch nie auf diesem Dachboden gewesen. Es hatte keinen Grund gegeben ihn zu besuchen, da ich nichts dort oben zu verstauen hatte. Ich wusste lediglich, dass meine Schwiegereltern, bevor wir einzogen, einige ihrer Möbel auf den Dachboden befördern ließen, um Platz für unsere zu schaffen, daher interessierte mich der Teil des Hauses nicht im Geringsten. Doch nun erschien mir diese Aktion eine gute Gelegenheit, mich dort mal umzusehen. Vor Staunen sprachlos, mit heruntergeklapptem Kiefer, stand ich wie angewurzelt und betrachtete die fast märchenhaft anmutende Welt ausgedienter und letztendlich vergessener Gegenstände, an denen der Geruch verschollener Geschichten hing. Geschichten, die zum Leben erwachten, sowie ich sie berührte. Ich musste nur zuhören und das konnte ich schon immer gut. Auf Grund dessen entstanden drei meiner Romane. Den dritten schloss ich kurz vor Richards Tod ab. Es handelte sich dabei um den ersten im Herzog-Verlag erschienenen. Diesen Ort mit seiner eindrucksvollen Atmosphäre, mit all seinen Schätzen, die sich selbst mir noch nicht vollständig enthüllt hatten, werde ich nicht zerstören lassen. *Deine Möbel würden diesen Ort ganz sicher entweihen. Zumal es die Möbel deiner Mutter sind. Ich will die Möbel der Frau, mit der mich Richard betrogen hat, nicht in meinem Haus,* füge ich in Gedanken hinzu.

„Ja", sage ich dennoch, „warum nicht? An den dachten schon drei Generationen, warum nicht auch die vierte?"

„Du meinst, es ist kein Platz?"

„So würde ich das nicht sagen ... Vielleicht wäre das ja eine gute Gelegenheit mal auszumisten", pokere ich. *Habe ich das wirklich gesagt?*

Erleichtert atme ich auf, als ich bemerke, wie sich Leons Gesicht zu einer Grimasse verzieht, die deutlich macht, dass er von meinem Vorschlag nicht gerade begeistert ist.

„Na ja, so viel wird es auch gar nicht sein", murmelt er nachdenklich vor sich hin, bevor er sich wieder an mich wendet. „Den größten Teil der Wohnungseinrichtung gebe ich in eine WG, die Küche könnte eventuell der Nachmieter übernehmen. Die ist ja fast neu. Mama hat die erst vor zweieinhalb Jahren einbauen lassen und seitdem ist sie kaum benutzt worden. Mutters Schlafzimmermöbel könnte ich derselben sozialen Hilfsorganisation stiften, der du die Schlafzimmermöbel deiner Schwiegereltern überlassen hast. Dann gibt es nicht mehr viel zu verstauen."

„Was ist mit dem ganzen Kleinkram – Wäsche, Geschirr und all dem Nippes, der sich im Laufe der Jahre angesammelt hat?", gebe ich zu Bedenken.

„Wird aussortiert und zum Teil an eine Bekannte gegeben, in ihren Secondhandshop", erklärt er, während er den Kofferraum öffnet und mein Gepäck verstaut.

„Ich mach dir einen anderen Vorschlag."

„Ja?"

„Du gibst die Wohnung erst am Ende deines Studiums auf. Möchtest du unbedingt in Herrsching wohnen, ich habe nichts dagegen, aber behalte die Wohnung in München."

„Sagst du das, weil du nicht …"

„Ich sage das, weil ich ein praktisch denkender Mensch bin und aus keinem anderen Grund", unterbreche ich ihn. „Du wirst mir noch mal dankbar sein für diesen gut gemeinten Rat", füge ich hinzu, nachdem ich auf dem Beifahrersitz Platz genommen habe. „Oder willst du wirklich jeden Tag eine Stunde nach München düsen und nach der Vorlesung wieder nach Herrsching?"

Er wirft mir einen skeptischen Blick zu, schiebt seine Lippen schmollend vor und nickt.

„Ich gebe zu, das Argument hat was. Aber ich werde auf jeden Fall …"

Ich lege meine Hand auf seinen Arm.

„Es ist das Haus deines Vaters. Dass du mir jederzeit willkommen bist, muss ich nicht besonders betonen."

*

Gerade als ich die Bratkartoffeln wende und Leon den Tisch eindeckt, läutet überraschend das Telefon in meinem Büro. Ich werfe einen Blick auf meine Armbanduhr – bereits halb acht.

„Hoffentlich niemand aus der Firma", murmle ich müde vor mich hin und wende mich an Leon: „Achte bitte auf die Bratkartoffeln."

Seit ich die Firmenleitung an Peter Hufnagel übergeben habe, läuft zwar alles problemlos, aber es gibt immer wieder Entscheidungen, die er nicht ohne meine Einwilligung treffen möchte, obwohl es ihm die Prokura erlauben würde. Peter ist ein sehr bescheidener Mensch, er war noch nie überheblich, hat seine Position nie ausgenutzt und auch in seiner neuen Stellung ist er der geblieben, der er immer war. Ich bin ihm dankbar für seine Loyalität. Vor allem bei Entscheidungen, vor denen ich mich gerne drücke, weil ich nichts davon verstehe und mich deswegen ziemlich hilflos fühle. Letztendlich entscheidet dann doch Peter.

Auf dem Display steht Michaels Name. Obwohl ich wenig Lust habe, mit ihm zu sprechen, versuche ich mich einigermaßen freundlich zu melden.

„Hallo Greta. Na, wie war's in Leipzig?"

„Na ja, wie soll es schon gewesen sein. Du weißt ja, wie es auf Messen zugeht. Ich gab zwei, drei Interviews. Das Übliche. Hast du schon mit Ulrich gesprochen?"

„Nur kurz", antwortet er. „Ich denke, er ist mehr als zufrieden. Der Verlag ist fast aus den roten Zahlen."

„Ja, das hat er erwähnt."

„Und sonst? Geht es dir gut?"

„Ja, warum fragst du? Es geht mir blendend."

„Ich hatte ehrlich gesagt befürchtet, dass dir der ganze Rummel zu viel wird."

„Nein, ganz und gar nicht. Es war nett mal wieder aus dem üblichen Alltagstrott herauszukommen."

„Alltagstrott? Meines Erachtens war das letzte Jahr ziemlich turbulent für dich. Ehrlich gesagt, manchmal hatte ich Angst um dich. Und dann dein neuestes Werk. Ich habe es zwar lektoriert – es ist eine sehr gute Geschichte aber …"

„Aber?"

„Nun ja, ich habe dich bisher nicht darauf angesprochen, aber ich war ziemlich erschüttert, dass du dieses Thema aufgegriffen hast. Das hat doch nichts mit dir zu tun?"

„Wo denkst du hin? Sicher ist mir schon mal der Gedanke gekommen, dass ein Leben ohne Richard nicht mehr lebenswert für mich ist, aber ich bitte dich", antworte ich empört und füge hinzu: „Meine Geschichte beruht doch auf einer ganz anderen Grundlage."

„Hey, ich mach mir deinetwegen wirklich Sorgen."

„Das musst du nicht. Wirklich. Ich bin in Ordnung. Und wie du weißt, lebt Leon mittlerweile in meinem Haus."

„Ja, ich weiß, am Wochenende. Auch so ein Punkt, den ich nicht verstehe."

„Dass er nur am Wochenende hier ist?"

„Nein, überhaupt. Was hast du mit dem Jungen zu schaffen? Du denkst doch nicht etwa, weil du ihm das Leben gerettet hast, bist du nun für ihn verantwortlich?"

„Ich habe dir in Bezug auf Leon nicht alles gesagt, weil ich angenommen habe, Ulrich hätte es dir bereits erzählt."

„Was hätte mir Ulrich erzählen können? Ihr habt doch nicht etwa Geheimnisse vor mir?"

„Komm doch einfach die nächsten Tage mal auf einen Kaffee vorbei, dann erzähl ich dir alles. Sicher wirst du mich dann verstehen."

„Ja, sehr gerne, vorausgesetzt du bäckst diese leckere Nusstorte."

„Ach? Meine Geschichte interessiert dich also gar nicht? Du kommst nur wegen der Torte?"

„Natürlich wegen der Torte. Also, bis die Tage. Ich melde mich rechtzeitig an."

Ich schüttle unmerklich den Kopf und lege das Telefon auf den Schreibtisch zurück. Gerade als ich die Bürotür hinter mir zuziehen will, klingelt es erneut.

„Oh nein", seufze ich und gehe zurück. *Ulrich!*

„Wie geht es dir?", fragt er heiser und räuspert sich.

Mein Magen zieht sich krampfartig zusammen, mein Puls beginnt zu rasen und verhindert für eine Schrecksekunde, dass ich antworten kann.

„Danke, bestens", presse ich mühsam hervor.

„Ich vermisse dich."

Darauf bin ich nicht gefasst. „Du …, ja …, ich …", stottere ich und räuspere mich ebenfalls. „Was erwartest du jetzt von mir?", frage ich endlich schroff und hoffe, mein Tonfall klingt ablehnend genug, um ihn in seine Schranken zu weisen.

„Nichts", sagt er nach einer Pause, die ihm vermutlich dazu gedient hat, sich meiner Ablehnung bewusst zu werden und eine entsprechende Strategie zu entwickeln. „Ich erwarte gar nichts. Es wäre nur schön, könntest du dich entschließen übermorgen Abend mit mir essen zu gehen."

„Übermorgen?" Ich tu so, als müsste ich erst überlegen, ob mein „übervoller" Terminkalender dies zulässt.

„Komm schon, du kannst das sicher einrichten. Wir müssen reden."

Sicher kann ich das und reden ist genau das, was ich auch möchte, aber das werde ich ihm nicht sagen.

„Ich wüsste nicht, was wir im Moment zu besprechen hätten und sag jetzt nicht, es hätte mit der Veröffentlichung meines Romans zu tun."

„Das hatte ich nicht vor. Es geht um … um uns. Ich hatte den Eindruck, dass …"

Ich sage nichts.

„Mein Gott!", presst er hervor. „Mach es mir doch nicht so schwer."

Wieder sehe ich die beiden etwas heiklen Szenen vor mir, die er eventuell falsch gedeutet hat.

„Anscheinend hast du irgendetwas an meinem Verhalten dir gegenüber missverstanden und entsprechend darauf reagiert. Solltest du dich also nun mit mir treffen wollen, um dich dafür zu entschuldigen, das ist nicht nötig."

„Aber nein, ich will mich keineswegs entschuldigen", antwortet er in einem Tonfall, der mir deutlich macht, dass er sich keines Fehlverhaltens bewusst ist.

„Willst du nicht?", frage ich betreten und stelle spitz fest: „Du denkst also tatsächlich, ich habe dich ermutigt?"

„Wovon sprichst du eigentlich?", fragt er hörbar unwissend.

Ich werde noch nervöser, als ich ohnehin schon bin. „Du weißt nicht wovon ich spreche? Was willst du dann von mir?"

„Ich will lediglich mit dir ausgehen und mit einem Glas Champagner auf den Erfolg deines Romans anstoßen. Und ich will mit dir über die Zukunft sprechen. An deinem letzten Morgen in Leipzig … Mir schien, du warst in Gedanken bereits in ein neues Werk versunken, so distanziert und abwesend wie du dich verhalten hast. Ich will …"

Nun komme ich mir endgültig wie ein Volltrottel vor. Allerdings bin ich mir noch nicht im Klaren, warum! Weil ich zu viel in Ulrichs Verhalten hineininterpretierte oder weil ich mich deswegen ihm gegenüber distanzierte? Wie komme ich bloß darauf, dass er sich für etwas derart Banales wie einen kleinen Abschiedskuss an der Zimmertür oder einen Kuss auf die Schulter entschuldigen will?

Ach, ich hab' sie ja nur auf die ..., kommt mir die bekannte Strophe aus dem „Bettelstudent" in den Sinn. *Bin ich nun hoffnungslos altmodisch oder total verklemmt? Ich dachte immer ein moderner, aufgeschlossener Mensch zu sein. Schließlich wurde ich in die wilden 70er geboren. Da wurde die freie Liebe quasi erfunden und für die Emanzipation der Frau gekämpft.*

„Greta? Bist du noch dran?", ruft er mich in die Realität zurück.

„Ja ... Ja, meinetwegen. Wo willst du dich mit mir treffen?"

„Ich hole dich gegen acht ab. Ist dir das recht?"

„Gut, dann bis morgen."

Ich lege auf. Verwirrt setze ich mich auf den nächsten Sessel, streiche mit den Fingerspitzen über meine Stirn, als könne ich damit meine Gedanken ordnen, doch es gelingt mir nicht. *Was ist nur los mit mir? Ich bin ja völlig durch den Wind. Moment mal! Ist das erst so seit diesem verdammten Kuss? Nein, wenn ich es mir recht überlege, schon davor. Da war dieser Moment ...* Ich sinke in meinen Bürostuhl, starre auf den grauen Bildschirm meines Monitors und lasse meinen Blick über den Schreibtisch schweifen, ohne wirklich etwas wahrzunehmen. *Denk gar nicht erst daran. Vielleicht wäre es nicht mal so dumm, würde Leon endgültig hier einziehen, sich zumindest öfter hier aufhalten,* lenke ich meine Gedanken in die Gegenwart.

Jetzt, nach der Veröffentlichung meines neuesten Werkes, wird das Leben wieder etwas ruhiger werden. Einer Lesereise habe ich nicht zugestimmt. Bis auf ein Interview bei SAT 1 habe ich keine Verpflichtungen. Daher würde mir ein wenig Umtrieb im Haus sicher guttun. Leon und seine Freunde Marcus, Leander und dieses Mädchen, Paula, Marcus Zwillingsschwester, würden schon dafür sorgen. Bei dem Gedanken an Paula komme ich immer wieder ins Grübeln. Wie Leon mir versichert hat, ist Paula nur in der Clique, weil die Geschwister fast alles gemeinsam unternehmen. Leon hat sie als klasse Kumpel bezeichnet. Und das scheint sie auch zu sein. Dennoch überrascht mich doch ein wenig, dass er nicht mehr in ihr sieht. Paula ist ein auffallend hübsches und auch sehr kluges Mädchen. Sonst würde sie wohl kaum Jura studieren. Leander dagegen, davon bin ich überzeugt, sieht sie mit ganz anderen Augen. Mehr als einmal habe ich intensive Blicke bemerkt, mit denen er ihre ganze Erscheinung zu erfassen scheint. Na, wie auch immer, ich werde es sicher mitbekommen, sollte sich mehr zwischen wem auch immer entwickeln. Möglicherweise werde ich die Clique öfter sehen, sollte Leon sich wirklich häufiger hier aufhalten, womöglich öfter als mir lieb ist.

Eine Sekunde erinnere ich mich an das Wochenende, als Leon seine Freunde zum ersten Mal mitbrachte, um sie mir vorzustellen. Die drei hatten das Haus regelrecht gestürmt. Da ich mich ausgesprochen wohl in ihrer Gesellschaft fühlte, lud ich sie ein, uns bei Gelegenheit wieder zu besuchen. Von da an verbrachten sie fast jedes Wochenende im Haus und am See. Und es ist immer wieder ein Vergnügen, die jungen Leute um mich zu haben. Ich muss unwillkürlich lächeln bei dem Gedanken an all die Sommertage, die angefüllt waren von deren fröhlichem Lachen. Und selbst das Ausputzen des Gartens im Herbst hat mächtig viel Spaß gemacht …

„Greta, wo bleibst du? Das Essen …", platzt Leon ins Büro und bleibt, ohne seine Erklärung zu vollenden, vor mir stehen. „Du bist ja völlig aufgelöst", stellt er betroffen fest und legt mir eine Hand an mein Gesicht. „Deine Wangen glühen. Was ist geschehen? War das Hufnagel? Ist was mit der Firma? Kann ich …"

„Nein", ich schüttle verneinend den Kopf, „du kannst unbesorgt sein, mit der Firma hatte der Anruf nichts zu tun."

„Herzog! Es war dieser Herzog. Habe ich recht?", fragt er aufgebracht. „Ich wusste, dass der dir eines Tages Probleme macht."

„Aber nein. Wie kommst du denn darauf?", frage ich ruhig und untermale meine Worte mit einem zumindest angedeuteten Lächeln, das ihn zusätzlich beruhigen soll. „Ulrich will morgen Abend lediglich mit mir essen gehen. Stell dir vor, entgegen aller Unkenrufe habe ich einen Bestseller geschrieben und das will er mit mir feiern."

Leon zieht einen Sessel näher an meinen und lässt sich hineinplumpsen. Dann beugt er sich vor und sieht mich eine ganze Weile skeptisch an.

„Und deshalb regst du dich so auf? Das kannst du mir nicht weismachen. Was hat der Kerl zu dir gesagt?"

„Nur, dass er mit mir feiern möchte." *Soll ich ihm erzählen, was geschehen ist, oder besser nicht?*

Leon konnte Ulrich vom ersten Moment an nicht ausstehen. Nein, eigentlich schon bevor ich die beiden miteinander bekannt machte. Schon als er noch im Krankenhaus lag und ich Ulrich zum ersten Mal erwähnte, strebte er danach, Front gegen ihn zu machen.

„Sag mal, was ist das zwischen dir und Ulrich? Was hat er getan, dass er es verdient, von dir derart angefeindet zu werden?", frage ich stattdessen.

„Ich habe nichts gegen Ulrich. Es ist nur, ich will nicht, dass er dir weh tut. Der Typ sieht nicht nur aus wie Franco Nero, er benimmt sich auch so. Dieser Macho ist ein echter Weiberheld, das sieht man doch auf den ersten Blick. Aber ich werde schon auf dich achten. Den mach ich fertig, sollte er dir auch nur ein Haar krümmen. Hat er dich etwa angemacht?"

Ich kann nicht anders, ich lächle. Da habe ich ja einen Ritter ohne Furcht und Tadel an meiner Seite. „Du musst dir keine Sorgen machen. Ulrich Herzog wird mir nicht mehr zu nahetreten."

„Nicht mehr?", fährt er entsetzt auf.

„Habe ich – nicht mehr – gesagt?", frage ich etwas überrascht, da ich mir dieser Aussage nicht bewusst bin. „Oh!"

Er nickt heftig. „Ja, hast du."

„Nein, sicher nicht", streite ich rigoros ab. Dabei bin ich mir gar nicht mehr so sicher, da ich in dem Moment, als ich es sagte, genau die entsprechende Situation vor Augen hatte.

Er legt seine Hand auf meine und streichelt sie liebevoll. „Ich will doch bloß, dass du nicht wieder unglücklich wirst. Das warst du lange genug."

Ich nicke lächelnd, tätschle seine Hand und erhebe mich. „Lass uns endlich essen, sonst wird es noch kalt."

*

Ulrichs Wagen biegt gewohnt pünktlich in die Einfahrt.

Ich sehe es, weil ich seit etwa zehn Minuten am Küchenfenster herumlungere und auf ihn warte. Natürlich würde ich das nie zugeben. Rasch greife ich nach Mantel und Handtasche. Um jegliche Konfrontation zwischen ihm und Leon zu vermeiden, beeile ich mich aus dem Haus zu kommen.

„Leon, ich gehe", rufe ich zur offenen Wohnzimmertür hinüber.

Er antwortet nicht.

„Was soll's?", murmle ich und gehe die paar Schritte hinüber, um mich zu verabschieden. Sonst wirft er mir noch vor, dass ich heimlich verschwinde. „Leon?" Ich schiebe die Verbindungstür auf und sehe gerade noch, wie er die Terrassentür öffnet. „Wo willst du hin?"

„Nur ein wenig frische Luft schnappen", antwortet er schnell und fügt abfällig hinzu: „Dein Herzog ist da. Schätze, er steht schon vor der Tür."

„Ja, ich weiß. Ich wollte dir nur sagen, dass ich jetzt gehe."

„In Ordnung", antwortet er emotionslos, als hätte das Gespräch am Vortag gar nicht stattgefunden. Er setzt sich, greift nach der TV-Zeitschrift und blättert scheinbar interessiert darin.

Mir bleibt nur noch, die Augenbrauen verwundert hochzuziehen und zu gehen. Als ich die Haustür öffne, steht Ulrich davor und überreicht mir einen bunten, herrlich duftenden Frühlingsstrauß. Der Mann weiß, wie man Frauen verwöhnt. Ob er nun wirklich ein Weiberheld ist, weiß ich nicht, aber ein Frauentyp ist er ganz sicher. Mir fällt Hildegard Weiß ein. Hätte ihr Ulrich Gelegenheit dazu gegeben, sie hätte ihn sicherlich nicht von der Bettkante gestoßen.

„Oh, wie schön und …"

„Bei Weitem nicht so schön wie du", unterbricht er mich lächelnd.

„… wie die duften", ignoriere ich seine charmante Bemerkung. „Komm doch einen Moment herein. Ich stell nur eben die Blumen in eine passende Vase."

„Da spricht doch jemand?", fragt Ulrich unerwartet, lauscht und deutet mit dem Zeigefinger in Richtung Wohnzimmer. „Das ist dein Fernseher. Du hast vergessen ihn abzuschalten. Ich übernehme das für dich. Sonst fällt dir das womöglich noch im Lokal ein und ich muss dich nach Hause bringen."

„Nicht nötig. Leon ist hier."

„Ach?" Seine Augenbrauen schnellen in die Höhe. „Ich dachte, er verbringt nur die Wochenenden in deinem Haus?"

„Er hat beschlossen endgültig hier einzuziehen", antworte ich freudestrahlend – vielleicht ein bisschen zu freudestrahlend.

Auf Ulrichs Stirn zeigen sich zwei steile Falten, die ihn plötzlich nachdenklich erscheinen lassen. Dann, ohne Umschweife, bombardiert er mich geradezu mit einigen Fragen: „Hat er beschlossen? Und du? Was ist mit dir? Entschuldige, das geht mich im Grunde nichts an, aber merkst du gar nicht, wie sehr dich der Junge mit Beschlag belegt?"

Ich werfe ihm einen überraschten Blick zu. Bisher dachte ich immer, dass Ulrich mein Verhältnis zu Leon versteht. Obwohl ich seine Art, mich mit Fragen zu löchern, nicht ausstehen kann, weil sich seine Fragen stets wie ein Vorwurf anhören, muss ich zugeben, dass die Antworten darauf durchaus wissenswert für mich wären. Doch auf keinen Fall werde ich ihm erklärende Antworten geben, noch werde ich mit ihm darüber diskutieren und schon gar nicht zugeben, dass ich mir diese Fragen ebenfalls ab und an gestellt habe.

„Wie du eben sagtest, es geht dich nichts an."

„Aber …"

Ich hebe die Hand, um seinem Einwand zuvorzukommen. „Du willst doch, dass ich mit dir ausgehe?"

Er atmet einmal tief durch und nickt.

„Dann lass uns jetzt gehen", beschließe ich das Thema.

Wir gehen gemeinsam zu seinem Wagen. Er öffnet mir höflich die Tür, lächelt mir zu und wartet bis ich eingestiegen bin, bevor er sie zuschlägt. Dann beeilt er sich hinter dem Wagen herumzulaufen und lässt sich hinters Steuer gleiten.

Keine fünfzig Meter vom Haus entfernt lenkt Ulrich den Wagen an den Straßenrand und schaltet den Motor aus.

„Was ist?", frage ich verwundert.

„Hast du das nicht gehört?"

„Ich – nein. Was denn?"

„Da war so ein seltsames Schlackern. Irgendetwas stimmt nicht mit dem Wagen", antwortet er nachdenklich.

„Ach?", entfährt es mir, da ich ja kein ungewöhnliches Geräusch bemerkt habe. Dagegen sah ich schon den einen oder anderen Film, in dem genau dieser Satz als Vorwand benutzt wurde, um die Frau zu …, na ja. Vor meinem geistigen Auge spulen sich Szenen ab, die sich nach solch einem Satz in Autos abgespielt haben könnten. Nun ja, es wäre doch durchaus im Rahmen des Möglichen, dass auch Ulrich daran denkt. Schließlich sind wir beide noch lange nicht jenseits von Gut und Böse.

„Warum sonst sollte ich rechts ranfahren und anhalten?", will er unnötigerweise wissen, während er die Innenbeleuchtung anschaltet und mir einen fragenden Blick zuwirft.

„Weiß ich's?", antworte ich spitz.

„Ha!", lacht er auf. „Du hast doch nicht etwa angenommen, ich …? Nein, hast du nicht?", fragt er zweifelnd, fügt dann aber ungeniert grinsend hinzu: „Aber du bringst mich da auf eine verteufelt geniale Idee."

Bevor ich ihm antworten kann, beugt er sich zu mir rüber und – öffnet das Handschuhfach. „Entschuldige", sagt er, tastet nach der kleinen verchromten Taschenlampe, die ich ganz hinten liegen sehe, und nimmt sie heraus.

„Bleib sitzen. Hörst du? Lauf nicht weg. Ich bin gleich wieder bei dir", sagt er grinsend und steigt aus.

Ein paar Minuten später steigt er mit wutverzerrtem Gesicht wieder ein. „Da hat irgend so ein Idiot den Reifen hinten links zerstochen. Der Wagen hat einen Platten. Dass ich das nicht schon gleich bemerkt habe? Vermutlich hatte ich nur Augen für dich."

„In welcher Gegend wohnst du?"

„Von wegen Gegend … Ich komme direkt aus dem Verlag."

„Woher auch immer. Und was hast du nun vor?"

Er zuckt mit den Schultern.

„Wechsle den Reifen", schlage ich ihm vor. „Oder kannst du das nicht?"

„Können schon, aber ich habe kein Werkzeug dabei. Bevor wir nach Leipzig flogen, musste ich mit dem Wagen einiges transportieren und da waren das Radkreuz und der Wagenheber im Weg. Ich habe beides in der Garage deponiert und vergessen, es wieder in den Kofferraum zu legen."

„Und nun?", frage ich, obwohl mir bereits die unterschiedlichsten Möglichkeiten durch den Sinn gehen.

„Ich rufe ein Taxi", antwortet er, während er sein Handy aus der Sakkoinnentasche zieht. „Wir könnten aber auch zu deinem Haus zurückgehen und bei dir eine Kleinigkeit essen, die selbstverständlich ich zubereite."

„Du kannst kochen?", frage ich erstaunt.

„Na, hör mal", meint er empört, „ich bin Junggeselle."

„Mit einer Haushälterin, die für dich kocht."

„Das war nicht immer so. Ich brate zum Beispiel die besten Spiegeleier der Welt."

„Spiegeleier?", wiederhole ich abfällig.

„Hast du was gegen Spiegeleier?"

„Nein, aber wolltest du nicht meinen Erfolg mit mir feiern?", schmolle ich. „Unter einem Festessen stelle ich mir weiß Gott etwas anderes vor."

„Na gut. Lass mich sehen, was deine Küche hergibt. Mir wird dann schon ein Gericht einfallen, das deinem verwöhnten Gaumen schmeichelt."

„Also dann, gehen wir", fordere ich ihn auf und bücke mich nach meiner schwarzen Ziegenledertasche, die ich zuvor neben meinen Füßen abgestellt habe.

Er will schon aussteigen, da dreht er sich nochmal nach mir um und meint herausfordernd: „Wir könnten aber auch auf diese Idee von dir zurückkommen. Wie war das noch? Du hast angenommen, ich wolle dich verführen."

Ich merke, wie mir das Blut ins Gesicht schießt. Gerade als ich ansetze entschieden zu protestieren, spricht er auch schon weiter.

„Ich dachte freilich, die Zeiten der Autoknutscherei seien längst vorbei. Mit meinen immerhin fünfundfünfzig Jahren halte ich mich eigentlich zu alt für derartige Verrenkungen im Auto. Aber ich muss zugeben, die Vorstellung, es mit dir zu tun, entbehrt nicht eines gewissen Reizes. Im Gegenteil, mir schwirren da die verrücktesten Ideen durch den Kopf und dabei fühle ich mich wie ein Teenager. Mein Auto hat Liegesitze", erklärt er, während er sich über mich beugt und seitlich meines Sitzes nach dem entsprechenden Hebel sucht.

„Untersteh dich!", fauche ich wütend, nachdem ich mich von der ersten Verwirrung erholt habe. *Männer! Ein winziges Stichwort und schon fließt ihr Blut aus dem Gehirn, direkt in ihren ...*

„Du hast recht", meint er schmunzelnd und setzt sich wieder auf, „ich kann mir auch ein entschieden bequemeres Lager vorstellen." Dann plötzlich verschwindet das Lächeln aus seinem Gesicht, er ergreift meine Hand, zieht sie an seine Lippen und drückt einen heftigen Kuss darauf.

Was wird jetzt das? Während ich mir vorstelle, wie er seine Lippen zärtlich auf meine senkt, wird mir ganz schwummrig und mein ohnehin schon rasender Puls beschleunigt um eine weitere Nuance.

„Ach, Greta", fährt er fort, „verzeih, aber du bist nun mal eine wunderschöne Frau, da kann ein Mann schon mal seine gute Erziehung vergessen. Jedenfalls war das vermutlich der Grund, warum ich mich dir gegenüber nicht ganz korrekt verhielt. Greta …, ich wollte mich heute Abend nicht nur mit dir treffen, um deinen Erfolg und den des Verlags mit dir zu feiern. Das schon auch, aber hauptsächlich wollte ich mich bei dir entschuldigen. Ich habe mich in Leipzig wirklich unmöglich benommen. Es tut mir sehr leid und ich verspreche dir, es wird nie wieder vorkommen."

Erst jetzt bemerke ich, dass ich ihn mit offenem Mund anstarre. Verwirrt schließe ich ihn sogleich und räuspere mich.

„Ja. Nun …", ich räuspere mich ein weiteres Mal, „stimmt, du warst etwas dreist. Aber meinetwegen kannst du's abhaken", füge ich betont gleichmütig hinzu. „Hättest du mich jetzt nicht daran erinnert, ich hatte den kleinen Zwischenfall längst vergessen." *Es tut ihm leid. Er bereut es, mich geküsst zu haben. Und nun macht er für sein Verhalten allein seine versehentlich in meiner Gegenwart verrücktspielenden Hormone verantwortlich. Hormone – Frau. Es hätte eine x-beliebige sein können, mit mir als Person hatte das also nichts zu tun. Ich bin ein Irrtum. Ich bin ein in schöne Worte verpackter Irrtum.*

Zwei steile Falten, die sich nun auf seiner Stirn zeigen, verleihen seinem Gesicht einen strengen Ausdruck. „Du hast es schon vergessen? Dann …"

„Na, hör mal", unterbreche ich ihn, „du nimmst doch nicht etwa an, ich hätte einem Gutenachtküsschen mehr Bedeutung geschenkt, als es verdient?"

„Und der Kuss auf deine Schulter?", fragt er scheinbar enttäuscht.

„Du hast mich auf die Schulter geküsst?", frage ich betont fassungslos.

„Das hast du nicht bemerkt?"

„Upps! Das ist mir dann wohl entgangen. – Na, komm schon", scherze ich zwanglos und boxe ihn burschikos auf den Oberarm, „mach dir nicht ins Hemd deswegen. Ich stell mir einfach vor, wie es war. Schließlich hat Gott mich mit einer guten Portion Phantasie ausgerüstet. Und jetzt lass uns lieber gehen. Hier im Auto wird's zunehmend kälter."

Ich öffne die Tür und steige aus. „Aber ich erwarte mindestens ein Fünf-Sterne-Menü", rufe ich ihm über das Wagendach zu.

Wie zwei arme Sünder marschieren wir flott nebeneinander her zum Haus zurück. Keiner spricht ein Wort. Meine Stimmung ist auf dem Nullpunkt. Würde mich jemand fragen, warum das so ist, könnte ich ihm keine Antwort darauf geben. Es ist nur so ein Gefühl.

Habe ich etwa erwartet, dass er mir eine Liebeserklärung macht? Nein! Natürlich nicht! Ich werfe ihm einen Blick zu und stelle fest, dass er mich beobachtet. „Ist was?", frage ich spitz.

Er schüttelt nur verneinend den Kopf.

„Ein Cent für deine Gedanken", bemerke ich, als wir vor der Haustür stehen und ich in der Handtasche nach meinem Schlüssel krame.

„Einen Penny heißt das", murmelt er.

„Einen Penny habe ich aber nicht."

„Du hast es bemerkt", antwortet er zusammenhangslos.

„Was?"

„Den Kuss auf die Schulter."

„Wer sagt das?"

„Mein Gefühl. Zudem erinnere ich mich ganz genau, dass du zusammengezuckt bist, und ich weiß noch, wie du dich danach verhalten hast – wie jemand, der am liebsten die Flucht ergriffen hätte. Da du das nicht konntest, hast du buchstäblich die Jalousien heruntergelassen, um der Tatsache nicht ins Auge blicken zu müssen."

„Welcher Tatsache?", frage ich kleinlaut, wohl wissend bei meiner Lüge ertappt worden zu sein.

„Dieser."

Er beugt sich über mich, legt eine Hand an meinen Rücken, die andere gleichzeitig an meinen Nacken und zieht mich sanft an sich. Mir wird schwindelig. *Oh Gott!* Meine Knie zittern wie Wackelpudding und mein Herz schlägt so wild gegen meine Brust, dass ich befürchte, es könnte zerspringen. *Ich muss weg von hier! Oh Gott! Ich kann mich nicht bewegen. Was mach ich jetzt? Sein Gesicht kommt näher. Nein!* Um nicht sehen zu müssen, was gleich geschehen wird, schließe ich die Augen. *Wow!* Seine Lippen berühren meinen Mund – vorsichtig und sanft, als fürchten sie, mich zu erschrecken. Ich kann mich nicht dagegen wehren und ich will es auch nicht. *Der Mann hat dich vor wenigen Minuten ziemlich enttäuscht,* schießt blitzartig ein warnender Gedanke durch meinen Kopf. Rigoros wische ich ihn beiseite. *Egal. Oh Gott! Ich will es.* Pures Verlangen, das heiß durch meine Adern rinnt und meinen Körper zu verbrennen droht, drängt mich dem fordernden Druck seiner festen, warmen Lippen nachzugeben und seiner Zunge Einlass zu gewähren. Er schmeckt nach Minze-Zahnpasta. Und dazu dieser verdammt erregende Duft seines Aftershaves. Ich kann nicht anders, ich erwidere das forschende Spiel seiner Zunge, das zärtlich und gleichzeitig so unerwartet fordernd ist. Willenlos sinke ich an seine Brust.

„Hallo ihr beiden", begrüßt uns Leon plötzlich. „Schon zurück? Das Date war aber kurz."

Wie zwei ertappte Teenager fahren wir auseinander.

„Ulrichs Wagen …" Ich räuspere mich.

„… hat einen Platten", beendet Ulrich heiser meinen Satz und räuspert sich ebenfalls.

„Und da ist euch die Lust zum Feiern vergangen", stellt Leon trocken fest.

Ich höre das versteckte Jauchzen in seiner Stimme. *Nein, das bilde ich mir sicher nur ein.* Er sieht mich an wie mein Vater, als der mich, gerade sechzehn geworden, mit Norbert, meinem ersten Freund, beim Knutschen erwischte.

Verdammt! „Woher weißt du überhaupt, dass wir zurück sind? Oder wolltest du gerade ebenfalls ausgehen?"

„Nein, ich habe euch die Auffahrt heraufkommen sehen. Und da ihr nicht hereingekommen seid, dachte ich, du hast vielleicht deinen Hausschlüssel vergessen. Ich konnte ja nicht ahnen …"

Ich werfe ihm einen warnenden Blick zu, als ich, seine Bemerkung ignorierend, ohne ein weiteres Wort zu verlieren an ihm vorbeigehe. Schließlich muss ich mich ihm gegenüber in keiner Weise rechtfertigen. Er ist nur Richards Sohn. *Richard! Oh Gott! Richard! Was habe ich getan?* Richard ist gerade mal ein Jahr tot und ich lasse mich von einem andern küssen.

„Danke, dass Sie Greta nach Hause gebracht haben", reißt Leon mich aus meinen Gedanken. „Gute Nacht."

Ich drehe mich um und sehe gerade noch, wie er die Tür vor Ulrichs Nase zuschlagen will.

„Ich habe nicht vor zu gehen", antwortet Ulrich bestimmt, knallt seine Hand gegen die Tür, drückt sie wieder auf und zwängt sich an Leon vorbei.

„Haben Sie nicht?" Leons Mine zeigt deutlich, was er darüber denkt.

Ich nicke. „Nein, wir verbringen den Abend hier. Ulrich kocht."

„Ulrich kocht?", fragt er entsetzt und fügt abfällig hinzu: „Kann er das denn?"

„Lassen Sie sich überraschen", erklärt Ulrich grinsend.

„Nein, danke", antwortet Leon aufbrausend und stürmt an uns vorbei. „Ich habe keinen Hunger."

Was hat der Junge bloß gegen Ulrich, frage ich mich zum x-ten Mal.

„Kann es sein, dass der Kleine mich nicht leiden kann?", fragt Ulrich und deutet mit dem Daumen in die Richtung, in die Leon entschwunden ist.

Ich zucke nur mit den Schultern und begebe mich in die Küche.

Ulrich folgt mir.

Wortlos hebe ich den Arm und deute mit ausgestrecktem Zeigefinger zunächst auf den Herd, dann zum nächsten Küchenteil und erkläre: „Das ist mein Kühlschrank und hinter dieser Tür", ich öffne sie, „verbirgt sich der Vorratsraum. Kommst du zurecht? Dann lasse ich dich jetzt allein. Ich möchte kurz mit Leon sprechen."

Er nickt. „Ja, tu das."

„Alles andere das du eventuell benötigst, findest du in den diversen Schubladen und Schränken", erkläre ich noch über meine Schulter hinweg und verschwinde.

Was ist nur mit Leon los, frage ich mich besorgt. *Sollte ihm nicht klar sein, dass er sich meinen Gästen gegenüber nicht derart flegelhaft benehmen kann, muss ich ihm das jetzt mal in aller Deutlichkeit sagen.*

Ich klopfe an seine Zimmertür, obwohl ich vermute, dass er mit Kopfhörern an den Ohren auf seinem Bett sitzt und garantiert nichts hört. Ich klopfe ein zweites und ein drittes Mal. Keine Reaktion. Besorgt drücke ich die Klinke seiner Zimmertür herunter, schiebe sie einen Spalt weit auf und spähe vorsichtig hinein. Wie vermutet liegt er auf dem Bett und lässt sich, während er seine Nase in ein Lehrbuch steckt, mit dieser lauten Chaoten-Musik volldröhnen. Ich setze mich auf den Bettrand, drücke mit meinem Zeigefinger das Buch nach unten und schau ihn mit strafend hochgezogenen Augenbrauen wortlos an.

„Ich lerne", murrt er und reißt das Buch wieder nach oben.

Unbeirrt ziehe ich die Kopfhörer von seinen Ohren. „Du wirst in einigen Minuten nach unten kommen", bestimme ich, während ich ihm das Buch aus den Händen nehme, zuklappe und auf die Nachtkonsole lege. „Du wirst mit uns gemeinsam essen und du wirst dich vorbildlich benehmen."

„Das werde ich ganz sicher nicht", erklärt er aufsässig. „Du kannst mich nicht zwingen."

„Oh doch", sage ich bestimmt.

Er setzt sich auf und betrachtet mich einige Sekunde mit zusammengekniffenen Augen. An seiner Mimik erkenne ich, dass er sehr wohl weiß, was ich kann. Allein die Frage, ob ich es auch tun würde, scheint ihn noch zu beschäftigen. „Ich kann den Kerl nicht ab", quengelt er.

„Was hast du eigentlich gegen Ulrich?", will ich einlenkend wissen.

„Das fragst du mich tatsächlich? Vor einem Jahr starb mein Vater – dein Ehemann, den du so sehr liebtest, dass du glaubtest, ein Leben ohne ihn nicht aushalten zu können. Seinetwegen wolltest du dich umbringen. Erinnerst du dich?"

„Das hat gesessen", sage ich betroffen. Um Fassung bemüht fahre ich ruhig fort: „Es stimmt. Mit Richards Tod schien das Leben jeden Sinn für mich verloren zu haben. Ich wollte aus diesem für mich so scheinbar sinnlos gewordenen Leben aussteigen. Aber gerade als ich dabei war, meinen bis ins Kleinste geplanten Selbstmord auszuführen, griff irgendeine höhere Macht ein und sorgte dafür, dass ich mein Vorhaben zunächst verschieben musste, um es letztendlich ganz aufzugeben. Da hat sich nämlich dieser Bursche in mein Leben gestrampelt, hat sich an mich gehängt wie ein mutterloses Schaf und lässt sich nun partout nicht mehr daraus vertreiben. Er hat mir philosophisch erklärt, dass das Buch meines Lebens es wert wäre, bis zur letzten Seite gelesen zu werden, weil es noch so manche Überraschung in sich birgt. Ich habe ihm geglaubt und nun, da mir dieses Buch spannende Seiten präsentiert, reagiert er wie ein bockiges Kind."

„Damit meinte ich nicht, dass du dich mit einem neuen Mann einlassen sollst", antwortet er eigensinnig. „Schon gar nicht mit Ulrich Herzog, diesem arroganten Macho."

Ich lächle und ignoriere seinen Einwand. „Und ja, ich bin überrascht. Unser Leben wird nicht nur von der Vergangenheit geprägt, das weiß ich jetzt, sondern auch von der Zukunft, die wie ein endlos faszinierendes, erregendes Geheimnis über uns schwebt. Ein Geheimnis, das es zu lüften gilt, selbst auf die Gefahr hin, dass uns nicht immer gefällt, was uns erwartet. Doch da gibt es auch Momente, die wir einfach nur genießen sollten. Was hast du gegen Ulrich?", frage ich abschließend.

„Er wird sich nehmen, was er will, und hat er es bekommen, wird er dich wie eine heiße Kartoffel fallen lassen."

„Wie kommst du darauf? Du kennst ihn doch gar nicht."

„Aber du?", meint er trotzig.

„Ulrich ist ein Mann, der für seine Interessen einsteht, ja, aber das heißt doch nicht, dass er quasi über Leichen geht."

„Ach, nein?" Leon zieht die Zeitschrift hervor, die ich eben mit seinem Lehrbuch fast verdeckt habe und knallt sie mir regelrecht in die Hände. „Lies!"

„Hundefriseurin Tina erobert …"

„Nicht das. Dreh sie um. Du musst die Titelseite lesen."

DIE LUSTIGE WITWE und
        DER GALANTE HERZOG

Endlich ist das Geheimnis um den Verlagswechsel der beliebten Bestsellerautorin Greta Sander gelüftet. Laut Aussage des Verlegers Ulrich Herzog (Herzog-Verlag), der nach seiner Ehe mit der italienischen Schauspielerin Ramona Vescera bereits mehrere Beziehungen hinter sich hat, schlägt sein Herz nicht nur für die Werke der Autorin.

Obwohl Greta Sander keinen Kommentar dazu abgab, konnte unser Reporter an den leidenschaftlichen Blicken, die sie Ulrich Herzog während des Interviews zuwarf, erkennen, dass dies durchaus auf Gegenseitigkeit beruht.

Da das obligatorische Trauerjahr um ihren verstorbenen Ehemann, den Münchner Baulöwen Richard Weidentaler, vorüber ist, sieht es ganz danach aus, als stünde dem neuen Glück nichts mehr im Wege. Doch was wäre das Paradies ohne Schlange?

Unser Reporter sprach mit der Frau, die man während der letzten beiden Jahre des Öfteren an Herzogs Seite bewundern durfte – Amanda Seeger, die charmante Inhaberin und Sterneköchin des Starnberger Promilokals „Schnürsenkel“.

„Ulrich Herzog wird auch in Zukunft nicht auf mich verzichten“, kommentierte die Dame gelassen. „Amouröse Abenteuer liebt doch jeder Mann.“

Unser Reporter wird an der Geschichte dranbleiben.

„Dieser elende Mistkerl!“, entfährt es mir wütend. Ich knalle die Zeitschrift auf Leons Bett, wende mich ab und verlasse aufgebracht sein Zimmer.

„Wen meinst du – Herzog oder diesen Journalisten?“, ruft er mir nach.

Ich bleibe ihm die Antwort schuldig. Ich bin nur wütend, so wütend, ich könnte platzen. *Dieser unverschämte Schmierenreporter. Und was ist das mit der Köchin? Allem Anschein nach ist Ulrich mit dieser Frau liiert. Wie kommt er dann dazu mich anzubaggern, so ganz nebenbei?*

Aus der Küche entströmt ein phantastischer Duft nach Gebratenem. *Er kann kochen! Na klar kann er kochen, er ist mit einer Köchin liiert.*

Eine Erkenntnis, die mir ganz und gar nicht passt. Dabei habe ich zunächst gedacht, meine Wut würde sich allein auf diesen Schreiberling beschränken und die Frechheit mit der er behauptet hat, ich hätte

Ulrich leidenschaftliche Blicke zugeworfen. Der Kerl muss schon ein gemachter Depp sein, sonst hätte er erkannt, dass ich innerlich vor Wut kochte und meine Blicke lediglich so leidenschaftlich wirkten, weil sie Blitze gegen ihn geschossen hatten. Ein wenig Einfühlungsvermögen und er hätte erkennen müssen, dass ich keineswegs einverstanden war mit dem, was Ulrich da so lässig von sich gegeben hatte.

Aber am meisten, ich nicke um diesen Gedanken zu unterstreichen, *ja, am Meisten trifft mich doch die Tatsache, dass es in Ulrichs Leben eine andere Frau gibt.* „Es ist besser du gehst jetzt", rufe ich ihm zu, während ich die Küchentür aufstoße.

„Ich habe das hier begonnen, ich bringe es auch zu Ende", erklärt er gut gelaunt. Doch gleich darauf wirft er mir einen fragenden Blick zu. Dass Ulrich begriffsstutzig ist, kann man wirklich nicht behaupten, denn in Sekundenschnelle scheint er zu erfassen, dass etwas Unerwartetes geschehen ist.

„Du bringst hier gar nichts zu Ende. Ich möchte, dass du jetzt gehst."

„Aber Greta ...., was ist denn geschehen?", fragt er verdutzt.

„Etwas, worüber ich jetzt nicht mit dir diskutieren möchte. Geh einfach."

Ulrich öffnet seine Lippen um einen weiteren Einwand zu erheben, doch ich lasse das nicht zu.

„Bitte geh."

Er legt den Kochlöffel zur Seite, zieht das Geschirrtuch aus seinem Hosenbund und hängt es an den Haken zurück. Mit ernstem Gesicht greift er nach seinem Jackett, das er zuvor über die Lehne eines Stuhls gelegt hatte.

„Das muss etwa fünf Minuten köcheln, dann solltest du es noch mal abschmecken", sagt er leise und verlässt die Küche, mir einen letzten unverständlichen Blick zuwerfend.

Ich atme einmal tief durch. *Wie konnte ich mich nur dermaßen in diesem Mann täuschen. Ob er angenommen hat, er müsse mich umschmeicheln, um mich auf diese Weise bei der Stange zu halten?*

Erschöpft setze ich mich auf den Stuhl, auf dem zuvor Ulrichs Jackett gelegn hat. Die Erinnerung daran lässt meine mühsam aufrecht erhaltene Fassade in sich zusammenstürzen. Ich fühle mich verletzt und gedemütigt. Tränen verschleiern meinen Blick. Zunächst versuche ich sie hinunterzuschlucken, aber es gelingt mir nicht. Wie Bäche fließen sie über meine Wangen, unaufhaltsam und leise. *Was bin ich doch für ein naives Schaf.*

Plötzlich fühle ich eine sanfte Berührung auf meiner Schulter.

„Ja, lass es raus", sagt Leon tröstend, „dann wird es dir bald besser zu gehen."

„Wie konnte ich mich so in Ulrich täuschen?", krächze ich und greife nach dem Taschentuch, das er mir vorsorglich entgegenstreckt.

Einatmend hebt er unwissend die Schultern und senkt sie beim Ausatmen langsam wieder ab. „Mir war der Kerl von Anfang an unsympathisch."

Ich schnäuze mich, dann flüstere ich: „Aber warum? Er hat sich dir gegenüber stets freundlich verhalten."

„Aber doch nur, um bei dir Eindruck zu schinden. Vergiss den Typ. Hast du es nötig, mit diesem Verleger zusammenzuarbeiten? Du kannst deinen nächsten Roman wieder bei einem anderen Verlag herausbringen."

Ich schniefe und räuspere mich. „Ich werde keinen Roman mehr schreiben."

„Arbeitest du nicht bereits an einem neuen? Na gut, wie du willst", antwortet er und zuckt gleichgültig mit den Schultern. Dann schnüffelt er wie ein Hund, der eine Fährte aufgenommen hat.

„Was riecht hier eigentlich so gut?"

„Keine Ahnung. Ulrich hat gekocht, wie du weißt."

„Ach ja, du hast erwähnt, dass er kochen würde", sagt er abfällig, hebt neugierig den Deckel der Bratpfanne und zieht den verlockenden Wohlgeruch durch seine Nase. „Wenn es so schmeckt, wie es riecht …, wäre doch schade es verkommen zu lassen."

Kapitel 11

Obwohl in weniger als einer halben Stunde der Krimi im Abendprogramm beginnt, den ich unbedingt sehen will, entschließe ich mich spontan zu einem kleinen Spaziergang am See entlang. Ich vermisse Ulrich. Seit diesem missglückten Abend habe ich nichts von ihm gehört. Ständig grüble ich darüber nach, wie ich sein Verhalten deuten soll.

Hätte er nicht wenigstens anrufen können? Zumindest hätte ich ihm erklären müssen, warum ich ihn aus dem Haus warf. Er schien völlig ahnungslos zu sein. Vermutlich war er das auch, sonst hätte er den Artikel doch erwähnt. Nein, hätte er nicht. Schließlich ist er für das Desaster verantwortlich. Ich bin sicher, er hätte nichts gesagt. Er konnte ja nicht ahnen, dass ausgerechnet Leon die Zeitschrift mit dem unsäglichen Artikel entdecken und kaufen würde.

Mein Handy schrillt.

Das ist sicher Leon.

Mittlerweile ist es ihm zur Gewohnheit geworden, mir einen kurzen Bericht über das Tagesgeschehen zu erstatten und eine gute Nacht zu wünschen. Seit ich aus Leipzig zurück bin, sitzen wir allerdings öfter zum Abendessen am selben Tisch, da fallen die Telefonate weg. Vermutlich will er mich immer noch davon überzeugen, dass seine Idee, hier ganz einzuziehen, nicht die schlechteste ist. Heute jedoch übernachtet er wieder in München. Er schreibt morgen eine Klausur und will sich das allmorgendliche Gedrängel auf der Straße ersparen. Ein guter Grund, sich meinen Argumenten, die Wohnung in München bis zum Ende des Studiums zu behalten, nicht völlig zu verschließen. Ich denke, langsam sieht er das auch ein.

„Ja?", melde ich mich erwartungsvoll ohne auf das Display zu schauen.

„Greta? Ich steh vor deiner Tür. Wo steckst du?"

„Ulrich?", frage ich erstaunt, obwohl ich den Anrufer an seiner markanten Stimme längst erkannt habe.

„Wir müssen reden", antwortet er knapp.

„Das müssen wir wohl", sage ich wenig begeistert, klappe das Handy zu und beeile mich zum Haus zurückzugehen. Gerade als ich den

Pavillon hinter mir lasse, schrillt das Handy erneut. Nachdem ich einen Blick darauf geworfen und festgestellt habe, dass es sich erneut um Ulrich handelt, lasse ich es läuten. *Wie kann man nur so ungeduldig sein? Ich bin ja gleich bei dir.*

Ich schließe die Terrassentür hinter mir und durchquere das Wohnzimmer und den Flur.

„Was soll das? Ich bin ja schon da", melde ich mich, noch bevor ich die Haustür öffne.

So schnell, dass ich nicht reagieren kann, betritt er das Haus, nimmt meinen Schlüsselbund von der Konsole, ergreift mein Handgelenk und zerrt mich aus dem Haus. „Los, komm mit."

„Was soll das? Was hast du vor?", frage ich erbost und ziehe mein Handgelenk aus seiner Umklammerung.

„Das wirst du schon sehen", antwortet er hintergründig lächelnd, während er mein Handgelenk abermals ergreift und wie ein Schraubstock umklammert.

„Na hör mal, ich lass mich doch nicht einfach von dir entführen", zische ich aufgebracht und versuche mich gegen sein Gezerre zu wehren.

„Lass diese kläglichen Befreiungsversuche, damit fügst du dir nur unnötige Schmerzen zu. Es wird dir also nichts anderes übrigbleiben. Ich habe nämlich nicht vor, mich aus deinem Leben vertreiben zu lassen."

„Du warst noch nie Teil meines Lebens. Allein durch die Tatsache, dass du mein Verleger bist, bot ich dir die Möglichkeit, als Zaungast einen Blick hineinzuwerfen. Es bleibt mir also erspart, dich daraus zu vertreiben", antworte ich überheblich und hoffe, ihn damit zu stoppen.

„So, meinst du? Das sehe ich ganz anders. Und weder ein selbstgefälliger Möchtegernreporter noch ein aus heiterem Himmel gefallener, eifersüchtiger Stiefsohn werden mich davon abhalten, es auch zu bleiben", erklärt er erstaunlich gelassen, während er die Wagentür an der Beifahrerseite öffnet.

Ein durchdringender Blick aus azurblauen Augen, die jetzt eiskalt wirken und mich an einen gefrorenen Gletschersee erinnern, zwingt mich einzusteigen.

„Ich werde dir jetzt etwas zeigen, das dich hoffentlich von meinen durchaus ehrbaren Absichten überzeugt", fügt er hinzu, bevor er die Wagentür zuknallt.

Absichten? Er hat Absichten? Und nun will er mich von diesen über-zeugen oder von was? Nimmt er etwa an, mich mit dieser Hauruckakti-on dazu zu bringen, meine neu gewonnene Erkenntnis über seinen verdorbenen Charakter zu revidieren?

Ulrich zwängt sich hinters Steuer. Nachdem er mir einen kurzen Blick zugeworfen hat, startet er den Wagen und gibt Gas.

„Wann hast du den Reifen gewechselt?", frage ich beiläufig.

„Heute Vormittag in der Werkstadt. Zwei so lange Holzschrauben", er deutet mit zwei Fingern eine Spanne von etwa zehn Zentimetern an, „hat der Mechaniker aus dem Reifen gezogen."

„Holzschrauben?"

„Ja, das sind die …"

„Ich weiß wie Holzschrauben aussehen", unterbreche ich ihn. Als Leon ein Regal zusammenbauen wollte, die Tüte mit den dazugehöri-gen Schrauben jedoch in der Münchner Wohnung vergessen hatte, holte ich aus Richards Hobby-Werkstatt einen Kunststoffkasten, in dem sich ein ganzes Sortiment Schrauben befand. Ich erinnerte mich daran, weil der Kasten nachdem Richard die Wandgarderobe angebracht hatte, tagelang in der Diele herumstand.

„Ach, ja? Jedenfalls steckten die Dinger in den Schlitzen."

„Da ist wohl jemandem die Packung aus den Händen gefallen. So etwas kommt vor", erkläre ich desinteressiert.

„Könnte man annehmen, aber so ist es nicht. Der Mechaniker sagte, jemand hätte zunächst den Reifen zerstochen und dann die Schraube hineingesteckt. Ich sollte wohl annehmen, dass ich drüberfuhr. Wie auch immer, er wurde durch einen neuen ersetzt."

Nach gut einer halben Stunde, in der ich trotzig und schweigend vor mich hin geschmollt habe, parkt er den Wagen direkt vor einem Lokal in Starnberg. Er steigt aus, läuft um ihn herum, öffnet die Beifahrertür und bittet mich, mir seine Hand reichend, auszusteigen.

Ich lasse meinen Blick an der rustikalen Fassade entlang über die unbeleuchteten Fenster nach oben schweifen und lese den Namen des Restaurants. – SCHNÜRSENKEL –

Das ist doch das Promilokal dieser Amanda Seeger. Was, verdammt noch mal soll das?

Mir wird übel. In meinem Magen tanzen Salzsäure und Enzyme Tango. Wissend, dass ich sie damit nicht im Zaum halten kann, schlucke ich dennoch zweimal.

„Kommst du bitte?"

„Was willst du hier? Benötigst du eine Brille? Auf dem Schild steht – Ruhetag", füge ich vorsorglich hinzu.

Wortlos ergreift er meine Hand und zieht mich mit sanfter Gewalt zum Eingang. Seltsamerweise lässt sich die Tür öffnen. Wir treten über die Schwelle des Lokals. Nachdem Ulrich die Tür hinter uns geschlossen hat, leuchtet die Flamme eines Feuerzeuges auf und ein Ober zündet die Dochte mehrerer Kerzen an.

Sogleich wird ein romantisch eingedeckter Tisch sichtbar. Es sieht derart bezaubernd aus, dass ich mich der romantischen Stimmung nicht entziehen kann.

„Nicht für uns", sagt Ulrich betont gelassen und führt mich an den Tisch, „wie du ja nun selbst feststellen kannst."

Der Ober zieht den Stuhl für mich zurück.

Wie hypnotisiert setze ich mich und da ich keine Möglichkeit sehe zu verschwinden, harre ich der Dinge, die auf mich zukommen werden. Und sie kommen in Gestalt einer kleinen, zierlichen, in weiße Kochklamotten gekleideten Frau mittleren Alters. Ihr halblanges, glattes Haar erinnert mich an den letzten Cappuccino, den ich vor fast drei Jahren im Café Voltaire auf der Via della Scala in Florenz getrunken habe. Ich denke, das Licht ist schuld, schiebe den Gedanken energisch beiseite und blicke fasziniert in das schmale Gesicht, das geradezu von innen heraus zu leuchten scheint. Was vermutlich an ihren wachen, weit aufgerissenen Augen liegt, die eindeutig mit ihren etwas zu vollen Lippen um die Wette lachen.

„Ulrich, schön dich zu sehen", begrüßt sie den Mann, der mich vor wenigen Minuten hierher entführt hat.

Der erhebt sich sofort, umarmt und küsst die Frau auf beide Wangen. „Grüß dich, Amanda."

„Frau Sander", wendet sie sich an mich und streckt mir ihre Hand entgegen, „es ist mir eine Ehre, Sie in meinem Lokal begrüßen zu dürfen. Sie müssen wissen, ich bin ein echter Fan von Ihnen. Ich verschlinge Ihre Bücher geradezu. Sowie eines im Buchhandel erscheint, muss ich es haben."

Gezwungenermaßen ergreife ich ihre Hand und vermutlich lächle ich wie ein Idiot, da ich absolut nicht kapiere, was hier vor sich geht.

„Das …", krächze ich und räuspere mich, „das freut mich."

„Und mich freut, ja, ich bin geradezu begeistert, Sie persönlich kennenlernen zu dürfen. Ulrich hat mich über dieses dumme Missverständnis informiert. Es …"

„Amanda und ich kennen uns seit der ersten Klasse Grundschule", unterbricht er sie in ihrem Redefluss. „Sie ist meine beste Freundin und wenn sie sagt, dass ich auch zukünftig nicht auf sie verzichten würde, hat sie recht. Ihre Seeteufel-Lachs-Röllchen in Austernsauce sind einfach zu köstlich und die flambierten Apfelcrêpes ein Genuss, den du unbedingt probieren musst."

Amanda wiegt, sich ihres Könnens durchaus bewusst, ihren Kopf dennoch bescheiden hin und her. „Mit meiner vorlauten Klappe", setzt sie da wieder an, wo Ulrich sie eben unterbrochen hat, „habe ich es wieder mal geschafft voll ins Fettnäpfchen zu treten. Dabei wollte ich diesem aufdringlichen Zeitungsschreiber lediglich das Maul stopfen. Hätte ich auch nur geahnt, was ich damit anrichte! Bitte glauben Sie mir, ich hätte ihn in hohem Bogen vor die Tür gesetzt. Es tut mir leid."

„Vermutlich hätte er sich dann eine andere Story ausgedacht", antworte ich geknickt und senke den Blick. Ich schäme mich ein wenig. *Wie konnte ich Ulrich nur so falsch einschätzen? Jetzt kenne ich ihn bereits über ein Jahr als integren Geschäftsmann, der sich mir gegenüber stets korrekt verhalten hat. Na ja, bis auf die zwei kleinen Zwischenfälle in Leipzig, bei denen er mir vermutlich lediglich zeigen wollte, dass er mehr für mich empfindet,* denke ich gerührt.

„Ich meine, Sie sind nicht die Einzige, die sich entschuldigen muss. Ulrich", beginne ich und zwinge mich ihm in die Augen zu sehen, „es tut mir leid. Ich hätte dich um eine Erklärung bitten müssen, bevor ich dich verurteile."

„Hättest du?", fragt er mit spöttischem Unterton und sieht mich an, als erwarte er noch mehr.

„Ja und …, ja, es war falsch dir überhaupt zu unterstellen, dass du eine Beziehung mit einer Frau hast, während du mit …“, abrupt stocke ich. *Was rede ich denn da?*

„Während ich mit … Ja, ich höre. Sprich weiter“, sagt Ulrich und sieht mich mit hochgezogenen Augenbrauen abwartend an. Das schwache Zucken in seinem linken Mundwinkel deutet auf das höllische Vergnügen hin, das ihm meine Verlegenheit offensichtlich bereitet.

„Während du mit mir …“, stottere ich, „nun ja …“, ich spüre, wie Hitze in meine Wangen steigt, und zucke peinlich berührt mit den Schultern, „sagen wir – flirtest? Oder habe ich da etwas falsch verstanden?“

„Ich lasse euch jetzt besser allein“, wirft Amanda ein, „und kümmre mich ums Essen.“

Sie wendet sich von uns ab und verschwindet durch eine Schwingtür, hinter der sich vermutlich die Küche befindet.

„Du meinst, ich flirte mit dir? Greta, das ist nicht dein Ernst.“

„Nein? Tust du nicht?“

Er ergreift meine Hand, sieht mir gradlinig in die Augen und schüttelt kaum merklich den Kopf.

„Ich habe mich an dem Tag in dich verliebt, als du vergessen hast, den Stecker deines Bügeleisens aus der Steckdose zu ziehen. Aber mir waren doch die Hände gebunden. Du hattest gerade deinen Mann verloren. Hast du denn während all der Zeit nicht einmal bemerkt …? Ich meine …“

Er legt auch noch seine andere Hand auf meine.

„… nein, natürlich nicht“, spricht er weiter, „du warst so sehr in deiner Trauer gefangen. Wie hätte dir da auffallen können, dass ich mehr für dich empfinde, als nur Verehrung für die Schriftstellerin.“

Ich senke den Blick. *Das ist eine Liebeserklärung?*

„Jedenfalls konnte ich mich in Leipzig nicht mehr zurückhalten.“

Oh, oh!

„Aber als du dann derart ablehnend reagiertest, war ich enttäuscht und verunsichert. Darum vermutlich die dämlichen Bemerkungen gegenüber diesem Trottel von Journalisten. Dass er daraufhin meine Freundschaft zu Amanda publikmachen würde, hätte ich nicht für möglich gehalten.“

„Solche Leute sind zu fast allem fähig", sage ich.

Er nickt und streicht zärtlich über meinen Handrücken.

„Und was wird nun aus uns?"

„Ihr – lasst es euch erst mal schmecken", antwortet Amanda statt meiner.

Ulrich zieht seine Hand zurück.

Ein Kellner serviert die Seeteufel-Lachs-Röllchen in Austernsoße.

Amanda selbst kredenzt uns einen, wie sie erklärt, Gutsriesling vom Weingut Eulenturm.

„Dieser Wein wird euch vorzüglich munden. Briedel zählt zu den fünf ältesten Weinbaugemeinden im Moseltal", erwähnt sie nebenbei.

Das war mir nicht bekannt, im Moment aber auch schnurzpiepegal. Ihre Anwesenheit gibt mir jedoch Gelegenheit, über Ulrichs Frage nachzudenken. *Wenn ich die Situation richtig einschätze ...*

„Ich wünsche guten Appetit", unterbricht sie meine Überlegungen ein weiteres Mal, dann lässt sie uns allein.

Ein verlockender Duft steigt mir in die Nase. Das Wasser läuft mir im Mund zusammen. Ich nehme das Besteck auf und probiere.

„Mm, das ist köstlich. Diese Soße, das Rezept ..."

Amanda bleibt stehen und dreht sich nach mir um. „Wird mein Geheimnis bleiben. Sonst lässt sich Ulrich gar nicht mehr bei mir blicken", antwortet sie rasch auf eine Frage, die ich nicht gestellt habe. Darum kläre ich sie sogleich auf, dass ich keineswegs vorhabe, sie um das Rezept zu bitten.

„Nicht?", fragt sie enttäuscht und kommt noch mal zurück.

„Nein. Das Rezept kenne ich bereits. Ein bekannter dänischer Maler, der das Cover eines meiner Bücher gestaltet hatte, kredenzte mir dieses Gericht, als ich ihn in Kopenhagen besuchte. Weil ich so begeistert davon war, hatte er es mir verraten. Die Quelle kenne ich allerdings nicht."

„Das ist wirklich seltsam ...", sagt Amanda nachdenklich. „Ich habe es während meiner Lehrjahre in Salzburg kennengelernt", erklärt sie, zieht eine Grimasse und wendet sich an Ulrich: „Wie auch immer, dann werde ich dich wohl nicht mehr so schnell begrüßen dürfen."

„Wie du weißt, habe ich andere Gründe, mich mit Greta zu treffen, als den …", sein Blick schweift von Amanda zu mir, „mich von ihr bekochen zu lassen."

Amanda lächelt verstehend, nickt und sagt: „Ihr beide seid ein tolles Paar." Dann nickt sie noch einmal und geht.

Ich versuche das Gesagte und Ulrichs Blick zu ignorieren, indem ich einen weiteren Bissen in den Mund schiebe und so tue, als hätte ich das nicht gehört. Mein Herz pocht dabei so laut, dass ich fürchte, er könnte es hören. Ulrichs Frage kommt mir wieder in den Sinn. *Und was wird nun aus uns? Ja, was wird aus uns? Ich weiß es nicht. Die beiden Ausrutscher in Leipzig haben mir schon gefallen und was den gestrigen Abend angeht …*

Ich sehe die Szene an meiner Haustür vor mir. Ein wohliges Gefühl in der Magengegend lässt mich schaudern. *Mein Gott, kann der Mann küssen*, denke ich und lasse jeden weiteren Bissen auf meiner Zunge zergehen. *Mm. Aber nur weil ein Mann gut küssen kann, muss man doch nicht gleich ein Paar werden. Andererseits, warum eigentlich nicht?*

„Und welche Gründe sind es denn nun, die dich veranlassen mich zu treffen?"

„Kannst du dir das immer noch nicht denken?"

„Was erwartest du von mir?"

„Nun ja, ich habe angenommen, du würdest nun, nachdem sich alles aufgeklärt hat und …, ich meine …", verlegen schiebt er sich einen Bissen in den Mund, kaut und schluckt. „Ich dachte …, der Kuss …"

„Du denkst, wir könnten dort weitermachen, wo wir gestern Abend aufgehört haben?", helfe ich ihm auf die Sprünge und füge mit leicht zynischem Unterton hinzu: „Du denkst, jetzt, da du alles aufgeklärt hast, wäre es denkbar, dass aus uns ein Paar wird – ein Liebespaar?"

Anscheinend rechnete er nicht damit, dass ich offen ausspreche, was ihm nicht über die Lippen will. Er starrt mich verdutzt an, nickt und sagt: „Ja, irgendwie schon."

„Irgendwie? Definiere irgendwie."

„Mach es mir doch nicht so schwer. Greta, ich liebe dich und ich will den Rest meines Lebens mit dir zusammen sein. Gib es zu, dir hat dieser Kuss gestern Abend doch auch gefallen und wer weiß, was noch geschehen wäre, hätte uns Leon nicht überrascht."

„Du meinst wir hätten womöglich …" Ich schüttle energisch meinen Kopf, als ich sein schelmisches Lächeln bemerke, und erinnere mich an die Arroganz, die er an den Tag legte, als Michael ihn mir vorstellte. „Nein, ganz sicher nicht!"

„Ich denke doch", sagte er nun betont selbstsicher. „Du willst es doch …"

Mein strafender Blick lässt ihn verstummen. *Was denkt der Kerl von mir?* Ich atme einmal tief durch, während ich das Besteck am Tellerrand ablege. Manierlich wische ich mir mit der blütenweißen Serviette den Mund ab und nehme einen Schluck von dem fruchtigen Riesling, der, wie ich feststellen kann, wirklich ganz ausgezeichnet zu diesem Fischgericht passt.

„Der Kuss hat dir gefallen, gib es doch endlich zu", bittet er mich inständig.

Ja, der Kuss war phantastisch. Diese Leidenschaft, die da plötzlich in mir zu brodeln begann. Nie und nimmer hätte ich für möglich gehalten, dass ich in diesem Leben noch einmal derartige Gefühle für einen Mann empfinden würde.

In meinem Leben gab es nur einen Mann – Richard. Er war der erste und einzige. Zu meiner Zeit ging das nicht so hoppla hopp. Da unterscheiden sich die heutigen Gepflogenheiten doch sehr von den damaligen. Die jungen Leute begegnen sich in der Disco oder wo auch immer, finden sich anziehend und schon hüpfen sie, mitunter noch bevor sie den Namen des anderen kennen, miteinander ins Bett. Alle Wetter, trotz freier Liebe und sexueller Befreiung in den Siebzigern taten das damals nur „leichte" Mädchen und die waren dann auch gleich als Nutten verschrien. In den Städten vermutlich nicht, aber auf den Dörfern schon. War vielleicht nicht immer richtig, nein, sicher nicht. Es ist in Ordnung, dass Frauen heutzutage mehrere Männer ausprobieren, bevor sie sich an einen binden. Ab und zu hatte auch ich mich gefragt, wie es wohl mit einem andern wäre, obwohl es mit Richard schön war. Er war zärtlich und rücksichtsvoll. Aber leidenschaftlich? Nun ja, ich darf nicht ungerecht sein, am Anfang unserer Beziehung waren wir ganz gut drauf, aber irgendwann hatte sich dann wohl der Alltag eingeschlichen. Zumal Richard wohl eher ein Kopfmensch war. Er ließ sich nie gehen, nicht mal beim Sex. Dabei hätte ich mir durchaus, zumindest ab und zu, ein wenig lüsterne Sinnlichkeit gewünscht. Vielleicht hätte ich ihm das ja mal sagen oder besser noch zeigen müssen. Was mich davon abhielt? Keine Ahnung. Sein Verhalten oder meine Erziehung? Die Angst, zu viel von mir preiszugeben oder mich gar zu blamieren? Allerdings hatte Richard auch nie dieses bodenlose Verlangen in mir geweckt, das mit Kribbeln im Magen beginnt, das Herz zum Rasen bringt und sich gleichzeitig über den ganzen Körper bis zu den Zehenspitzen zieht. Trotzdem liebte ich Richard. Für ihn wäre ich durchs Feuer gegangen.

„Greta?"

Ich schrecke aus meinen Gedanken und blicke eine Sekunde lang direkt in Ulrichs Augen. *Ja, dein Kuss hat dieses Verlangen in mir geweckt. Ein Verlangen, von dem ich stets angenommen habe, dass es wohl nur in meiner Phantasie existiert, in Romanen – wie ich sie, bis auf meinen letzten, nur am Rande beschrieben habe und in schnulzigen Liebesfilmen. Dass mir so etwas passieren könnte – in meinem Alter – hätte ich nie im Leben für möglich gehalten. Und nun will ich mehr. Viel mehr. Aber ich kann doch nicht mit ihm ...*

„Einen Cent für deine Gedanken", sagt er lächelnd.

„Einen Penny heißt das", erwidere ich wie er am Abend zuvor. Ich grinse und nehme mein Besteck wieder auf.

„Einen Penny habe ich nicht."

Er legt seine Hand auf meine und streichelt zärtlich darüber. „Greta, ich liebe dich. Das ist kein Spiel. Ich meine es ernst."

Wir sehen uns eine ganze Weile stumm in die Augen.

„Es geht nicht", sage ich leise. „Es war nett, dass du mir Amanda vorgestellt hast. Aber das ändert nichts an unserem Verhältnis. Wir sollten alles so belassen wie es ist."

Um den gleichgültigen Tonfall meiner Worte zu unterstreichen, schiebe ich mir einen Bissen in den Mund und kaue betont langsam.

„Aber das können wir nicht. Und das will ich auch gar nicht. Ich will dich endlich in meinen Armen halten, ich will dich küssen, wann immer mir danach ist, ich will dich schmecken, dich berühren, deine Haut unter meinen Händen spüren. Mein Gott! Greta, mein Verlangen nach dir ist so stark, dass ich wahnsinnig werde, wenn wir nicht bald …"

„Sprich es nicht aus", befehle ich.

„Na schön." Er atmet laut ein und wieder aus. „Ich werde dich nicht bedrängen."

„Gut."

Schweigend essen wir zu Ende.

Sofort nachdem ich mein Besteck und Ulrich seines auf den Tellern abgelegt haben, kommt der Ober an den Tisch.

Ich tupfe meine Mundwinkel mit der Serviette ab, die mittlerweile, auch wegen einiger Lippenstiftrückstände, nicht mehr blütenweiß ist, und lege sie auf den Tisch. Nach einem Blick auf meine Armbanduhr frage ich: „Können wir jetzt bitte gehen?"

„Kommt nicht in Frage. Amanda hat noch ein tolles Dessert vorbereitet."

„Lass mich raten. Flambierte Apfelcrêpes?"

„Ja!"

„Ich hasse Crêpes. Sie sind nicht nur fett, sie machen auch fett. Die Dinger wandern direkt von den Lippen auf die Hüften."

Er wirft mir einen abschätzenden Blick zu, der von meinem Gesicht abwärts über meinen Körper wandert, wobei er anzüglich grinst. „Aber du hast bezaubernde Hüften und wahrlich keinen Grund, dich über deine erstklassige Figur zu beklagen."

„Und damit das so bleibt, verzichte ich auf die Crêpes."

„Nun gut."

Ulrich winkt den Ober herbei, bittet ihn Amanda Bescheid zu geben, dass wir gehen möchten und uns gerne von ihr verabschieden würden.

Gleich darauf kommt Amanda an den Tisch. „War mit dem Essen irgendetwas nicht in Ordnung?", wendet sie sich an mich.

„Oh nein, das Essen war vorzüglich. Aber es wird Zeit zu gehen. Ulrich hat mich mit seiner Einladung völlig überrumpelt."

„Das ist typisch Ulrich" sagt Amanda und nickt wissend vor sich hin. „Immer mit dem Kopf durch die Wand."

„Na, hör mal", empört sich Ulrich. „Hatten wir nicht verabredet, dass du nur gut über mich sprichst?"

„Ich komme gerne ein andermal wieder", mische ich mich ein, ohne auf seine Worte einzugehen und reiche ihr meine Hand.

Sie ergreift sie und schüttelt sie herzlich. „Das würde mich sehr freuen."

*

Sowie Ulrich seinen Wagen in die Einfahrt meines Hauses lenkt, bemerke ich Licht im Wohnzimmer. *Das darf doch wohl nicht wahr sein. Ist der Junge nun doch nach Hause gekommen?*

Mein Magen krampft sich zusammen. Ich frage mich, ob ich mir gleich wieder die üblichen Vorwürfe anhören muss und fühle mich verdammt schlecht bei dem Gedanken. Gleichzeitig drängt sich mir ein anderer auf.

Kann es angehen, dass ich mich von Richards Sohn gängeln lasse? Ulrich hat etwas in der Art über Leon gesagt. Er klammert. Ja, er klammert tatsächlich. Ich muss das unterbinden. Und zwar bevor er seine Wohnung doch noch vor Ende der Studienzeit vermietet und hier einzieht. Sonst werde ich meines Lebens nicht mehr froh.

Ulrich öffnet die Wagentür und ist mir beim Aussteigen behilflich.

„Wie ist es, krieg' ich noch 'nen Absacker bei dir?"

„Du kannst 'nen Kaffee haben."

„Auch gut."

Bevor ich den Schlüssel ins Türschloss stecken kann, wird die Tür aufgerissen.

„Was will der denn hier?", fragt Leon abfällig und fügt vorwurfsvoll hinzu: „Wo warst du? Ich habe mir Sorgen gemacht."

„Wir waren essen und jetzt trinkt Ulrich noch einen Kaffee bei mir", kläre ich ihn mit Einsatz all meiner Selbstbeherrschung auf.

„Er hat dich also wieder mal um den Finger gewickelt", stellt er geknickt fest.

„Leon, ich kann dir alles erklären – später. Bitte lass uns jetzt allein."

„Ich bleibe", sagt er trotzig.

Gerade noch rechtzeitig bemerke ich, wie Ulrich sich aufplustert, um dem Jungen eine passende Antwort zu geben. Lediglich mein kaum merkliches Kopfschütteln und ein beruhigendes Zwinkern hindern ihn daran.

„Setz' dich doch schon mal ins Wohnzimmer", bitte ich ihn und zerre Leon in die Küche, noch während Ulrich an uns vorbei geht.

„Eins wollen wir doch mal klarstellen, das ist …", ich deute mehrmals mit ausgestrecktem Zeigefinger auf den Fußboden, „immer noch mein Haus und wenn du meinst, dich hier als Herr desselben aufspielen zu können, wird das nichts mit uns beiden. Denn wer hier ein und aus geht, entscheide immer noch ich. Ach, und bevor ich es vergesse, über mein Leben entscheide ich ebenfalls selbst."

„Na gut, wie du meinst", antwortet er beleidigt mit trotzigem Unterton, wendet sich von mir ab und verlässt ohne weitere Diskussion den Raum.

Na bitte, geht doch.

Ich warte bis der Kaffee durch die Maschine gelaufen ist, und begebe mich mit einem beladenen Tablett ins Wohnzimmer. In der Diele höre ich Heavy-Metal-Musik aus Leons Zimmer. *Wie Fabian. War der sauer, ließ er sich ebenfalls mit dieser laut kreischenden Heavy-Metal-Musik zudröhnen. Allerdings war die weniger aggressiv. Na ja, morgen wird er sich wieder beruhigt haben, dann rede ich noch mal mit ihm.*

Ulrich lächelt mir entgegen.

„Hoffentlich musstest du nicht allzu lange warten?", frage ich entschuldigend.

„Nein, ist schon in Ordnung."

Wir sprechen über belangloses Zeug – höfliche Konversation. Schon bin ich bereit zu glauben, dass Ulrich meine Entscheidung bezüglich unseres Verhältnisses respektiert. Da fragt er nach Leon.

„Er ist ein guter Junge. Wir verstehen uns prächtig."

„Das sah eben ganz anders aus."

„Er fühlt sich hier zu Hause und er meint mich vor dir beschützen zu müssen."

„Und was meinst du? Musst du vor mir geschützt werden?", fragt er leise, während sich unsere Blicke treffen und in den Augen des anderen versinken.

„Ich weiß es nicht", antworte ich nach geraumer Zeit. „Ich weiß nur, dass ich deine Freundschaft sehr schätze. Mehr kann ich mir allerdings nicht vorstellen."

„Kannst du nicht oder willst du nicht?", fragt er.

Mir entgeht der spöttische Unterton in seiner Stimme nicht, doch ich beschließe, diesen nicht zur Kenntnis zu nehmen.

„Mach es mir doch nicht so schwer."

„Das muss ich gar nicht. Das tust du schon selbst. Kannst du mir einen vernünftigen Grund nennen, der gegen eine engere Verbindung zwischen uns spricht?", fragt er eindringlich und ergreift meine Hand.

Sofort beginnt mein Herz schneller zu schlagen und in meinem Magen flattern tausend Schmetterlinge. *Mein Gott!* Mir wird plötzlich ganz heiß. Dieses aufregende Gefühl erinnert mich an Leipzig und an seinen Kuss vor meiner Tür. Ich befürchte, ich habe mich in Ulrich verliebt. „Es kann nicht funktionieren."

„Weshalb nicht? Greta, wovor fürchtest du dich?", fragt er eindringlich.

„Aber ich fürchte mich doch gar nicht", antworte ich so ruhig ich kann.

„Dann ist es ja gut. Warum also kann es nicht funktionieren?", hakt er nach.

„Könnten wir bitte das Thema wechseln?"

Ulrich wirft einen Blick auf seine Armbanduhr und erhebt sich.

„Es ist ohnehin Zeit zu gehen. Vielen Dank für den Kaffee", antwortet er kühl.

Ich halte ihn nicht zurück, obwohl ich nichts lieber täte. An der Tür verabschieden wir uns wie Fremde. Eine Weile bleibe ich enttäuscht stehen und blicke ihm nach. Gerade als ich die Tür schließen will, dreht er sich unerwartet nach mir um, kommt mit Riesenschritten auf mich zu und zieht mich in seine Arme.

Ja, schreit mein Herz, *ich will dich.*

Sein Kuss ist fordernder als der Kuss am Abend zuvor und steigert mein Verlangen ins Unermessliche. Wie selbstverständlich lege ich meine Hand in seinen Nacken, kraule hingebungsvoll sein Haar, biege meinen Körper an seinen, bereit mich dieser unerwarteten Leidenschaft hinzugeben.

Ich komme nicht dazu. Er trennt sich so schroff von mir, als hätte er sich an mir verbrannt.

„Gute Nacht", sagt er heiser.

Bevor ich registriere, was da eben geschehen ist, verschwindet er in der Dunkelheit.

Erst das Motorengeräusch seines Wagens bringt mich in die Realität zurück. Etwas benommen gehe ich ins Haus zurück und schließe die Tür. Wie unter dichtem Nebel verborgen, befinden sich meine Gedanken unter einer undurchdringlichen Schicht Nichtdarübernachdenkenwollens. Ich lösche die Lichter im Wohnzimmer und gehe nach oben.

Hinter Leons Tür ist es still. Der Junge schläft also bereits. Das ist gut. Morgen rede ich mit ihm.

*

Das schrille Läuten des Weckers reißt mich aus einem unruhigen Schlaf. Ich fühle mich wie gerädert. Nachdem ich mich wieder mal die halbe Nacht von einer Seite auf die andere gewälzt habe, bin ich zwar gegen Morgen in einen tiefen, traumlosen Schlaf gefallen, aber auch der ist nicht besonders erholsam gewesen. Vermutlich hätte ich gut und gerne noch ein oder sogar zwei Stunden geschlafen. Aber sobald Leon hier übernachtet, fühle ich mich verpflichtet vorsichtshalber den Wecker zu stellen, damit er nicht verschläft. Gähnend schlage ich die Steppdecke zurück und schwinge meine Beine aus dem Bett. Ich strecke meine Glieder, wackle ausgiebig mit den Zehen auf und ab, erhebe mich und greife nach meinem, zum schwarz-silber gestreiften Seidenpyjama passenden, schwarzen Morgenmantel.

Weder auf das erste noch auf das zweite Klopfen erhalte ich eine Antwort, darum öffne ich die Tür einen Spalt weit und werfe einen diskreten Blick hinein. Als ich keine Bewegung wahrnehme, durchquere ich sein Wohnzimmer.

„Leon?", rufe ich, bevor ich einen Blick durch die offene Tür seines Schlafzimmers werfe und das bereits gemachte Bett entdecke.

Dann wird er wohl schon in der Küche sein, überlege ich. Doch während ich nach unten laufe, fällt mir auf, dass es weder nach frisch aufgebrühtem Kaffee duftet, noch vernehme ich irgendwelche Geräusche. Ein Blick genügt um festzustellen, dass die Kaffeemaschine noch nicht in Gang gesetzt worden ist. Die Zeitung liegt ebenfalls noch nicht auf dem Tisch, dabei geht er üblicherweise, sofort nachdem er die Kaffeemaschine angeschaltet hat, zum Briefkasten. *Eigenartig? Ach,* fällt es mir plötzlich ein, *der Junge wird noch im Bad sein. Klar! Dass ich daran nicht gedacht habe?*

Bevor ich die altmodische, viel zu laut brummelnde Kaffeemaschine einschalte, fülle ich den Wasserbehälter, knicke die Ränder des Kaffeefilters um, stecke ihn in den Filtereinsatz und gebe Kaffee hinein. Höchste Zeit, dieses alte Monstrum zu entsorgen und endlich einen Espresso-Kaffee-Vollautomaten anzuschaffen. Ist schon klasse, so ein Cappuccino auf Knopfdruck oder ein Latte Macchiato mit viel Milchschaum.

Für meinen Tee fülle ich Wasser in die hohe Kanne des Wasserkochers und drücke auch diesen Einschaltknopf.

Obwohl ich, um wach zu werden, auch jetzt noch lieber einige Schlückchen heißen Kaffee zu mir nehme, trinke ich zum Frühstück lieber eine Tasse Tee. Ja, ich frühstücke. Eine mittlerweile lieb gewordene Gewohnheit, die ich nach Leipzig beibehalten habe. Ich hänge einen Teebeutel in die Tasse, gieße nach wenigen Sekunden heißes Wasser auf und gehe nach draußen, um die Zeitung zu holen.

Mir fällt auf, dass die Einfahrt und auch die Blumenbeete rechts und links des Weges immer noch von zahlreichen Rückständen des Winters bedeckt sind. Überall liegen braune Blätter, die ich vor dem plötzlichen Wintereinbruch nicht mehr beseitigen konnte. Ich nehme mir vor, mich dieser Unordnung gleich im Anschluss an das Frühstück zu widmen.

Nachdem ich den Teebeutel aus der Tasse gezogen, den Tisch gedeckt, Semmeln aufgebacken und im Brotkorb ebenfalls auf den Tisch gestellt habe, fällt mir schlagartig Leons Rucksack wieder ein. *Der stand nicht mehr auf seinem Platz.*

Nun wird mir doch etwas eigenartig zumute. Ich laufe nach oben, klopfe diesmal resolut an Leons Tür und öffne sie ohne eine Antwort abzuwarten. Schnell durchquere ich seine Räume und klopfe an die Badezimmertür. Kein Mucks. Es bleibt mir nichts anderes übrig, als einen vorsichtigen Blick hineinzuwerfen. Da sich offensichtlich niemand im Bad befindet, schiebe ich die Tür weit auf und sehe mich ratlos um. *Der Junge ist weg,* stelle ich nüchtern fest. *Und vermutlich nicht erst seit heute Morgen. Aber warum? Was hat diesen Spinner dazu gebracht einfach abzuhauen? Ulrich? Nein. Es war das, was ich gestern Abend zu ihm sagte. Er hat die Konsequenz daraus gezogen.*

„Na, wenn er meint", murmle ich vor mich hin und verlasse das Zimmer. Mit trotzig zusammengepressten Lippen begebe ich mich wieder nach unten und setze mich an den Frühstückstisch.

Mm, wenigstens hat der Tee jetzt die richtige Temperatur, bemerke ich, als ich vorsichtig an der Tasse nippe. Während ich einen weiteren, kräftigeren Schluck nehme, regt sich unerwartet mein Gewissen. Es beschert mir ein flaues Gefühl, das ich nicht leiden mag, weshalb ich es postwendend von mir schiebe. Da mein Magen mittlerweile ans Frühstücken gewöhnt ist, streiche ich Butter auf eins der Brötchen, lege eine Scheibe Käse darauf und beiße, trotz meines kaum noch vorhandenen Appetits, herzhaft hinein. Der Bissen liegt wie Zement auf meiner Zunge und das wird auch nicht besser, als ich ihn kaue. Mit einem Schluck Tee gelingt es mir ihn hinunterzuschlucken.

Ich ruf ihn an! Spontan lasse ich die Semmel auf den Teller fallen, springe auf und laufe zum Telefon. Doch noch während ich seine Handynummer wähle, revidiere ich meine Entscheidung und drücke auf die Austaste. *Soll er doch sehen, wie er zurechtkommt,* schmolle ich.

Entschlossen gehe ich in die Küche zurück und räume den Tisch ab bis auf meine Kaffeetasse, die sich über den Tag verteilt jeweils an dem Ort befindet, an dem ich mich gerade aufhalte – meistens auf meinem Schreibtisch.

Es wird Zeit. Ich muss endlich wieder was tun.

Seit Leipzig habe ich keine Zeile geschrieben. Dabei hat sich bereits ein interessanter Ansatz für einen Thriller in meinem Kopf festgesetzt, der, wie mir scheint, in die Zeit der gegenwärtigen Katastrophen passen würde. Zudem handelt es sich um ein Thema, das meine Fans von mir erwarten. Ein Genre, auf das ich mich spezialisiert habe.

Dann gäbe es noch den Bericht über einen undurchsichtigen Mordfall in Dießen am Ammersee, der mir kürzlich bei Recherchen in die Hände gefallen ist. Die Geschichte lässt mir seitdem ebenfalls keine Ruhe mehr. Der Mord wurde im Jahre 1874 verübt und nie aufgeklärt. Es würde mich enorm reizen, mal einen historisch fundierten Krimi zu schreiben und das, was ich bisher recherchiert habe, wäre für den Anfang ziemlich brauchbar. Allerdings benötige ich noch weitere Informationen aus den Gerichtsprotokollen. Und da muss man erst mal rankommen. Eine innere Erregung, wie ich sie schon lange nicht mehr verspürt habe, zwingt mich geradezu, meine Tasse zu ergreifen und mich ins Büro zu begeben.

Liebevoll streichle ich über die Tastatur, stelle die Tasse ab und setze mich in meinem Drehsessel. *Dann wollen wir beide mal wieder.*

Ich schalte den PC an. Noch während er hochfährt, schwindet meine Euphorie und macht erneuter Sorge um Leon Platz. *Was hat sich der Junge nur dabei gedacht? Mein Gott, war meine Rüge wirklich so schlimm? Ich wollte ihm doch nur klar machen, dass ich ein eigenständig denkender Mensch bin.*

„Und dass er in diesem Haus nichts zu sagen hat", meldet sich meine innere Stimme.

Gewissensbisse verursachen ein altbekanntes Brennen in meinem Magen. Ich drücke mit der Faust dagegen, kann jedoch nicht verhindern, dass es mir sauer aufstößt. Sicher waren meine Worte nicht unbedingt dazu angetan, unser freundschaftliches Verhältnis positiv zu unterstreichen. Andererseits wurde es höchste Zeit auszusprechen, was mich schon seit Wochen nachdenklich stimmt und oftmals ärgert, sonst wäre ich vermutlich daran erstickt. Der Junge beeinflusste vom ersten Tag an meine Entscheidungen und mein Leben. Dass er mich von meinem geplanten Selbstmord abhielt, ist rückblickend schon ganz in Ordnung, aber mittlerweile … Ich weiß nicht, da ist etwas, das mich noch mehr stört als das ohnehin schon Offensichtliche. Ich weiß nur nicht … *Denk nach.* Der Abend, an dem er mein Vorhaben bemerkte, kommt mir in den Sinn. *Er hätte das Glas und die Tabletten nicht entdecken dürfen. Wie er dastand und mich ansah, vorwurfsvoll, gemischt mit einer winzigen Spur Mitleid und … Ja, da war noch etwas…, noch etwas … Angst.*

So erschrocken, wie ich über seine Entdeckung war, und wegen der daraus resultierenden Peinlichkeit nahm ich die Angst in seinen Augen zu diesem Zeitpunkt nicht wahr. Aber jetzt erinnere ich mich, dass ich am Tag danach und noch Tage später sein Misstrauen, gepaart mit dieser Angst, gespürt habe.

Ob sein Verhalten aus der übersteigerten Angst resultiert, mich doch noch zu verlieren? An Ulrich? Schließlich bin ich die einzige Person auf dieser Welt, die so etwas wie Familie für ihn ist. Wie auch immer, schiebe ich jetzt keinen Riegel vor, tanzt mir der Junge irgendwann auf der Nase herum.

Mein Blick fällt auf den Monitor und die Tastatur. *So wird das nichts.* Spontan schalte ich den PC aus und verlasse das Büro. Im Vorübergehen nehme ich meine warme Jacke vom Kleiderständer, ziehe sie über, schlüpfe in die alten Gartenlatschen und begebe mich zur Auffahrt. Doch selbst während ich die verdorrten Blätter aus den Rosenstauden in den Randbeeten sammle, geht mir der Junge nicht aus dem Sinn.

Was er jetzt wohl treibt? Schon seltsam, wie sehr man sich an einen Menschen gewöhnen kann. Vor allem, nachdem man ihn zunächst gar nicht in sein Leben lassen wollte. Der Junge ist mir mittlerweile so sehr ans Herz gewachsen, fast wie ein eigener Sohn. Mein Gott! Was spinne ich mir denn da zusammen? Wir haben nichts miteinander zu tun. Doch haben wir. Ob mir das passt oder nicht. Seine pure Existenz ist es, die all die glücklichen Jahre meiner Ehe in Frage stellt.

Trotzig greife ich nach dem Straßenbesen und kehre das Laub zum Ende der Einfahrt, um es dort in die Tonne zu werfen. Nur noch ein kleines Häuflein ist übrig, da bemerke ich einen harten, schmalen, länglichen Gegenstand zwischen meinen Fingern. *Eine Holzschraube!?*

Würde ich Gartenhandschuhe tragen, wäre sie mir vermutlich gar nicht aufgefallen. Obwohl es eine Weile dauert, bis ich realisiere, dass zwischen dieser Schraube und dem Platten von Ulrichs Reifen ein Zusammenhang bestehen könnte, ahne ich es bereits.

Die Schraube ist nicht ganz so lang wie die, die mir Ulrich beschrieben hat. Aber was das angeht, neigen wohl die meisten Männer zu Übertreibungen.

Das Regal, das Leon zusammengeschraubt hat. Seitdem weiß er, wo Richard sein Werkzeug aufbewahrt. Eine Szene schiebt sich in meine Erinnerung, die durchaus zu dieser Theorie passen könnte. *Und da es hier draußen nichts zu schrauben gibt, kann er sie hier auch nicht verloren haben. Also muss er sie ... Nein! Absichtlich? Unmöglich! Ulrich sagte doch, der Reifen wäre zerstochen worden.* Ich nicke vor mich hin. *Ja, das sagte er, aber auch, dass der Mechaniker meinte, die Schraube wäre lediglich in den Reifen gesteckt worden, um von der eigentlichen Tat abzulenken. Aber wann hatte er Gelegenheit dazu?*

Zudem frage ich mich nach dem Beweggrund, der den Jungen dazu getrieben haben könnte, so etwas Unsinniges zu tun. Vor allem verstehe ich nicht, was er annimmt mit einer derart idiotischen Aktion bezwecken zu können.

Was ist bloß in den Jungen gefahren? Weshalb verhält er sich so sonderbar und wieso ist er abgehauen? War ich nicht immer wieder für ihn da? Er hat keinen Grund eifersüchtig zu sein. Eifersucht! Ich muss das klären und zwar jetzt.

Ich beeile mich Besen und Eimer in den Geräteschuppen zurückzubringen.

*

Etwa eine Stunde später stehe ich vor Leons Wohnungstür und drücke auf die Klingel. Ich muss nicht lange warten, bis die Tür aufgerissen wird.

„Du?", fragt er überrascht.

„Hast du jemand anderen erwartet?"

„Jedenfalls nicht dich", antwortet er trotzig.

„Warum bist du nicht in der Uni?", frage ich unzufrieden.

„Was geht es dich an?", fragte er abfällig und schiebt sein Kinn herausfordern hoch.

„Na, hör mal", empöre ich mich zwar, muss aber im Stillen zugeben, dass er mir keinerlei Rechenschaft schuldet.

„Woher weißt du überhaupt, dass ich zu Hause bin?"

„Ich wollte dich von der Uni abholen. Einer deiner Kommilitonen sagte, er hätte dich heute noch nicht gesehen. Da vermutete ich dich in der Wohnung. Hätte ich dich nicht angetroffen, wäre ich eben wieder nach Hause gefahren. Wir sollten uns mal in aller Ruhe unterhalten. Darf ich reinkommen?"

Er wendet sich von mir ab, bittet mich aber mit einer einladenden Handbewegung ihm zu folgen. „Nimm schon mal im Wohnzimmer Platz. Du trinkst doch 'ne Tasse Kaffee?", fragt er übellaunig, während er bereits, ohne meine Antwort abzuwarten, in die Küche geht.

„Ja, sehr gerne", rufe ich ihm zu und gehe weiter. Ich sehe mich um und bemerke, dass der Raum einiges von seiner Gemütlichkeit eingebüßt hat. Überall stehen Umzugskartons. Manche sind verschlossen, andere noch offen. Da das große Bücherregal ziemlich leergeräumt ist, nehme ich an, dass der Junge die Bücher ebenfalls verpackt hat. Oder ist er bereits wieder dabei sie auszupacken?

„Packst du ein oder aus?", rufe ich in die Küche.

„Weder – noch", antwortet er ohne weiter auf meine Frage einzugehen. Gleich darauf erscheint er im Wohnzimmer, stellt eine Tasse mit dampfendem Kaffee vor mir auf den Tisch und setzt sich mir gegenüber in einen Sessel.

„Weder – noch? Du hast also nicht vor auszuziehen?"

„Nein, ich ziehe lediglich in Mamas Schlafzimmer, weil das etwas größer ist und weil ich den Blick auf den Garten liebe. Ihre Möbel habe ich von einer gemeinnützigen Organisation abholen lassen. Wie du vielleicht riechen kannst, bin ich dabei zu streichen. Danach baue ich meine eigenen Möbel dort auf. Weißt du, durch deine Worte gestern Abend hast du mich gezwungen, über mein Leben nachzudenken", sagt er und lässt seinen Blick über die Umzugskartons schweifen. „Ich schaffe Platz. Obwohl hier ständig Leute ein und aus gehen, fühle ich mich mitunter doch ein wenig einsam. Ein Grund, warum ich die Wohnung gerne aufgegeben hätte und zu dir gezogen wäre. Aber du hast ja recht, es wäre unsinnig sie jetzt schon aufzugeben. Jedenfalls dachte ich, eine WG zu gründen wäre eine ganz gute Idee. Ich werde Leute suchen, die diese Wohnung nach Beendigung meines Studiums übernehmen.

„Das ist eine gute Idee. Warum fragst du nicht die Jungs aus deiner Clique?"

„Die sind mit ihrer momentanen Wohnsituation vollkommen zufrieden. Marcus wohnt im Hotel Mama und Leander bewohnt ein riesiges Apartment, das seine Eltern finanzieren. Ich werde einen Zettel ans schwarze Brett der Aula hängen."

„Aber dir ist schon klar, dass du damit einen ziemlich großen Teil deiner Privatsphäre aufgibst?"

„Glaub mir, ich schau mir den Typ schon genau an. Am besten wäre einer, der gerne kocht", sagt er und grinst.

„Ich sehe schon, du machst das nicht ganz ohne Hintergedanken. Du hast zurzeit keine Freundin. Oder hast du?"

Er schüttelt verneinend den Kopf.

„Was ist, wenn du eine Frau kennenlernst?"

„Danke, dass du dir meinen Kopf zerbrichst, aber damit komme ich dann schon klar."

„Du hast noch nie über eine Beziehung gesprochen ..."

„Weil es bisher noch keine nennenswerte gab. Du wirst die erste sein, der ich die Frau meines Lebens vorstelle. Was ist mit deiner Beziehung zu Herzog?"

Ich atme einmal tief durch und erkläre ihm in aller Ruhe, was zwischen mir und Ulrich vorgefallen ist.

„Na gut, kann sein, dass ihm wirklich etwas an dir liegt. Immerhin bist du eine attraktive Frau. Aber wer sagt dir, dass sich sein Interesse nicht nur auf die Autorin Greta Sander beschränkt?"

„Mein Gefühl."

„Dein Gefühl", spöttelt er, lacht auf und lehnt sich tiefer in den Sessel zurück. „Wie auch immer, ich habe kein Recht mich in dein Leben einzumischen. Das hast du mir schließlich in aller Deutlichkeit gesagt. Ich habe letzte Nacht intensiv darüber nachgedacht und ..." Mitten im Satz hört er auf zu sprechen und starrt ins Leere.

„Und was kam dabei heraus?", fordere ich ihn auf, weiterzusprechen.

„Ich habe mich gefragt, was aus mir wird, sollte er bei dir einziehen?"

„Wie kommst du darauf, dass er bei mir einzieht?"

Ahnungslos zuckt er mit den Schultern. „Ich dachte ..."

„Ulrich lebt in einer traumhaft schönen Villa in Grünwald, ganz in der Nähe der Isarauen. Seine Mutter hat sie einem ehemaligen UFA-Star abgekauft und ihm vererbt. Dieses Schmuckstück wird er sicher nicht aufgeben."

„Na und?"

„Wir mögen uns, aber das heißt noch lange nicht, dass wir auch zusammenziehen."

„Du meinst, ihr habt nicht vor ..."

Ich unterbreche ihn und verspreche ihm, immer für ihn da zu sein. Was mir in Anbetracht seiner Angst, ich könnte ihn wegen Ulrich aus meinem Leben verbannen, nicht schwerfällt. Ich trinke den letzten Rest meines mittlerweile lauwarmen Kaffees und erhebe mich.

„Meinst du nicht", frage ich und lasse meinen Blick durch den Raum schweifen, „es wäre besser, du würdest nicht jetzt schon die ganze Gemütlichkeit aus diesen Räumen bannen?"

Er nickt lächelnd.

„Ich möchte nur Mamas Nippes, Bett- und Tischwäsche, all die Bücher, ihre Kleider und die Schlafzimmerlampen in den Secondhandshop meiner Bekannten bringen."

Ich nicke ebenfalls und gehe langsam zur Wohnungstür.

„Gut. Dann bis heute Abend, falls du Lust hast, zu mir rauszukommen."

Er hebt die Hand zum Abschied. „Bis heute Abend."

Zufrieden vor mich hinlächelnd, drücke den Türgriff runter.

„Ach, Greta …", sagt er leise.

Erwartungsvoll drehe mich noch einmal zu ihm um.

„Ich wollte dir noch sagen – wenn du diesen Herzog willst, dann sollst du ihn haben. Aber sollte er dir auch nur ein Haar krümmen, werde ich sehr ungehalten sein. Denk immer daran – was auch geschieht, ich werde für dich da sein. Niemand wird dir wehtun, solange ich das verhindern kann. Du hast mir das Leben gerettet und nun bin ich für dich da. Es ist seltsam, aber … ich habe meine Mutter wirklich sehr geliebt und ich habe nicht vor, meine Beziehung zu ihr zu schmälern, aber überleg doch mal … Ich könnte auch dein Sohn sein. Hätte mein Vater an jenem Abend nicht mit …"

„Aber so ist es nun mal nicht", unterbreche ich ihn. Der Gedanke geht mir entschieden zu weit. „Allerdings empfinde ich es inzwischen sehr bereichernd, dich in meinem Leben zu haben. Ich mag dich, Leon", sage ich abschließend und gehe.

Erleichtert vom positiven Ausgang des Gespräches, lenke ich den Wagen leise vor mich hin summend aus der Stadt. Den von angenehm wärmender Sonnenenergie durchfluteten Frühlingstag genießend, beginne ich über Leons Worte zu grübeln. Er kann Ulrich nicht leiden. Das steht fest.

Ach, was soll's. Vermutlich ist er wirklich nur ein wenig eifersüchtig. Jedenfalls benimmt er sich wie ein kleiner Junge, dessen Mutter ihm einen neuen Vater vor die Nase setzen möchte.

Plötzlich fällt mir die Schraube in meiner Jackentasche wieder ein.

Jetzt habe ich doch glatt vergessen ihn danach zu fragen …

Kapitel 12

Endlich Wochenende. Heute stellen sich Leons zukünftige WG – Mitglieder vor.

Um nicht in den schlimmsten Wochenendverkehr zu geraten, fahre ich bereits nach sieben los. Kurz vor acht stelle ich den Wagen im Parkhaus der Schrannenhalle ab und begebe mich, bewaffnet mit meinem Einkaufskorb, auf den Viktualienmarkt.

Zu dieser frühen Morgenstunde ist der verhältnismäßig schwach besucht.

Als Richard noch lebte, kamen wir fast jeden freien Samstag hierher. Wir bummelten an den Ständen vorbei, kauften Fleisch und Wurst immer beim selben Metzger, Käse beim Heiner, einem Bergbauern der Region, Oliven, Obst und Gemüse bei Aristoteles, immer wieder auch solches das wir noch nicht kannten, weil es in Herrsching nicht zu bekommen war. Anschließend aßen wir im Biergarten Weißwürste mit süßem Hausmachersenf und Brezeln. Richard behauptete stets, nirgends würden die so gut schmecken wie dort. Und auch die Halbe, die wir gemeinsam dazu tranken, schmeckte nirgends besser.

Heute werde ich nur etwas Obst für uns besorgen und mich ein wenig von dem Flair einlullen lassen, bevor ich mich in Leons Wohnung begebe. Als er mich am gestrigen Abend gebeten hat, ihm bei der Auswahl des Untermieters beratend zur Seite zu stehen, habe ich gerne zugestimmt.

Gleich nachdem der Erste sich von uns verabschiedet, sehen wir uns bloß an. Das genügt. So ein borniertes A... ist mir im ganzen Leben noch nicht über den Weg gelaufen. Leon wohl auch nicht.

Ein hochaufgeschossener, höflicher junger Mann betritt die Wohnung. Seine ungesunde Angewohnheit, ständig ein Nasenspray aus der Hosentasche zu ziehen, um es abwechselnd in beide Nasenlöcher zu stopfen und anschließend geräuschvoll zu schnäuzten, entlockt mir einen knappen Kommentar: „Schlimme Erkältung?"

„Nein, das ist bei mir normal."

Ich frage ihn, ob er schon mal daran gedacht hätte einen Therapeuten aufzusuchen.

„Einen Therapeuten?", fragt er verdutzt und meint empört: „Ich leide unter Dauerschnupfen! Nasenspülungen, Antihistaminika und solche Sachen habe ich alle schon ausprobiert, sogar eine Akupunkturbehandlung habe ich über mich ergehen lassen. Ich bin nicht irre."

„Natürlich nicht", antworte ich, „aber wenn man die Nase voll hat, dann hat man mitunter einfach nur die Nase voll, von was auch immer."

„Aha", sagt er und fügt, mich skeptisch betrachtend, hinzu: „Dann geh ich mal wieder."

Wir halten ihn nicht auf.

Beim nächsten potenziellen WG-Mitglied handelt es sich um einen blonden, aufgeschlossenen Dänen. Mit seinem breiten Lachen und der überaus sympathischen Ausstrahlung gewinnt er auf Anhieb mein Herz. Obwohl er vorhat, nach dem Studium wieder nach Dänemark zurückzugehen, blinzle ich Leon begeistert zu.

Was soll's? Einen Nachmieter findet er dann allemal.

Aber Leon sagt ihm nur, er solle seine Telefonnummer dalassen.

Keine zehn Minuten später betritt ein freundliches Paar die Wohnung.

Die junge Frau ist begeistert von der Küche. Nicht weil sie gerne kocht. Sie gibt unumwunden zu, dass sie nicht mal ein Spiegelei zustande bringt. Doch gleich darauf schwärmt sie uns von den Kochkünsten ihres Freundes vor.

Diesmal zwinkerte Leon mir zu.

„Würdet ihr denn die Wohnung am Ende meines Studiums übernehmen?", will Leon wissen.

„Diese Wohnung ist ein Traum", quietscht die junge Frau begeistert.

„Da hörst du's, sie ist hin und weg", fügt der junge Mann hinzu. „Solltest du uns nehmen, gehen wir hier nicht mehr raus. Vorausgesetzt die Miete sprengt unseren Rahmen nicht."

„Da werden wir uns sicher einig. Und es macht euch nichts aus, die Wohnung zunächst mit mir zu teilen?"

„Nicht im Geringsten", antwortet der junge Mann. „Wir haben uns in unserer derzeitigen WG kennengelernt. Aber die wird gerade etwas eng. Eine Wohnung für uns alleine, die wir uns auch leisten können, ist nirgends zu kriegen. Ich studiere noch zwei Semester Betriebswirtschaft und Lissi arbeitet in einer Buchhandlung. Sie studiert Germanistik."

„Es kommen noch einige Leute, aber ich gebe euch spätestens heute Abend Bescheid."

Tatsächlich stellen sich noch zwei Jungen und drei Mädchen vor. War es die Aussicht auf ein gutes Essen an den zukünftigen Abenden, an denen er nicht in Herrsching sein wird? Ich weiß es nicht. Leon entscheidet sich für das Pärchen.

*

„Schade, dass ich die beiden nicht erreicht habe. Aber am Abend werde ich es nochmal versuchen", erklärt Leon lächelnd, während er den Nudelsalat probiert.

„Unsere Gäste werden bald eintreffen", erinnere ich ihn. „Hast du an den Kasten Bier gedacht?"

„Na klar. Ist im Kofferraum. Schließlich habe ich keine Lust auf einen Anschiss von Marcus."

„Wie im Kofferraum? Hast du es noch nicht kaltgestellt?"

„Wann denn? Bin doch gerade erst gekommen. Aber ich mach ja schon", mault er, legt die Gabel in die Spüle und geht.

Plötzlich bleibt er stehen, dreht sich noch mal um und fragt: „Und was grillen wir? Würstchen oder Steaks?"

„Beides. Ulrich hat versprochen ein paar ordentliche Steaks zu besorgen und ..."

„Ulrich wird ebenfalls kommen?", unterbricht er mich wenig erfreut.

„Ulrich und Michael. Ich dachte, es wäre eine gute Gelegenheit, euch ein wenig besser kennenzulernen."

„Wenn's denn unbedingt sein muss", erklärt er geknickt. „Hast du die Würstchen bei deinem Metzger in Herrsching besorgt? Das sind eindeutig die besten."

„Natürlich. Aber die bestellten Baguette, müssen wir noch schnell vom Bäcker abholen."

„Das mache ich, gleich nachdem ich das Bier kaltgestellt habe."

Die erste Grillparty im Jahr ist immer etwas Besonderes. Alle, die danach kommen, sind zwar auch schön, aber an die erste kommen sie nicht ran.

Gemeinsam mit Paula, die in diesem Moment die Küche betritt, zaubere ich einen gemischten Salat und eine leckere Knoblauchbutter.

Ulrich legt inzwischen die Steaks und etliche Würstchen auf den Grill.

Marcus schneidet zwei Baguettes in Scheiben.

Leon trägt seinen CD-Player durch die Küche und deponiert ihn auf der Terrasse.

Gleich darauf unterstreicht rhythmische irische Folkmusik die friedliche Wohlfühlatmosphäre dieses Spätnachmittags.

Während Leon sich mit Paula langsam zum nächsten stimmungsvollen Rhythmus bewegt, Michael mit Leander laut gestikulierend die richtige Aufbaufolge des Viermannzeltes diskutiert, steht Ulrich lässig am Grill und wendet die mittlerweile appetitlich duftenden Steaks und Würstchen.

Mit einem Glas Wein in der Hand schlendere ich zur alten Gartenbank, setze mich und betrachte das friedvolle Familienidyll. Ich liebe solche Tage, die man relaxt und mit sich selbst im Reinen ausklingen lassen kann. *Nur eines könnte mein Glück noch steigern – nach dem Essen mit Ulrich kuscheln. Genau hier. Die Beine angezogen an ihn gelehnt, unter einer wärmenden Wolldecke den Sternenhimmel betrachten. Das wär's.*

„Du siehst aus wie 'ne Katze, die Sahne geschleckt hat. Fehlt nur noch, dass du schnurrst", sagt Michael plötzlich.

Ich bin so sehr in Gedanken versunken gewesen, dass ich nicht bemerkte, wie er an meine Seite getreten ist. „Ach, findest du?", frage ich, lächle ihn an und schlage andeutungsweise mit der flachen Hand auf den freien Platz neben mir.

Er nickt und setzt sich.

„Ja, stimmt. Ich bin rundum zufrieden. So ein wundervoller Tag." Ich atme noch einmal tief ein. „Riechst du das? Ich liebe diese Frühlingsluft. Einzelne Magnolien blühen noch, die Azaleen und der Ginster haben bereits Knospen angesetzt, die ersten Lilien verströmen bereits ihren betörenden Duft und der alte Kirschbaum und … Ach, was sag ich? Schau dich doch um. Der Garten steht in voller Blüte. Morgen ist der erste Mai. Der Frühling ist endlich da", erkläre ich euphorisch, während mein Blick über die harmonische Szenerie schweift und an Leander hängen bleibt.

Der schlacksige junge Mann setzt sich zu Marcus. Er hält lässig eine brennende Zigarette in der Hand und beobachtet aus seinen warmen braunen Augen, die wohl jedes Mädchenherz höherschlagen lassen, das tanzende Paar.

Ist es sein starrer Blick, die Mimik seines Gesichts, die Art wie er an seiner Zigarette zieht oder wie er die Bierflasche in seinen Händen hin und her dreht? Ich kann es nicht eindeutig feststellen, aber es löst ein ungutes Gefühl in mir aus.

„Hey Alter", sagt Marcus in diesem Moment und gibt ihm mit der Faust einen kameradschaftlichen Puffer an den Oberarm, bevor er ihm die Bierflasche entgegenstreckt, um mit ihm anzustoßen.

Leander lacht auf, prostet ihm zu und trinkt die Flasche mit mehreren Schlucken leer.

Habe ich mich getäuscht?

Er setzt die Flasche ab, wirft erneut einen Blick auf die Tanzenden, dann rutscht er von der Mauer, nimmt einen letzten Zug von der Zigarette und drückt sie im Aschenbecher aus. Die leere Flasche in der Hand, geht er zum Bierkasten, stellt sie hinein und nimmt eine volle heraus. In Bauarbeitermanier öffnet er sie mit seinem Feuerzeug und nimmt einen weiteren Schluck. Frustriert blickt er sich um und schlendert zu Ulrich an den Grill.

„Was machen die Steaks? Mein Magen knurrt schon."

„Die Steaks brauchen noch ein Weilchen, aber die Würstchen sind so weit", murmelt er vor sich hin, während er die Steaks wendet. Als hätte Leander ihn aus tiefen Gedanken gerissen, richtet er sich auf und ruft allen zu: „Ihr könnt schon mal eure Teller bringen. Die Würstchen sind so weit."

Leander prostet Ulrich zu, wendet sich von ihm ab und setzt die Flasche erneut an seine Lippen. Übertrieben fröhlich hebt er sie dann in die Höhe, winkt mit ihr und ruft: „Hey ihr beiden, lasst die Tanzerei. Es gibt was zu futtern."

Sein Verhalten erscheint mir eindeutig und bestätigt die Vermutung, die ich schon vor Monaten hatte. Leander ist in Paula verliebt. Paula scheint aber ein entschieden größeres Interesse an Leon zu haben.

Jedenfalls deutet die Art, wie sie sich an seinen Arm hängt und an seine Schulter schmiegt, darauf hin. Leon dagegen macht nicht gerade den Eindruck eines verliebten Teenagers. Ich denke, es entsprach der Wahrheit als er sagte, sie wären nur Freunde. Aber Gefühle können sich ändern. Schätzungsweise eine ziemlich vertrackte Situation, die mir hoffentlich kein Kopfzerbrechen bereiten wird.

Michael versetzt mir einen sanften Klaps auf die Schulter und steht auf. „Na komm schon, gehen wir an den Futtertrog."

Ohne zu zögern erhebe ich mich, lächle ihn an und hake mich bei ihm unter.

Kurz darauf stellt Ulrich auch das Tablett mit den saftigen Steaks auf den Tisch und legt eines davon auf meinen Teller. „Leute, das sind die besten Steaks, die ihr je gegessen habt. Das garantiere ich euch", klärt er uns selbstgefällig auf, dabei grinst er mich an und blinzelt mir zu, als wisse er genau, dass er damit mein Herz endgültig erobern kann.

Das Steak ist noch rosa, ganz zart und schmeckt tatsächlich köstlich. Alle greifen ordentlich zu. Wenig später räkeln wir uns satt und restlos zufrieden in den Rattansesseln.

Plötzlich streichelt Ulrich sanft über meinen Unterarm.

Ich zucke zusammen.

Er zieht einen Mundwinkel nach oben und deutet ein zufrieden wirkendes Lächeln an. „Und, meine Schöne, habe ich zu viel versprochen?"

„Nein, hast du nicht. Das Steak war köstlich", antworte ich betont freundlich. „Nicht wahr", wende ich mich an die fröhliche Runde, „die Steaks waren doch lecker?"

Alle nicken, loben den Grillmeister und prosten ihm zu.

Seit jenem Abend im „Schnürsenkel" und dem anschließenden Kaffee bei mir, seit jenem Abend vor gut zwei Wochen, an dem er mich so leidenschaftlich geküsst hatte, war kein weiterer Annäherungsversuch erfolgt. Wir gingen liebenswürdig miteinander um, unterhielten uns, lachten miteinander und taten so, als verbinde uns nur Freundschaft. Doch jedes Mal, sobald sich unsere Blicke trafen oder wir uns zufällig berührten, knisterte es zwischen uns.

Verdammt! Es ist kaum auszuhalten. Dieser Mann löst Gefühle in mir aus, die ich bald nicht mehr kontrollieren kann. Tief die kühle Abendluft einatmend, ziehe ich meine veilchenblaue Strickjacke enger um die Schultern. Ich werfe einen Blick auf die im Ammersee versinkende, blutrote Sonne. Das sie umgebende Sonnenblumengelb am Horizont geht bereits in ein kräftiges Orange über. Bald wird es zu Kardinalrot wechseln und letztendlich in dunkles, amethystfarbenes Abendrot übergehen. Erst dann werden wir den Abendstern sehen.

„Na gut", reißt mich Leon aus meinen Gedanken, „dann können wir jetzt ein Tänzchen wagen."

„Du mit mir?", frage ich perplex.

„Ja, oder ist es verboten mit seiner schönen Stief..."

„Trau dich nicht", unterbreche ich ihn rigoros.

„...mutter zu tanzen?", beendet er seine Frage und grinst mich dabei frech an.

„Nein, ist es nicht. Aber ich tanze nur mit dir, wenn du dieses grässliche Wort nie wieder gebrauchst", sage ich tadelnd und erhebe mich.

Ausgerechnet ein Tango erklingt, während er mich die zwei Stufen hoch zur Terrasse führt. Ich befürchte chaotische Foxtrottschritte und spüre schon jetzt die Schmerzen, die seine Füße auf meinen hinterlassen. Da zieht er mich stürmisch in seine Arme, wirbelt mich gekonnt herum und legt einen Tango mit mir aufs steinerne Parkett, dass mir Hören und Sehen vergeht. *Wow!*

„Dein Vater hätte das nicht besser gekonnt. Wo hast du so tanzen gelernt?", frage ich ihn unter dem stürmischen Beifall und dem Gejohle der Anwesenden.

Der nächste Tanz ist ein langsamer Walzer. Erneut zieht er mich in seine Arme und während er sich stilvoll mit mir dreht, erzählt er: „Mama bestand darauf, dass ich einen Tanzkurs besuche. Obwohl ich mich permanent weigerte, setzte sie sich letztendlich durch. Und stell dir vor, das Tanzen gefiel mir so gut, dass ich gleich im Anschluss an den Anfängerkurs einen für Fortgeschrittene besuchte. Aber du tanzt ebenfalls hervorragend."

„Wir, also dein Vater und ich, tanzten sehr gerne. Sowie es die Zeit erlaubte, gingen wir mit Freunden aus – und dann die Hochzeiten und Partys. Manchmal tanzten wir hier zu Hause, nur wir beide ..." Ich schließe die Augen und liege einige Sekunden in Richards Armen.

„Er fehlt dir", stellt Leon fest und reißt mich in die Wirklichkeit zurück.

Ich nicke und schlucke die Tränen hinunter.

„Er fehlt dir", sagt er noch einmal, während er mich näher an seinen Körper zieht, sich an mein Ohr beugt und in einem Tonfall flüstert, der mir überhaupt nicht gefällt: „Und doch sehnst du dich in die Arme eines anderen Mannes."

Wie vom Blitz getroffen bleibe ich stehen. Wie bitte? Was fällt dem Jungen ein?

Mein Blick scheint ihn wie ein Keulenschlag zu treffen. Denn er duckt sich, als fürchte er einen wirklichen Hieb von mir.

„Entschuldige, ich wollte dich nicht kränken", meint er zerknirscht.

Ich atme einmal tief durch, bevor ich antworte: „Oh doch! Genau das wolltest du. Und was, wenn es so wäre?"

Leon beginnt sich erneut mit mir zu drehen. „Warum gerade er? Der Kerl mag ja ganz in Ordnung sein. Aber mal ehrlich, was weißt du über ihn? Ließ er sich scheiden oder verließ diese Romina ihn?"

„Was ist der Unterschied?"

„Na, hör mal. Hat sie ihn verlassen, wäre es doch möglich, dass er noch nicht über sie hinweg ist. Das könnte ein Grund für seine vielen Affären sein, von denen man danach in der Presse lesen konnte. Er wollte sich mit anderen Frauen trösten. Und nun will er sich mit dir trösten."

„So ein Schmarrn."

„Wirklich? Ist das so abwegig? Liebst du ihn? Und was wird aus mir, sollte er doch hier einziehen?"

„Darüber haben wir doch bereits gesprochen. Er wird ganz sicher nicht hier einziehen. Zumal es nicht den geringsten Grund dafür gibt. Wir sind Freunde und Ulrich hegt, das müsstest selbst du bereits bemerkt haben, keinerlei Ambitionen mehr, die in eine andere Richtung gehen."

„Ich müsste schon blind sein, hätte ich nicht das genaue Gegenteil bemerkt", meint er trocken.

Mir ist es lieber das Thema zu wechseln. „Da hast du tatsächlich mehr gesehen als ich."

„Und was hatte der Kuss neulich Abend vor der Haustür zu bedeu-ten? Komm, gib es doch zu, du „willst" es nicht sehen", dringt er weiter in mich.

„Nun ja, da ist wohl was dran. Der Kuss …, ja …, aber da ist nichts mehr, das ist längst geklärt", antworte ich und denke an den Abend, an dem er mich in Amandas Lokal schleifte und an den leidenschaftlichen Kuss, von dem Leon nichts weiß.

„Geklärt?"

„Aus Ulrich und mir kann kein Paar werden. Zumal ich ihn eindeutig – ansatzweise, nun ja, irgendwie zumindest – in seine Schranken verwiesen habe."

„Eindeutig, ansatzweise, irgendwie", spöttelt er. „Das klingt keines-wegs, als wäre die Sache geklärt."

„Mein Gott!", seufze ich. „In meinem Alter sind Beziehungsge-schichten nicht mehr so einfach. Da gilt es so vieles zu bedenken. Du bist so jung Leon, hast noch nicht allzu viel Lebenserfahrung …"

Er wirft mir einen empörten Blick zu und schnappt nach Luft.

Bevor er jedoch etwas dazu sagen kann, nicke ich und spreche weiter: „Als ich so alt war wie du jetzt, glaubte ich auch allwissend zu sein. Aber mittlerweile weiß ich, dass das ein Trugschluss war. Die Welt ist weder rosarot noch ist sie schwarzweiß."

Ich bleibe stehen, ergreife seine Hand und ziehe ihn zur Gartenbank.

„Was hast du vor?", fragt er, setzt sich aber neben mich. „Wird das jetzt eine psychologische Unterweisung in Liebesangelegenheiten? Aufgeklärt bin ich nämlich schon."

„Ich weiß, was du denkst. Aber mal ehrlich, für euch jungen Leute gibt es doch nur schwarz oder weiß. Ich durfte das Leben in vielen, nicht in allen, aber sehr vielen Facetten kennenlernen. Daraus resultiert auch meine Sichtweise. Ich betrachte all das, was um mich herum geschieht, zunächst aus verschieden Perspektiven, dann entscheide ich. Geht es um mich selbst, handle ich ebenso. Ich wäge Pro und Kontra sorgsam ab. Bisher bin ich gut damit gefahren. Nun ja, ich gebe zu, es war auch 'ne Menge Glück dabei. Alle Entscheidungen, die ich in meinem Leben traf, schienen geradezu auf der Hand zu liegen."

„Alle?"

Ich nicke. „Alle! Denke ich allerdings über eine Beziehung mit Ulrich nach, versagt mein gesunder Menschenverstand. Ich kann es drehen und wenden, wie ich will, ich komme zu keinem eindeutigen Ergebnis und ich gebe zu, die Gefühle, die ich für ihn hege, machen mir ein wenig Angst."

„Aber du musst doch wissen, ob du ihn magst, ob du gerne mit ihm zusammen sein willst? Ich meine so richtig."

„Tja, wäre das so einfach. Ich fühle mich sehr wohl in seiner Gesellschaft. Ich unterhalte mich gerne mit ihm und ja, da ist auch noch etwas anderes, etwas das mich vermutlich sehr glücklich machen könnte." Ich zucke mit den Schultern. „Aber was soll ich denn tun? Ich bin doch kein Teenager mehr, der vor lauter Schmetterlingen im Bauch das Denken vergisst."

„Hast du denn Schmetterlinge im Bauch?", fragt er schmunzelnd.

Ich lächle ebenfalls. „Jedenfalls fühlt es sich so an, sowie ich auch nur an ihn denke. Steht er dann vor mir, beginnt mein Puls zu rasen und mein Herz schlägt bis zum Hals, während es scheinbar in meinen Magen fällt, wo es eine Menge Unruhe stiftet. Mit der Zeit beruhigt es sich dann zwar, aber ein Blick aus seinen Augen, eine kleine Berührung und die Schmetterlinge beginnen erneut zu flattern."

Leon schmunzelt immer noch und ich komme mir plötzlich ziemlich albern vor. *Wie kann ich ausgerechnet mit dem Jungen so offen über meine Gefühle sprechen?*

„Du redest wie Paula", sagt er nach kurzer Pause.

„Ach ja? Geht es ihr etwa genauso? Was ist zwischen dir und Paula?"

Er wendet seinen Blick von mir ab und richtet ihn nach oben in den sternenklaren Nachthimmel, als könne er dort eine Antwort finden. „Wie kommst du darauf, dass zwischen ihr und mir etwas ist?"

„Sie scheint dich anzuhimmeln. Bei dir bin ich mir nicht sicher, ob du mehr als bloße Freundschaft für sie empfindest. Versteckst du tiefere Gefühle für sie, weil da ein Freund ist, der sie ebenfalls begehrt?"

„Du meinst Leander", stellt er knapp fest.

Er hat es also ebenfalls bemerkt. Oder hat Leander gar sein Herz bei ihm ausgeschüttet?

„Wie du ja bereits weißt, lernte ich Paula und Marcus durch Leander kennen. Es ist nicht so, dass ich nichts für Paula empfinde, ich mag sie, aber ich liebe sie nicht."

Ich sage nichts, sehe ihn nur skeptisch an und warte auf eine weitere Erklärung.

„Ja, wirklich", spricht er weiter. „Ich finde Paula cool. Man kann sich gut mit ihr unterhalten …"

„Nur unterhalten?"

„Du bist hartnäckig. Sie hat einen schönen Mund. Sobald sie redet, könnte ich immerzu auf diesen Mund und die winzigen Grübchen starren, die sich an ihren Mundwinkeln jedes Mal beim Zusammenpressen ihrer Lippen bilden. Dann ist da noch diese formvollendete Wirbelsäule, die sich wie eine Schlange über ihren Rücken schlängelt und ja, ich gebe es zu, sie hat einen geilen Knackarsch."

„Leon!"

„Was? Ich mag sie, aber mehr ist da wirklich nicht. Selbst wenn sie in mich verliebt wäre – ich weiß aber, dass es nicht so ist – würde ich doch einem Freund nie die Frau ausspannen."

„Das ist gut zu wissen. Dann kann ich also beruhigt sein."

„Warst du etwa beunruhigt?"

„Ein wenig", gebe ich zu.

„Musst du wirklich nicht sein. Aber meine Beziehung zu Paula steht hier nicht zur Debatte. Du hast das Thema wirklich geschickt gewechselt. Haben wir nicht von dir und Ulrich gesprochen?

„Du hast das Thema auf Paula gelenkt", erinnere ich ihn.

„Stimmt. Aber was wird nun aus dir und ihm?"

„Nichts. Ich will diesen ganzen Beziehungskram nicht mehr."

„Bist du sicher?"

„Na ja …, nein, bin ich nicht. Zumindest kann ich mir nicht vorstellen, mit einem anderen Mann als Richard zusammenzusein."

„Kannst du nicht oder willst du nicht?", hakt er nach.

„Weißt du, sich zu verlieben ist schon eine aufregende Angelegenheit und ich möchte diese himmelhochjauchzenden Gefühle nur allzu gerne zulassen, aber ich denke, dafür ist jetzt der falsche Zeitpunkt. Die imposante Erscheinung dieses Mannes, der genau weiß was er will, kann allein durch seine Ausstrahlung einen ganzen Raum füllen. Und obwohl er mir mitunter durchaus das Gefühl vermittelt, dass ich ihm wichtig bin, fühle ich mich manchmal verdammt klein neben ihm. Ich denke, ich bin diesem Mann einfach nicht gewachsen. Und das ist ganz schlecht für eine Partnerschaft. Nein, aus ihm und mir kann kein Paar werden."

Leon schüttelt lächelnd den Kopf. „Weißt du denn nicht, dass die Sonne aufgeht, sobald du einen Raum betrittst, und zwar nicht nur, weil du eine wunderschöne Frau bist, sondern auch weil du etwas an dir hast das die Menschen bezaubert. Du bist trotz deines Erfolges immer noch du selbst. Du warst nie eine von diesen abgehobenen, skandalträchtigen Autoren, die es trotz ihres ohnehin schriftstellerischen Erfolgs anscheinend auch noch nötig haben, ihr Privatleben in der Klatschpresse ins Bild zu setzen. Ulrich ist ein Blender und Schaumschläger. Diesen Artikel hast du ihm zu verdanken. Lass dich nicht verbiegen, das hast du nicht ..."

„Hey, ihr beiden", unterbricht Ulrich unser Gespräch. „Ihr macht Gesichter wie zehn Tage Regenwetter. Na, kommt schon, verschiebt die ernsten Themen auf morgen. Heute wollen wir uns amüsieren."

Er ergreift mein Handgelenk und zieht mich zur Terrasse.

„Ich bin leider kein so blendender Tänzer wie Leon. Um genau zu sein, kann ich mich gerade mal so im Takt bewegen. Aber das", er legt den Arm um meine Taille und bohrt seinen Blick tief in meine Augen, „möchte ich gerne mit dir tun. Ich möchte überhaupt alles nur noch gemeinsam mit dir tun."

Eine Sekunde starre ich hilflos auf seine Schulter, ein Kloß, so groß wie ein Tennisball, steckt in meinem Hals, möchte ich doch genau dasselbe, aber dann krächze ich: „Du sollst so etwas nicht sagen, dabei ..."

„Beginnt dein Puls zu rasen", unterbricht er mich, „pocht dein Herz ein wenig kraftvoller, geht dein Atem flacher, kribbelt es auf deiner Haut? So geht es nämlich mir beim bloßen Gedanken an dich. Und stehst du dann vor mir, ist es noch schlimmer. Mein Magen beginnt zu rebellieren, meine Handflächen werden feucht und der Wunsch, dich in meine Arme zu reißen und zu küssen, wird übermächtig. Nur mit äußerster Willensanstrengung gelingt es mir, es nicht zu tun. Ich fühle mich verdammt hilflos in deiner Nähe. Kannst du dir vorstellen, was jetzt, da ich dich so locker in meinen Armen halte, in mir vorgeht? Oh, Greta", seufzt er und zieht mich näher an sich heran, „ich liebe dich."

Bestürzt bleibe ich stehen und befreie mich aus seiner Umklammerung. „Ulrich, ich bin kein einfältiger Teenager und du auch nicht. Wir sind zu alt für derartige Spielchen."

Er packt mich an den Oberarmen, als wolle er mich schütteln. Aber er sieht mich nur eindringlich an. „Zu alt für die Liebe? Geht's noch? Mein Gott!" Er schüttelt scheinbar hilflos den Kopf. „Greta, du bist eine wunderschöne Frau, dein schwarzes Haar glänzt wie die Federn eines Raben, deine Augen leuchten wie Smaragde und deine Figur kann selbst mit der einer Zwanzigjährigen mithalten. Aber es ist nicht allein deine äußere Erscheinung, die mich in Bann zieht. Ja, schon auch, ganz klar. Hauptsächlich jedoch ist es dein warmes, einfühlsames Wesen. Du gibst mir das Gefühl, über alles mit dir reden zu können. Und das Tollste, du verstehst mich, zumindest hatte ich bisher diesen Eindruck. Zwischen uns herrscht ein Einklang, den ich noch bei keinem anderen Menschen und erst recht nicht bei einer Frau empfunden habe. Greta, gib uns eine Chance", bittet er eindringlich und zieht mich nah an seine Brust.

Oh mein Gott, seufze ich innerlich und blicke mich hilflos nach Beistand um. *Befreit mich nicht bald jemand aus dieser Umklammerung, löse ich mich auf wie Milchschaum.*

„Lassen Sie Greta sofort los", ruft Leon, der meinen hilflosen Blick aufgefangen hat, im nächsten Moment auf uns zustürzt und Ulrichs Hand von meinem Oberarm reißt. Seine Augen funkeln zornig, als er die rechte Hand zur Faust geballt erhebt. „Sie will dich nicht. Lass sie endlich in Ruhe, sonst ..."

Ulrich gibt mich frei. Doch nur um sich sogleich breitbeinig vor Leon aufzustellen. „Was sonst?", zischt er herausfordernd. „Du willst mich verprügeln? Na los, schlag schon zu. Vielleicht fühlst du dich danach besser."

Geistesgegenwärtig ergreife ich Leons Arm und halte ihn fest. An seinen zuckenden Versuchen, ihn zu befreien, erkenne ich, dass er Ulrich vermutlich einen Schlag verpasst hätte, der diesem für die nächste Zeit im Gedächtnis geblieben wäre. Und wie Ulrich darauf reagiert hätte – daran will ich lieber nicht denken.

„Beruhige dich", sage ich und als er nickt, lasse ich ihn los.

Schneller als ich reagieren kann, schießt seine Faust auf Ulrichs Gesicht zu.

Ulrich packt den Jungen an seinen Schultern, schüttelt ihn und stößt ihn entnervt von sich.

Leon stolpert und fällt rücklings auf den Rasen. Doch sogleich rappelt er sich wieder auf und geht mit erhobener Faust wie ein wild gewordener Stier erneut auf Ulrich zu.

„Leon! Ulrich! Hört auf!", schreie ich.

Entschuldigend sieht mich Ulrich an. Seine Nase blutet. Er presst seine flache Hand auf Leons Brust und hält ihn so auf Abstand.

„Misch dich da nicht ein, Leon", meldet sich Leander zu Wort, der unbemerkt zur Terrasse gekommen war. „Die beiden lieben sich. Kapier das endlich."

„Misch du dich lieber nicht in Sachen, von denen du nichts verstehst", faucht Leon wütend. „Du kriegst ja nicht mal deine eigenen Probleme gebacken. Oder willst du behaupten, es macht dir nichts aus, mich mit Paula …"

Bevor Leon seinen Satz beenden kann, verwandelt sich Leanders Gesicht in eine wutverzerrte Fratze. All die aufgestauten Gefühle, die er bisher mehr oder weniger gezeigt hat, brechen aus ihm heraus. Mit einem großen Schritt geht er auf ihn zu und schon krallen sich seine Finger in dessen Schulter. Mit einer Hand zerrt er ihn kraftvoll von Ulrich weg und schlägt ihn fast im selben Augenblick mit dem Handrücken der anderen ins Gesicht.

„Du arroganter Mistkerl", presst er zornig durch seine zusammengebissenen Zähne.

Leon taumelt, fasst sich aber schnell wieder und geht nun seinerseits auf Leander los.

„Halt!", schreit Ulrich und umschlingt Leon mit festem Griff. „Spinnt ihr beiden jetzt völlig? Beruhigt euch mal wieder."

Leon windet sich wie ein Aal, ringt darum Ulrichs festem Griff zu entkommen, doch es gelingt ihm nicht. „Lass mich los", grölt er außer sich vor Wut und schlägt um sich.

Ich halte Leanders Handgelenk fest und ziehe ihn, trotz heftigen Sträubens, unter den entsetzten Blicken der Anderen von der Terrasse zum Pavillon. „Setz dich jetzt da rein und hör mir zu", sage ich und setze mich ihm gegenüber.

Leander knirscht mit den Zähnen, wodurch seine Wangenknochen verstärkt hervortreten.

„Mit Gewalt löst man keine Probleme."

„Das weiß ich selbst", nuschelt er kaum verständlich mit gesenktem Blick in seinen nicht vorhandenen Bart. Sein Verhalten scheint ihm nun peinlich zu sein. Doch dann hebt er den Kopf und sieht mir trotzig in die Augen. „Aber der Kerl hat mich so wütend gemacht, da bin ich eben explodiert."

„Man explodiert nicht einfach so. Diese Wut kocht schon eine ganze Weile in dir. Stimmt's?"

„Er weiß von meinen Gefühlen für Paula und kann es dennoch nicht lassen sie anzubaggern."

„Und ich weiß, dass er in Paula nur eine Freundin sieht. Vielleicht wollte er dich mit seinem Verhalten aus der Reserve locken. Hast du daran schon mal gedacht? Warum sprichst du nicht mit Paula?"

„Und was soll ich ihr sagen? Paula, ich bin in dich verliebt?"

„Das wäre für den Anfang nicht schlecht", antwortet Paula, die uns unbemerkt gefolgt ist und nun ihr schmales Köpfchen zu uns herein- streckt.

Leander fährt erschrocken herum.

Ich erhebe mich und mache Paula Platz.

Bereits im Gehen werfe ich noch einen Blick zurück.

Paula sitzt Leander gegenüber. Sie wirkt in sich erschlafft, hält den Blick gesenkt, die Hände liegen im Schoß, während sie abwartend mit ihren schlanken Fingern spielt.

Was die beiden miteinander reden, kann ich nicht mehr verstehen, aber ich bin sicher, sie kommen nun allein zurecht.

Michael und Ulrich prosten sich zu, als hätten sie eine Schlacht ge- wonnen – welche auch immer. Marcus sitzt auf der Gartenbank und starrt trübsinnig vor sich hin. Leon ist verschwunden.

Da ich mir vorstellen kann, wohin er sich verkrochen hat, gehe ich ins Haus.

Wie konnte diese Situation derart eskalieren? Dabei war das so ein schöner Abend. Vor einer Stunde fühlte ich mich restlos zufrieden. Na gut – fast.

Im Haus ist es ganz still. Vermutlich sitzt er auf seinem Bett, die riesigen Kopfhörer auf den Ohren, um sich mit dieser lautstark kreischenden Krawallmusik in seiner Wut zu suhlen, bis er sie überhat. Wie vermisse ich seine Klaviersonaten.

Ich klopfe zwar an seine Zimmertür, warte aber keine Antwort ab.

„Und nun zu dir mein …", Mir stockt der Atem, fast hätte ich „mein Sohn" gesagt. Ich atme einmal tief ein. „… Lieber", beende ich den Satz stattdessen, den er wegen der Kopfhörer ohnehin nicht hören konnte.

Leon nimmt sie erst ab, als er mich entdeckt.

„Was geht eigentlich in deinem Kopf vor?", frage ich enttäuscht und auch ein wenig wütend.

„Es tut mir leid", flüstert er. „Aber er redete so eindringlich auf dich ein und schien dich massiv zu bedrängen. Da dachte ich nicht lange nach."

Mein Ärger verfliegt. Ich kann nicht anders, ich muss lächeln.

Der eine bedrängt mich mit einem Liebesgeständnis und der andere glaubt, mich davor schützen zu müssen. Ein eindeutiger Fall von Kommunikationsschwierigkeit.

„Ulrich redete nicht auf mich ein, er gestand mir seine Liebe", sage ich und setze mich auf den Bettrand. „Er hat mir eine wunderschöne Liebeserklärung gemacht", füge ich verträumt, aber mit Tränen in den Augen hinzu. Erst jetzt beginnen Ulrichs Worte in mein Bewusstsein zu dringen. Mir wird warm ums Herz. Ein enormes Glücksgefühl erfasst mich und plötzlich fühle ich mich ganz leicht. Mein ganzer Körper scheint zu schweben. Mir kommt Barbara Eden als Jeannie in den Sinn, wie sie mit ineinander geschlungenen Beinen, quasi sitzend, schwebte. Fehlt nur noch, dass ich mit den Augen zwinkern und Wünsche erfüllen kann. Das wär's. *Ach, Ulrich,* seufze ich gedankenverloren.

Ein sanfter Stoß auf meinen Oberarm reißt mich unsanft in die Realität.

„Erde an Greta. Bist du wieder empfangsbereit?"

„Ja …, ja natürlich", antworte ich verwirrt.

„So natürlich ist das nicht. Du schienst gerade in höheren Sphären zu schweben. Wolltest du mir eben sagen, dass du ihn auch liebst?"

„Nein!", rufe ich empört aus. „Das wollte ich ganz und gar nicht. Nein …, ganz sicher nicht."

„Du bist eine so unglaublich taffe Frau, Greta Sander", sagt er, blickt mich dann aber einige Sekunden stumm an.

Ich ziehe abwartend die Augenbrauen hoch, denn seine Worte sind allzu deutlich mit diesem Ichbinnochnichtzuendetonfall untermalt.

„Darum verstehe ich nicht", spricht er weiter, „warum du es nicht fertigbringst, endlich zu deinen Gefühlen zu stehen. Die Situation, wie sie jetzt ist, ist jedenfalls fast nicht zu ertragen."

„Und was, denkst du, sollte ich tun?"

„Na, was wohl? Und zwar jetzt."

„Das sagst ausgerechnet du?"

„Ich habe schon genug Unsinn angestellt und sollte mich nicht weiter in dein Leben mischen", meint er zerknirscht. „Es geht mich einfach nichts an."

„Da hast du allerdings recht. Aber da es nur aus Sorge um mich geschehen ist, vergessen wir es. Apropos Unsinn …, vor einigen Tagen kehrte ich die Einfahrt und fand dabei etwas, von dem ich annehme, dass es dir aus der Tasche gefallen ist. Oder hast du sie etwa absichtlich dort hingelegt?"

Leon Gesichtsfarbe wechselt augenblicklich und wirkt nun gut durchblutet. Er senkt beschämt den Kopf, dann atmet er einmal tief ein und laut wieder aus.

„Ich wollte nicht, dass du mit ihm ausgehst. Als du an jenem Abend ins Wohnzimmer kamst, schloss ich gerade die Terrassentür, erinnerst du dich? Nun ja, ich stand am Fenster und beobachtete, wie er in seinem Wagen in die Auffahrt einbog. Ich wartete, bis er vor der Haustür stand und läutete. So schnell ich konnte, lief ich zur Auffahrt und zerstach den Reifen. Damit es so aussehen würde, als wäre er auf natürlichem Weg kaputt gegangen, steckte ich Schrauben in das Loch. Dabei muss mir eine aus der Tasche gerutscht sein."

„Das hätte ganz schön blöd ausgehen können."

„Unsinn! Die Luft war doch schon fast raus, als ihr aus der Einfahrt gefahren seid. Es tut mir leid", sagt er geknickt. „Ich weiß, ich habe Scheiße gebaut."

„Na, wenigstens ist dir das klar."

„Wirst du es Ulrich erzählen?", fragt er gespannt.

„Was soll ich ihm erzählen …, das er nicht längst weiß?"

„Du hast es ihm erzählt?"

„Das muss ich nicht. Ulrich ist doch nicht blöd."

„Du meinst, er weiß es und hat keinen Ton gesagt?" Er lächelt beschämt, dann zupft er spielerisch an meinem Jackenärmel, was mich an ein kleines, bettelndes Hündchen erinnert. „Du hast mir das Leben gerettet", spricht er leise weiter, fügt dann etwas lauter hinzu: „Und ich dir wohl irgendwie auch das deine. Von da an habe ich mich für dich verantwortlich gefühlt und tue es noch. Darum wünschte ich mir wohl, dass du dich auch für mich verantwortlich fühlst. Weißt du, als meine Mutter starb, verlor ich den einzigen Menschen, zu dem ich mich zugehörig fühlte. Ich verlor regelrecht den Boden unter den Füßen. Plötzlich wurde mir bewusst, dass ich ganz allein sein werde auf dieser Welt. Und dann kamst du in mein Leben, ein mir fremder Mensch, zu dem ich mich aber dennoch auf eigenartige Weise hingezogen fühlte."

Er schüttelt verneinend den Kopf und wischt damit meinen Einwand weg, bevor ich ihn aussprechen kann.

„Ich weiß, dass uns keine familiären Bande verbinden. Aber als ich beim Notar erfuhr, wer mein Vater war, und dass ausgerechnet du zu seinen Lebzeiten seine Frau warst, ging mir so vieles durch den Kopf. Auch, dass du, wäre mein Vater noch am Leben, jetzt meine Stiefmutter wärst. Und ich malte mir aus, wie es wäre …"

Er legte seinen Kopf in den Nacken und starrte an die Decke, als könne er dort oben die beste Formulierung für seine Gefühle finden.

„… wie es wäre", fährt er fort, „könntest du deine durchaus verständliche Abneigung gegen mich überwinden. Ich stellte mir vor, du würdest mich zumindest ein wenig mögen, weil du dich ein wenig an meinen Vater erinnere. Verstehst du? Darum habe ich mich regelrecht an deinen Rockzipfel gehängt. Und was ich neulich sagte …, du weißt schon."

„Als ich erfuhr", antworte ich, „wer du bist, war das für mich, als stieße mir jemand einen Pfahl ins Herz. Die Erde schien sich buchstäblich vor mir aufzutun, um mir einen Blick in die Hölle zu gewähren. Dennoch nahm ich das Erbe tatsächlich nur deinetwegen an. Zu dem Zeitpunkt hatte ich noch vor, meinem Leben ein Ende zu bereiten."

„Dann hätte es dir doch gleichgültig sein können, was mit dem Erbe geschieht."

„Du hast recht. Aber trotz meiner Verwirrung, der Enttäuschung und der Wut, die ich zu diesem Zeitpunkt empfand, gewann wohl meine rationale Seite die Oberhand. Du bist Richards Sohn, das war mir dennoch bewusst, obwohl es verteufelt wehtat mir das einzugestehen."

„Und jetzt?"

„Was?"

„Tut der Gedanke immer noch weh? Was fühlst du, wenn du mich ansiehst?"

Ich erkenne die Angst in seinen Augen und muss unwillkürlich lächeln, denn was das angeht, kann ich ihn beruhigen. Trotzdem verspüre ich ein schalkhaftes Verlangen, ihn ein wenig leiden zu lassen – als kleine Strafe sozusagen. „Tja, wie soll ich dir das sagen? Schließlich möchte ich dich nicht …, na du weißt schon, verletzen. Aber da du es unbedingt wissen willst, werde ich es gerade heraus sagen. Du bist nicht unbedingt die Hinterlassenschaft, die ich von Richard erwartet hatte. Deine Existenz hat mein ganzes Weltbild erschüttert. Und du bist auch nicht gerade das, was man einen Mustersohn nennen kann. Mitunter kannst du ganz schön nerven und was unsere, du musst schon zugeben etwas seltsame Verbindung angeht, …"

Er zieht die Augenbrauen nach oben und starrt mich erwartungsvoll an, während er lautlos Luft in seine Lungen saugt.

Ich sehe wie sich sein Brustkorb hebt. Jetzt tut er mir schon fast wieder leid und ich entschließe mich, ihn von seiner Angst zu befreien.

„Es ist mir mittlerweile egal, wer dafür verantwortlich ist, dass du geboren wurdest und es ist mir egal, wer dich in mein Leben gesteckt hat, aber … es wäre mir nicht egal, würde jemand versuchen dich wieder daraus zu vertreiben. Leon, ich mag dich. Aber die Bezeichnung „Stiefmutter" finde ich abscheulich. Darum wäre ich dir sehr verbunden, würdest du mich nie mehr so ansprechen."

Leon grinst mich an wie ein Honigkuchenpferd mit Zuckerguss. „Ich denke, das lässt sich machen. Dann bist du mir nicht mehr böse?"

Ich schüttle nur verneinend den Kopf und erhebe mich. „Kommst du mit runter? Paula spricht gerade mit Leander und ich denke, auch du hast etwas mit ihm zu klären. Ihr seid doch Freunde – oder nicht?"

Er nickt, schwingt seine Beine aus dem Bett und folgt mir. „Stimmt! Ich sollte da einiges in Ordnung bringen."

Als wir unten ankommen, finden wir Paula und Leander eng aneinandergeschmiegt, sich kaum merklich zur sanften Melodie eines Liebesliedes wiegend auf der Terrasse vor.

Ein eindeutig gutes Zeichen, wie ich meine.

Während wir an den beiden vorbei gehen, schlägt Leon Leander kameradschaftlich auf die Schulter.

„Sorry, Alter. Aber wir dachten, ein wenig Starthilfe täte dir gut."

Leander nickt nur.

Mein Blick schweift über den Tisch, auf dem leere und halbvolle Gläser stehen, einige Bierflaschen und zwei Weinflaschen. Ich bin froh, dass ich wenigstens die Teller schon gleich nach dem Essen abgeräumt habe. Marcus kann ich nirgends entdecken. Ulrich und Michael ebenfalls nicht.

In diesem Moment hebt Leon seinen Arm. „Da unten am See", sagt er und deutet mit ausgestrecktem Zeigefinger auf drei dunkle Gestalten. „Komm, lass uns ebenfalls runter gehen."

„Aber, dass du mir nicht wieder reinfällst", spöttle ich.

Die drei diskutieren derart angeregt über die Vor- und Nachteile des E-Books, dass sie unsere Anwesenheit erst mitbekommen, als Leon sagt: „Wie auch immer, so ein richtiges Buch mit seinem ganz eigenen Duft, mit Seiten, die man fühlen und umblättern kann, ein Buch, das man bedauernd zuschlägt, nachdem man die letzte Seite gelesen hat, liebevoll über den Einband streichelt und es auf einen dafür vorgesehenen Platz im Bücherregal stellt, das hat schon was."

„Ganz deiner Meinung, mein Junge", sagt Ulrich gönnerhaft und legt Leon seinen Arm väterlich um die Schulter. „Du hast ja direkt literarische Ambitionen."

Oh, oh, denke ich besorgt und frage mich einen Moment, ob das gut geht. Doch nichts geschieht. Die vier Männer starren auf den See und scheinen mich nicht wahrzunehmen.

„Wo ist Greta?", fragt Michael plötzlich, während er seinen Kopf kaum merklich – irgendwo wird sie schon sein – Richtung Garten wendet.

„Ich bin hier", antworte ich.

„Ach, da bist du", sagt er im selben Augenblick.

Nun dreht er sich nach mir um, legt ausladend seinen Arm um meine Taille und zieht mich zwischen sich und Ulrich. Nach einer Weile des allgemeinen Schweigens sagt er: „Ein schöner Abend ist das."

Ich nicke, obwohl ich nicht sicher bin, ob er das wörtlich meint.

„Können wir reden?", fragt Ulrich mit belegter Stimme.

„Ja", antworte ich knapp.

Er ergreift meine Hand und zieht mich ungeachtet Michaels immer noch lose um meine Taille liegenden Arms mit sich fort.

Nach wenigen Schritten verschränke ich meine Arme vor der Brust. Trotz meiner Strickjacke fröstelt es mich.

Ulrich bemerkt es. Sofort zieht er seine weiche Ziegenlederjacke aus und legt sie fürsorglich um meine Schultern.

Selbst in seiner Jacke hängt der herb-süße Duft, den ich so liebe. Ich kann dich gut riechen, fällt mir eine Floskel ein, die in Ulrichs Fall absolut zutrifft.

„Konntest du über meine Worte nachdenken?"

„Mhm", murmle ich lediglich, da ich das wunderbare Gefühl von Geborgenheit, in das mich seine liebevolle Geste und diese Jacke einhüllen, ohne zu reden noch ein wenig auskosten möchte. Ich könnte jubeln vor Glück und ziehe genießerisch seinen Duft durch die Nase.

„Und darf ich erfahren wie du dazu stehst?", bohrt er nach.

„Sag mal, dieser Duft", ich ziehe meine Schultern hoch und Ulrichs Jacke an meine Nase, „ist das dein After Shave oder ein Herrenparfüm?", frage ich neugierig.

„Nur ein Deo und nach der Rasur benutze ich das dazu gehörige After Shave. Ich benutze seit Jahren immer dasselbe. Was mich nicht daran hindert, ein anderes zu kaufen, solltest du den Duft nicht mögen."

„Nein, ich liebe ihn", sage ich schwärmerisch und bleibe abrupt stehen. „Der Duft – das bist du."

Ulrich bleibt ebenfalls stehen. „Du kannst mich also riechen?", fragt er leise.

Seine Worte deuten etwas an, das ich vor ihm verbergen wollte. Mein Puls beginnt zu rasen, meine Handflächen fühlen sich heiß an, ein Kloß sitzt mir im Hals und meine Lippen fühlen sich plötzlich trocken an. Ich senke verlegen meinen unruhig über das Ufer huschenden Blick und nicke.

Zärtlich legt er seine Hände an mein Gesicht, hebt es an und beugt sich langsam über mich, bis seine Lippen meine sanft berühren. Nur kurz, zwei-, dreimal, liebevoll – nicht wie ein Mann, der eine Frau begehrt.

Aber diese sanfte Berührung bringt mein Blut in Wallung und steigert mein Verlangen nach seinen Berührungen ins Unermessliche. Ich will diesen Mann, will ihn so sehr, dass ich mich ihm bereitwillig, jetzt sofort, auf der Stelle, hingeben würde. Doch selbst als mein Mund sich willig öffnet, dringt seine Zunge nicht ein, was mich verunsichert und gleichzeitig erregt.

Verdammt noch mal, spiel nicht mit mir. Zeig mir, wie sehr du mich begehrst.

Während ich eine Hand auf seine Brust lege unter der sein Herz kraftvoll schlägt und die andere um seinen Nacken, spüre ich seine Hände, die nun zärtlich meine Hüften massieren. Dann kann auch er sich nicht mehr zurückhalten. Er schlingt seine Arme um meinen Körper und presst mich fest an seinen. Allzu deutlich kann ich nun auch seine Erregung spüren. Und endlich, endlich dringt seine Zunge in meine Mundhöhle, wo sie einen verteufelt sinnlichen Tanz mit meiner beginnt und mich in einen wilden Taumel meiner Sinne versetzt, bis ich mich plötzlich ganz leicht fühle.

Oh Gott, ich schwebe ...

Kapitel 13

Der Morgen dämmert bereits, erkenne ich, als ich im Halbschlaf kurz blinzle. Mit wieder geschlossenen Lidern gähne ich undamenhaft, während ich mich wohlig räkelnd auf die andere Seite drehe und die Decke über meine Schulter ziehe. *Nein, noch nicht aufstehen.*

Nicht lange und mir wird warm unter der Decke. Ich schiebe sie von mir, recke mich und strecke meinen Arm hoch in die Luft, bevor ich ihn einfach fallen lasse. Meine Hand berührt nackte Haut – behaarte Haut, die definitiv nicht meine ist. Die Erkenntnis, nicht alleine in meinem Bett zu liegen, bringt mir augenblicklich die Erinnerung an letzte Nacht zurück. Plötzlich hellwach, reiße ich meine Lider hoch und blicke direkt in Ulrichs blitzeblaue Augen, die mich wohlwollend betrachten.

Er liegt auf seinen Ellbogen gestützt neben mir und lächelt mich liebevoll an.

Er beobachtet mich. Wie lange macht er das wohl schon? Hat er mich etwa auch ...? Ich denke daran, wie ich mich eben benahm. *Natürlich hat er.*

Sein Lächeln verstärkt sich noch, als er meine Verwirrung bemerkt. „Du bist wunderschön."

Vor allem wenn ich gähne, denke ich und greife unwillkürlich in mein Haar, das dem des Struwwelpeters sehr ähneln muss. Und da fällt mir auch ein, dass ich mich heute Nacht nicht mehr abgeschminkt habe. Nicht, dass ich je viel Make-up benutzt hätte, aber ein wenig Lidschatten und Wimperntusche schon. Die Wimperntusche ziert jetzt sicher meinen unteren Lidrand.

Der Morgen nach dem ersten Mal! Mir wird übel. *Was habe ich getan?*

„Das fragst du noch", antwortet mein inneres Ich und grinst mich hämisch an. „Du hast die leidenschaftlichste Nacht deines Lebens verbracht. Und das in deinem Alter", fügt es vorwurfsvoll hinzu.

Mich fröstelt. Unwillkürlich, wie zum Schutz, ziehe ich meine Hand unter die Decke. *Oh Gott!! – Ich bin nackt!*

Für Ulrich muss meine Reaktion ein offensichtliches Eingeständnis meines Bedauerns sein.

„Bereust du, was geschehen ist?", fragt er unsicher.

„Ja!", platze ich spontan heraus. Meine Gefühle schlagen Purzelbäume.

Augenblicklich verrät die Mimik seines Gesichts Enttäuschung.

Kleinlaut füge ich deshalb sogleich hinzu: „Nein, natürlich nicht."

Mein Lächeln wirkt dennoch etwas gequält, während ich seine Brust sanft berühre. „Die Nacht …, ich meine das …, du weißt schon …, das mit dir war wunderschön, ja, geradezu eine Offenbarung für mich. Ich hätte nie für möglich gehalten, dass ich in diesem Leben noch mal Sex mit einem Mann haben würde."

„Ach, du stehst inzwischen auf Frauen?", fragt er schelmisch grinsend.

Ich ziehe meine Augenbrauen empört zusammen, lächle aber gleich darauf und gebe ihm einen sanften Puffer auf seine Brust. „Du verstehst schon, was ich damit sagen will."

Er nickt kaum merklich. „Ja, ich denke schon", meint er zärtlich lächelnd und streichelt liebevoll meine Wange. „Ich habe mich ab und zu gefragt, ob es mir in diesem Leben nicht vergönnt ist, einer Frau zu begegnen, mit der ich bis an mein Lebensende zusammen sein möchte. Einer Frau, die nicht nur nimmt, einer, die auch gibt. Du bist die Erfüllung all meiner Sehnsüchte", sagt er, beugt sich über mich und berührt sanft meine Lippen.

Es ist kein leidenschaftlich fordernder Kuss. Es ist einer von der Sorte, die Vertrauen schaffen, die einen glauben lassen, nichts auf der Welt könne das Vorhandene zerstören.

„Dass ich mich so unbeschreiblich verlieben könnte, in meinem Alter", spricht er weiter, während er mir zärtlich eine Haarsträhne aus dem Gesicht streicht, „mich jung und unsicher fühlen könnte wie ein Teenager, mit allem was das Verliebtsein bietet, das habe ich ganz bestimmt nicht erwartet. Mein Gott! Greta, ich war noch nie so glücklich wie letzte Nacht und ich bin es immer noch. Du bist die Frau, nach der ich mein Leben lang gesucht habe. Schon an dem Tag, als Michael uns miteinander bekannt machte, verliebte ich mich in dich. Ich werde dieses Bild nie vergessen. Du betratst das Lokal, blicktest dich um und als Michael sich erhob, kamst du einige Schritte auf uns zu. Dann wurde dir bewusst, dass er sich in Gesellschafft befand. Du stocktest einen Moment. Ich befürchtete schon, du würdest umkehren und wieder gehen. Michael übrigens auch, darum ging er dir entgegen. Dir blieb nichts anderes übrig, als dich zu uns zu setzen. Du sahst mich kurz an. Deine Augen waren so leer – nicht kalt – leer. Das brachte mich einen Moment vollkommen aus der Fassung."

Ich sehe ihn fragend an.

„Michael hatte mir vom Tod deines Mannes erzählt und ich erwartete eine von Gram gebeugte Witwe. Eine Frau, in deren Augen die Trauer um den geliebten Menschen steht. Aber in deinen Augen bemerkte ich nur Leere, eine abgrundtiefe Leere, die mir, ich kann nicht sagen warum, auf unerklärliche Weise Angst machte."

„Angst?"

„Ja, um dich. Du schienst so verloren – so weit weg."

Ulrich küsst meine Nasenspitze. „Erinnerst du dich? Michael stellte uns einander vor und erklärte dir den Grund meiner Anwesenheit bei diesem Treffen. Du wurdest wütend. Deine Augen verdunkelten sich bedrohlich und plötzlich füllten sie sich mit Leben, begannen zu funkeln. Du ahnst nicht, wie schön du in diesem Moment aussahst. Und daran konnten auch die bedrohlichen Blitze, die mich gleich darauf aus deinen Augen trafen, nichts ändern. Dann sagtest du, du hättest vergessen den Stecker deines Bügeleisens herauszuziehen und liesest uns einfach sitzen. Das war der Moment als mir klar wurde, dass ich alles tun würde, um dich zu bekommen."

„Jetzt weiß ich …", *nicht, was ich dazu sagen soll,* will ich noch hinzufügen, komme aber nicht dazu, da Ulrich mit seinen warmen, weichen Lippen meinen Mund zärtlich verschließt.

Wie ein Film im Schnellverfahren laufen die Ereignisse der letzten Nacht vor meinem geistigen Auge ab …

Es ist schon nach Mitternacht, als Ulrich mir das Glas Wein aus der Hand nimmt und mich von meinem Stuhl hochzieht, um noch einmal mit mir zu tanzten.

Sicherlich nur, weil Michael es geschafft hat – trotz einiger Proteste der jungen Leute, die um diese Zeit allerdings ziemlich schwach ausfallen – eine CD mit einschmeichelnden Evergreens von Frank Sinatra einzulegen.

Zärtlich spielen Ulrichs Finger mit meinen Nackenhaaren, während mein gedankenschwerer Kopf auf seiner Brust ruht. Immer noch geistern Leons Worte und sein Verhalten in selbigem herum. Er scheint uns zu beobachten – vielleicht bilde ich mir das auch nur ein, darum verdränge ich diese lästigen Gedanken. Im selben Moment schiebt sich ein anderes Bild vor mein inneres Auge. Ulrich mit mir allein an einem Ort, an dem ich ihm näher sein kann, als ich es ohnehin schon bin. Ich stelle mir vor, von seinen Händen an Stellen berührt zu werden, die er bisher noch nicht einmal zu Gesicht bekommen hat. Und ich möchte wissen, wie es ist, von ihm geliebt zu werden.

„Was meinst du", flüstert er mir ins Ohr, „würde unser Verschwinden jemandem auffallen?"

„Wäre das eine Veranstaltung von zweihundert Leuten", bemerke ich lächelnd, „sicher nicht. Aber schau dich doch mal um."

Er küsst mich zärtlich auf die Wange, richtet sich auf und antwortet: „Du hast recht." Dann schiebt er mich ein wenig von sich, was mir nicht besonders gefällt, wendet sich an die kleine Gesellschaft und ruft: „Hallo Leute, schenkt ihr mir mal eben für einen Moment eure Aufmerksamkeit?

Alle Augen richten sich auf uns.

Leon erhebt sich, geht einen Schritt auf uns zu. Er wirkt besorgt.

Ob er weiß, was Ulrich sagen will? Zumindest vermutet er es.

„Ich wollte nur mal eben gute Nacht sagen. Sorry, aber ich hatte einen anstrengenden Tag und bin hundemüde."

„Hundemüde?", fragt Michael schmunzelnd.

„Wie sieht's denn mit euch aus", frage ich daraufhin. „Habt ihr noch nicht die nötige Bettschwere?"

„Ich verzieh mich ebenfalls", sagt Michael und gähnt demonstrativ. Dann hebt er sein Glas Wein und prostet mir noch einmal zu, bevor er das nun fast leere Glas auf den Tisch stellt.

„Du kannst auf dem Sofa in meinem Arbeitszimmer schlafen oder auf dem im Wohnzimmer, das kann ich ausziehen."

„Im Wohnzimmer, ich brauche Platz", sagt er bestimmt, während er sich erhebt und etwas wankend zur Terrasse schlendert. Dabei grinst er auf eine Art und Weise, die deutlich zeigt, dass er ein wenig über den Durst getrunken hat.

„Ich leg schon mal eine Wolldecke und ein Kissen für dich bereit",
sage ich und wende mich ab.

„Und wohin legt Ulrich sein müdes Haupt?", fragt Michael.

„Er schläft oben im Gästezimmer", antworte ich und wende mich an
die jungen Leute, die für diese Nacht zwei Zelte aufgebaut haben, das
kleine für Paula und das etwas größere für Marcus und Leander.
„Solltet ihr noch etwas benötigen, dann sagt es jetzt. Ich bin nämlich
ebenfalls müde und würde mich auch gerne zurückziehen."

Das junge Liebespaar ist bereits wieder mit sich selbst beschäftigt.
Die beiden brauchen heute Nacht nichts mehr. Und was Marcus angeht,
der schüttelt nur den Kopf, hebt kurz die Hand zum Gruß und redet
weiter auf Leon ein, beschreibt die Unzulänglichkeiten unserer Gesellschaft und regt sich über die Leute auf, die er für die ganze Ungerech-
tigkeit und Misswirtschaft verantwortlich hält.

Ich kann es nicht hören, aber da das sein absolutes Lieblingsthema
ist, das früher oder später immer auf den Tisch kommt, nehme ich an,
dass es auch jetzt darum geht – sieht jedenfalls ganz danach aus. Leon
nickt dazu, stößt mit seiner Flasche Bier an die von Marcus und trinkt.
Den Kater, den die beiden morgen haben werden, möchte ich nicht
geschenkt.

„Also dann, gute Nacht", rufe ich und nicke zufrieden vor mich hin.

„Jetzt komm schon", drängt Ulrich, packt mich an der Taille und
schiebt mich durch die Tür. „Du hättest Michael das Gästezimmer
geben sollen. Ich werde sowieso nicht darin schlafen. Ich …"

„Wirst du nicht?", unterbreche ich ihn, als wüsste ich nicht genau,
was gleich geschehen würde.

Er greift nach meinem Handgelenk, zieht mich an sich, legt seine
Arme um meine Taille und drückt mich fest an seinen Körper. „Du
weißt, was ich möchte."

„Nein, du hast es mir noch nicht gesagt", tu ich ahnungslos. „Willst
du mit Michael tauschen und lieber unten auf dem Sofa schlafen? Es ist
ein bequemes Sofa, man kann es ausziehen."

„Ich weiß. Du hast es erwähnt", haucht er ganz nah an meinen Lippen, bevor er mich erneut so leidenschaftlich küsst wie vor einigen
Stunden unten am See. So wie er es während des restlichen Abends in
der kleinen Gesellschaft nicht einmal gewagt hat.

Ulrich ergreift meine Hand und zieht mich mit sich nach oben.

Atemlos komme ich oben an und ringe nach Luft. Ihm scheinen die Stufen nichts ausgemacht zu haben, denn er zieht mich erneut eng an sich, küsst mich, bis mir die Luft endgültig wegbleibt und ich mich aus seinen Armen befreie, um einmal tief einzuatmen.

Da er sich hier noch nicht auskennt, wirft er mir einen fragenden Blick zu.

Ich deute mit dem Kinn auf meine Schlafzimmertür und lächle unsicher.

Kann ich hier mit einem anderen Mann ...? Jetzt schon Gewissensbisse? Das darf doch wohl nicht wahr sein. Richard hätte gewollt, dass ich glücklich bin. Er hätte nichts dagegen, dass ein anderer Mann in seinem Bett liegt.

„Das glaubst du doch wohl selbst nicht", weiß mein inneres Ich es besser. „Richard war zu seinen Lebzeiten eifersüchtig auf jeden, der dir zu nahekam. Womöglich steht sein Geist am Fußende des Bettes und beobachtet, wie du es mit einem anderen Mann treibst."

Unsinn!!! Was für ein makabrer Gedanke. Dennoch, ich werde das nicht tun. Ich kann es nicht.

Ohne ein Wort zu verlieren, ergreift Ulrich erneut meine Hand und sagt: „Komm."

Er hat meine Hemmungen bemerkt, das sagt mir sein verständnisvolles Lächeln.

Kaum ist die Tür des Gästezimmers hinter uns zu, beginnt er mich zu liebkosen. Zärtlich und sehr vorsichtig, als befürchte er, ich könne es mir im nächsten Moment doch noch anders überlegen.

Aber mir ist längst klar, dass es kein Zurück mehr gibt. Ich will ihn genauso sehr wie er mich. Gierig greife ich mit einer Hand in sein grau meliertes Haar, streichle seinen Nacken, während ich mit der anderen bereits die Knöpfe seines Hemdes öffne.

Ulrich streift seine Pantoletten von den Füßen, zieht gleichzeitig den Gürtel durch die Schnalle seiner Jeans und öffnet den Reißverschluss. Er schiebt sie über seine Hüften, lässt sie bis zu den Fußknöcheln rutschen und steigt heraus. Wie nebenbei befreit er mich von meiner leichten, veilchenblauen Strickjacke und zieht mir anschließend das weiße T-Shirt über den Kopf.

Das Shirt duftet nur noch schwach nach meinem sinnlich blumigen Parfüm, dafür intensiv geräuchert.

Ich schnuppere an Ulrich. Sein Deo erfüllt zwar den vorgesehenen Effekt, aber von dem Duft, den ich so liebe, ist nicht mehr viel geblieben. Auch er riecht wie ein gegrilltes Rumpsteak. Egal.

Dann geht alles ganz schnell. Ich schleudere meine Pantoletten von den Füßen, ziehe die Schleife meiner leichten weißen Baumwollhose auf und schiebe sie über die Hüften, bevor ich mich auf den Bettrand setze und sie endgültig ausziehe.

„Mein Gott, bist du schön", bemerkt er bewundernd. Er kommt näher, legt seine Hände auf meine Schultern, drückt mich sanft aufs Bett und legt sich zu mir. „Davon habe ich die letzten Monate geträumt. Du ahnst nicht, was für eine Überwindung es mich gekostet hat, dir in Leipzig den Reißverschluss deines Kleides nach oben zu ziehen. Viel lieber hätte ich es dir ausgezogen. Oh Greta, ich liebe dich. Ich liebe dich so sehr, dass es wehtut."

Seine Hände beginnen jede Rundung und jede Vertiefung meines Körpers zu erkunden. Schnell und geschickt öffnet er meinen BH und streifte ihn über meine Arme. Langsam versinke ich in der Zärtlichkeit seiner Lippen, die stimulierend an meiner Brustspitze saugen. Doch dann richtet er sich ein wenig auf, betrachtet mich liebevoll lächelnd, während er mit seinem Daumen über die harte Knospe streicht.

Vorsichtig lasse ich meine Finger unter den Stoff seiner enganliegenden Shorts gleiten, finde seine warme, feste Männlichkeit.

Seine Augen beginnen verzückt zu flackern und ich weiß, dass er diese Reaktion auf meine Zärtlichkeit und die Nähe meines Körpers genießt.

„Oh, ja", stöhnt er genussvoll.

Ohne die zärtliche Umklammerung an seiner harten Männlichkeit zu lösen, schiebe ich mit der anderen Hand die Shorts über seine Hüften nach unten.

Er hilft mir ungeduldig dabei.

Auch meine Lust, die von Ulrichs Liebkosungen bis zur Grenze des Erträglichen stimuliert wurde, lässt mich nur noch das eine denken. *Ich will dich in mir spüren.*

Doch er lässt sich Zeit.

Auf was wartet er? Ich biege ihm meinen vor Verlangen heißen Körper lustvoll entgegen.

Da ist es um seine Beherrschung geschehen ...

„Erde an Orbit, auf welchen Planeten steuerst du zu?", reißt mich Ulrich aus meinen Erinnerungen und lächelt selbstgefällig. „Wo bist du nur mit deinen Gedanken?"

Er weiß es, denke ich und lächle ebenfalls. „Bei dir, wo sonst?"

„Und jetzt?"

„Was meinst du?", frage ich, obwohl ich nur allzu gut weiß, was er meint. Aber so weit bin ich noch nicht. Ich finde es gut, so wie es ist.

„Wie geht es weiter mit uns beiden?", drängt er mich, während er meinen Hals küsst und mit der Nase meinen Nacken bis zum Haaransatz streichelt. „Mm, du riechst so gut."

„Muss sich denn etwas ändern?", frage ich, obwohl das Kribbeln im Bauch, das seine Berührung in mir auslöst, mich bereits wieder über etwas anderes nachdenken lässt.

„Na, hör mal. Es hat sich bereits etwas geändert und ich will nicht mehr auf dich verzichten", erklärt er bestimmt und fügt einschmeichelnd hinzu: „Keinen Tag und keine Nacht."

Langsam macht er mir Angst. *Was will er jetzt von mir hören? Ich liebe dich über alle Maße und ziehe mit Sack und Pack bei dir ein?*

„Es war eine wunderschöne Nacht, Ulrich", sage ich stattdessen und lege eine Hand auf Ulrichs Schulter, „aber was erwartest du?"

„Kannst du dir das nicht denken? Ich besitze ein riesiges Haus in Grünwald, umgeben von einem wunderschönen Grundstück, und statt des Sees kann ich dir einen beheizten Pool und Spaziergänge zur Isar bieten. Na, was meinst du?"

„Keinesfalls werde ich meine Gewohnheiten, womöglich mein ganzes Leben umkrempeln, nur weil wir uns geliebt haben."

Er starrt vor sich hin, wie ein Fuchs, dem das Kaninchen quasi vor der Nase in seinen Bau entwischt.

„Schau mich nicht so an."

„Tut mir leid, ich kann nicht anders. Das ist nicht dein Ernst?"

„Aber ja doch. Ulrich, ich bitte dich. Wir sind keine Teenager mehr."

„Eben", murmelt er knapp, wendet sich von mir ab, schlägt die Bettdecke zurück und setzt sich auf den Bettrand.

„Na gut", sagt er resignierend, erhebt sich, bückt sich gleich darauf wieder und greift nach seinem Hemd. „Wo ist das Bad?"

„Gleich nebenan. Bist du jetzt sauer?"

Ohne mich einer Antwort zu würdigen, verlässt er das Zimmer.

Wie du meinst. Ich schlage ebenfalls die Bettdecke zurück und setze mich zunächst wie jeden Morgen auf den Bettrand. *Gut, dass er mir nicht bei meinen morgendlichen Dehnübungen zusieht.*

Ich schmunzle, da ich sie natürlich nicht gemacht hätte, wäre er noch im Zimmer. Nacheinander lese ich meine Klamotten zusammen, die im ganzen Zimmer verstreut herumliegen, und öffne leise die Tür.

Im Haus ist es still. Vermutlich schlafen alle noch. Wie ein Dieb schleiche ich mich auf leisen Sohlen, aber schnellstmöglich in mein Zimmer.

Nachdem ich ausgiebig geduscht, meine Haare geföhnt und etwas Make-up aufgelegt habe, ziehe ich mich rasch an.

Auf dem Weg nach unten vernehme ich das Geräusch von klapperndem Geschirr und der Duft nach frisch aufgebrühtem Kaffee umschmeichelt meine Nase.

Der Tisch ist gedeckt. Ich sehe Butter, Wurst, Käse, Marmelade und Honig.

„Da bist du ja endlich", begrüßte mich Ulrich. „Ich war inzwischen an deiner Gefriertruhe und habe Semmeln zum Aufbacken herausgenommen. Sind gleich soweit. Ich hoffe, das ist dir recht?"

Sprachlos starre ich ihn an. So hat mich noch kein Mann verwöhnt. Obwohl auch Richard sehr fürsorglich sein konnte, so ich seine Hilfe benötigte – aber auch nur dann. *Ich muss damit aufhören, Ulrich ständig mit Richard zu vergleichen.*

„Was ist?", unterbricht er meine Überlegung. „Nun komm schon rein und setz dich. Tee habe ich ebenfalls aufgebrüht."

„Soll das etwa eine Zukunftsvision sein. Willst du mich damit rumkriegen?"

„Rumkriegen?", fragt er und lächelt, als könne ihn kein Wässerchen trüben. „Wozu?"

Besser ich rühre nicht daran, entscheide ich spontan. „Hoffentlich hast du genügend Semmeln für die ganze Clique aufgebacken. Was ist mit Michael? Noch nichts von ihm gehört?"

„Außer seinem Schnarchen?" Er schüttelt verneinend den Kopf. „Nichts."

„Er schnarcht?"

„Vermutlich wegen des Alkohols. Ich denke, der Gute hat seinen Liebeskummer in Bier ertränkt."

„Michael hat Liebeskummer? Davon weiß ich nichts." *Bin ich schon derart mit mir selbst und meinen Gefühlen beschäftigt, dass ich nicht mehr merke, was um mich herum geschieht? Meinem besten Freund geht es schlecht und ich merke nichts davon.*

„Na ja, er hat vor einigen Tagen eine Frau kennengelernt, an die er wohl nicht so recht rankommt."

Ich nicke verstehend.

„Wir müssen reden", lenkt Ulrich das Gespräch auf uns.

„Tun wir das nicht gerade?", frage ich schnell, atme tief ein und setze mich.

Er sieht mich nur an.

„Bitte lass mir Zeit. Lassen wir es doch erst mal so, wie es ist. Wir treffen uns, gehen miteinander aus, du kannst jederzeit zu mir kommen und ab und zu komme ich bei dir vorbei. Wer weiß, vielleicht gefällt es mir ja bei dir so gut, dass ich eines Tages nicht mehr weg möchte."

„Na gut, ich will dich nicht unter Druck setzen", lenkt er ein, fügt aber, während er Tee in meine Tasse gießt, spitzbübisch grinsend hinzu: „Vorerst."

„Morgen", murmelt Michael mit fast geschlossenen Augen, die er zusätzlich mit seiner rechten Hand vor dem hereinfallenden Sonnenlicht abschirmt. Während er sich verschlafen am Oberarm kratzt und verhalten gähnt, fragt er: „Müsst ihr mitten in der Nacht so 'nen Krach machen?"

„Mach mal die Augen auf, mein Freund, und wirf einen Blick auf die Uhr. Es ist bereits zehn. Die Sonne scheint und wenn du nicht aufpasst, beißt sie dich in den Hintern", bemerkt Ulrich und sieht mit spöttischem Grinsen an ihm herunter. „Wie läufst du überhaupt herum?"

Erst jetzt scheint auch Michael zu begreifen, wo er sich befindet und dass er nur mit Shorts und T-Shirt bekleidet ist. Doch gleichgültig winkt er ab, schmatzt ein paarmal und fragt: „Hast du was zu trinken und vielleicht ein Aspirin?"

Ich kann nicht umhin vor Schadenfreude zu grinsen. Erhebe mich dann aber sofort. „Natürlich, ich hole es dir", antworte ich. Zuvor nehme ich eine Flasche Wasser aus dem Kühlschrank, ein Glas vom Regal und reiche ihm beides. „Eine Dusche würde dir sicher auch guttun."

„Mhm", murmelt er, scheint aber nicht gerade begeistert von meinem Vorschlag.

„Ulrich, die Semmeln", erinnere ich ihn, als mir ein verlockender Duft in die Nase steigt.

Er greift sogleich nach dem dicken Kochhandschuh, öffnet das Backrohr und zieht das Blech heraus.

Auf dem Weg zu meinem Bad kommt mir Leon entgegen.

„Hast du mal ein Aspirin?", knurrt er und fasst dabei an seinen Kopf.

„Bin gerade dabei auch für Michael eines zu holen" Ich deute mit kurzem Zucken meines Kopfes in Richtung Küche. „Der jammert ebenfalls. Ihr habt gestern ganz schön einen gezwitschert, hm?"

„Gestern? Mein letztes Bier habe ich gegen vier heute Morgen getrunken", antwortet er monoton.

„Da wart ihr noch auf?"

„Im Schlaf habe ich's nicht geschluckt."

„Ha, ha, wie komisch."

„Nur Michael, Marcus und ich. Paula und Leander haben sich, gleich nachdem ihr uns verlassen habt, ebenfalls verdrückt."

„Ich dachte, Michael hätte sich auch zurückgezogen?"

„Hat er nicht. Er meinte, ein Bier ginge noch."

„Eigentlich sollte ich euch leiden lassen", sage ich boshaft grinsend, als ich ihm eine Brausetablette in die Hand drücke. Geh in die Küche und hol dir ein Glas Wasser."

„Habe ich im Bad. Ich leg mich dann noch mal hin", sagt er, wendet sich ab, hebt die Hand zum Gruß und geht bewusst behutsam aus dem Raum.

Ich gehe in die Küche zurück. „Hier", sage ich nur und reiche Michael die Tablette. „Unverantwortlich von dir, mit den Jungs bis in den frühen Morgen zu saufen."

„Ach! Jetzt bin ich schuld an dem Besäufnis?", fährt er auf, fasst sich aber sogleich an den Kopf und fügt wesentlich ruhiger hinzu: „Dabei haben die mir immer wieder 'ne offene Flasche in die Hand gedrückt."

„Du Ärmster", sagt Ulrich, Mitleid vortäuschend, „du bist also das arme Opfer."

„Sag ich doch", murmelt er und hebt das Glas, als wolle er uns zuprosten. „Gute Nacht."

„Na toll. Und was machen wir beide jetzt?", frage ich, während ich einen Blick über den reich gedeckten Tisch schweifen lasse.

„Wir", Ulrich ergreift meine Hand und küsst sie, „wir frühstücken erst mal. Ich habe nämlich einen Bärenhunger."

Kapitel 14

Zwei Tage sind mittlerweile vergangen und von Ulrich kein Wort.

Er will mich mürbe machen. Dieser und ähnliche Gedanken kommen mir in den Sinn, während ich auf dem Steg am See sitze, die Beine baumeln lasse und das kalte Wasser lediglich mit meinen Zehenspitzen berühre.

Auf den weichen Wellen, die leise ans Ufer klatschen, spiegelt sich das gleißende Licht der untergehenden Sonne wie ein schmales Band, besetzt mit glitzernden Smaragden. Segelschiffe lassen sich vom sanften Wind treiben. Eines segelt ganz nah an meinem Ufer vorbei. Ein Paar winkt mir zu. Ich winke zurück.

Einen Augenblick verspüre ich Lust zu schwimmen. Doch diesen Gedanken schiebe ich sofort wieder weit von mir, da mir um diese Jahreszeit das Wasser noch zu kalt ist. Ich erinnere mich an die unzählbaren Male die ich mit Fabian im See herumtollte, als er noch klein war. Richard brachte ihm gleich mit drei das Schwimmen bei. Von da an war er bei schönem Wetter nur schwer aus dem See zu bekommen. Jeden folgenden Sommer schwammen wir weit hinaus oder ruderten mit dem Boot hinaus, um uns dann von den Wellen treiben zu lassen.

Den betörenden Duft des purpurroten Flieders tief einatmend, der vom Ufer herüberzieht und sich mit dem kaum wahrnehmbaren Algengeruch des Sees und dem des warmen Holzes vom Steg vermischt, lehne ich mich zufrieden und mit mir selbst im Reinen an den Stegpfosten. Mein Leben wurde unverhofft doch noch in eine glückliche Bahn gelenkt. Ein warmes Gefühl zieht von meinem Bauch zu meinem Herzen und lässt mich lächeln.

Ja, das Leben ist schön, denke ich und nicke unmerklich vor mich hin. *Schön und irgendwie auch mysteriös.*

Dass ich nochmal so fühlen würde, hätte ich gleich nach Richards Tod nicht für möglich gehalten. Mein Schutzengel hat sich gewaltig ins Zeug gelegt, um mich vor einer riesigen Dummheit zu bewahren und mir den Glauben an das Leben wiederzugeben. Ja, er oder eine andere höhere Macht. Nur so kann ich mir die Ereignisse erklären, die mich vor über einem Jahr regelrecht zu überrollen begonnen haben.

Und dann kam Ulrich, dieser liebenswerte Dickschädel, der in meinem Leben ganz und gar nicht vorgesehen war. Dennoch hat er nicht unerheblich zu meinem derzeitigen Stimmungshoch beigetragen, nachdem er sich ganz leise in mein Herz geschlichen hat, um von dort aus, mein Gehirn zu manipulieren. So und nicht anders muss es sein. Sonst müsste ich nicht ständig an ihn denken. Ein Leben ohne ihn kann ich mir mittlerweile auch nicht mehr vorstellen. Womöglich hat er sich bis heute nicht gemeldet, weil er denkt, früher oder später verzehre ich mich so sehr nach ihm, dass ich mit wehenden Fahnen überlaufe und bei ihm einziehe. Aber da hat er sich geschnitten. Ich vermisse ihn, doch ich werde ihm das nicht auf die Nase binden.

Allerdings muss ich zugeben, dass er sich nach unserer immerhin ersten gemeinsam verbrachten Nacht und einem wunderschönen, herrlich verrückten Tag schon ein wenig suspekt verhält. Ich habe anderes von ihm erwartet.

Während des Frühstücks am Sonntagmorgen hatte ich auch nicht das Gefühl, dass er mir meine Entscheidung, erst mal alles so zu belassen wie es ist, übel nahm. Und auch als wir uns zum Mittagessen zusammensetzten – ich bestellte für die ganze Bande Pizza – war Ulrich die Liebenswürdigkeit in Person. Er hatte sich sogar auf Leons mehr oder weniger scherzhafte Bemerkungen eingelassen und darüber gelacht.

Erst nachdem sich die Kinder und Michael verabschiedet hatten und wir beide, ein Glas trockenen Rotwein genießend, allein im Pavillon saßen, meinte er, ich solle unbedingt über seinen Vorschlag nachdenken. Schließlich seien wir beide keine siebzehn mehr. Es sei doch schade, würden wir diese wertvolle Zeit, die uns noch vergönnt sei, lediglich mit sporadischen Treffen verstreichen lassen. Zumal es doch wohl viel praktischer sei, nicht erst eine Stunde fahren zu müssen, um den andern zu sehen. Und nun das. Ich verstehe diesen Mann einfach nicht. Zwar sagte er mir, er hätte eine wichtige Besprechung, aber anrufen hätte er doch wenigstens können. Außerdem war die Besprechung gestern.

Da fällt mir ein, Leon hat sich ebenfalls nicht gemeldet. Ich habe nicht weiter darüber nachgedacht, da sich meine Gedanken um weitaus ergiebigere und schönere Erinnerungen rankten. Und ich werde mir jetzt, obwohl mir das nun doch merkwürdig vorkommt, nicht den Kopf darüber zerbrechen.

Ich ziehe meine Zehen aus dem Wasser, erhebe mich und schlendere langsam zum Haus zurück. *Irgendwas stimmt da nicht,* sinniere ich, mit den Gedanken schon wieder bei Ulrich. *Womöglich hat er es sich anders überlegt. Was will ein attraktiver Mann wie Ulrich auch mit einer alten Schrapnelle wie mir, kann er doch eine so viel jüngere Frau haben?*

Im Haus ist es still. Viel zu still. Ich vermisse ihn und auch den Jungen. Schon komisch, wie schnell kleine, sich ständig wiederholende Abläufe zur Gewohnheit werden, selbst, wenn es sich dabei nur um einen täglichen Anruf handelt. *Will er mich etwa auf diese Weise bestrafen, weil ich mit Ulrich ... Nein, das ist geklärt.*

Ich erinnere mich an Samstagnacht und wie die beiden nach diesem dämlichen Streit einträchtig beieinanderstanden.

Heute Abend ist er mit dieser Kommilitonin verabredet. Er sagte zwar, sie müssten betriebswirtschaftliche Abläufe besprechen, aber meines Erachtens ist das nicht die ganze Wahrheit. Dafür war er zu aufgeregt und ich kann mir beim besten Willen nicht vorstellen, was an Betriebswirtschaft aufregend ist. Jedenfalls würde ich mich für ihn freuen, sollte diese Kommilitonin ihre Gedanken ebenfalls nicht nur an trockene Betriebswirtschaft verschwenden.

Er wird sich spätestens morgen melden. Und Ulrich? Wann werde ich von ihm hören? Ich könnte zum Verlag fahren. Ihm, da ich ohnehin in seiner Nähe einkaufen wäre, einen Besuch abstatten. Wäre doch möglich – oder? Langsam steige ich nach oben, um mich umzuziehen. Unsicher schiebe ich die Kleidung im Schrank mehrmals hin und her. *Was soll ich nur anziehen?* Letztendlich entschließe ich mich, da es abends doch noch kühl wird, für ein bunt geblümtes Sommerkleid, zu dem ein Bolero gehört. Ulrich soll mich strahlen sehen. Auf keinen Fall werde ich ihm das betrübte Gesicht einer alternden, sitzen gelassenen Witwe zeigen, die sich in Ermangelung ihres Ehemannes von einem lüsternen Mittfünfziger hat verführen lassen und nun verunsichert durch dessen nachlässiges Verhalten an seine Tür klopft, um herauszufinden, ob er nur mit ihr gespielt hat.

„Nein! Ich bin kein altes Weib. Ich bin eine attraktive Frau, eine zur Vollendung erblühte Rose sozusagen, und als solche darf ich ihm erhobenen Hauptes entgegentreten", flüstere ich, während ich mich vor dem hohen, weißen Standspiegel drehe.

Mir stößt es sauer auf. Sodbrennen! Der seelische Stress. Nein, das letzte Stück Streuselkuchen, das ich vorhin am See verputzt habe. Das könnte ich vermeiden, würde ich meine Tablette regelmäßig vor dem Frühstück nehmen. Ich begebe mich ins Bad, lasse Wasser in den Zahnputzbecher laufen und nehme eine Kapsel. Sie wird trotzdem helfen. Es wird nur etwas dauern.

Soll ich wirklich? Selbst auf die Gefahr hin, dass er dann denkt, ich laufe ihm nach? Das möchte ich auf keinen Fall und das habe ich auch nicht nötig. Andererseits, wissen möchte ich schon, was hinter seinem Schweigen steckt. Und darum fahr ich jetzt zu ihm. Basta!

„Greta, wo bist du?", ruft Leon von unten herauf.

Verwundert, da ich ihn nicht erwartet habe, gehe ich nach unten.

„Leon, du bist zu Hause? Alles okay?"

„Wie immer. Das Wetter ist so phantastisch. Ich dachte, wir könnten mit dem Boot hinausfahren. Hast du Lust?"

„Tut mir leid, ich muss nach München."

Er sieht abschätzend an mir herunter. „Triffst du dich mit Ulrich?", fragt er.

Ich nicke.

Sein Gesichtsausdruck sagt mir, wie wenig ihm das passt. „Ist denn etwas vorgefallen?"

„Muss etwas vorgefallen sein, damit ich mich mit Ulrich treffe?"

Er zuckt gleichgültig mit den Schultern. „Nein, natürlich nicht. Dann rudere ich eben allein hinaus."

„Gut, das ist eine sehr gute Idee", antworte ich, greife nach meiner Tasche und dem Schlüsselbund. „Bis später Leon, und viel Spaß beim Rudern."

Ohne lange darüber nachzudenken nehme ich heute den Lamborghini. Möglicherweise will ich Ulrich beeindrucken. Nein, das ist es nicht. Ich höre Richards Worte: „So ein Wagen beflügelt die Sinne." Und jetzt, da ich nach langer Zeit wieder mal hinterm Steuer dieses Wagens sitze, muss ich zugeben, es stimmt. Ich fühle mich großartig und das ist genau das, was ich brauche, um meine Unsicherheit klein zu halten. So unsinnig das auch sein mag.

Zunächst steure ich den Wagen zum Verlagshaus, da ich Ulrich um diese Zeit noch im Büro vermute.

Von Frau Sauter, seiner Sekretärin, erfahre ich zu meiner Enttäuschung, dass er einen Termin außer Haus wahrnimmt.

Ich werfe einen Blick auf die Uhr – gleich fünf. Vielleicht ist er ja schon zu Hause.

*

Seltsam, denke ich, während ich vor dem hohen schmiedeeisernen Tor parke und aus meinem Wagen steige, *nun kenne ich Ulrich schon über ein Jahr, doch hier in seinem Haus war ich noch nie. Nun ja, bisher gab es auch keinen Grund hier zu sein.*

Bevor ich die Klingel der Gegensprechanlage drücke, die an der linken Mauerseite in die abgrenzende Säule eingelassen ist und nicht besonders einladend auf mich wirkt, werfe ich einen neugierigen Blick durch das weiße schmiedeeiserne Tor über den gepflegten Park zur Jugendstilvilla. Etliche Bäume, Sträucher und mehrere bunte Staudenbeete unterbrechen den weitläufigen Rasen. Der betörende Duft lässt Schmetterlinge fröhlich durch die Luft tanzen. Die friedliche Stille wird lediglich von Vogelgezwitscher, summenden Bienen und brummenden Hummeln untermalt, die zufrieden eine reichhaltige Ernte einbringen. Etwas abseits, nah am Haus, entdecke ich den Swimmingpool, von dem Ulrich neulich sprach.

„Ja bitte", meldet sich eine barsche Frauenstimme.

„Greta Sander", gebe ich mich zu erkennen, „ich möchte zu Herrn Herzog."

„Frau Sander? Was …?", fragt sie offenbar etwas verwirrt, fügt aber nach einer kurzen Pause korrekt hinzu: „Herr Herzog empfängt heute Abend nicht."

Ein unüberhörbares Klicken sagt mir, dass die Frau, vermutlich Ulrichs Haushälterin, den Hörer der Gegensprechanlage eingehängt hat.

Unverschämtheit! Noch einmal drücke ich die Klingel. „Melden Sie mich bitte bei Herrn Herzog an."

„Frau Sander, bitte verzeihen Sie, Herr Herzog befindet sich nicht im Hause. Er ist …"

„Ja?“

„Er ist gestern Nachmittag nach Mailand geflogen. Mehr weiß ich auch nicht. Er wird sich sicher bei Ihnen melden.“

„Was macht er denn in Mailand?“, murmle ich vor mich hin und füge etwas lauter hinzu: „Davon hat er ...“

„Wie gesagt, ich weiß es nicht. Bitte entschuldigen Sie mich jetzt. Ich habe etwas auf dem Herd.“

Frustriert steige ich wieder in meinen Wagen, lege den Rückwärtsgang ein und gebe Gas. *Wieso hat er mir nicht gesagt, dass er nach Mailand fliegt? Vermutlich hat es mit dem Verlag zu tun,* versuche ich mich zu beruhigen. *Er war sicher im Stress. Trotzdem hätte es doch wohl einen ruhigen Moment gegeben, um mich zu informieren. Während er in der Passagierlounge auf den Flieger wartete, zum Beispiel. Das ist nicht nett, mein lieber Ulrich.*

Um mich von meinen deprimierenden Gedanken abzulenken, schalte ich das Radio an. Schuberts Lied von der Forelle erklingt. Leise trällere ich die Melodie vor mich hin, lasse es gleich darauf aber wieder und schalte das Radio ab. Zunehmend verwandelt sich meine Enttäuschung über Ulrichs Verhalten in Ärger. Und zwar nicht nur, weil ich mir eben wie eine Bittstellerin vorgekommen bin, die abgewimmelt werden muss. Ich atme tief ein. *Nun ja, er wird seine Gründe haben und er wird sich ganz sicher im Laufe des Tages oder während des Abends bei mir melden. Und wenn nicht, dann kann er mich mal.*

*

„Du bist schon wieder zuhause?“, begrüßt mich Leon. „Kamst du ungelegen?“

„Wie kommst du darauf?“

„Du warst gerade mal etwas mehr als zwei Stunden unterwegs. Das entspricht in etwa der Zeit, die du benötigst um nach München und wieder zurückzufahren.“

„Ulrich war nicht zu Hause.“

„Warst du denn nicht mit ihm verabredet?“

„Nein, ich wollte ihn überraschen.“

„Und im Verlag?“

„Da war ich natürlich zuerst. Seine Sekretärin sagte etwas von einem Termin außer Haus.“

„Habt ihr denn nicht miteinander telefoniert?"

„Nein, er hat sich seit Sonntag nicht gemeldet", sage ich enttäuscht.

„Wusste ich doch, dass der Kerl es nur auf deine Arbeiten abgesehen hat und dich flachlegen wollte. Sein Verlag ist saniert und nun braucht er dich nicht mehr."

„Deine Fantasie geht mit dir durch. Ulrich liebt mich."

Leon zuckt mit seinen Schultern. „Wenn du meinst."

„Er wird sich schon melden."

„Natürlich wird er sich melden und du wirst ihm sein Verhalten verzeihen. Ach übrigens, solltest du nichts dagegen haben, würde ich Saskia am Wochenende nach Herrsching mitbringen?", lenkt er das Thema in eine andere Richtung. „Ich möchte sie dir gerne vorstellen."

„Das ist die Kommilitonin, mit der du heute Abend das Wirtschaftsrecht durchnehmen willst", stelle ich fest.

„Wollte, ich wollte mit ihr arbeiten, aber das ist nun nicht mehr nötig. Das heißt, vermutlich werden wir zukünftig öfter miteinander arbeiten, aber ich brauche das nicht mehr als Vorwand."

„Als Vorwand?"

„Du verstehst schon. Ich traf sie gestern Abend bei Salvatore. Sie stand plötzlich neben mir und bestellte eine Pizza di Mare, nachdem ich eine Sekunde zuvor für mich eine Pizza Diavolo bestellt hatte", erklärt er und rollt genießerisch seine Augäpfel. „Du weißt, ich liebe Pizza Diavolo."

Ich nicke schmunzelnd.

„Als ich sie fragte, ob sie Lust hätte, die Pizza im Lokal zu essen – wegen des Ambientes und so – stimmte sie zu. Danach haben wir die halbe Nacht gequatscht."

„Ach ja?", frage ich und ziehe spöttisch eine Braue nach oben.

„Nur gequatscht", betont er noch einmal. „Saskia ist kein Mädchen für eine Nacht. Ich möchte sie nicht überrumpeln."

„Die Kleine muss ja wirklich etwas ganz Besonderes sein."

„Das ist sie. Übrigens ist 'die Kleine' etwa einen Kopf größer als du."

„Ich freue mich trotzdem darauf, dieses besondere Mädchen kennenzulernen. Vielleicht können wir ja am Sonntag gemeinsam zu Mittag essen. Was hältst du davon?"

„Wäre es möglich, Ulrich erst mal außen vor zu lassen?"

„Was erwartest du von mir? Dass ich ihn verstecke? Wozu soll das gut sein?"

„Na ja, ich habe Saskia von unserem seltsamen Verhältnis berichtet. Ulrich habe ich noch nicht erwähnt. Ich möchte einfach keine peinliche Stimmung aufkommen lassen."

„Peinliche Stimmung?"

„Du weißt doch wie ich zu Ulrich stehe. Obwohl ich mir mittlerweile die größte Mühe gebe, mich mit eurer Beziehung abzufinden, ist er nicht gerade mein Freund. Und ich bin nicht sicher, ob mir nicht doch eine dämliche Bemerkung über die Lippen kommt. Dann gibt ein Wort das andere und schon befinden wir uns wieder mitten in einer Auseinandersetzung."

„Na gut, wie du meinst."

Ich wundere mich etwas über seine Bitte und diese fadenscheinige Erklärung, da ich angenommen habe, er hätte sich letztes Wochenende mit Ulrich und unserem Verhältnis abgefunden. Letztendlich hake ich sein Verhalten als jugendliche Spinnerei ab.

„Wie wäre es dann jetzt mit einer schönen Tasse Kaffee? Ich habe eben erst frischen aufgebrüht. Außerdem habe ich auf dem Heimweg beim Bäcker angehalten und den ersten Erdbeerkuchen der Saison gekauft", lenkt er meine Aufmerksamkeit in eine andere Richtung.

„Oh ja, eine Tasse Kaffee wird mir sicher guttun und der Kuchen", füge ich hinzu, „sicher auch."

Wir sitzen gemütlich auf der Terrasse und unterhalten uns. Dabei stellt sich heraus, dass Leon auch Steaks besorgt hat.

Während ich einen gemischten Salat anmache, denke ich wieder an Ulrich, der sich immer noch nicht gemeldet hat. Langsam mache ich mir Sorgen, obwohl der Ärger über sein Versäumnis noch nicht verraucht ist.

Nachdem ich einige Bissen gegessen habe, lege ich das Besteck an den Tellerrand und trinke einen Schluck Wein.

„Was ist? Schmeckt es dir nicht?"

„Oh doch! Das Fleisch ist zart und hervorragend gewürzt, aber ich habe irgendwie keinen Appetit", antworte ich. „Vermutlich habe ich zu viel Erdbeerkuchen gegessen, aber der war so lecker."

„Vergiss den Kerl! Entschuldige, aber solltest du ihm wirklich wichtig sein, wird er sich schon melden. Möchtest du noch ein Glas Wein?"

„Ja, warum nicht?"

Leon redet unaufhörlich auf mich ein. Er meint es gut, will mich von meinen Gedanken an Ulrich ablenken. Ab und an gelingt ihm das sogar. So ganz nebenbei verzehre ich das Steak. Satt lehne ich mich zurück und lausche der Musik, die uns aus dem CD-Player berieselt. Und wieder denke ich an Ulrich. Es fällt mir zunehmend schwer, mich auf das Gespräch mit Leon zu konzentrieren. Obwohl es noch früh am Abend ist, wünsche ich ihm eine gute Nacht und gehe zu Bett.

*

Lauter werdendes Klopfen stört meinen Schlaf, zwingt mich aus meinem Traum in die Realität und als ich Leons Stimme vernehme, öffne ich meine Augen.

„Ja?", krächze ich und räuspere mich.

„Greta, entschuldige, ich will dir nur kurz sagen, dass ich jetzt fahre", sagt er leise durch den Türspalt.

„Okay. Ich wünsche dir einen schönen Tag. Fahr vorsichtig", antworte ich schläfrig. Gähnend drehe mich auf die andere Seite und ziehe die Decke über meine Schultern.

Ulrich! Augenblicklich bin ich hellwach. Obwohl ich mich nach dieser fast schlaflos verbrachten Nacht wie gerädert fühle, dehne ich meine Glieder und schlage die Decke zurück. *Warum hat er sich immer noch nicht gemeldet?*

Seufzend greife ich nach meinem Morgenmantel, begebe mich ins Bad und anschließend in die Küche.

Der Kaffee tut mir gut. Allerdings verzichte ich auf die appetitlich duftenden Semmeln, die Leon bereits in aller Früh beim Bäcker besorgt hat.

Das Telefon klingelt.

Ulrich! Na endlich.

„Was ist los bei dir?", begrüßt mich Ulrich unwillig. „Seit Montag versuche ich dich zu erreichen. Ist dein Telefon defekt? Schalte dann doch wenigstens dein Handy ein."

„Dir auch einen schönen guten Morgen."

„Ja, guten Morgen", murmelt er schuldbewusst.

„Wie du hörst, funktioniert mein Telefon ausgezeichnet und mein Handy ..." Ich gehe in die Küche zurück, wo neben der Kaffeetasse mein Handy liegt. Ich nehme es auf und begutachte es. „... war nie abgeschaltet."

„Aber ich kann dir gar nicht sagen, wie oft ich angerufen habe."

„Also nun hör aber auf. Gib schon zu, dass du keine Lust hattest, dich zu melden."

„Nein, das stimmt nicht. Mittlerweile war ich so wütend und verzweifelt, ja verzweifelt, weil du nicht ran gingst, dass ich mein Handy am liebsten in die Tonne getreten hätte, obwohl von meiner Seite alles in Ordnung schien. Und dann habe ich tatsächlich überlegt, ob du wohl nichts mehr mit mir zu tun haben willst."

„Du denkst nicht wirklich, dass ich mich dann derart kindisch benehmen würde?", frage ich empört. „Was ist denn überhaupt geschehen? Deine Haushälterin erzählte mir, du wärst nach Mailand geflogen."

„Du warst bei mir?", fragt Ulrich überrascht.

„Ja, nachdem du dich nicht gemeldet hast, wollte ich wissen, was los ist. Ich fuhr zum Verlag und da du dich laut Aussage deiner Sekretärin bei einem Termin außer Haus befandst, fuhr ich zu dir nach Hause, um dort auf dich zu warten", sprudelt es aus mir heraus. Dabei lasse ich völlig außer Acht, dass ich ihm gestern vorschwindeln wollte, ich wäre zufällig in der Nähe des Verlages beim Einkaufen gewesen.

„Warum hast du mich nicht einfach angerufen?"

„Ich wollte, nachdem du dich zwei Tage nicht gemeldet hattest, persönlich mit dir sprechen."

„Du wolltest mich zur Rede stellen", sagt er trocken.

„Als ich das mit Mailand erfuhr, überlegte ich mir kurz dich anzurufen, aber man hat ja schließlich seinen Stolz. Ich war etwas verunsichert. Es hätte ja sein können, dass du die Nacht mit mir bereust. Da habe ich es gelassen."

„Habe ich dir nicht gesagt und vor allem gezeigt, wie sehr ich dich liebe? Du darfst nie wieder daran zweifeln. Hörst du? Nie wieder."

„Und was ist nun mit Mailand?"

„Das ist irgendwie seltsam. Ich bekam am Montagmorgen eine E-Mail. Bitte komme nach Mailand, ich brauche deine Hilfe. Alles weitere vor Ort. Romina."

Ich schnappe Luft wie ein Fisch auf dem Trockenen. „Wie, deine geschiedene Frau schreibt dir eine Mail und du fliegst sofort zu ihr?"

„Natürlich nicht! Romina ist ein verrücktes Huhn. Bei ihr weiß man nie, ob sie eine Sache unnötig aufbauscht, Theater spielt oder ernsthaft in Schwierigkeiten steckt. Will Romina etwas erreichen, kann sie wie ein Kätzchen schnurren oder auf Kommando weinen. Einmal fiel sie sogar in Ohnmacht, nur weil ich nicht mit ihr zu einer Party gehen wollte. Diese Frau ist narzisstisch veranlagt, egoistisch, egozentrisch und absolut nervtötend. Was denkst du, warum ich sie verlassen habe?"

„Warum hast du sie überhaupt geheiratet?", frage ich und lege mir gleich darauf die Hand auf meinen vorlauten Mund.

Ulrich lacht auf. „Ich war jung, verliebt und hatte eine Menge Spaß mit ihr. Zumindest bis wir verheiratet waren."

Ich nicke nur verstehend vor mich hin.

„Zuvor wollte ich mit ihr sprechen, habe sie angerufen, doch ich konnte sie nicht erreichn. Da sie mir kürzlich während eines Telefonats erzählte, sie fühle sich von einem Stalker verfolgt, bei dem es sich vermutlich um einen aufdringlichen Fan handelt, dachte ich, es könne ihr ja auch wirklich etwas passiert sein. Und dann fiel mir mein ehemaliger Arbeitgeber und guter alter Freund Jacopo Cellini ein. Nach kurzer Überlegung kam ich zu dem Schluss, dass ich bei dieser Gelegenheit endlich mein Versprechen, ihn zu besuchen, einlösen könnte. Also buchte ich den nächsten Flug nach Mailand."

„Und was steckte nun hinter dieser Mail?"

„Tja, das ist wirklich seltsam. Romina hat mir diese Mail nicht geschickt. Ich konnte ihren Manager ausfindig machen und von ihm erfuhr ich, dass sich Romina zurzeit in Ägypten aufhält, bei Dreharbeiten zu ihrem neuen Film. Irgendjemand hat mich verarscht."

„Aber wer sollte so etwas tun und warum?"

„Keine Ahnung. Meine Sekretärin sagte, der Absender der Mail wäre definitiv Romina. Wie auch immer, meine kleine Reise hatte auch ihr Gutes. Jacopo wollte schon vor Jahren in den wohlverdienten Ruhestand gehen, aber seine Tochter hat kein Interesse den Verlag weiterzuführen und nun bot er mir eine Fusion an mit der Option, seinen Verlag eines Tages ganz zu übernehmen."

„Und bist du interessiert?"

„Unbedingt! Das ist ein überwältigendes Angebot."

„Dann hat sich der Flug also trotzdem für dich gelohnt?"

„Und ob. Aber ich wüsste dennoch gerne …"

„Ja, würde mich auch interessieren. Das ist tatsächlich eine seltsame Geschichte."

„Wie auch immer, können wir uns sehen? Ich würde dich gerne bekochen."

„Wann kommst du?"

„Ich möchte dich zu mir einladen. Es ist höchste Zeit, dass du mein Haus kennenlernst."

„So etwas Ähnliches dachte ich gestern auch, als ich vor deinem Tor stand. Wann soll ich bei dir sein?"

„Mal sehen, ich muss noch einiges im Büro erledigen", meint er nachdenklich. „Sagen wir gegen sechs?"

„Ich werde da sein."

Seltsam, wirklich seltsam. Eine fast unglaubliche Geschichte. Oder verschweigt Ulrich mir doch etwas? Andererseits, warum sollte er?

Dennoch kann ich nicht verhindern, dass ein schales Gefühl zurückbleibt.

*

Einige Minuten vor achtzehn Uhr fahre ich durch das geöffnete Tor zur Villa Herzog.

Ulrich erwartet mich mit einem Glas Rotwein und wir verleben einen überaus gemütlichen Abend, der, wie könnte es schöner sein, in seinem Bett endet.

Zum Frühstück erwartet mich ein reichhaltig gedeckter Tisch und Ulrichs Haushälterin serviert mir Tee.

Frau Lutz ist, entgegen meiner fälschlich vorgefassten Meinung von einem feuerspeienden Hausdrachen, eine nette und zuvorkommende Mitsechzigerin, die bereits Ulrichs Mutter umsorgt hat und nun ihre ganze Fürsorge auf deren Sohn überträgt.

Ulrich wird heute zu einer Besprechung im Verlag erwartet. Ein begabter junger Autor schickte ihm vor einigen Wochen das vielversprechende Manuskript seines Debüt-Romans. Da Ulrich den Roman verlegen möchte, bat er seine Lektoren zu einer Besprechung.

Wir verlassen zwar gemeinsam das Haus, trennen uns allerdings nach einem letzten leidenschaftlichen Abschiedskuss.

*

Ich gieße Kaffee in meine Lieblingstasse, Wasser in ein Glas und mache mich auf den Weg zu meinem Arbeitszimmer. Knapp vor der Tür werde ich durch das Anschlagen der Haustürglocke abgebremst.

Wer kann das sein? frage ich mich und stelle, bevor ich zur Tür gehe, die Tasse auf meinem Schreibtisch ab.

Die Überwachungskamera zeigt mir eine kleine schmächtige Gestalt, die einen übergroßen, in buntes Papier gewickelten Blumenstrauß vor sich hält. Es ist Jenni, die zwölfjährige Tochter der Grubers vom Gartencenter.

Ich öffne ihr die Tür und bitte sie herein.

„Was bringst du mir denn Schönes, Jenni?", frage ich.

„Den hod jemand bstöllt für Sie, a Karten is a dabei."

„Komm herein. Du bist ja ganz außer Atem. Ich denke, nicht nur die Blumen haben Durst. Was möchtest du denn trinken?"

„Homs an Apfelsaft oder an O-Saft? I hob tatsächlich a ganz austrocknete Kehl."

Ich nehme eine Flasche aus dem Kühlschrank und gieße Orangensaft in ein Glas. „Hier Jenni, dein O-Saft."

„Danke, Frau Weidentaler", sagt sie höflich und nimmt einen großen Schluck.

Ich wickle das Papier von dem prächtigen, herrlich duftenden Fliederstrauß, stelle ihn in eine Vase und frage: „Wie kommt es, dass du heute Blumen lieferst? Das macht doch sonst der Alfons?"

„Der Alfons is in Minga. Eigentlich wollt i mit meine Freindinna zum See runter, aber die Mama hod gsogt, heid wär so vui los in der Gärtnerei, die Kränz für die Beerdigung morng miassn a no fertig wern und des Wosser wär eh no vui z kolt."

„Wer ist den gestorben?", frage ich interessiert.

„Die olde Draxlerin. Hams es gar net ghört?"

Ich schüttle verneinend den Kopf.

„Scho letzte oder gar vorletzte Wocha muas passiert sei, aber vor zwoa Dog hod mars erst gfundn. Dei Leit song, sie hätt' scho recht gstunkn. Und hät si der Axel net über die Zeitungen gwundert, die vor der Tür glegen san, dann wär's dort glegen, bis's nur no a Skelett gwesen war", berichtet Jenni mit weit aufgerissenen Augen.

„Das ist ja schrecklich", sage ich entsetzt.

„So is hold, wenn ma allein wohnt, hod d Mama gsogt."

„Ja, da hat die Mama wohl recht. Hier", sage ich und drücke ihr ein Zweieurostück in die Hand, „kauf dir ein Eis dafür."

„Danke, Frau Weidentaler", sagt sie wohlerzogen, trinkt das Glas aus und erhebt sich.

Ich schließe die Tür hinter Jenni und prompt beginnen die Gedanken in meinem Kopf zu kreisen.

So hätte es bei mir auch sein können. Mein Gott! Und zu der schrecklichen Mitteilung käme dann noch hinzu, dass ich mich umgebracht hätte. Die bekannte Autorin, Greta Sander, hat sich in ihrem Haus am Ammersee das Leben genommen.

Obwohl ich mir denken kann, wer den Strauß in Auftrag gegeben hat, ziehe ich das kleine rosa Briefchen aus dem Strauß, setze mich und öffne es.

> *Damit du mich bis morgen nicht vergisst*
>
> *In Liebe Ulrich*

Ach Ulrich, denke ich verliebt vor mich hinlächelnd, während ich gleichzeitig die Schrift auf dem Kärtchen anerkennend betrachte. *Da gab sich die nette Frau Gruber aber große Mühe, schön zu schreiben.*

Ich kenne ihre Schrift von diversen Bestellscheinen.

Der Gedanke an die alte Frau Draxel geht mir erneut durch den Sinn. Und irgendwann verändert sich deren Gestalt und wird zu meiner …

Zusammengesunken sitze ich in Großmutters Sessel. Bereits nach circa dreißig Minuten erscheinen Totenflecken. Nach einer Stunde beginnt der postmortale oder intravitale Abbau des Gewebes durch

Freisetzung körpereigener Enzyme aus Lysosomen sowie Sekreten und Bakterien des Verdauungstrakts. Etwa drei Tage nach Eintreten meines Todes – Winter, keine Heizung – sind blau-grüne, fleckenartige Färbungen auf meinem Körper zu sehen. Meine Bauchhaut ist noch nicht grün und mein Körper auch noch nicht angeschwollen – wegen der Kälte. Das Haus ist ein Kühlschrank.

Meine Gedanken kehren in die Realität zurück. Ich atme einmal tief ein und wieder aus. Daran, wie ich ausgesehen hätte, wäre ich einige Tage später gefunden worden, will ich nicht denken. Darum begebe ich mich wieder in mein Büro, um mich mit anderen Dingen zu beschäftigen.

Das erste Kapitel ist abgeschlossen. Ulrich ist schon allein von meiner Romanidee mehr als begeistert und kann es kaum erwarten das Manuskript zu lesen.

Die Sonne versinkt bereits im Ammersee, als ich wegen zunehmender Dunkelheit die Schreibtischlampe anknipse. Nach geraumer Zeit entschließe ich mich jedoch den PC abzuschalten. Es ist genug. Mein Kopf ist fast genauso leer wie mein knurrender Magen.

Ich greife nach meiner Tasse, in der sich noch ein Rest des inzwischen kalt gewordenen Kaffees befindet, und begebe mich in die Küche. Tomatensalat und ein Omelett aus zwei Eiern sollten genügen.

Plötzlich höre ich, wie jemand die Haustür aufschließt. Gleich darauf stürmt Leon an mir vorbei in die Küche. Mit ihm habe ich an diesem Abend nicht gerechnet. Er wirkt aufgebracht, als er eine Zeitschrift auf den Tisch knallt. „Sag mal, wusstest du davon?"

„Guten Abend, Leon", antworte ich ruhig. „Wovon sollte ich wissen?"

„Dass Herzog in Mailand war?", spie er förmlich über die Lippen.

„Ja, mittlerweile weiß ich es."

„Mittlerweile? Das heißt, er hat dich von seinem Vorhaben, dort hin zu fliegen, nicht unterrichtet?"

„Nein, hat er nicht. Er konnte mich nicht erreichen."

„Wie, er konnte dich nicht erreichen?"

„Er hat es wohl mehrfach versucht ..."

„Sagt Herzog."

„Jetzt setz dich erst mal. Du machst mich ganz nervös."

„Und von Romina Vescera hat er dir auch erzählt?", fragte er immer noch aufgebracht, bevor er sich mit wutverzerrtem Gesicht von mir abwendet, zum Tisch läuft und mehrmals mit seinen Fingern auf die Zeitschrift pocht.

„Sie hat ihm eine Mail geschrieben und um Hilfe gebeten", erkläre ich ihm immer noch gelassen.

„Ach? Und der Menschenfreund Herzog, der sich immer noch verantwortlich für seine Ex fühlt, eilt spontan zu ihr."

„Mag sein. Was ist daran so verwerflich?"

„Im Grunde nichts, aber ..."

„Kein aber. Allerdings ist diese Geschichte ziemlich seltsam. Die Vescera dreht gerade in Ägypten einen Film und hält sich zurzeit gar nicht in Mailand auf. Da hat ihn jemand ganz schön veräppelt."

„Ach, ist das so? Und du glaubst ihm natürlich."

Ich zucke nur mit den Schultern. *Was soll das nun wieder?*

„Die einzige, die hier veräppelt – nein – nach Strich und Faden verarscht wird, das bist du."

„Wie bitte? Was soll das nun wieder heißen? Woher weißt du von seiner Reise? Und überhaupt, was soll diese ganze Fragerei?"

„Du hast den Artikel natürlich nicht gelesen", stellt er fest und deutet auf die mitgebrachte Zeitschrift, „denn was die Regenbogenpresse so von sich gibt, liest du ja nicht. Aber ich – beim Zahnarzt."

„Du warst beim Zahnarzt?"

Er zuckt mit den Schultern. „Ich habe eine Plombe in einem Backenzahn verloren. Das Foto auf der dritten Seite sprang mich buchstäblich an. Da es auch dich interessieren dürfte, habe ich gefragt, ob ich sie mitnehmen kann. Hier."

Nun hat er mich neugierig gemacht, ich greife nach der aufgeschlagenen Zeitschrift und schnappe erst mal nach Luft.

Mitten auf der Seite prangt ein verhältnismäßig riesiges Foto, auf dem Ulrich und Romina in einem Straßenkaffee in Mailand sitzen und gemütlich bei Kaffee und Kuchen Händchen halten. Den Text dazu erspare ich mir. Ich kann mir denken, was dort steht.

„Er …, er hat mich belogen", flüstere ich entsetzt und werfe die Zeitschrift auf den Tisch. Mir wird heiß und gleich darauf fröstle ich.

Diese Erkenntnis löst Enttäuschung bei mir aus, Fassungslosigkeit und eine tiefe Traurigkeit, die mir wie ein scharfes Messer ins Herz schneidet.

„Das hat er dann wohl. So wie es aussieht, hat dieser Reporter die beiden beobachtet. Natürlich geht es in dem Artikel hauptsächlich um die Vescera. Ulrich wird lediglich als ihr Ex erwähnt."

„Aber ich verstehe es nicht. Er hätte mich nicht belügen müssen."

„Anscheinend ist er da anderer Ansicht. Er will dich bei der Stange halten und gleichzeitig die Beziehung zu seiner früheren Flamme auffrischen."

„Meinst du?"

Unmerklich lächelnd denke ich an die letzte gemeinsam verbrachte Nacht. Ulrich war zärtlich und doch so leidenschaftlich. Er hat mir deutlich gezeigt, wie sehr er mich liebt, und mir das auch mehrfach gesagt. „Nein, das kann ich mir nicht vorstellen. Ich werde Ulrich mit diesem Artikel konfrontieren. Sofort."

Leon grinst verächtlich. „Das solltest du besser lassen. Eine passende Gelegenheit wird sich finden."

„Und bis dahin? Wie gedenkst du, soll ich mich ihm gegenüber verhalten?"

„Wann kommt er zu dir?"

„Morgen Abend."

„Tu einfach so, als wäre nichts geschehen und warte erst mal ab. Beobachte ihn so offensichtlich in Erwartung einer Erklärung, dass ihm das auffallen muss. Reagiert er darauf nicht, kannst du ihm die Zeitschrift immer noch um die Ohren hauen."

„Und wozu sollte das gut sein? Es wird mir nicht leichtfallen so zu tun, als wäre nichts geschehen."

Er legt den Zeigefinger auf seine Lippen und betrachtet mich nachdenklich. „Ich hatte eigentlich vor mit Saskia ins Kino zu gehen, aber solltest du meine Unterstützung benötigen, komme ich gerne zu dir."

„Nein, auf gar keinen Fall. Geh du nur mit Saskia ins Kino. Ich komme schon zurecht."

„Meinst du nicht, es wäre an der Zeit, diesen Herrn endlich zum Teufel zu schicken? Mit dem hast du doch nur Kummer."

Warum wundert mich das jetzt nicht? Leon will Ulrich loswerden, seit er ihn kennt, und da kommt ihm diese Geschichte natürlich sehr gelegen. Dabei dachte ich, die beiden ... „Du stellst dir das ziemlich einfach vor. Man begegnet einem Menschen, den man sympathisch findet, den man gerne in sein Leben einbinden möchte, doch stellt sich dann unbequemerweise, die eine oder andere Ungereimtheit ein, schickt man diesen Menschen einfach zum Teufel. Nie im Leben hätte ich gedacht, dass Ulrich mir mal mehr bedeuten könnte als ..."

„Richard?", unterbricht Leon meine Erklärung und stemmt entrüstet die Fäuste auf seine Hüften.

„Dass er mehr für mich sein könnte als nur mein Verleger, wollte ich sagen."

Er atmet einmal tief durch, bevor er sich endlich setzt. „Wie auch immer", sagt er betont gleichgültig, „es ist deine Entscheidung und es ist dein Leben. Aber darf ich dich daran erinnern, dass du vor nicht allzu langer Zeit ..."

„Lass gut sein, Leon. Lass gut sein. Bitte. Ich habe meine Lektion gelernt."

„Entschuldige, ich wollte nicht an alte Wunden rühren. Ich will aber auch nicht, dass du dich an einen Mann verschwendest, der deiner Liebe nicht Wert ist. Du bist eine so wunderbare Frau und für mich bist du etwas ganz Besonderes. Ich mag mir gar nicht vorstellen, was geschieht, solltest du mit ihm zusammenziehen. Sei es nun in sein Haus oder in deines."

Der Junge ist doch nicht etwa eifersüchtig? Vermutlich sieht er in mir tatsächlich so etwas wie seine Stiefmutter. Und ich dachte, er hätte nur gescherzt, als er mich so nannte. In ihm schwelt immer noch eine enorme Abneigung gegen Ulrich. Dabei nahm ich nach dem schönen Abend neulich tatsächlich an, dass die beiden sich endlich miteinander arrangiert haben. Das war dann wohl eine Fehlinterpretation.

„Zwischen uns beiden wird mein Verhältnis zu Ulrich nichts ändern. Zumal diese Möglichkeit ohnehin nicht im Raum steht."

„Das sagst du jetzt. Aber ich weiß, wie das aussehen wird. Ulrich wird dich mit Beschlag belegen und sollte ich dich sehen wollen, darf ich mal kurz vorbeikommen."

„Was erwartest du also von mir?"

„Dass du glücklich wirst. Und zwar mit einem Mann, der es Wert ist."

„Du meinst also, ein anderer Mann würde mich weniger mit Beschlag belegen, auf keinen Fall hier einziehen und ich auch nicht bei ihm? Oder hegst du die stille Hoffnung, dass ich keinen anderen finden werde?"

Leons Lippen öffnen sich zu einem Einwand.

Ich ignoriere es. „Aber wie auch immer", fahre ich fort, „mit Ulrich hast du ja vielleicht recht. Dieses Foto", ich nehme die Zeitschrift erneut zur Hand, „zeigt eine Vertrautheit zwischen den beiden, die ich nach allem, was Ulrich mir über seine Ehefrau erzählte, nicht nachvollziehen kann. Nun gut – oder auch nicht – ich muss darüber nachdenken. Bitte entschuldige mich jetzt. Ich bin müde."

„Kann ich dir etwas Gutes tun? Möchtest du eine Tasse Tee?"

„Nein danke. Ich will nur schlafen. Morgen sieht die Welt bestimmt wieder ganz anders aus."

Leon zuckt lediglich mit den Schultern. „Wie du meinst. Übrigens ich fahre heute noch zurück. Morgen früh habe ich Professor Schuhmann, da muss ich fit sein."

„Okay, dann bis zum Wochenende. Fahr vorsichtig."

Trotz des Schmerzes über Ulrichs Verhalten und die quälenden Grübeleien, wie das mit uns weitergehen wird, schlafe ich unerwartet schnell ein.

*

Nach dieser ruhigen Nacht, die mir tiefen, erholsamen Schlaf geschenkt hat, fühle ich mich frisch und ausgeruht. Das grelle Licht der Morgensonne blendet mich. Ich blinzle und bedecke meine Augen, bis ich mich an die Helligkeit gewöhnt habe.

Ulrich! Bei dem Gedanken an ihn, sackt meine gute Laune in sich zusammen. Die Stille im Haus ist zudem wenig aufmunternd und plötzlich fühle ich eine tiefe Traurigkeit in mir. Schon verschleiern Tränen meinen Blick. *Ob da was dran ist? Hat er mich belogen? Aber weshalb? Ich muss abwarten. Muss ich? Was er wohl dazu sagt? Vielleicht sollte ich mich gar nicht mehr mit ihm treffen. Irgendeine Ausrede wird ihm einfallen und dann ... Ja, was dann? Und wenn die ganze Geschichte nur ...*

Ich erinnere mich an Amanda, wische mir die Tränen von den Wangen, schnäuze mir die Nase und atme einmal tief durch. Alles kein Grund, sich gehen zu lassen.

Nach einem mageren Frühstück begebe ich mich wie üblich mit einer Tasse Kaffee in mein Büro.

Das Telefon läutet.

„Guten Morgen, mein Liebling. Hattest du eine angenehme Nacht?", fragt er gut gelaunt.

„Ging so", antworte ich knapp.

„Ist was?"

„Lass uns heute Abend darüber sprechen."

„Bei mir oder bei dir?"

„Bei diesem herrlichen Wetter könnten wir einen Spaziergang am See machen oder mit dem Boot rausfahren."

„Eine gute Idee. Ich freue mich."

„Okay, dann bis später."

Ich will das Gespräch beenden, doch bevor ich dazu komme, höre ich seine letzten Worte: „Ich liebe dich."

Ich liebe dich auch, denke ich und drücke ihn weg.

*

Es ist fünf Minuten vor elf, als ich die Aussegnungshalle des Friedhofs betrete. Die schwarze Urne der Verstorbenen steht auf einer etwa anderthalb Meter hohen, marmornen Säule. Nachdem die Leiche bereits zu verwesen begonnen hatte, als man sie endlich fand, wurde sie vermutlich gleich ans Krematorium überführt.

Die Trauergemeinde hält sich in Grenzen.

Frau Draxler war keine allzu freundliche Person. Zudem lebte Sie nach dem Tod ihres Mannes ziemlich zurückgezogen. Um genau zu sein, pflegte lediglich der Postbote und natürlich ihre direkten Nachbarn Kontakt zu ihr. Ja, auch einige Händler in der Gemeinde und, wie ich während der Trauerrede erfahre, auch der Pfarrer, der sie anscheinend des Öfteren besucht hatte.

In der Aussegnungshalle finden die wenigen Trauergäste Platz. Ich rutsche in die letzte Bank. Die vorderste Reihe ist üblicherweise für die Angehörigen reserviert. Ich zähle sechs Personen. Helena, ihre einzige Tochter, lernte ich bei einem Dorffest kennen, kurz bevor sie das

Studium der Veterinärmedizin in München aufnahm. Da sie die mürrische Alte bloß an wenigen Wochenenden besuchte, sah man sie von da an nur noch selten in der Gemeinde. Während eines dieser Besuche traf ich sie beim Bäcker. Stolz erzählte sie mir, dass sie das Studium mit Summa cum laude abgeschlossen und im Anschluss ein Angebot vom Münchner Zoo angenommen hätte. Bei dem kräftig gebauten Mann mit dem dünnen Haar am Hinterkopf an ihrer rechten Seite handelt es sich vermutlich um ihren Ehemann. Zwei junge Männer und ein etwa achtzehnjähriges Mädchen sitzen links von ihr. Frau Draxlers Enkel.

Ich kann mich nicht erinnern, sie jemals gesehen oder davon gehört zu haben, dass sie ihre Ferien bei der Großmutter verbracht hätten. Jemand, wer, weiß ich nicht mehr, erwähnte schon vor Jahren, dass das Verhältnis zwischen Mutter und Tochter seit dem Tod des Vaters ziemlich angespannt sei, aber keiner wisse Genaues.

Wie auch immer, es kann mir im Grunde egal sein. Lediglich die Autorin in mir würde gerne mehr wissen – könnte ja eine interessante Geschichte dahinterstecken.

Erneut fällt mein Blick auf die schlichte schwarze Urne, deren einziger Schmuck aus zwei aufgemalten Palmwedeln besteht. Als stilles Zeichen der Trauer lehnt ein Kranz am Sockel der Säule.

Der Pfarrer spricht vorwurfsvoll von einem wertvollen Mitglied der Gemeinde, das leider von vielen verkannt wurde.

Helena schluchzt.

Tja, denke ich, *für Reue ist es nun zu spät.*

Dann spielt der Organist auf der kleinen Orgel ein Kirchenlied, das ich nicht kenne. Trotzdem schlage ich das Gesangbuch auf, das auf der Ablage der vorderen Bank liegt, und lese den Text mit. Nur wenige der Anwesenden singen.

Am offenen Grab noch ein Vaterunser, ein Segen und das war's.

Ich entschließe mich nicht zu kondolieren und verlasse den Friedhof nach einem Besuch an Richards Grab.

*

Ulrich betritt gut gelaunt mein Haus. Doch bevor er mich zur Begrüßung küssen kann, lege ich meine Hand abwehrend auf seine Brust und wende mich von ihm ab.

„Bekomme ich keinen Kuss?", fragt er unsicher lächelnd. „Was ist denn nun wieder passiert?"

„Komm erst mal rein. Ich ziehe mir noch eine leichte Jacke über, dann können wir los", sage ich und lasse seine Fragen unbeantwortet. „Im Verlag alles klar?", frage ich stattdessen.

„Ja, ich denke schon. Bis auf die Tatsache, dass die vom Lektorat nachgefragt haben, wann denn nun dein neues Manuskript kommt. Meinst du, du könntest es schaffen, den Roman bis Ende Juli fertig zu kriegen? Dann könnten wir ihn in Frankfurt vorstellen."

„Unmöglich! Wie stellst du dir das vor?", frage ich und lege die leichte blaue Strickjacke, die mir Richard bei einem Besuch in Tölz gekauft hat, um meine Schultern. „Ich habe gerade mal die ersten Seiten. Allein die Recherchen werden die Zeit bis dahin in Anspruch nehmen. Natürlich schreibe ich währenddessen auch, aber mit dem Manuskript kannst du frühestens im Dezember rechnen."

„Das ist nicht dein Ernst? Ich will dich natürlich nicht drängen, aber das geht gar nicht. Gut, ich hänge einen Monat ran", sagt er, während er gleichzeitig die Terrassentür öffnet und mir den Vortritt lässt. „Ich brauche diesen Roman bis Frankfurt. Gib uns ein kurzes Exposé, dann können wir schon mal am Cover arbeiten."

„Nein", sage ich süßlich lächelnd, „ich gebe grundsätzlich keine Inhalte raus, bevor ein Roman fertig ist."

„Aber bei mir könntest du doch eine ..."

„Nicht einmal bei dir werde ich eine Ausnahme machen. Also lass uns bitte das Thema wechseln."

„Jetzt sei doch nicht so stur. Für 'Das Salz der Tränen', hast du doch auch nur ein gutes halbes Jahr gebraucht", bohrt er weiter.

„Das war etwas anderes. Für den Roman musste ich nicht viel recherchieren." *Den habe ich fast selbst erlebt,* füge ich in Gedanken hinzu. *Wie soll ich dir erklären, dass ich mich nach Richards Tod am absoluten Tiefpunkt meines Lebens befand und mir das selbige nehmen wollte? Dass dieser Roman entstand, um meine Gefühle zu verarbeiten und anderen Mut zum Leben zu machen?*

Wieder einmal frage ich mich, ob Leon mit seiner Annahme recht hat, Ulrich wolle mich lediglich vermarkten und würde mich nur umschmeicheln, um mich bei der Stange zu halten. *Die Vescera ist mindestens zehn Jahre jünger als ich und sieht blendend aus. Außerdem ist sie eine schillernde Figur des öffentlichen Lebens, das könnte ihm eine Menge Publicity verschaffen. Möglicherweise ist sie ja wieder in ihn verliebt? So etwas soll es geben. Allerdings bin ich auch keine Unbekannte. Nicht wie sie. Sie steht vor der Kamera und ich irgendwo dahinter.*

„Greta, ich bitte dich, du würdest uns eine Menge Zeit ersparen", unterbricht er meine Gedanken.

„Ulrich ich verstehe ja deine Beweggründe. Aber was meine Arbeit angeht, habe ich nun mal meine Prinzipien und die gebe ich auch für dich nicht auf", erkläre ich verständnisvoll, füge dann aber entschieden hinzu: „Können wir jetzt das Thema wechseln?"

„Wie du meinst. Wie war dein Tag?"

„Ich war auf dem Friedhof. Die alte Frau Draxler hat vor einigen Tagen das Zeitliche gesegnet und wurde heute beerdigt."

„Daher also deine schlechte Laune", sagt er verständnisvoll und legt seinen Arm tröstend um meine Schulter.

„Ich bin nicht schlecht gelaunt", antworte ich und winde mich aus seiner Umarmung.

„Bist du doch. Zudem benimmst du dich fast aggressiv mir gegenüber?"

Einen Moment überlege ich, ob jetzt nicht ein günstiger Zeitpunkt wäre, ihn mit dem Artikel zu konfrontieren. Entschließe mich dann aber dagegen. „Lass uns umkehren. Wir können es uns im Garten bequem machen."

„Wir könnten aber auch noch mit dem Boot rausfahren. Ich rudere dich, wohin du willst", erklärt er und küsst mich, bevor ich reagieren kann.

Oh Ulrich, seufze ich innerlich, *warum tust du mir das an?* Ich schmiege mich an seine Brust, lasse mich fallen, versinke ganz in dem Gefühl der Hingabe. Noch eine letzte Nacht in seinen Armen, dann werde ich entscheiden, was zu tun ist. *Ich könnte verreisen.* Ein Gedankenblitz den ich augenblicklich weiter ausbaue. *Ich muss ohnehin für meinen Roman recherchieren. Warum nicht eine kleine Reise anhängen?*

„Du benimmst dich heute irgendwie seltsam."

„Komm, lass uns ins Haus gehen. Hast du schon etwas gegessen?"

„Ja, habe ich. Aber ich hatte noch keinen Nachtisch." Erneut zieht er mich in seine Arme und küsst mich, bis uns beiden die Luft ausgeht. „Du ahnst nicht, wie sehr ich dich liebe."

„Nach diesem Kuss kann ich mir das durchaus vorstellen", sage ich schmeichelnd.

„Allein der Gedanke an dich lässt mein Herz schneller schlagen."

„Oh! In Anbetracht dessen wäre es vielleicht besser, du würdest auf den Nachtisch verzichten. Wobei in meinem Kühlschrank ein echt leckerer Schokopudding mit Mandelstückchen steht."

„Du weißt genau, was ich meine", sagt er lächelnd und küsst mich auf die Nase.

„Na dann", antworte ich, ergreife seine Hand und ziehe ihn mit mir, „wollen wir deinem Herzen mal Dampf machen."

*

Ulrich hat mich mit allen Raffinessen verwöhnt. Er ist ein zärtlicher und doch leidenschaftlicher Liebhaber, der ganz genau zu wissen scheint, was Frauen mögen. Wieder einmal ist es ihm gelungen, mich von all meinen belastenden Gedanken abzulenken. Doch nun, während er ruhig und gleichmäßig neben mir atmet, ist die Unsicherheit zurückgekehrt. Fragen überrollen mich. Mit den Fragen kommt die Scham. Ich habe mit dem Mann geschlafen, von dem ich annehmen muss, dass er sich mir gegenüber prostituiert, weil er mein schriftstellerisches Talent vermarkten will. Und das obwohl er sich offenbar gleichzeitig um seine geschiedene Frau bemüht.

Was geht in so einem Menschen vor und was für ein Mensch bin ich, da ich mich darauf einlasse? Hitze steigt mir in die Wangen. *Zu meiner Entschuldigung kann ich nur sagen, dass Sex mit Ulrich wirklich Spaß macht – verdammt viel Spaß.*

Unwillkürlich muss ich schmunzeln. Gleichzeitig sagt mir jedoch ein sanfter Stich ins Herz den viel wichtigeren, den wahren Grund. Die Liebe. Ich liebe diesen energiegeladenen, kraftstrotzenden Mann, der mit beiden Beinen im Leben steht. Und ja, natürlich auch weil er so unendlich sanft, zärtlich und leidenschaftlich sein kann. Trotz der mitunter gegensätzlichen Ansichten, die wir bisher meistens ausdiskutiert haben und das vermutlich auch zukünftig so halten würden. Ich liebe ihn, weil er nicht versucht mich zu verbiegen.

Wie auch immer, ich sollte einiges mit Ulrich klären. Weglaufen ist keine Option. Ich werde ihm diesen unleidlichen Artikel zum Frühstück servieren und abwarten, wie er darauf reagiert. Noch während ich mir diese Situation vorzustellen versuche, schlafe ich ein.

*

Mit noch geschlossenen Augen taste ich zu Ulrich hinüber. Als meine Hand ins Leere greift, öffne ich verunsichert meine Lider. Das Bett neben mir ist tatsächlich leer. Ich schließe sie wieder und räkle mich.

Wahrscheinlich ist er unter der Dusche.

Unangenehm berührt von dem sogleich folgenden Gedanken an das, was ich in wenigen Minuten vorhabe, schlage ich die Bettdecke zurück und setze mich auf. Undamenhaft gähnend strecke ich meine Glieder und begebe mich ins Bad. Doch auch hier treffe ich Ulrich nicht an. Im Vorübergehen greife ich nach meinem Morgenmantel und schlüpfe hinein.

In der Küche ist er ebenfalls nicht.

Na so was? Folgerichtig erkenne ich, dass er bereits in aller Früh, ohne sich von mir zu verabschieden, das Haus verlassen hat. Ich schlendere zur Essecke, um noch einmal einen Blick auf den Artikel in dieser Illustrierten zu werfen, die ich dachte gestern auf dem Tisch abgelegt zu haben. Doch da liegt sie nicht. *Ist es möglich, dass Ulrich sie entdeckt und mitgenommen hat? Aber warum hat er mich nicht darauf angesprochen? Er muss sich doch etwas dabei gedacht haben.*

Das Telefon läutet.

„Greta, ich bin's", meldet sich Ulrich. „Wir haben etwas zu bereden."

„So, haben wir?"

„Ich weiß jetzt", sagt er zögerlich, „warum du dich gestern so seltsam verhalten hast. Dass wir uns trotzdem geliebt haben, gibt mir allerdings zu denken", fügt er hinzu und merklich verärgert: „Was hattest du vor? Wolltest du noch ein letztes Mal mit mir schlafen und mir zum Frühstück den Laufpass servieren?"

„Dann habe ich also richtig vermutet, du hast die Zeitschrift mitgenommen", stelle ich trocken fest.

„Ich bin früh aufgewacht und aufgestanden, weil ich nicht mehr einschlafen konnte. Eigentlich wollte ich Kaffee aufbrühen und dir ein Frühstück am Bett servieren. Doch dann lag da diese Zeitschrift auf dem Küchentisch. Als ich das Foto und den Bericht über Romina und mich entdeckte, musste ich schnellstens los. Wer hat dir dieses Schmierenblatt gebracht?"

„Leon."

„Wer sonst. Nach dem letzten Grillabend habe ich doch tatsächlich gehofft, er würde mich zumindest akzeptieren. Bist du morgen Nachmittag gegen zwei zuhause?", will er wissen, ohne auf meine Frage einzugehen.

„Ja."

„Greta, warum hast du mir den Artikel gestern Abend nicht gezeigt?"

„Ich wollte. Ich wollte es wirklich. Aber als du dann wegen meines neuen Romans so auf mich eingeredet hast, dachte ich ..."

„Vertraust du mir so wenig?"

„Angesichts dieses Artikels ..."

„Entschuldige, Greta", unterbricht er mich, „ich muss los. Nur so viel, der Artikel hängt mit dieser Mail aus Mailand zusammen. Wir sprechen morgen darüber. Heute ist doch wohl Leon mit seiner Freundin bei dir zu Gast. Da soll ich ja nicht stören", fügt er mit zynischem Unterton in der Stimme hinzu und legt auf.

Einigermaßen verwirrt starre ich auf das Telefon in meiner Hand. *Und nun?* Ich denke an die Schraube. *Was hat Ulrich herausgefunden? Er vermutet doch nicht etwa, dass Leon eine Intrige gegen ihn eingefädelt hat? Unmöglich, dass er die Mail ...? Und der Artikel ...? Wie ist der letztendlich in diese Zeitschrift geraten?*

*

„Und", fragt Leon zwischen zwei Bissen, „hast du Ulrich mit dem Artikel konfrontiert?"

„Nein, das war nicht nötig. Ich hatte die Zeitschrift versehentlich auf dem Küchentisch liegen lassen. Der Artikel lag obenauf, er konnte ihn gar nicht übersehen."

„Er hat hier übernachtet?", fragt er entsetzt.

„Das ist die Macht der Liebe. Ich konnte nicht widerstehen", antworte ich und lächle in mich hinein. „Als ich erwachte, war er bereits weg. Er hat sich dann gemeldet, nachdem er herausgefunden hat, dass es sich bei diesem Artikel um eine Folgeerscheinung der getürkten Mail aus Mailand handelt."

Er hüstelt kurz, als hätte er sich verschluck.

„Langsam mein Junge, sonst bleibt dir das Schnitzel im Hals stecken."

„Wie bitte? Was meint er? Wer macht denn so was?", will er empört wissen, ohne auf meine Anspielung zu achten.

„Darf ich erfahren, um was es geht?", fragt Saskia Helmer neugierig, während ihre Blicke flink zwischen Leon zu mir hin und her huschen.

Ein reizendes Mädchen, das ich vom ersten Augenblick ins Herz geschlossen habe. Na ja, sie hat mir Schweizer Pralinen mitgebracht. Meine Lieblingssorte. Natürlich weiß sie das von Leon. Ob er an eine Zukunft mit ihr denkt oder ob er in ihr lediglich einen netten Zeitvertreib sieht, kann ich im Moment nicht sagen. Ich mag sie jedenfalls. Sie besitzt Humor, ist redegewandt und weiß wovon sie spricht. Ihren angeborenen Charme setzt sie gezielt ein, besonders wenn sie ihre eigene Meinung vertritt. Und die hat sie. Ich mag auch ihr bodenständiges Denken, ihre spontane Art zuzupacken und ihr fröhliches Lachen, das auf einen offenen, lebensbejahenden Charakter deutet. Ja, ich denke, es wäre wünschenswert, dass Leon sie wirklich liebt. Und sie ihn natürlich auch. Das würde ihn von mir ablenken.

Woran liegt es, dass er sich Ulrich gegenüber so feindselig verhält? Befürchtet er tatsächlich, wieder allein auf der Welt zu sein? Er hat es mehrfach erwähnt. Oder ist er einfach nur egoistisch und gönnt mir mein Glück nicht, überlege ich und frage mich zum x-ten Mal, ob Ulrichs Andeutung, die Leon mit der Mail und diesem Artikel in Verbindung bringt, den Tatsachen entspricht. *Doch wie hat der Junge das Ganze eingefädelt?*

„Ich meine", reißt Leon mich aus meinen Gedanken, „der Mann, mit dem Greta vorhat ihr zukünftiges Leben zu teilen, passt nicht zu ihr. Zum Beispiel flog er erst vor wenigen Tagen nach einer Mail seiner Ex sofort nach Mailand. Danach behauptete er, sie wäre gar nicht dort gewesen. Sie hielte sich angeblich zu Dreharbeiten in Ägypten auf. Und dann erscheint ein Artikel mit Foto in der Regenbogenpresse. Ein

Journalist traf die beiden turtelnd in einem Mailänder Café an. Aber Greta will einfach nicht wahrhaben, dass der Kerl sie nur ausnutzt."

„Und wer ist dieser Kerl?", fragt Saskia.

„Ulrich Herzog, mein Verleger", antworte ich.

„Seine Mutter hat ihm einen heruntergewirtschafteten Verlag hinterlassen", fügt Leon erklärend hinzu, „den er lediglich sanieren kann, wenn es ihm gelingt, einige Bestsellerautoren, unter anderen auch Greta, für den Verlag zu gewinnen. Vor einigen Wochen hat er sich dann an sie heran gemacht."

„Na, ich weiß nicht. So wie du das sagst, klingt das ziemlich abwertend, aber ich kann nichts dabei finden. Viele Paare lernen sich an ihrem Arbeitsplatz kennen. Und ich bitte dich, Frau Sander – Entschuldigung – Frau Weidentaler …"

„Greta", erlaube ich ihr mich zu nennen.

Sie nickt und lächelt erfreut. „Greta ist eine sehr attraktive Frau, die weit mehr zu bieten hat", erklärt sie.

„Danke für das Kompliment."

„Gerne", sagt sie und strahlt mich fröhlich an. „Ich meine das auch so."

„Ja, meine …", Leon räuspert sich und wirft mir einen verlegenen Blick zu.

Ich weiß, was er sagen wollte.

„Greta ist eine schöne Frau", spricht er weiter, „und ich kann auch verstehen, dass ein Mann sich in sie verguckt, aber bei Ulrich ist so offensichtlich, was er erwartet", beharrt er auf seiner Meinung.

„Ja? Was denn?", fragt sie weiter.

„Er will sie als Autorin nicht verlieren und dass sie gut aussieht, ist ein angenehmer Nebeneffekt."

„Aber der Verlag ist mittlerweile saniert?"

„Ja", antworte ich, „Ulrich ist es gelungen, neue Autoren zu gewinnen und einige alte zurückzuholen. Außerdem hat er das Konzept des Verlags geändert. Wie alle Verleger wartet er auf neue Werke seiner Bestsellerautoren und hätte am liebsten gleich nach Erscheinen eines Romans den nächsten im Druck, natürlich auch mein neues Manuskript. Aber obwohl es ihm mitunter schwer fällt einzusehen, dass alles seine Zeit braucht, wartet er – wenn auch ungeduldig."

„Dann verstehe ich wirklich nicht, was du gegen diesen Mann hast?",
wendet sich Saskia wieder an Leon.

„Du solltest den Typ mal sehen. Ein Macho vom Scheitel bis zur
Sohle."

„Ein Mann eben", wirft das Mädel schmachtend ein und fügt foppend
hinzu: „Wir Frauen lieben Machos."

„Ihr Frauen seid doch alle gleich", sagt Leon abfällig und zieht einen
Flunsch wie drei Tage Regenwetter. „Aber, dass du mir in den Rücken
fällst."

„Könntest du nicht wenigstens versuchen, dich mit Ulrich zu arrangieren?", frage ich. „Mir zuliebe."

Er holt tief Luft und atmet sie laut aus, während seine Schultern
resignierend nach unten sacken. „Mal sehen", murmelt er vor sich hin.

Ich lege eine Hand auf seine und tätschle sie liebevoll.

„Du bist mir so wichtig, Leon. Ich möchte deine Freundschaft nicht
verlieren."

Er wirft mir einen Blick zu, der deutlich macht, was er von meinen
letzten Worten hält.

*

Es ist bereits nach zwei und von Ulrich nicht die Spur. Eine Stunde
lang sehe ich etwa alle fünf Minuten auf die Uhr. *Kann er sich nicht
denken, dass ich ungeduldig auf ihn warte?*

Viertel nach drei entschließe ich mich zu einem Spaziergang am See.
Ja, ein wenig auch aus Trotz. Langsam schlendere ich durch den
Garten. Immer noch erwartend, dass er jeden Moment die Einfahrt
hereinfährt. Erst nachdem ich mich fast einen halben Kilometer vom
Haus entfernt habe, bemerke ich, dass ich ohne Handy unterwegs bin.
Das liegt in der Handtasche im Schlafzimmer. Nicht erreichbar sein
wollte ich eigentlich nicht. Aber was soll's? Will er mich wirklich
finden, wird er das auch.

„Greta!"

Na, wer sagt's denn.

„Was machst du hier?", fragt er vorwurfsvoll und wie ich bemerke,
ein wenig außer Atem. „Hatten wir nicht eine Verabredung?"

„Ja, die hatten wir", antworte ich, einen Blick auf meine Armbanduhr
werfend, „exakt vor einer Stunde und vierzehn Minuten."

„Ich weiß, ich sagte gegen zwei. Tut mir leid, aber früher ging's nicht. Doch jetzt habe ich, was nötig ist, um dir zu beweisen, dass dieses Foto bereits vor acht Jahren geschossen wurde. Hier", er streckt mir einen Auszug aus der vor Jahren erschienenen Frauenzeitschrift mit korrektem Datum entgegen. „Lies!"

Zuerst überzeuge ich mich vom Datum, dann lese ich.

Der Artikel handelt von einem verliebten Glamourpaar, das sich während ihrer knapp bemessenen Freizeit eine Verschnaufpause vom Alltag gönnt.

Ich reiche ihm das Blatt zurück und atme erleichtert auf. Doch schon im nächsten Moment frage ich mich erneut, wie dieses Foto in eine neue Ausgabe gelangt.

„Der Artikel ist zudem ebenfalls erstunken und erlogen."

„Wie ist das möglich?"

„Die Redaktion erhielt einen Anruf. Der Anrufer fragte nach dem Journalisten, der den Artikel von der Buchmesse über den Verleger Herzog und die Autorin Greta Sander verfasst hatte. Er wurde mit Winkler verbunden. Das Ergebnis kennst du. Jedenfalls verabredete ich mich ebenfalls mit diesem habgierigen Mistkerl und stell dir vor, er gab ohne Umschweife zu, einen Tausender für diesen Artikel erhalten zu haben. Dafür sollte der Kerl ein Foto aus meiner Zeit mit Romina in die Zeitschrift setzen und einen kurzen Bericht über ein heimliches Treffen in Mailand schreiben."

„Ja, aber wer macht denn so etwas?"

„Kannst du dir das nicht denken?"

„Nein."

„Es ist derselbe, der mir dies Email von Romina geschickt hat. Keine Ahnung, wie er das fertiggebracht hat. Vielleicht war er sogar heimlich an meinem PC. Oder er hat mein Passwort geknackt. Keine Ahnung. Er hat sich vermutlich ins Fäustchen gelacht, als ich dann auch so reagiert habe, wie er es erwartet hat. Entweder hat mich derjenige beobachtet oder er hat sonst wie herausbekommen, dass ich nach Mailand geflogen bin. Ist ja kein Hexenwerk. Jedenfalls sorgte er dafür, dass Winkler diesen Artikel schrieb. So passt eins zum andern."

„Also müsste man nur noch herausbekommen, wer diese Mail geschickt hat."

„Leon", antwortet er knapp.

„Leon? Wie kommst du denn auf diese absurde Idee?"

„Winklers Beschreibung des jungen Mannes, mit dem er sich zur Geldübergabe traf, passt eindeutig auf Leon."

„Wie und weshalb sollte Leon so etwas tun?"

Ulrich sieht mich eine ganze Weile nur stumm an.

Meine Blicke wandern unruhig über den See, zu den weißen Kumuluswolken und wieder über den See. Doch auch dort finde ich keine befriedigende Antwort auf meine Frage.

„Wie, weiß ich auch noch nicht, aber dass er es war, das weiß ich zu – sagen wir – neunundneunzig Prozent. Die jungen Leute heutzutage haben, was das Internet angeht, eine Menge Tricks drauf. Der Kindskopf ist eifersüchtig. Er will dich für sich allein haben. Du bist die Frau seines Vaters, den er nie kennenlernen durfte und die einzige Verbindung zu ihm. Er mag dich. Euer dramatisches Kennenlernen stellt sich für ihn wie ein Wink des Schicksals dar. Was weiß ich, ich bin schließlich kein Psychiater. Kannst du dich an den zerstochenen Reifen erinnern?"

Ich nicke. Natürlich kann ich und an die Schraube ebenfalls.

„Das war ganz sicher auch der Junge. Ich hätte nie die Strecke nach Herrsching zurücklegen können, wäre der Reifen in München zerstochen worden."

Ich erzähle ihm nichts von meinem Wissen, frage nur: „Und was tun wir nun?"

„Nichts."

„Nichts? Aber ..., ich habe nach unserem Telefonat bereits angedeutet, dass du etwas ..."

„Egal. Habe ich mich eben geirrt. Wir verhalten uns, als wäre nichts geschehen. Nur so können wir ihn aus der Reserve locken. Ich will dem Jungen nichts Böses, im Gegenteil, ich mag den Hitzkopf. Hätte ich so eine hinreißende Stiefmutter bekommen, ich hätte mich auch in sie verliebt."

„Verliebt? Meinst du nicht, das ist ein wenig übertrieben? Zumal er sich gerade tatsächlich in eine Kommilitonin verliebt hat."

„Man kann sich in alles Mögliche verlieben, ohne dabei an Sex zu denken. In das Wetter, einen Schmetterling, ein Gemälde, in die Liebe selbst. Du weißt schon, was ich meine. Der Junge bewundert dich. Das tat er schon, bevor er von eurer familiären Bindung erfuhr. Doch als man ihm dann mitteilte wer sein Vater ist, begann er in dir noch viel mehr zu sehen als nur seine Lebensretterin. Führe dir die damalige Situation doch mal vor Augen. Nach dem Tod seiner Mutter erfährt er, wer sein Vater ist. Wäre dein Mann zu diesem Zeitpunkt noch am Leben gewesen, hätte er ihn, wie ich aus deinen Erzählungen vermute, in eurer Familie aufgenommen. Du bist nun mal seine Stiefmutter, auch wenn dir das Wort nicht gefällt. Um seinem Vater nah sein zu können, hängt er sich an dich." Ulrich lächelt verschmitzt. „Was er vermutlich nicht tun würde, wärst du eine bösartige alte Schrulle", fügt er hinzu und küsst mich auf die Nasenspitze.

Ich lächle, obwohl mir nicht danach zumute ist. „Wir müssen mit ihm sprechen."

„Nein, müssen wir nicht. Ich möchte dich nur bitten, mir zukünftig mehr zu vertrauen."

„Ja, das werde ich", verspreche ich. „Aber wird er sich nicht fragen, wieso ich dich nach diesem Artikel noch immer nicht auf den Mond schieße?"

„Nun ja, wir erklären ihm, was wir über den Artikel wissen, aber nicht, dass wir herausgefunden haben, wer dafür verantwortlich ist."

„Ich verstehe."

Kapitel 15

„Stell dir vor, Leon rief mich eben an und lud mich zu einer Bergtour ein", trompetet Ulrich mir ins Ohr.

„Hm?" Ich habe die Worte wohl gehört, doch begreifen kann ich sie nicht, darum nehme ich das Telefon von meinem Ohr und starre es einige Sekunden verwundert an, bevor ich es wieder an mein Ohr lege. „Habe ich dich richtig verstanden?"

„Hast du. Er meinte, wir sollten uns vielleicht ein wenig besser kennenlernen", spricht er etwas leiser weiter. „Jetzt, nachdem auch seine letzte Intrige uns nicht auseinandergebracht hat, beginnt er wohl unsere Verbindung zu akzeptieren. Ich denke, er hat vor, mir auf den Zahn zu fühlen. Er will wissen, ob ich es ernst mit dir meine."

„Und?", frage ich, obwohl ich seine Antwort bereits kenne. „Meinst du es … ernst mit mir?"

„Nie zuvor in meinem Leben habe ich etwas so ernst gemeint. Ob du willst oder nicht, du hast mich an der Backe", sagt er.

Ich sehe ihn förmlich vor mir, wie er schelmisch grinst.

„Ich lasse dich nie wieder gehen", fügt er sehr ernst hinzu.

„Wann soll denn die Bergtour stattfinden?"

„Am Donnerstag."

„Mitten unter der Woche? Hat Leon denn keine Vorlesung? Und du? Kannst du dich einfach frei machen?"

„Was tut man nicht alles, um des lieben Friedens willen."

„Aber ihr klettert nicht an irgendeiner steilen Wand hoch?"

„Nein, der Junge hat einen leichten Wanderweg für uns ausgesucht. Er meinte, er wolle mich nicht überfordern, da ich ja nicht mehr der Jüngste wäre. Wir wandern auf den Jochberg. Er sagte, der wäre für Familien leicht zu erklimmen. Das ist auch der Grund, warum es der Donnerstag sein soll. Am Wochenende ist der anscheinend total überlaufen."

„Ich habe kein gutes Gefühl dabei. Ihr könntet genauso gut einen Tag am See verbringen, euch einen Actionfilm im Kino ansehen oder einen Biergarten besuchen oder ..."

„Jetzt lass mal gut sein. Wenn Kinder da hinaufklettern, werde ich das wohl auch können."

Ich zucke mit den Schultern. „Na gut, ihr seid beide alt genug, um zu wissen was ihr tut."

„Sehen wir uns heute Abend?"

„Nein, ich gebe eine Lesung im Gemeindehaus."

„Dann eben morgen Abend. Ich dachte, ich übernachte bei dir, dann kann ich mit Leon gleich in aller Früh los."

„Schätze mal, Leon wird ebenfalls schon am Abend kommen. Er wird sich im Laufe des Tages sicher melden."

Keine zehn Minuten sind vergangen, da klingelt das Telefon erneut.

„Hallo Greta", meldet sich Michael. „Ich habe dein erstes Kapitel geradezu verschlungen und kann es kaum erwarten das nächste zu lesen. Ich habe zwei, drei Anmerkungen angefügt, aber ansonsten ist es hervorragend. Du kannst es direkt an Ulrich weiterreichen. Er wird begeistert sein."

„Denk an dein Versprechen, keinen unfertigen Roman an den Verlag weiterzugeben."

„Ja. Aber ich dachte bei Ulrich ..."

„Auch er bekommt den Roman erst nach Fertigstellung in die Hände. Er drängt ohnehin schon. Was meinst du was los ist, sollte er erfahren, dass das erste Kapitel bereits steht."

„Na gut, ich halte es unter Verschluss. Kommst du gut voran?"

„Das zweite ist fertig und das dritte ist bis auf einige Änderungen, die ich noch vornehmen möchte, ebenfalls fertig."

„Ich bin gleich bei dir", sagt er noch und legt auf.

Michael ist ein verrückter Kerl, aber als Lektor ein Perfektionist.

Dann werde ich mich mal an die Arbeit machen.

Tatsächlich schaffe ich es das dritte Kapitel abzuschließen, bevor Michael am Hoftor läutet. Er folgt mir ins Büro und wartet geduldig, bis ich die beiden Kapitel des Manuskripts ausgedruckt und in eine Mappe gelegt habe.

„Trinkst du noch eine Tasse Kaffee mit mir?"

„Aber immer. Gibt es auch ein Stück Kuchen dazu?"

„Tut mir leid, aber ich kann dir Kekse anbieten."

Er nickt eifrig und nimmt im Erker der Küche Platz. „Wie geht es mit Ulrich und Leon? Vertragen sie sich inzwischen etwas besser?"

„Nicht wirklich. Leon benimmt sich merkwürdig. Ulrich vermutet, dass er eifersüchtig ist. Immer wieder aufs Neue intrigiert der Junge, gegen ihn und unsere Beziehung." Wie um meine Worte zu unterstreichen, nicke ich vor mich hin. „Obwohl ich nicht verstehe, weshalb er so handelt, muss ich Ulrich wohl inzwischen rechtgeben."

„Ach?"

„Ja, erst an diesem Montag trug sich etwas sehr merkwürdiges zu", sage ich und erzähle ihm die ganze Geschichte.

„Das klingt wirklich mehr als seltsam", antwortet Michael. „Dennoch kommt mir das ziemlich weit hergeholt vor. Dass er den Journalisten bestochen hat, kann ich nachvollziehen, das ist leicht machbar, aber wie soll er das mit der Mail angestellt haben? Und die Sache mit deinem Telefon könnte tatsächlich Zufall gewesen sein. Vielleicht wurden von der Telefongesellschaft Kabel verlegt oder eine Reparatur musste durchgeführt werden", gab er zu bedenken.

„Du hast recht, das wäre eine Erklärung."

„Hast du denn nicht nachgesehen, ob das Telefon am Stromkreislauf angeschlossen ist?"

„Nö, weshalb hätte ich das tun sollen?"

„Hattest du an diesen Tagen keinen anderen Anruf?"

„Hm?" Eine ganze Weile versuche ich mich zu erinnern, bevor ich antworte: „Ich weiß nicht, aber soweit ich mich erinnere – nein, ich denke nicht."

„Und hast du jemanden angerufen?"

Ich zucke mit den Schultern. „Vermutlich gab es keinen Anlass. Und was Ulrich betrifft …, du kennst mich. Ulrich hat sich nicht gemeldet. Zuerst dachte ich mir nichts dabei und als ich darüber nachdachte, verbot mir mein Stolz, ihn anzurufen."

„Das war sicher nur Zufall. Mittlerweile funktioniert es ja auch wieder."

„Und welche Erklärung hast du für mein Handy? Natürlich versuchte Ulrich auch, mich auf dem Handy zu erreichen."

„Dein Handy? Könnte Leon dein Handy denn abgeschaltet haben?"

„Mein Handy liegt mal da, mal dort. Sicher hätte es eine Gelegenheit gegeben, anderseits …"

Er hebt seine Hand, um meinen Einwand zu stoppen. „Nein. Nein, lass mich mal ...", sagt er nachdenklich.

Ich lasse ihn nicht aussprechen. „Andererseits wäre das eine ziemlich wackelige Aktion gewesen", bringe ich meine Überlegung zu Ende, während ich Kaffee in die Tassen gieße. „Wie du eben bemerktest, hätte ich einen Anruf tätigen wollen, wäre doch wohl die Sache aufgeflogen."

„Stimmt. Hast du aber nicht. Also sollte wirklich Leon dafür verantwortlich sein, hätte er sicher einen Plan B gehabt."

Ich bin einige Sekunden sprachlos. „Meinst du?"

„Ja, das meine ich. Davon abgesehen ist da ja auch noch der Artikel in dieser Zeitschrift, für den Leon bezahlt hat. Habt ihr mit ihm darüber gesprochen?"

„Nein, das will Ulrich tun – während der Bergwanderung, die sie morgen gemeinsam unternehmen."

„Eine Bergwanderung?" Michael lacht auf. „Ulrich und eine Bergwanderung? Entschuldige, dass ich lache. Das war sicher nicht Ulrichs Idee?"

„Nein. Leon meinte, das wäre eine gute Gelegenheit, sich etwas besser kennenzulernen."

„Na ja, der Zweck heiligt die Mittel. Ist Leon denn einer der gerne wandert und klettert?"

„Bisher hatte ich eher den Eindruck, dass er lieber jillt", antworte ich nachdenklich. „Er fährt gerne mit dem Kahn über den See. Auch mal mit dem Rad zum Bäcker oder um den See herum."

„Nun ich will nicht gleich alle Pferde scheu machen, aber seltsam ist das schon. Meinst du nicht?", fragte er und griff erneut in die Keksschale. „Mmm, die Kekse sind lecker. Selbst gebacken?"

„Nein, aber bedien dich nur. Die liegen schon seit Ostern in der Dose. Wird Zeit, dass sie wegkommen, bevor sie zu schimmeln beginnen."

Michael hört auf zu kauen, betrachtet den Keks in seiner Hand, dann wirft mir einen skeptischen Blick zu.

Ich grinse schelmisch. „Quatsch, ich habe sie erst letzten Samstag gekauft."

„Du hast einen etwas schrägen Humor, meine Liebe."

Wir unterhalten uns über das erste Kapitel, das Michael bereits lektoriert hat, und die Anmerkungen, die er angebracht hat. Dadurch rücken die Gedanken an die Wanderung in den Hintergrund.

„Und der Roman basiert auf einem tatsächlich verübten Mord?", fragt er nach.

Ich erzähle ihm die Grundlage der Geschichte in groben Zügen. „Was mich so sehr daran fasziniert, ist nicht der Mord und die Aufklärung an sich, sondern das Opfer und wie sich das Geschehene gegenwärtig und sogar auf unsere Zukunft auswirkt."

„Hört sich wahnsinnig interessant an und darum werde ich jetzt gehen. Ich will die beiden Kapitel schnellstens lesen", erklärt er und erhebt sich. „Also dann, bis demnächst und frohes Schaffen", verabschiedet er sich, ergreift die Mappe und geht.

Nachdem ich eine Tasse Tee eingeschenkt habe, trete ich ans Fenster und blicke besorgt hinaus. Immer und immer wieder frage ich mich, wie ich Leon davon überzeugen kann, dass er mich nicht als mütterliche Freundin verliert, nur weil ich Ulrich liebe und eventuell in nächster Zukunft mit ihm zusammenziehen will. Bis zu dem Telefonat mit Ulrich, dachte ich tatsächlich, wir hätten dieses Thema bereits lang und breit behandelt. *Könnte Michael mit seiner Befürchtung recht haben? Was steckt hinter Leons Vorschlag?*

*

Es wird bereits dunkel als Leon eintrifft.

„Ha! Morgen werde ich dem Alten mal so richtig einheizen", begrüßt er mich und gibt mir ein Küsschen auf die Wange.

„Das wirst du schön bleiben lassen", sage ich, während er an mir vorbei in die Küche geht und seinen Rucksack auf dem Küchentisch abstellt. „Ulrich ist kein Bergsteiger, also geh es gemächlich an."

„Gemächlich? Ich wusste gar nicht, dass man auch gemächlich einen Berg erklimmen kann."

„Du weißt, was ich meine. Ich möchte nicht, dass er sich übermorgen vor lauter Muskelkater nicht mehr rühren kann."

„Kater? Es wird ein ausgewachsener Tiger sein", erklärt er lachend und schlägt sich voller Vorfreude auf die Schenkel.

„Leon!"

„Keine Sorge, ich werde schonend mit ihm umgehen", antwortet er besänftigend, kann sich aber ein Grinsen in den Mundwinkeln nicht verkneifen.

Die Türglocke macht sich bemerkbar.

„Das ist Ulrich."

„Was? Der übernachtet auch hier?"

„Warum willst du diese Bergwanderung mit ihm machen?"

„Damit wir uns ein wenig besser kennenlernen."

„Dann kannst du doch wohl kaum ein Problem damit haben, diese Nacht unter einem Dach mit ihm zu verbringen."

Leon sieht mir einige Sekunden in die Augen, dann atmet er tief ein, legt seinen Kopf in den Nacken und lässt seinen Blick über die Zimmerdecke wandern. „Nein, natürlich nicht. Aber du erlaubst, dass ich mich in mein Zimmer zurückziehe? Allein schon der penetrante Geruch, den sein After Shave verströmt."

„Ich liebe diesen Duft. Du kannst gehen, sobald du Ulrich begrüßt hast", antworte ich und drücke auf den Türöffner.

Ulrich steht, als wäre er eben einem Sportmagazin entstiegen im perfekten Bergsteigeroutfit vor mir.

„Holerodrio juhu!"

Ich lasse meinen Blick von oben nach unten über seine ganze Gestalt wandern, vom anthrazitfarbenen Trachtenhut mit Kordel über den Lodenjanker, unter dem er ein royalblau-weiß-kariertes Hemd trägt, zu der schwarzen, schön bestickten Kniebundlederhose mit Latz, die, wie ich zugeben muss, ziemlich sexy an ihm aussieht. Seine festen Waden stecken in Stulpen mit Zopfmuster und an den Füßen trägt er Trekkingschuhe.

„Oh je", hauche ich.

„Was ist? Gefalle ich dir etwa nicht?"

Ich nicke vor mich hin. „Doch. Du siehst phantastisch aus. Sind die Schuhe neu?"

„Nigelnagelneu und unglaublich bequem."

„Na, hoffentlich bleiben sie das auch. Ich gebe euch vorsichtshalber Pflaster mit."

„Das wird nicht nötig sein", meint er lächelnd und wendet sich an Leon, der hinter mir steht und sich offensichtlich um ein ernstes Gesicht bemüht. „Und was sagst du?"

Leons Lippen verziehen sich zu einem überheblichen, ja geradezu abfällig wirkenden Lächeln. „Ich halte diese Almöhi-Aufmachung für ziemlich übertrieben. Wen willst du damit beeindrucken? Den Trachtenverein?", fragt er und fügt hinzu: „Jeans, T-Shirt und eine leichte Fleecejacke hätten es auch getan. Und hast du wirklich noch nicht gehört, dass man niemals mit neuen Schuhen wandert?"

„Sag niemals nie", antwortet Ulrich fröhlich, bückt sich und zieht die Schuhe aus. „Halt mal", befiehlt er mir, „sind unglaublich leicht, was?"

„Stimmt."

„In denen werde ich zum Gipfel schweben."

„Wie auch immer, ich schwebe jetzt in mein Zimmer", sagt Leon. „Gute Nacht, ihr beiden."

„Gute Nacht, Leon", antworten wir wie aus einem Mund.

„Dass ich dem Jungen nichts recht machen kann. Diese Wanderung war doch seine Idee?"

„Lass mal. Ihr habt ja morgen Gelegenheit, euch lang und breit auszusprechen. Aber mit den Schuhen hat er recht. Du wirst dir Blasen laufen. Da können die Schuhe anfangs noch so bequem sein."

„Und was schlägst du vor?"

Ich drehe den Schuh um und betrachte die Sohlen. „Dreiundvierzig. Richard hatte dieselbe Größe. Seine Wanderschuhe stehen im Keller. Also ... sollte es dir nichts ausmachen, ich könnte sie dir ..."

„Du meinst, ich soll die Schuhe deines verstorbenen Mannes tragen?"

„Er hatte sie nicht an, als er starb", sage ich trocken und wundere mich über die Selbstverständlichkeit, mit der ich den Vorschlag machte. Vor noch nicht allzu langer Zeit hätte ich das nicht für möglich gehalten. „Und sie sind deinen ganz ähnlich."

„Wenn du meinst, dass das nötig ist", antwortet er und betrachtet wehmütig die Schuhe in meiner Hand, die ich nun an der Garderobe abstelle.

„Ich hole sie herauf, dann kannst du sie ja mal anprobieren. Mach es dir inzwischen bequem. Du hast doch sicher auch eine Jogginghose oder einen Hausanzug dabei."

„Habe ich", sagt er und deutet auf seine Reisetasche. „Und ein paar andere Kleinigkeiten, die „Mann" so braucht. Ich geh mal nach oben und zieh mich um."

Richards Schuhe passen wie angegossen und Ulrich entschließt sich letztendlich, sie während der Wanderung zu tragen.

Der weitere Abend verläuft harmonisch.

Für eine bayerische Brotzeit habe ich Brezeln und kräftiges Roggenbrot besorgt. Dazu gibt es Leberkäse, Rauchfleisch und Schinkenspeck.

Natürlich bitte ich auch Leon zum Essen.

Er legt eine Vesperscheibe Leberkäse und zwei Brezeln auf ein Brotzeitbrettchen und wünscht uns einen schönen Abend.

Nach dem Essen schalte ich den Fernseher an. Doch bis auf drei, vier Wiederholungen, Filme die wir beide bereits kennen, gibt es nur noch einige Actionserien, Koch-, Rate-, Casting- und Musikshows. Geschichten aus dem „wahren" Leben, sogenannte Dokusoaps, dürfen natürlich nicht fehlen. Mitunter frage ich mich, ob die Programmgestalter und Direktoren ihr miserables Programm selbst ansehen. Wir entschließen uns für eine Dokumentation über Ersatzwehrdienst, den es ja nun nicht mehr gibt, knabbern Salzstangen und diskutieren nebenbei über das Für und Wider eines sozialen Jahres von Schulabgängern. Am Ende sprechen wir über Leon. Ulrich gibt sich etwas einsilbig. Mir ist klar, dass er mich nicht verletzen will, da er meine Einstellung zu dem Jungen kennt und von meiner Zuneigung zu ihm weiß. Ich erzähle ihm von meinem Gespräch mit Michael. Inzwischen ist mir bewusst, dass es so nicht weitergehen kann.

„Sollten wir uns morgen nicht auf eine kameradschaftliche Basis einigen, wirst du dich entscheiden müssen", sagt er mir in aller Deutlichkeit. „Entweder ein neues Leben an meiner Seite oder eines, das dich in die Rolle der Stiefmutter zwingt von einem jungen Mann, mit dem du im Grunde nichts zu schaffen hast. Würde dein Mann noch leben, wäre das etwas anderes, aber so ..."

„So sehe ich das nicht, obwohl du in gewisser Weise schon recht hast. Was Richard sich da erlaubt hat ..." Ich sinniere einige Sekunden vor mich hin, dann spreche ich leise weiter: „Ich meine nicht den Seitensprung, den ich ihm sicher verziehen hätte. Mittlerweile wurde ich mir

nämlich einer gewissen Mitschuld bewusst und ich bin davon überzeugt, während einiger Zeit des Schmollens und Überlegens, wäre ich
auch damals zu dieser Ansicht gelangt. Nein, was mich immer noch
wütend macht und was ich ihm bis heute nicht verzeihen kann ist das
Verheimlichen des Resultats aus diesem Seitensprung. All die Jahre
nahm er aus der Ferne am Leben seines Sohnes teil. Verstehst du? Der
Junge war nie, wie man so schön sagt, aus den Augen, aus dem Sinn.
Wäre es so gewesen, hätte ich vermutlich noch irgendwie verstehen
können, dass er nie über ihn sprach. Aber da er quasi tagtäglich mit
diesem Jungen lebte, aus der Ferne zwar, aber immerhin, kann ich sein
Verhalten mir gegenüber nicht verstehen. Er hat mich bewusst aus
einem Teil seines Lebens herausgehalten, hat sozusagen ein Doppelle-
ben geführt. Ich empfinde das wie eine Lüge und verstehe bis heute
nicht, wie der Mann, dem ich so sehr vertraute, mich derart belügen
konnte. Ich will nicht mehr belogen werden. Nie mehr, verstehst du
das?"

Ulrich nickt.

„Also sprich mit mir auch über die unangenehmen Dinge deines
Lebens. Außerdem möchte ich, dass du mich einbeziehst in alle Entscheidungen, die mit uns beiden zu tun haben. Und bitte, sag mir
zukünftig Bescheid, bevor du eine Reise antrittst. Derartige Missver-
ständnisse sind nicht unbedingt dazu angetan mein Vertrauen zu
gewinnen."

Er lächelt verstehend. „Ich werde dich nie belügen. Das verspreche
ich dir", sagt er, während er meine Hände in seine nimmt und mir
verschwörerisch zublinzelt. „Und solltest du dich endlich entschließen,
künftig jeden Morgen an meiner Seite zu erwachen, weißt du ohnehin
über all meine Unternehmungen Bescheid."

*

Trotz der frühen Morgenstunde, der Himmel ist noch graublau, tau-
chen die ersten Sonnenstrahlen den Horizont bereits in tiefes violett
und pink, durchzogen von orangefarbenen und gelb schimmernden
Wolkenfäden. Leichter Bodennebel schwebt über Garten und See. Der
Duft des feuchten Grases liegt in der Luft und leichter Algengeruch
zieht vom See herüber. Es verspricht ein schöner Tag zu werden.

Während Ulrich und Leon ein ausgewogenes, kräftiges Frühstück genießen, verhält sich Leon auffällig einsilbig.

Ob er lieber einen Rückzieher machen würde?

Doch da sagt er schon: „Meinetwegen können wir jetzt los."

„Ja, wir können, ich bin auch so weit", antwortet Ulrich und erhebt sich.

Leon schlüpft in seine graue Fleecejacke und hängt den Rucksack über seine Schulter. „Also dann, bis heute Abend, Greta", verabschiedet er sich.

Ulrich schlüpft in seinen Janker und anschließend in Richards Schuhe. Zum Abschied zieht er mich in seine Arme und drückt mir einen herzhaften Kuss auf die Lippen.

„Habt ihrs dann?", fragt Leon ungeduldig.

„Viel Spaß", verabschiede ich mich und atme erleichtert auf, nachdem ich die Tür hinter den beiden geschlossen habe.

Mit meiner üblichen Tasse Kaffee begebe ich mich ins Büro und mache mich an die Arbeit. Gegen dreizehn Uhr höre ich ein eigenartiges Grummeln im Magen, das mit einem leichten Hungergefühl einhergeht. Ins Zentrum der Aufmerksamkeit gerückt, wird es jedoch zunehmend stärker.

Nur noch diesen einen Satz, denke ich, *dann mache ich Schluss für heute.* Ich tippe ihn ein und fahre den PC herunter.

Nicht nur mein Nacken ist verspannt, mein ganzer Körper fühlt sich steif an.

Nachdem ich auf der Terrasse eine Kleinigkeit zu mir genommen habe, lehne ich mich zufrieden zurück, halte mein Gesicht der Sonne entgegen und genieße die angenehme Wärme auf der Haut. Plötzlich verspüre ich Lust, mich zu bewegen. Ich rudere ein Stück auf den See hinaus, die Bewegung tut mir gut und auch die unverbrauchte Luft, die ich tief in meine Lungen ziehe, bringen meine Lebensgeister in Schwung, dann lasse ich das Boot treiben.

Wie es wohl mit den beiden läuft? Wahrscheinlich ist der Weg zum Gipfel mit endlosen Diskussionen gepflastert. Na, Ulrich ist ein kluger Mann, er wird Leon zur Vernunft bringen. Ich werfe einen Blick auf die Uhr. Vier Uhr dreißig. *Wann sagten sie noch, wollten sie zurück sein? Gegen sechs?*

Da ich annehme, dass die beiden bei ihrer Rückkehr mächtig hungrig sein werden, entschließe ich mich umzukehren, um etwas Herzhaftes zu kochen.

Bevor ich mich jedoch ins Haus begebe, setze ich mich in den Pavillon, schließe die Augen und atme erst mal durch. Das Rudern war doch anstrengender, als ich dachte.

Ob die beiden schon den Gipfel erklommen haben?

Mein Handy läutet. Ulrichs Name steht auf dem Display.

„Ulrich, gerade eben dachte ich an euch. Steht ihr auf dem Gipfel? Wie ist die Aussicht?"

„Greta ..."

„Mach mal ein Foto und schick es mir."

„Greta, es ist etwas passiert", informiert er mich. „Leon hatte einen Unfall. Wir sind jetzt im Klinikum Großhadern. Kannst du kommen?"

„Oh Gott! Ist es schlimm?"

„Er wird es überleben. Also reg dich nicht auf. Sie verarzten ihn gerade."

„Ich komme", sage ich und drücke ihn weg.

Der Junge hat aber auch ein Pech. Wie hat er das bloß wieder hingekriegt? Jetzt habe ich doch glatt vergessen zu fragen, was denn nun genau passiert ist. Na ja, so schlimm wird es nicht sein, sonst hätte mir Ulrich das gesagt.

Eine gute Stunde später betrete ich das Krankenhaus und begebe mich auf die Unfallstation.

Schon von weitem sehe ich Ulrich. Mit gebeugtem Rücken geht er den Gang entlang, in die entgegengesetzte Richtung aus der ich komme. Nach einer Kehrtwendung kommt er langsam auf mich zu. Sein Blick ist auf den Boden gerichtet. Daran, wie er seine Hände knetet, erkenne ich die Nervosität und Anspannung, in der er sich befindet. Augenblicklich beschleicht mich dieses unangenehme Gefühl vom Magen aufwärts, das einen stets durch die Erkenntnis heimsucht, dass sich etwas schlimmer entwickelte, als man ursprünglich befürchtet hatte. Ich fühle Angst in mir aufsteigen und entsetzliche Hilflosigkeit.

„Ulrich!"

„Greta! Endlich!", ruft er, als er mich entdeckt, und stürmt mir entgegen.

„Was ist geschehen?" Ich sehe ihn fragend an, und als er nicht sofort antwortet, wird meine Befürchtung zur Gewissheit.

„Du hast mir etwas verschwiegen?"

Er nimmt meine Hände in seine und zieht mich dann an seinen Körper.

„Du hattest fast eine Stunde Fahrt vor dir. Hätte ich dir sagen sollen, dass Leon dem Tod näher ist als dem Leben? Sie operieren ihn gerade. Dass er noch lebt, haben wir der Bergrettung zu verdanken."

„Aber wie ..."

„Das ist jetzt nicht wichtig. Er ist ausgerutscht, hat das Gleichgewicht verloren und ist über zehn Meter in die Tiefe gestürzt. Gott sei Dank funktionierte das Handy. Nachdem ich die 112 gewählt hatte, stieg ich zu ihm runter. Da war überall Blut und ich konnte nichts tun. Ich sprach mit ihm. Aber er reagierte nicht. Mein Gott! Ich fühlte mich so hilflos, wie nie zuvor in meinem Leben. Bewegen wollte ich ihn auch nicht, da ich seine Verletzung nicht einschätzen konnte. Möglicherweise hätte ich dadurch nur alles verschlimmert. Aber er atmete und ich konnte seinen Puls fühlen, wenn auch nur schwach. Nach etwa einer viertel Stunde war die Bergrettung mit samt Hubschrauber vor Ort. Die Männer am Boden führten die Erstversorgung durch, dann wurde eine Trage aus dem Hubschrauber heruntergelassen, in die sie ihn vorsichtig hineinlegten. Leon war ja nicht ansprechbar. Er konnte nicht sagen, was ihm weh tut. Jedenfalls zogen sie ihn nach oben und flogen ihn hier her. Als ich hier ankam, schoben sie ihn gerade in den OP."

„Mein Gott! Der arme Junge. Letztes Jahr der Verkehrsunfall und nun das. Was sagen die Ärzte?"

„Mehrere Knochenbrüche und einige Rippen sind auch in Mitleidenschaft gezogen. Außerdem vermuten sie innere Verletzungen. Das Problematischste sind aber die Verletzungen am Kopf und an der Wirbelsäule. Es könnte sein …, aber darüber wollen wir jetzt nicht nachdenken."

„Was heißt, darüber wollen wir jetzt nicht nachdenken?", frage ich und bemerke, dass meine Stimme einen hysterisch hohen Klang annimmt.

„Beruhige dich und lass uns die OP abwarten", sagt er und deutet auf die Stühle. „Setz dich hier her. Das kann noch eine Weile dauern."

Er setzt sich ebenfalls, legt seinen Arm um meine Schulter und zieht mich an sich.

Wir sprechen nicht mehr. Jeder hängt seinen eigenen Gedanken nach.

Ich erinnere mich daran, wie ich den Jungen kennengelernt habe und ich denke über die Intrigen nach, die er eingefädelt hat, um Ulrich und mich auseinanderzubringen. Der Unfall heute erscheint mir irgendwie suspekt. So, als wäre er die Krönung des Ganzen. Ich weiß noch nicht, was es ist, aber etwas an Ulrichs Geschichte stimmt nicht, davon bin ich überzeugt. *Ob der Junge ihn provoziert hat? Die Hand könnte ihm ausgerutscht sein. Ein kräftiger Hieb, der Junge strauchelt, verliert das Gleichgewicht und stürzt ab. Wie auch immer, ich werde wohl abwarten müssen, bis Leon alles aufklären kann.*

Die Minuten schleichen wie Stunden dahin. Irgendwann zieht Ulrich seinen Arm von mir.

„Entschuldige", sagt er leise. „ich muss mich mal bewegen."

Er erhebt sich, geht einige Schritte auf und ab, dann gibt er mir ein knappes Zeichen, das ich nicht zu deuten weiß, und verschwindet aus meinem Sichtfeld. Ich stehe ebenfalls auf, gehe langsam den Gang entlang, bis ich zu einem Fenster komme.

Die Sonne steht tief am Horizont und lässt ihn in den schönsten Rottönen erstrahlen, als hätte jemand ein Feuer am Himmel angezündet.

Was für ein wundervoller Abend. Warum musste das geschehen? Gott, steh dem Jungen bei. Lass ihn wieder gesund werden. Mich fröstelt. Ich schlüpfe in die leichte Strickjacke, die ich mir zu Hause nur lose um die Schultern gehängt habe.

„Hier, trink den", sagt Ulrich, der plötzlich neben mir steht und mir eine Tasse entgegenstreckt. „Der wird dir guttun. Ich habe ihn aus dem Schwesternzimmer. Die Nachtschwester war so nett ..."

„Danke."

Er legt seinen Arm um mich und lenkt mich wieder zu den Stühlen.

Kurz vor Mitternacht öffnet sich die Tür zum OP-Bereich. Eine Schwester kommt auf uns zu.

„Doktor Ehrenpreis wird gleich bei Ihnen sein. Bitte haben Sie noch ein wenig Geduld", sagt sie, als Ulrich und ich uns gleichzeitig erheben.

„Danke, Schwester", sagt Ulrich.

Die Tür öffnet sich erneut. „Sind Sie die Eltern?", fragt der Arzt.

Ich nicke ansatzweise. Schließlich weiß mittlerweile wohl jeder, dass nur Angehörige etwas über den Zustand von Patienten erfahren.

„Wir konnten den Patienten soweit stabilisieren. Mehrere Frakturen, eine Rippe hat die Lunge verletzt. Das konnten wir alles richten", erklärt er freundlich.

Ich will schon fragen, ob wir jetzt zu ihm können, da bemerke ich seinen tiefgründigen Blick und erkenne beunruhigt, dass er seinen Ausführungen noch etwas hinzufügen möchte.

„Äußerst problematisch ist allerdings das schwere Schädelhirntrauma, wobei Kontusionsblutungen aufgetreten sind. Die Blutung konnten wir stoppen."

„Gut", flüstere ich. „Das ist doch gut?"

„Wir sind guter Dinge und hoffen, dass es zu keinen Komplikationen kommt. Und dann wäre da noch die Fraktur der Wirbelsäule. Durch das Ausmaß der Verlegung des Wirbelkanals war eine Lähmung zu befürchten. Dank der Fortschritte der Wirbelsäulenchirurgie und weil wir innerhalb kürzester Zeit das Rückenmark vom Druck befreien konnten, ist eine Erholung der Nervenfunktionen möglich."

„Das heißt?"

„Wir haben getan, was wir konnten. Nun können wir nur noch abwarten und ..."

„Er könnte also auch gelähmt sein?", unterbricht ihn Ulrich.

„Wie gesagt, wir müssen abwarten", sagt er erschöpft. „In den nächsten Tagen wissen wir mehr. Jetzt ist erst mal wichtig, dass er diese Nacht übersteht", erklärt er und fügt hinzu: „Sie entschuldigen mich?"

Ich nicke. „Danke Doktor", flüstere ich und lege meine Hand an die Stirn. „Oh Gott!"

Ich fühle mich erschöpft und wieder einmal entsetzlich hilflos. Nichts tun zu können, ist das Schlimmste. Das wollte ich nie wieder erleben. Aber wer will das schon?

„Können wir zu ihm?", ruft Ulrich dem Arzt nach.

Der Arzt bleibt stehen und dreht sich noch einmal um. „Ja, natürlich, allerdings ist der Patient nicht ansprechbar. Er wird beatmet und auch wegen der Verletzung an der Wirbelsäule benötigte der Patient eine Ruhigstellung. Wir mussten ihn in künstliches Koma versetzen."

„Koma?", frage ich entsetzt. Natürlich höre ich nicht zum ersten Mal von dieser Behandlungsmöglichkeit. Dennoch spüre ich Panik in mir hochkriechen. Fabian lag ebenfalls im Koma, bevor er starb.

„Das künstliche Koma ist kein Koma im eigentlichen Sinne, sondern eine Langzeitnarkose. Wir Ärzte sprechen von Sedierung", erklärt er beruhigend und kommt wieder zu uns zurück. „Bei derart schweren Unfällen reagiert der Körper oft panisch. Es schrillen sozusagen alle Alarmglocken auf einmal. Körpereigene Rettungssysteme sind völlig überfordert. Dadurch kann ein lebensbedrohlicher Zustand eintreten. Durch die Bewusstseinsminderung wird der Organismus entlastet, so dass der Körper weitaus besser mit der Stresssituation fertig werden kann. Der Patient wird beatmet, alle wichtigen Körperfunktionen wie Herzfrequenz, Blutdruck und so weiter, werden rund um die Uhr überwacht. Wir übernehmen mit Hilfe der Apparate die Kontrolle über alle Grundfunktionen im Organismus. Seien Sie unbesorgt, das künstliche Koma kann jederzeit beendet werden. Aber nun entschuldigen Sie mich bitte. Diese Operation war sehr anstrengend. Ich brauche dringend eine Mütze Schlaf."

Über alle Maße besorgt stehe ich an Leons Bett, blicke auf ihn hinunter und flüstere: „Was, lieber Gott, habe ich getan, dass du mir dieses Bild immer wieder vor Augen hältst."

Krampfhaft versuche ich die Tränen zurückzuhalten. Es gelingt mir nicht. Unaufhaltsam laufen sie über meine Wangen.

Ulrich legt seinen Arm um meine Schultern und zieht mich beruhigend an sich. „Es wird alles gut", tröstete er mich. „Und sollte entgegen der Hoffnung, die die Ärzte hegen, das Schreckliche eintreten, werden wir für ihn da sein."

Seine Worte verblüffen mich. Ich werfe ihm einen fragenden Blick zu, da ich diese Reaktion nicht zu hoffen gewagt habe.

„Ja, hast du etwa angenommen, mich ließe das kalt? Auch wenn der Junge mich nicht ausstehen kann, ich mag diesen Hitzkopf. Das habe ich dir bereits gesagt. Und ich gebe nicht auf. Eines Tages wird ihm klar sein, dass ich ihm seine Freundin nicht wegnehmen will. Wer weiß, vielleicht wird er mich sogar als Freund akzeptieren."

Obwohl Tränen noch immer meinen Blick verschleiern, betrachte ich dieses Gesicht, das tatsächlich etwas von Franko Nero hat. Womöglich ist der Mann, dem es gehört, auch ein wenig Macho, aber ich liebe ihn.

Vertrauensvoll lege ich meinen Kopf an seine Brust.

„Komm", sagt er nach einer Weile, „lass uns gehen. Im Moment können wir nichts für ihn tun. Das war ein ziemlich harter Tag für uns. Meine Glieder schmerzen und ich bin sehr müde. Du musst deine Kräfte schonen, denn die wirst du in den nächsten Tagen brauchen.

*

„Um Leon aus dem künstlichen Koma zu holen, werden die Medikamente nach und nach reduziert", erklärt Doktor Ehrenpreis. „Der Aufwachprozess wird allerdings nach dieser langen Behandlung etwas dauern."

„Wie lange meinen Sie, wird das sein?", frage ich.

„Zwei, drei Tage."

„Ach, ich dachte, ich könnte heute noch mit ihm sprechen", sage ich enttäuscht.

„Ein wenig Geduld müssen Sie schon noch haben, Frau Weidentaler", antwortet er und lächelt nachsichtig.

Inzwischen ist bekannt, dass Leon der Sohn meines verstorbenen Mannes ist. Nun ist aus mir doch noch eine Stiefmutter geworden, zumindest in der Klinik. Aber da er keine anderen Familienangehörigen hat, auch keine Patientenverfügung besteht und ich belegen konnte, wie mein Verhältnis zu ihm ist, haben Sie mich als solche anerkannt.

„Nur allmählich", klärt er mich auf, „kann der Körper sich in seinen Funktionen wieder der veränderten Situation anpassen."

„Nun, dann werde ich eben warten."

*

Seit jenem Tag sind drei Wochen mit Hoffen und Bangen vergangen, und Leon ist noch immer nicht aufgewacht. Das Beatmungsgerät wurde inzwischen von den Ärzten abgeschaltet. Er atmet selbstständig. Wenigstens das. Ernährt wird er über eine Magensonde. Doktor Ehrenpreis meint, manchmal daure es eben etwas länger, bis ein Patient erwacht.

Jeden Tag aufs Neue, während der vergangenen Wochen, versuchten wir – ich, Ulrich und seine Freunde – ihn ins Leben zurückzuholen. Bisher ist es weder mir durch Zureden, noch seinen Freunden durch Erzählen von Geschichten aus seiner Kindheit und Schulzeit gelungen, ihn zu wecken. Nicht einmal seine Musik hat es geschafft.

Immer wieder frage ich Doktor Ehrenpreis nach seinem Zustand. Obwohl er standhaft bemüht ist es zu verbergen, stelle ich bisweilen fest, dass ich ihm mehr oder minder lästig bin.

Seine Antwort ist stets dieselbe: „Der Patient ist stabil. Beim MRT konnten wir keine bleibenden Schäden feststellen. Wir haben alles nur Erdenkliche getan, um den Patienten aus dem künstlichen Koma zu hohlen. Es tut mir leid, ich kann mir nicht erklären, woran es liegt, dass er nicht aufwacht. Haben Sie Geduld. Sprechen Sie mit ihm. Das ist momentan das Einzige, das Sie tun können. Bei manchen Patienten dauert es eben einfach länger."

„Ich habe gelesen, dass, je länger ein Koma dauert, es umso unwahrscheinlicher ist, dass der Patient wieder aufwacht."

„Geben Sie die Hoffnung nicht auf, Frau Weidentaler", erklärt er geduldig. Sich bereits abwendend, verharrt er unvermittelt, wendet sich noch einmal nach mir um, wirft mir einen nachdenklichen Blick zu und sagt: „Manchmal denke ich, er will nicht aufwachen. Gibt es etwas, das Leon bedrückt?"

„Ich wüsste nichts. Er hat so ziemlich alles, was ein Mensch sich wünschen kann. Zudem ist er verliebt. Sie haben seine Freundin bereits kennengelernt."

Er lächelt – was selten vorkommt. „Ja, und eine Schwester hat vor Tagen zufällig bemerkt, dass sein Herz schneller zu schlagen begann, als sie das Zimmer betrat. Daraufhin haben wir das beobachtet."

„Ach?"

„Ja. Und wir fanden heraus, dass es stimmt."

„Tatsächlich? Aber dann ..."

„Komapatienten bekommen einiges von dem mit, was in ihrer Umgebung geschieht. Das wissen wir mittlerweile. Manchmal gelingt es, sie aus dieser Standby-Phase herauszuholen. Das kann ein Lieblingslied, eine Geschichte oder nur die Stimme eines geliebten Menschen sein. Wir wissen nicht, was Patienten, bei denen keine physischen Schäden vorliegen, in diesem Zustand hält. Wüssten wir es, könnten wir den", er macht mit dem Zeigefinger Gänsefüßchen in die Luft, „Wachaufknopf drücken und schon wäre der Patient wieder bei uns."

„Mein Gott, das ist so schrecklich. Montaigne, der das Leiden von Menschen im Koma subjektbezogen nachempfunden hat, sagte einmal: Ich kann mir keinen Zustand denken, der mir unerträglicher und schauerlicher wäre, als bei lebendiger und schmerzerfüllter Seele der Fähigkeit beraubt zu sein, ihr Ausdruck zu verleihen."

Doktor Ehrenpreis nickt. „Ich kenne das Zitat."

„Und darum", spreche ich weiter, „weigere ich mich die Erkenntnis in mir wachsen zu lassen, dass sich sein und auch mein Leben von Grund auf verändert hat und nichts mehr so sein wird, wie es vor dem Unfall war."

„Das ist gut. Geben Sie nicht auf."

*

Am Abend erzähle ich Ulrich, während eines gemeinsamen Fernsehabends, von diesem Gespräch.

„Er meint, der Junge will nicht aufwachen?", fragt Ulrich nachdenklich. „Will nicht? Er meint, Leon könnte, er müsste es nur wollen?"

„Ja, stell dir vor, er sagte, mitunter frage er sich, ob Leon sich weigert aufzuwachen. Er fragte mich, ob ich mir vorstellen könne, dass ihn etwas bedrückt. Aber ich wüsste nicht, was das sein könnte."

Einige Sekunden bleibt es still zwischen uns. Ulrich ergreift sein Glas, trinkt einen Schluck und noch einen. Er stellt das Glas nicht ab, sondern dreht es zwischen den Fingern.

„Ich denke, ich weiß es", sagt er, nachdem er einen weiteren Schluck zu sich genommen hat.

„Wie bitte?", frage ich verblüfft. „Hat er dir gegenüber etwas erwähnt, das den Verdacht des Arztes stärkt?"

Ulrich starrt gedankenverloren vor sich hin und antwortet nicht.

„Nun sag schon."

„Das kann Leon dir erzählen, sobald er wach ist."

„Hat er wieder etwas angestellt?"

„Greta, bitte. Er wird es dir sagen, wenn er es für richtig hält. Respektiere das bitte. Ich fahre gleich morgen früh in die Klinik. Vielleicht gelingt es mir ihn aufzurütteln. Du kannst natürlich gerne mitkommen."

„Nein, danke, ich fahre selbst. Du fährst doch anschließend sicher gleich in den Verlag. Ich bleibe dann noch bei Leon und danach werde ich ein wenig durch die Stadt bummeln. Es ist höchste Zeit, mal etwas anderes zu sehen, als diese weißen Wände der Klinik. Außerdem treffe ich mich zur Mittagszeit mit Michael."

„Okay, du bleibst doch noch in München?", fragt er.

Gleich am Tag nach dem Unfall holte ich das Nötigste für einen Aufenthalt in Ulrichs Haus. So bin ich schneller in der Klinik.

„Ich könnte uns einige Leckereien vom Feinkosthändler mitbringen, wenn es dir recht ist?"

„Na klar, das ist ein Angebot, das ich nicht ablehnen kann. Spätestens übermorgen muss ich aber mal wieder nach Herrsching. Kommst du mit? Wir könnten auf den See rausrudern. Das täte uns sicher beiden gut."

„Ja, das ist eine gute Idee."

*

Leon liegt genauso unbeweglich in seinem Bett wie seit Wochen.

Ulrich wirft mir einen bittenden Blick zu.

Ich streiche über Leons Hand. So begrüße ich ihn seit Wochen. Nachdem ich Ulrich einen letzten bittenden Blick zugeworfen habe, verlasse ich das Zimmer. *Was hat Ulrich dem Jungen zu sagen? Offenbar etwas, das ich nicht oder zumindest noch nicht wissen soll. Was geschah dort oben auf dem Berg? Etwas, das Leon in schlechtes Licht bei mir rücken würde? Und wenn, wie sollten ihn ein paar Worte aus diesem verdammten Zustand befreien?*

Wenig später öffnet sich die Tür und Ulrich winkt mich hinein.

„Jetzt können wir nur noch warten. Ich hoffe, meine Worte sind zu ihm durchgedrungen."

Wie jeden Tag schalte ich den CD-Player an, setze mich an sein Bett und lese aus dem Buch vor, das ich mit einem Lesezeichen versehen zu Hause auf seinem Nachttisch fand. Es ist immer dieselbe Stelle bei der ich beginne. Jeden Tag. Sollte er tatsächlich etwas davon mitbekommen, wird ihn diese ständige Wiederholung vielleicht so wütend machen, dass er davon aufwacht.

„Das Haus am Stadtrand ...", lese ich, lasse das Buch auf meinen Schoß sinken und werfe einen Blick auf Leon. *War da ein Flüstern.* Ich starre ihn mit weit aufgerissenen Augen erwartungsvoll an. „Leon!?"

Seine Augen sind geschlossen. Nichts deutet darauf hin, dass er erwacht.

Ein Fall von Wunschdenken.

Ich senke meinen Blick wieder auf die Zeilen im Buch und lese weiter.

„Nicht ..."

Nicht? Hat er eben – nicht – gesagt? Meine Nerven. Total überspannt. Ich drehe langsam durch. Aber atmet er nicht etwas lauter als sonst? Nein. Oder doch? Unsinn! Das bilde ich mir nur ein, denke ich und streiche mit den Fingerspitzen über meine Stirn, während ich meinen Blick erneut auf die Zeilen des Romans richte.

Andererseits habe ich es doch gehört. Sehr leise, wie ein Hauch, aber ich habe es gehört. Ich klappe das Buch zu, lege es auf den Nachttisch und beuge mich über Leon um sein Gesicht nach irgendeiner Reaktion abzusuchen. „Leon?"

Nun bemerke ich tatsächlich das Flattern seiner Augenlider und die leicht geöffneten Lippen.

Er hustet. „... schon gelesen", presst er etwas lauter über die Lippen und hustet erneut.

„Leon! Mein Gott, Leon!"

Ich ergreife den Notrufknopf und drücke ihn immer wieder, als könne ich dadurch erreichen, dass die Schwester ins Zimmer fliegt.

„Durst", haucht er und räuspert sich.

Die Tür öffnet sich und Schwester Lena tritt ein.

„Was kann ich für Sie tun?"

„Holen Sie Doktor Ehrenpreis. Sagen Sie ihm, Leon ist aufgewacht."

„Leon ist aufgewacht?", fragt sie aufgeregt zurück und ruft bereits nach dem Arzt, während sie noch im Zimmer steht.

Mein Herz jubelt. Gleichzeitig verschleiern Tränen meinen Blick. Ich versuche sie hinunterzuschlucken, doch es gelingt mir nicht, unaufhaltsam rinnen sie über meine Wangen. Während ich mit dem Handrücken sanft über Leons Wangen streichle, beginnen Gedanken durch meinen Kopf zu geistern, die in eine andere Richtung gehen. *Kann er sich an mich erinnern? Ist mit seinem Gehirn alles in Ordnung und was ist mit der Wirbelsäulenverletzung? Wird er wieder gehen können?*

„Du bist aufgewacht. Endlich, mein Junge."

„Greta – Durst", haucht er noch einmal.

Er weiß, wer ich bin.

„Was höre ich da? Unser Patient ist aufgewacht", fragt Doktor Ehrenpreis hinter meinem Rücken.

„Ja, Doktor. Endlich. Er hat mich erkannt und er hat Durst."

„Schwester bringen Sie dem jungen Mann etwas zu trinken", befiehlt er freundlich, während er an Leons Bett tritt. „Wie fühlen Sie sich", fragt er und ergreift Leons Handgelenk.

„Was ..." Er hustet abermals und entzieht dem Arzt ruckartig seine Hand.

„Ganz ruhig. Ich bin Doktor Ehrenpreis."

„Was ist ...?"

„Du hattest einen Unfall", kläre ich ihn auf.

„Nein, nein …" Er fuchtelt wild mit den Armen. Dann ist er plötzlich ganz ruhig.

„Doktor, was ist mit Ihm?", frage ich angstvoll.

„Es ist gut. Lassen Sie ihm ein wenig Zeit. Er muss sich erst auf die Situation einstellen. Im Moment können wir nur warten. Ich werde inzwischen einige Untersuchungen anordnen. Am besten, Sie gehen hinunter in die Cafeteria und trinken in aller Ruhe einen Kaffee."

„Aber ich kann doch jetzt nicht ..."

„Doch Sie können getrost gehen. Ich kümmere mich um den Patienten."

Leon ergreift meine Hand. „Greta – nicht – gehen."

„Sei ganz ruhig. Jetzt wird alles gut. Doktor Ehrenpreis möchte dich untersuchen. Ich gehe für eine halbe Stunde in die Cafeteria. Dir wird nichts geschehen. Okay?"

Er nickt kaum merklich.

Ich verlasse das Krankenzimmer. „Ulrich. Ich muss Ulrich anrufen", flüstere ich und greife nach meiner schwarzen Handtasche.

„Ulrich komm bitte sofort in die Klinik. Leon ist aufgewacht. Er ..."

Ich komme nicht dazu, ihm weitere Erklärungen zu geben.

„Ich bin gleich bei dir", unterbricht er mich und beendet das Gespräch.

Lächelnd werfe ich das Handy in meine Tasche und begebe mich in die Cafeteria.

Auf Ulrich ist Verlass, das habe ich mittlerweile begriffen. Nichts und niemand wird mich je wieder in meinem Glauben an ihn erschüttern.

Ich bestelle mir einen Kaffee und setze mich in eine ruhige Ecke.

Obwohl ich ungeheuer erleichtert bin, was Leons Erwachen aus dem Koma betrifft, bin ich nun umso besorgter wegen seiner Wirbelsäulenverletzung. Die Prognose des Chefarztes der Wirbelsäulenchirurgie klang zwar zuversichtlich, doch letztendlich entscheiden die nun folgenden Untersuchungen.

Wo bleibt nur Ulrich?

Es sind gerade mal fünf Minuten vergangen, erkenne ich bei einem Blick auf meine Armbanduhr. Während ich den Kaffee trinke, ermahne ich mich zur Geduld. Eine Eigenschaft, die ich nur schwer beherrsche. Dabei weiß ich, dass ich in der akuten Situation und in naher Zukunft gerade diese besonders nötig haben werde.

Weitere fünfzehn Minuten vergehen, bevor ich meinen Namen höre.

„Greta, tut mir leid, der Berufsverkehr. Gehen wir zu ihm?"

„Ja, gehen wir auf die Station. Doktor Ehrenpreis hat einige Untersuchungen veranlasst. Ich denke, Doktor Hildebrand, der Wirbelsäulenexperte, ist ebenfalls anwesend. Kann also sein, dass er gerade nicht auf seinem Zimmer ist."

„Wir werden sehen und wenn nötig, warten."

Ich bleibe stehen und lege meine Hand auf seine Brust. „Danke, dass du gekommen bist. Es tut so gut, dich an meiner Seite zu wissen."

„Aber Liebling, das ist doch selbstverständlich. Wir stehen das gemeinsam durch", antwortet er und legt seinen Arm um meine Schultern.

Nach wenigen Schritten fällt mir plötzlich ein, dass Ulrich vor noch nicht einmal zwei Stunden etwas zu Leon gesagt hat, das dessen Erwachen möglicherweise beschleunigt hat.

„Interessieren würde mich schon, was du ihm gesagt hast?"

„Nein, das kann nur Leon. Und er wird es dir erzählen, sobald er wieder richtig bei uns ist. Davon bin ich überzeugt."

„Na gut, dann warte ich eben. Ist auch erst mal nicht so wichtig. Trotzdem finde ich es nicht in Ordnung, dass ihr beide ein Geheimnis vor mir habt."

„Das ist mir bewusst", sagt er trocken.

Ich öffne die Tür zu Leons Zimmer. Wir sind beide überrascht, mehrere Ärzte und Schwestern um sein Bett stehen zu sehen.

„Oh! Dürfen wir …"

Doktor Hildebrand nickt uns zu, bevor ich die Frage beenden kann.

„Was ist mit Leon", frage ich und eile an sein Bett.

„Frau Weidentaler, wir konnten nichts Auffälliges auf dem MRT erkennen, das wir vom Schädel gemacht haben. Auch die Wirbelsäule zeigt keine Verschiebungen, Quetschungen oder sonstige Verletzungen, lediglich eine kleine Schwellung, aber die wird auch noch zurückgehen."

„Aber ich fühle … meine … Beine nicht", meldet sich Leon zu Wort. „Greta! Meine Beine. Die haben … meine Füße und … meine Beine berührt und ich … konnte nichts fühlen."

„Beruhigen Sie sich, Herr Landmann", antwortet der Arzt an meiner Stelle und wendet sich wieder an uns. „Die Ursache für diese Gefühlsstörungen liegt vermutlich an der noch nicht ganz zurückgegangenen Schwellung. Unser Patient muss Geduld haben."

„Geduld haben?", fragt Leon verzweifelt mit Tränen in den Augen. „Was genau … ist mit mir? Ich kann meine Beine nicht bewegen … Bin ich nun gelähmt … oder nicht?"

„Soll ich wirklich alles noch einmal wiederholen?", fragt der Arzt. „Ich denke, wir beschränken uns auf die zukünftigen Reha-Maßnahmen."

Er erklärt Leon, welche Heilbehandlungen für die nächsten Tage vorgesehen sind. „Diese Maßnahmen werden für eine Verbesserung Ihrer motorischen Fähigkeiten sorgen, die durch den Unfall und die letzten Wochen des Nichtstuns verloren gegangen sind. Zunächst müssen ihre Muskeln wieder aufgebaut werden und dann werden Sie auch wieder gehen lernen."

Leon hört aufmerksam zu. Ab und zu nickt er.

Auch Ulrich und ich hören zu. Doch jeder für sich macht sich seine eigenen Gedanken.

„Nun gut, wir lassen Sie jetzt mit Ihrer Familie allein. Aber gleich morgen", sagt er abschließend, „beginnen wir mit der Heilbehandlung."

Er geht an uns vorbei. Die Schwestern und die anderen Ärzte folgen ihm, bis auf Doktor Ehrenpreis.

„Alles wird wieder gut. Es liegt kein medizinischer Grund vor, daran zu zweifeln", erklärte er.

Ich nicke. „Danke, Doktor."

Nachdem er die Tür hinter sich geschlossen hat, ergreife ich Leons Hand. „Du wirst wieder gesund."

„Ja", sagt er einsilbig.

„Jetzt mach nicht so ein Gesicht", sagt Ulrich.

„Was … tust du überhaupt hier?", fragt Leon mürrisch.

„Greta hat mich angerufen. Ich bin sehr erleichtert, dass du wieder wach bist."

„Ha! Ja … das kann ich mir vorstellen. Dein … schlechtes Gewissen hat dir wohl keine Ruhe gelassen?"

„Weshalb sollte ich ein schlechtes Gewissen haben?"

„Tu doch nicht so. Als ob du das nicht wüsstest. Du bist doch für meinen Sturz verantwortlich", blafft er Ulrich vorwurfsvoll an und hustet.

Ich blicke von Leon zu Ulrich.

„Was hat das zu bedeuten?"

„Das soll dir Leon erzählen", antwortet er, während er seine Hände kurz auf meine Oberarme legt, mir einen Kuss auf die Wange gibt und geht.

Ein mulmiges Gefühl breitet sich in mir aus.

„Würdest du mir das bitte erklären?", frage ich, ziehe einen Stuhl an sein Bett und setze mich.

„Ich weiß nicht mehr wie es geschehen ist. Ich weiß nur noch, wäre Ulrich nicht so plötzlich weggetreten, wäre ich nicht gestürzt. Er hätte mich halten können."

„Leon, überlege dir genau, was du Ulrich vorwirfst. Er hat dir das Leben gerettet."

„Nachdem er es mir zuvor nehmen wollte?", schleudert er mir wütend entgegen. „Ich bin müde und möchte schlafen."

„In Ordnung, dann gehe ich. Aber bevor ich gehe, möchte ich dir noch eines sagen. Denke gut darüber nach, wessen du Ulrich beschuldigst. Wir haben deine kleinen Intrigen und Lügen nämlich satt. Also geh in dich und berichte mir morgen die Wahrheit."

„Er hat dir also bereits alles aus seiner Sicht geschildert. … Wusste ich es doch. Er will mich nicht in eurem Leben … haben. Ich bin ein Störfaktor."

„Ulrich hat mir gar nichts erzählt. Er sagte nur immer wieder, du würdest mir erzählen, wie es passierte. Er stand heute Morgen hier an deinem Bett und sprach mit dir. Er muss etwas zu dir gesagt haben, das dich zurückgeholt hat. Kannst du dich nicht daran erinnern? Hattet ihr Streit, dort oben auf dem Berg?"

„Lass mich endlich in Ruhe", schleudert er mir wütend entgegen.

Ohne zu zögern erhebe ich mich und blicke nachdenklich auf Leon hinunter. *Muss ich mir das wirklich antun? Mein Gott, ich danke dir, dass der Junge am Leben und wieder wach ist, aber so kann das nicht weitergehen. Werde ich mich letztendlich doch zwischen Ulrich und dem Jungen entscheiden müssen? Warum hat Ulrich mir nicht erzählt, was geschehen ist? Er hätte sich in gutes Licht setzen können. Das hat er aber nicht getan. Er wollte dem Jungen die Chance geben, die Wahrheit zu sagen. Und nun das. Ich denke, es ist an der Zeit, ihn aus der Reserve zu locken.*

„Ich komme morgen wieder. Solltest du dann immer noch auf deiner Ansicht der Dinge beharren, werde ich darüber nachdenken, ob du in meinem zukünftigen Leben noch eine Rolle spielen wirst und welche das sein wird", sage ich, wende mich ab und verlasse das Krankenzimmer. *Ulrichs Geheimniskrämerei muss ein Ende gesetzt werden,* überlege ich auf dem Weg über die Krankenhausflure.

Gleisendes Sonnenlicht empfängt mich beim Verlassen der Klinik. Ich schließe einen Moment die Augen, atme einmal tief durch und genieße die Wärme auf meinem Gesicht. Plötzlich fällt mir meine Verabredung mit Michael ein. *Das geht jetzt gar nicht,* denke ich, ziehe mein Handy aus der Tasche, wähle seine Nummer und sage ihm ab.

Während ich mich hinters Steuer meines Wagens setze, überlege ich, wie ich Ulrich am besten dazu bewege mir endlich zu erzählen, was genau geschehen ist. *Er wird mir nichts erzählen. Nein, ganz sicher nicht. Ulrich haut niemanden in die Pfanne.* Augenblicklich ist mir klar, dass ich mich bis morgen gedulden muss. Bleibt nur zu hoffen, dass der Junge vernünftig wird. *Mein Gott, das Leben könnte so schön sein, würde Leon mir mein Glück mit Ulrich gönnen. Warum will er nicht verstehen, dass meine Gefühle für diesen Mann die Gefühle für ihn nicht ausschließen?*

Ich mochte den Jungen schon damals, als er wie ein begossener Pudel in Richards viel zu großem Morgenmantel vor mir stand. Als ich dann erfuhr, wen ich da aus dem Ammersee gefischt hatte, war das zunächst ein, wie ich finde, durchaus verständlicher Schock und ebenso meine Reaktion darauf.

Hartnäckig, aber kontinuierlich schlich er sich dann nach und nach in mein Herz. Auch die nicht zu übersehenden äußeren Ähnlichkeiten mit Richard und Fabian trugen dazu bei. Die Mimik in seinem Gesicht – Sowie er mich misstrauisch beobachtet, ein Buch liest oder sich besonders konzentriert mit etwas beschäftigt, entstehen wie bei den beiden zwei steile Falten über der Nasenwurzel. Und dann sein Lächeln, es ist dasselbe kleine Lächeln, durch das sich am linken Mundwinkel ein winziges Grübchen bildet – wie bei Richard. Seine Art, laut und herzlich zu lachen, wie er das Essen hinunterschlingt und sein trotziges Gebaren erinnern mich dagegen sehr an Fabian.

Ja, ich mag den Jungen. Er war ein Geschenk des Himmels für mich und ist es noch. Darum werde ich ihn in der momentanen Situation auf keinen Fall im Stich lassen.

Doch sollte der Junge nicht vernünftig werden, ist es nach seiner Genesung an der Zeit mich zu entscheiden. Und da ich Ulrich nicht verlieren möchte, wird diese Entscheidung nicht zu Leons Gunsten ausfallen. Das würde mir zwar sehr leidtun, aber er ist nun mal nicht mein Sohn. Ulrich dagegen ist mein zukünftiges Leben. Ein Leben, in dem eine Menge Platz für Leon ist, wie mir Ulrich stets versichert, so der Junge das denn will.

Bei einem Blick auf meine Armbanduhr stelle ich fest, dass Ulrich in etwa einer dreiviertel Stunde eine Besprechung mit Martin hat. Es geht um notarielle Fragen bezüglich des italienischen Verlags. Wüsste Martin, dass Ulrich der neue Mann in meinem Leben ist, wie würde er wohl auf ihn reagieren? Martin liest Zeitung und Dany verschlingt diese Frauenzeitschriften geradezu. Er weiß es! Möglicherweise sollte ich Ulrich vorwarnen. Andererseits traue ich Martin so viel Professionalität zu, dass er seine Position nicht ausnutzt.

Ich werde es am Abend von Ulrich erfahren. Plötzlich überkommt mich der Wunsch nach Hause zu fahren um mich in meinen eigenen vier Wänden einzuigeln. Ein duftendes Schaumbad, ein gutes Buch und einfach nur schlafen. Ich sende Ulrich eine kurze Nachricht.

*

„Was ist geschehen?", begrüße ich Ulrich überrascht und bitte ihn mit einladender Handbewegung herein. Mit seinem Besuch habe ich nicht gerechnet. Noch am Morgen hat er mir berichtet, dass er am Abend ein Treffen mit einem Autor wahrnehmen würde.

„Hallo, mein Schatz", begrüßt er mich, während er mich fest an sich zieht und meine Lippen besonders sehnsuchtsvoll küsst. „Den Termin habe ich verschoben. Im Moment seid ihr beide mir wichtiger. Ich war eben nochmal in der Klinik bei Leon. Er ist ziemlich beunruhigt wegen deiner letzten Worte."

„Er hat dir davon erzählt?", frage ich. „Machen wir einen Spaziergang?"

„Besser nicht, es sieht nach Regen aus. Außerdem habe ich noch nichts gegessen. Mein Magen knurrt schon 'ne geraume Weile. Soll ich uns etwas kochen?"

„Nein, ich habe keinen Appetit. Aber du könntest den Rest Nudelsalat essen, der noch von heute Mittag übrig ist. Was sagst du dazu?"

„Nudelsalat? Der ist sicher ziemlich kalorienreich? Ich weiß nicht."

„Na hör mal, damit haben wir doch keine Probleme."

„Du nicht, aber bei mir zeigt sich langsam ein kleiner Bauchansatz", antwortet er bedauernd und legt eine Hand an seinen Magen.

„Darüber machen wir uns morgen Gedanken. Es sei denn du magst keinen Nudelsalat?"

„Oh doch und wie. Du hast recht, her damit. Mit der Diät fange ich morgen an."

Ich lächle, nehme einen Teller aus dem Geschirrschrank, eine Gabel aus der Schublade, die Schüssel mit dem Salat aus dem Kühlschrank und stelle alles auf den Tisch. „Setz dich doch."

„Ich brauche keinen Teller", erklärt er, während er die Schüssel hochhebt und nach der Gabel greift. „Lass uns auf die Terrasse gehen, solange das Wetter mitmacht. Leon war in ziemlich bedrückter Stimmung. Du hast ihm anscheinend ganz schön eingeheizt", sagt er und schiebt eine volle Gabel in den Mund.

„Nun ja, ich habe ihm gesagt, dass ich Intrigen und Angriffe gegen dich satthabe und nicht mehr dulden werde."

„Er sieht ein", erzählt er kauend und schluckt, bevor er weiterspricht, „dass er den Bogen überspannt hat. Als ich ihm sagte, dass ich anschließend zu dir fahre, bat er mich, dir zu sagen, er würde sich auf deinen Besuch morgen freuen. Ich denke, er hat endlich begriffen, dass er mit seinem egoistischen Verhalten weder uns noch sich selber einen Gefallen getan hat."

„Meinst du wirklich, er hat seine Fehler eingesehen? Oder hat er dir nur etwas vorgemacht. Es fällt mir mittlerweile schwer, ihm zu glauben. Dabei würde ich es so gerne. Der Junge ist mir ans Herz gewachsen."

„Vertrauen ist ein wahrlich kostbares Gut, es braucht Zeit und absolute Ehrlichkeit, um es zu erwerben. Und sobald man es dann besitzt, sollte man äußerst vorsichtig damit umgehen, denn Vertrauen ist auch ein sehr leicht zerbrechliches Gut", sagt er, stellt die Schüssel mit der Gabel auf den Tisch, ergreift meine Hand und küsst sie liebevoll. „Das habe ich bereits vor sehr langer Zeit begriffen, auch, dass Vorsicht allein nicht immer genügt. Intrigen und unkontrollierbare Umstände zwingen uns mitunter, um dieses Vertrauen zu kämpfen. Ich verspreche dir, dich nie zu belügen und nie zu hintergehen."

Ich nicke. „Und ich werde von nun an zu dir halten, egal was in der Klatschpresse steht."

„Da fällt mir ein, es könnte sein, dass du in der nächsten Ausgabe etwas liest, das dir ..."

„Ja? Und das wäre?"

„Nun ja, ich musste Winkler etwas bieten, damit er nicht nur mit der Wahrheit herausrückt, sondern sie auch druckt. Ich sagte ihm – nun ja

…", er blickt sich zögernd um. „Das Ambiente passt jetzt gar nicht. Ich habe mir das anders vorgestellt – nicht so nebenbei, nicht halb verhungert mit einer Schüssel Nudelsalat neben mir auf dem Tisch."

„Rede endlich."

„Das ist nicht so einfach."

Er kramt in seiner Hosentasche und zieht ein kleines schwarzes Schächtelchen heraus. Dann rutscht er vom Stuhl und kniet vor mir nieder.

„Du weißt, dass ich dich über alle Maße liebe? Das weißt du doch?"

Ich nicke ganz automatisch, noch nicht wirklich begreifend was hier geschieht. *Ein … Wird das etwa ein …?*

„Darum frage ich dich, Greta Weidentaler, willst du meine Frau werden?"

Fassungslos starre ich in sein Gesicht. Ich fühle mich total überrumpelt. Mein Mund ist wie zugeschweißt, kein Wort kommt über meine Lippen. Mein Blick schweift an seiner kraftstrotzenden Gestalt hinunter und bleibt an dem schwarzen Kästchen hängen, das er gerade in diesem Moment öffnet. Eine Sekunde raubt mir der Anblick des Brillantrings den Atem.

„Bitte, sag endlich ja. Meine Knie sind nicht mehr die jüngsten und ich möchte nicht schon wieder meinen Orthopäden aufsuchen."

„Du warst beim Orthopäden?", schinde ich Zeit für meine Antwort. „Warum?"

„Erinnerst du dich an den Abend im Auto? Der Platten? Ich habe mir das Kreuz verzerrt."

„Das hast du mit keinem Wort erwähnt, nicht mal mit einem Seufzer."

„Diese Blöße konnte ich mir ja wohl kaum geben."

„Du hast mir also schon an dem Abend etwas vorgemacht", stelle ich innerlich lachend fest.

„Greta, solltest du noch mehr Fragen haben, die einer dringenden Antwort bedürfen, und weitere Kommentare abgeben wollen, mach das, sobald ich wieder sitze, und antworte mir jetzt bitte nur auf meine Frage."

Eine Frage die ich nicht erwartet habe – zumindest nicht heute. Und was nun?

Ich blicke in Ulrichs Gesicht und plötzlich höre ich Richard, der stets zu mir sagte: „Schatzl, hör auf dein Herz, dann wird's schon recht."

„Was wird in der nächsten Ausgabe stehen?"

„Dass ich dir einen Antrag gemacht habe und du ja gesagt hast."

„Na dann."

„Heißt das nun …?"

„Ja, Ulrich Herzog, es heißt ja."

„Du bist bereit, dich mir mit Haut und Haar auszuliefern?", fragt er schmunzelnd.

Ich erinnere mich an unser zweites Treffen im La Stella, lächle ebenfalls und nicke. „Ja."

„Endlich!"

Ulrich erhebt sich stöhnend vom Terrassenboden.

Ich mich von meinem Stuhl.

Er nimmt den Ring heraus und steckt ihn an den Ringfinger meiner linken Hand. „Ich liebe dich", sagt er und küsst mich leidenschaftlich.

*

Was für eine Nacht. Das angenehme Kribbeln im Bauch, das sich bei der Erinnerung an Ulrichs leidenschaftliche Liebesbezeugungen bemerkbar macht, lässt mich zufrieden lächeln. Für eine Sekunde denke ich an Richard. Der Gedanke schmerzt – immer noch. Aber der Schmerz wühlt mich nicht mehr auf. Zerreißt mich nicht mehr innerlich. Richard wird immer einen besonderen Platz in meinem Herzen haben. Niemals hätte ich es, nachdem er mich verlassen hatte, für möglich gehalten, dass ich nochmal eine solch erotisierende, prickelnde Liebe erleben könnte. Eine Liebe, die mich vor lauter Euphorie fast zum Explodieren bringt und gleichzeitig in wohlige Geborgenheit hüllt.

Ich liebe dieses Gesicht, denke ich, während ich es lächelnd betrachte und dann meinen Blick langsam über seinen Körper schweifen lasse. *Ach was, den ganzen Kerl liebe ich.*

Ulrichs Brustkorb hebt sich, gleichzeitig streckt er seinen rechten Arm dehnend in die Luft und während er wieder laut ausatmet, lässt er seinen Arm wie einen schweren Stein fallen.

„Gefällt dir, was du siehst?", fragt er selbstgefällig.

Ist mir doch glatt entgangen, dass er inzwischen wach neben mir liegt und seinerseits mich beobachtet. „Ja, durchaus", antworte ich und lächle verlegen.

„Dann bereust du deinen Entschluss, mich zu heiraten, also nicht?"

„Nein! Es ist schön neben dir aufzuwachen."

„Dem kann ich nur zustimmen", sagt er, beugt sich über mich und küsst mich sanft. Unerwartet schnell dreht er sich auf die andere Seite, schlägt die Decke zurück und erhebt sich.

„Es ist Zeit für ein ausgiebiges Frühstück. Ich habe einen Bärenhunger."

„Gut, lass uns frühstücken", antworte ich enttäuscht. Ich hätte gerne noch ein wenig mit ihm gekuschelt.

Er dreht sich zu mir um, kniet sich aufs Bett und drückt mich gleich darauf mit seinem Gewicht ins Kissen zurück.

„Viel lieber würde ich ja bei dir bleiben. Noch ein Kuss muss aber sein."

„Unbedingt", murmle ich, seine Lippen bereits auf meinen.

„So und nun raus aus den Federn. Hörst du meinen knurrenden Magen? Kriege ich nicht gleich etwas Nahrhaftes zwischen die Zähne, fresse ich dich auf."

„Damit bin ich durchaus einverstanden, vorausgesetzt du machst das so zärtlich wie letzte Nacht", antworte ich und seufze sehnsüchtig.

„Na, komm schon. Wir sehen uns ja heute Abend wieder. Jetzt muss ich dringend nach Hause, mich umziehen und dann zum Verlag fahren."

„Du könntest einige deiner Sachen hierherbringen."

„Und du könntest bei mir einziehen."

„Lass uns ein andermal darüber reden."

„Na gut, ich will dich nicht bedrängen."

„Habe ich schon mal erwähnt, dass ich ein Haus auf Föhr besitze und eine Finca auf Menorca besitze? Wir könnten uns das doch zunutze machen und einige Tage verschwinden."

„Ein Wochenende auf Föhr könnte ich mir vorstellen. Menorca wäre wohl eher was für den Winterurlaub. Gemeinsam mit Leon und seiner Freundin. Was meinst du?"

„Das sagst ausgerechnet du?"

Er zuckt mit den Schultern.

„Eine gute Idee. Ich werde ihm davon erzählen. Das wird ihn sicher aufmuntern. Bin gespannt, was er mir zu sagen hat", füge ich nachdenklich hinzu.

*

Der Parkplatz des Klinikum Großhadern ist zu dieser frühen Morgenstunde nur von wenigen Fahrzeugen belegt. Das kommt mir sehr gelegen. So kann ich nahe am Eingang parken.

Nach wenigen Schritten bemerke ich Doktor Ehrenpreis. Er sitzt allein und, wie mir scheint, tief in Gedanken versunken auf einer Bank am Wegesrand. Da mein Weg direkt an ihm vorbeiführt, nehme ich mir vor, ihn auf Leons Heilungsprozess anzusprechen.

Vermutlich verbringt er seine knapp bemessenen Pausen lieber hier an der frischen Luft als in stickigen Klinikräumen. Womöglich auch darum, weil er sich vor unliebsamen Angehörigen in Sicherheit bringen will.

Da hat er sich bei mir geschnitten, denke ich keineswegs boshaft, eher bedauernd. Zumal ich beim Näherkommen bemerke, dass der Doktor blass aussieht und ziemlich müde wirkt. Trotzdem muss ich jetzt ein paar Worte mit ihm wechseln.

„Guten Morgen, Doktor."

„Frau Weidentaler, guten Morgen", antwortet er freundlich und erhebt sich. „So früh schon auf dem Weg zu unserem Patienten?"

„Wie geht es ihm? Macht er Fortschritte?"

„Nun ja, die Taubheit in seinen Beinen ist immer noch vorhanden. Er ist sehr ungeduldig und wegen der kaum wahrnehmbaren Besserung ziemlich depressiv. Da er jegliche Rehamaßnahme nur kurz ausprobiert und sowie diese nicht sofort anschlägt, für sinnlos erklärt. Nun will er nicht einmal mehr den Physiotherapeuten an sich heranlassen. Er sieht darin lediglich ein Hinauszögern der Wahrheit."

„Welcher Wahrheit?"

„Dass er nie wieder gehen kann. Ich befürchte, er wird diese Klinik im Rollstuhl verlassen."

„Aber Sie sagten doch ..."

„Dass es keinen Grund gibt zu verzweifeln, da Ihr Junge großes Glück hatte und alles gut verheilt. Das sagte ich und meinte es auch so.

Mit etwas eigenem Zutun könnte er den Heilungsprozess wirksam unterstützen, doch Leon scheint jeden Kampfgeist verloren zu haben."

„Leon gibt auf? Nun ja, er war stets ein aktiver junger Mann. Ich kann mir durchaus vorstellen, dass ihn seine momentane Situation nicht gerade hoffnungsvoll in die Zukunft blicken lässt. Wie soll er an einen Heilungsprozess glauben, wenn er nicht den kleinsten Erfolg bemerkt?"

„Er wird es müssen. Überzeugen Sie ihn. Er muss schnellstens mit Ergo und Physiotherapie beginnen. Will er nicht sein ganzes Leben im Rollstuhl verbringen, muss er aufstehen."

Ich sehe ihn skeptisch an.

„Das ist kein Witz. Nach den neuesten Befunden ist er dazu durchaus in der Lage. Bei ihrem Stiefsohn ..."

Wieder dieses fürchterliche Wort.

„... handelt es sich lediglich um eine Sache des Kopfes, wenn Sie verstehen, was ich meine."

„Ja, ich denke schon. Dann werde ich mal zu ihm gehen und mit ihm sprechen."

Durch eine ausladende Handbewegung bedeutet er mir, dass er mich begleiten will.

„Übrigens, so wie Sie aussehen, benötigen Sie eher einige Stunden Schlaf, statt nur ein wenig frische Luft. Wie viele Stunden sind Sie schon im Dienst?"

Er wirft einen Blick auf seine Armbanduhr.

„Gestern Morgen um diese Zeit hat er begonnen", erklärt er. „Die Nacht hat zwei Schwerverletzte gebracht. Ich stand Stunden im OP. Da sieht man dann nicht mehr ganz so frisch aus. Jetzt folgt aber nur noch die Visite, anschließend fahre ich nach Hause."

„Dann wünsche ich Ihnen einen erholsamen Tag."

„Und ich wünsche Ihnen viel Erfolg bei dem Gespräch mit Leon", verabschiedet er sich mit einer knappen, jedoch eindeutigen Handbewegung und geht rasch weiter.

Ich bleibe nachdenklich zurück. *Was soll ich Leon sagen? Was bringt den Jungen wieder auf die Beine?* Diese Fragen wiederholen sich, bis ich vor Leons Krankenzimmer stehe. Sachte klopfe ich an die Tür, öffne sie jedoch, bevor eine Antwort zu hören ist.

„Guten Morgen", begrüße ich den Jungen, der mit dem Gesicht zum Fenster gewandt in seinem Bett liegt, bewusst fröhlich.

Weder wendet er sich mir zu, noch begrüßt er mich.

Schläft er etwa?

Ein Jogurt steht noch geschlossen auf seiner Nachtkonsole.

Ob er wenigstens gefrühstückt hat? „Leon?"

Nun dreht er seinen Kopf in meine Richtung. In seinen Augen lese ich Unsicherheit, Traurigkeit und Angst.

Wie kann ich ihm all das nehmen? Wie kann ich ihm Hoffnung geben?

„Was ist an diesem Morgen gut?", antwortet er mürrisch.

„Leon, du wolltest mit mir sprechen", ignoriere ich seine Frage, entschlossen, mir erst mal seine Version des Unfalls anzuhören.

„Ja", sagt er knapp.

Ich ziehe einen Stuhl an sein Bett und setze mich.

Er senkt den Blick und verharrt einige Sekunden in nachdenklichem Schweigen bevor er zu sprechen beginnt. „Wir wanderten nach oben. Entgegen meiner vorgefassten Meinung, Ulrich würde schon nach wenigen Metern schlapp machen, war er voller Elan bei der Sache. Ich wunderte mich etwas, dass er keine Blasen an den Füßen bekam. Du weißt schon, wegen der neuen Schuhe. Als ich ihn darauf ansprach, erklärte er, dass du ihm die Schuhe meines Vaters gegeben hattest. Ich gebe zu, das machte mich wütend. Viel wütender, als ich ohnehin schon auf ihn war. Was soll ich sagen? Ich dachte, würde der Kerl doch bloß ausrutschen und sich den Hals brechen."

„Leon!"

„Ja, ich weiß, ich habe mich total verrannt. Ich wollte Ulrichs gute Seiten einfach nicht wahrhaben. Jedenfalls zog ich ihn immer wieder auf und auf seine arglosen Antworten gab ich ihm patzig Kontra. Irgendwann reagierte Ulrich dann doch angepisst auf meine Sticheleien. Ein Wort gab das andere und so kam es zum Streit. Als wir oben ankamen und er mit einer geradezu herrschaftlich ausholenden Geste auch noch sagte: 'Jetzt schau dir mal dieses Panorama an. Ein Anblick bei dem man sich unwillkürlich an die Allmacht Gottes erinnern muss', schlug ich ihm kräftig auf den Rücken und antwortete: 'Sping doch runter, dann kannst du ihm direkt ins Antlitz blicken'."

„Oh Gott!", hauche ich entsetzt.

„Er taumelte, drohte den Halt zu verlieren. Ich hatte eine sekundenlange Offenbarung. Mir wurde schlagartig bewusst, dass ich Ulrich zwar loswerden, aber auf keinen Fall töten wollte. Noch während ich ihn zu fassen versuchte, gelang es ihm irgendwie sich zu fangen und einfach auf den Hintern fallen zu lassen. Ich griff ins Leere, taumelte, verlor das Gleichgewicht und stürzte kopfüber in die Tiefe. Dann wurde es schwarz um mich. Hätte Ulrich nicht sofort die Bergwacht verständigt, ich wäre jetzt vermutlich dort, wo ich Ulrich hingewünscht habe."

„Ach mein Junge, wie konntest du dich nur derart verrennen?", frage ich und schüttle enttäuscht den Kopf, obwohl ich mir etwas in der Art bereits gedacht habe. „Was erwartest du nun von mir? Dass ich deinen Stimmungswandel einfach so hinnehme und zu täglicher Routine übergehe? Du hast dich verhalten wie ein pubertierender Jüngling, hast mit deinen Intrigen fast mein Herz gebrochen, hast Ulrich und dich selbst in Lebensgefahr gebracht. Wozu das Ganze? Du verstehst sicher, dass ich …"

„Ja, ich verstehe", unterbricht er mich und wendet sein Gesicht von mir ab.

Ich lasse mir Zeit, bevor ich weiterspreche. „Leon, ich mag dich, und obwohl du Ulrich bisher keine Gelegenheit zur Annäherung gegeben hast, weiß ich, dass er dich ebenfalls mag. Nun ja, nach den letzten Vorfällen akzeptiert er wohl eher, dass du in meinem Leben eine gewisse Rolle spielst. Aber er hat mir versichert, dass er dir gerne ein Freund sei. Verstehst du, was ich dir damit sagen will? Wir sind deine Familie. Mein Haus am Ammersee oder Ulrichs in München, beide stehen jederzeit für dich offen. Wir möchten deine Sorgen mit dir teilen und deine Freuden natürlich auch."

Ich bemerke Tränen in seinen Augen.

Er wendet sich mir wieder zu. Nachdem er mich eine Weile mit offenem Mund angesehen hat, senkt er beschämt den Kopf. „Ich denke, Ulrich hat mich zurückgeholt", flüstert er und fügt etwas lauter hinzu: „Aus dem Koma meine ich. Jedenfalls kann ich mich schwach daran erinnern, seine Stimme gehört zu haben. Das war ziemlich seltsam und ist schwer zu erklären. Es war wie ein Traum. Da war dieser Wasserfall. Mir war so warm. Ich wollte mich abkühlen, aber der schmale Weg dorthin führte über eine Böschung nach unten. Ein ungutes Gefühl warnte mich davor weiter zu gehen. Doch ich warf alle Bedenken über Bord. Schritt für Schritt stieg ich über den felsigen Untergrund, der mir, entgegen meinem Gefühl, ziemlich sicher zu sein schien. Doch dann veränderte er sich. Aus dem festen Felsuntergrund wurden grobe, lose Steine. Ich hatte zunehmend Mühe, mich aufrecht zu halten. Die Steine wurden zu Kieseln. Ich begann zu rutschen und als die Kiesel zu Sand wurden, versank ich immer tiefer darin. Ich befürchtete schon darin ersticken zu müssen, da bemerkte ich plötzlich einen festen Griff an meinem Oberarm und ich hörte die Stimme eines Mannes. Er warnte mich davor weiterzugehen und dann befahl er mir: „Komm zu uns zurück." Ich antwortete: „Das kann ich nicht, ich stecke schon zu tief drinnen." Doch er schien mich nicht gehört zu haben. Er fragte mich, wovor ich Angst hätte und bevor ich antworten konnte, fügte er hinzu, dass es keinen Grund dafür gäbe. Er sagte, ich solle endlich begreifen, dass nur ich selbst mich retten könne. So wie die Sache stehe, liege die Entscheidung, ob ich leben wolle, allein bei mir. Und wieder rief er, dass ich endlich zurückkommen solle. Ich wurde wütend, weil er anscheinend nicht sah, in welcher Misere ich steckte. „Wie soll ich das denn machen? Du siehst doch was mit mir los ist", schrie ich ihn an. Doch als ich nach unten blickte, stellte ich fest, dass ich nur noch bis zu den Fußknöcheln im Sand steckte. Ich drehte mich nach dem Mann um und nun erkannte ich ihn auch. Es war Ulrich, er streckte mir lächelnd seine Hand entgegen. Ich ergriff sie und befand mich plötzlich in Sicherheit. Doch von Ulrich war nichts mehr zu sehen und ich begann ihn zu suchen. Der Weg nach oben war nicht einfach, aber ich schaffte es."

„Ich habe schon vermutet, dass er es gewesen ist, der dir den Weg zurück geebnet hat. Und was meinst du, kannst du zukünftig meine Liebe zu Ulrich akzeptieren?"

„Ich denke schon. Weißt du, ich wollte dich einfach nicht verlieren. Du bist die einzig lebende Verbindung, die ich zu meinem Vater und dadurch auch irgendwie zu meiner Mutter habe. Stimmt, das habe ich dir schon einige Male gesagt und so anhänglich kenne ich mich auch gar nicht. Ich denke, der Tod meiner Mutter und alles, was danach geschah, war ein wenig zu viel für mich. Ich wollte etwas festhalten, von dem ich annahm, dass ich einen Anspruch darauf hätte. Habe ich aber nicht. Dessen bin ich mir jetzt bewusst geworden. Wir sind nur durch einen Ausrutscher deines Mannes verbunden – oder im Grunde eben nicht. Es tut mir leid."

„So habe ich dein Verhalten ebenfalls eingeschätzt. Aber nun weißt du hoffentlich auch, dass du immer zu uns gehören wirst."

„Da ist noch etwas, das ich loswerden muss ... Die E-Mail von der Vescera, das habe ich ..."

„Das wissen wir, aber es wäre gut, würdest du das auch Ulrich gegenüber bestetigen. Damit alle Unklarheiten beseitigt sind."

„Ja, das werde ich."

„Ulrich hat mir übrigens einen Heiratsantrag gemacht und ich habe ja gesagt", erwähne ich und strecke ihm meine Hand mit dem Ring am Finger entgegen.

„Dann ist es ihm also tatsächlich ernst?"

Ich nicke. „Ja, das ist es. Weißt du, in seinen Armen vergesse ich alle Ängste und alle Sorgen. Bei ihm finde ich die Geborgenheit, die ich mit Richard verloren glaubte. Das ist etwas so Wunderbares", erkläre ich lächelnd.

„Wenn du das sagst", antwortet er ebenfalls lächelnd, fügt dann aber skeptisch hinzu: „Ich hoffe nur, dass er dich glücklich macht."

„Davon bin ich überzeugt. Was hältst du von September?"

„Fallende Blätter, Regen, Stürme, Altweibersommer ..." zählt er auf.

„Hochzeit", füge ich hinzu. „Und ich möchte auf meiner Hochzeit mit dir tanzen."

Er blickt an sich hinunter.

„So? Ich werde nie wieder tanzen. Das einzige, das mir noch bleibt, ist ein Strick."

„Was soll das heißen?"

„Dass ich jetzt verstehen kann, weshalb ein Mensch seinem Leben ein Ende setzen will."

„Das sagt ausgerechnet der Junge, der mir mal wegen dieser Sache den Kopf gewaschen hat? Der, der mir erzählte, dass man ein Leben zu Ende leben muss, unter allen Umständen?"

„Ja, genau der", sagt er leise.

„Leon, ich war damals sehr verzweifelt, ob ich jedoch den letzten Schritt gewagt hätte, dessen bin ich mir nicht mehr sicher. Die Tabletten hatten sich bereits aufgelöst, ich hätte nur noch trinken müssen. Wäre ich wirklich bereit gewesen zu gehen, hätte mich dann noch meine Umwelt interessiert? Und deine Hilfeschreie? Die wären mir vermutlich so was von egal gewesen. Nein, ich denke, selbst in meinen dunkelsten Momenten hing ich viel zu sehr an meinem ziemlich bedauernswerten Leben."

„Hm", lacht er auf, „das sagst du jetzt."

„Eben traf ich Doktor Ehrenpreis. Er versicherte mir, nach den letzten Untersuchungsergebnissen gebe es keinen Grund die Klinik im Rollstuhl zu verlassen. Er geht davon aus, dass es sich bei deiner Lähmung lediglich um eine Blockade in deinem Kopf handelt."

„In meinem Kopf? Was hat mein Kopf mit meinen Beinen zu tun? Ah, ich weiß! Der Kopf sagt den Beinen, dass sie fühlen und gehen können und die machen das."

„Wenn du es so ausdrücken willst. Doch ganz so einfach ist es wohl nicht. Eine Therapie könnte unterstützend dazu beitragen. Du solltest Hilfe in Anspruch nehmen."

„Ja, das sollte ich wohl. Und sollte ich nie wieder gehen können?"

„Werde ich für dich da sein."

„Und ich ebenfalls", fügt eine zarte, weibliche Stimme hinzu.

Im Türrahmen steht Saskia und lächelt. „Entschuldigt, ich habe nicht gelauscht. Ich habe nur die beiden letzten Sätze eures Gesprächs mitbekommen. Und ich bin froh, dass ich sie gehört habe", erklärt sie und kommt näher. „Guten Tag, Frau Weidentaler – Leon."

Sie beugt sich über ihn und küsst ihn zärtlich.

„Guten Morgen, Saskia", begrüße ich sie und frage: „Heute keine Vorlesung?"

„Doch aber erst in zwei Stunden", wendet sie sich mir zu.

„Dann lasse ich euch beide mal allein."

„Wegen mir müssen Sie nicht gehen."

„Ich weiß, Saskia. Leon, ich werde jetzt mit Doktor Ehrenpreis bezüglich der ersten Rehabeilitationsmaßnahmen sprechen. Ist das für dich okay?"

Er sieht mich eine Weile an, wirft einen Blick auf Saskia und nickt. „Ja, mach das. Ich werde jede nur erdenkliche Anstrengung auf mich nehmen, um endlich aus dieser Klinik herauszukommen. Und auf gar keinen Fall will ich das in einem Rollstuhl tun."

„Gut Junge, das ist die richtige Einstellung. Bis später. Tschüs, Saskia."

Da bei Leon noch keine Visite stattgefunden hat, nehme ich an, dass der Doktor noch im Haus ist. Ich gehe ins Schwesternzimmer. Von Schwester Andrea erfahre ich jedoch, dass Doktor Ehrenpreis die Klinik bereits verlassen hat. Sie erklärt, dass er bei dem Gespräch, das ich mit Leon zu führen hatte, nicht stören wollte und dass er ihn am Abend gleich nach Dienstantritt untersuchen werde.

Ich gehe zurück zu Leons Zimmer, über den verhassten, inzwischen von Sonnenlicht durchfluteten Flur. Wärme und Zuversicht erfüllen mein Herz, während ich die Bilder an den Wänden betrachte, lächelnd, in eine glückliche Zukunft blickend.

Und genau dieses, mein von Liebe erfülltes Herz, macht just in dem Moment einen jubilierenden Hüpfer, als meine Augen Ulrich vor Leons Tür erblicken.

„Du hier?"

„Wo sonst sollte ich sein?"